现代数学基础丛书·典藏版　28

带有时滞的动力系统的运动稳定性

（第二版）

秦元勋　刘永清　王　联　郑祖庥　著

科学出版社

北　京

内 容 简 介

动力系统的自动控制，一般都有时间滞后的因素. 本书系统地阐述了在什么条件下可容许忽略这一因素.当时滞影响时，工程上要求任何时滞系统都要稳定,本书对这种全时滞情形也给出了处理方法.

本书在第一版的基础上，增补了基本理论和近代的发展，在处理问题的方法上，仍以常微分方程理论中许多经典的思想方法为出发点，并尽量避免单纯地在抽象空间中进行定义和概念化的逻辑推理过程，这便于初学者不论从几何的直观上，还是从分析的技巧上都能更好地接受本书的内容.

本书可供理工科院校的学生、研究生、教师和有关的科学工作者参考.

图书在版编目(CIP)数据

带有时滞的动力系统的运动稳定性/ 秦元勋等著. —2 版. —北京：科学出版社，1983.1(2016.6 重印)

(现代数学基础丛书・典藏版；28)

ISBN 978-7-03-000986-9

I.①带… II.①秦… III.①动力系统(数学)－运动稳定性理论－研究 IV.①O19

中国版本图书馆 CIP 数据核字(2016) 第 113128 号

责任编辑：张　扬／责任校对：林青梅
责任印制：徐晓晨／封面设计：王　浩

科学出版社 出版
北京东黄城根北街 16 号
邮政编码：100717
http://www.sciencep.com
北京厚诚则铭印刷科技有限公司印刷
科学出版社发行　各地新华书店经销

*

1983 年 1 月第　一　版　开本：B5(720×1000)
2016 年 6 月印　　刷　印张：23 1/4
字数：300 000

定价：168.00 元

(如有印装质量问题，我社负责调换)

第二版序言

自1963年本书(第一版)出版以来,二十年过去了. 由于一切控制系统的反馈作用均含有时滞,因此,这一领域受到国内外研究工作者的重视,从而研究工作得到不断发展.

至今国内在该领域的书只此一本,许多读者希望此书能再版,并将若干新的材料加进去,使之反映当前的成就. 另一方面,不少的研究生和初接触这一领域的同志希望能将预备知识补充进去,以便迅速地掌握它,从而可以开始工作. 这就促使我们进行改版工作.

此次改版,除保留原版中的基本内容外,还增加了大量的新成果.

1.六十年代这方面的工作属于开创性的,基本知识还有待充实与发展,现在则可进行系统的阐述,故本版将这部分内容扩写成第一、二、三、四章.

2.对于 $n=1$ 的情形,六十年代只得到若干充分条件,现在则对全部参数域进行了分析,得到充要条件. 对 $n=2$ 的全时滞稳定性的充要条件已整理出显式的代数判据,以方便设计工作者.

3.原书周期系数一节现扩充成一章.

4.增加大系统理论部分,并对算法作了详尽的分析,以供设计工作者使用.

5.增加一章,即关于普遍意义下的泛函微分方程,以便理论工作者作更好的概括.

在改版工作中郑祖庥同志作了大量的增补和整稿工作,刘永清同志加写了大系统方面的两章,王联同志增补了周期系数系统的一章,使这一集体劳动成果得以完成. 本书的重点仍为论述国内的成果,希望本书能对应用工作者有所帮助，能对理论工作者提出一些研究课题；并欢迎读者批评指正。

秦元勋

1984年于北京

目　　录

第一章 绪 论

§ 1. 常微分方程与时滞微分方程

在大量的自然与社会现象中有一类确定性的运动规律，它们可以用含有一个自变量的未知函数及其微分或微商的方程来描述，这类方程即为常微分方程． 在很多场合，这个自变量表示时间．例如

弹簧的振动规律可表示为

$$\ddot{x}(t)+\omega^2x(t)=0.$$

行星运动中二体问题的运动规律表示为

$$m\ddot{x}(t)=-KmM\frac{x(t)}{(x^2(t)+y^2(t))^{3/2}},$$

$$M\ddot{y}(t)=-KmM\frac{y(t)}{(x^2(t)+y^2(t))^{3/2}}.$$

在军事运筹学中出现的描述两军对战互相消灭的兰斯特方程

$$\dot{m}_1(t)=-\lambda_2\mu_2m_2(t),\quad \dot{m}_2(t)=-\lambda_1\mu_1m_1(t).$$

在经济发展中出现在描述国民总收入分为积累基金G和消费基金P的秦元勋方程

$$\dot{P}(t)=\lambda_1G(P-P_0)+\lambda_2G-\lambda_3P,$$
$$\dot{G}(t)=\lambda_3P-\lambda_2G.$$

诸如此类的现象都可以统一地用微分方程组

$$\dot{x}_i=f_i(x_1(t),x_2(t),\cdots,x_n(t)),\qquad(1.1)$$
$$i=1,2,\cdots\cdots,n,$$

及其初始条件

$$x_i(0)=x_i^0,\quad i=1,2,\cdots,n\qquad(1.2)$$

来描述．这里要强调一下，方程(1.1)的左右两边都只是同一时间

t 的函数．也就是说我们假定事物的发展趋势（(1.1) 的左边）只由其当前的状态（(1.1)的右边的 $x_1(t), x_2(t), \cdots, x_n(t)$）来决定，而不明显地依赖于其过去的状态．例如在二体问题中，当前两个星球间的吸引力 $(m\ddot{x}(t), m\ddot{y}(t))$ 只与当前两个星球间的位置 $(x(t), y(t))$ 有关，而与两星球的过去的位置无关．可以简单地说，这些现象都是瞬时起作用的．在这种假设下的数学模型，对大量事物的运动规律的描述是合适的．

然而，在研究自然和社会现象中，客观事物的运动规律是复杂的和多样的．一般地说，在动力系统中总是不可避免地存在滞后现象．亦即事物的发展趋势不仅依赖于当前的状态，而且还依赖于事物过去的历史．为了阐明我们行将研究的这类现象，下面给出一系列例子以表达问题的应用背景．

例1．如图 1.1 所示，弹簧之一端固定，另一端系一质量为 m 的物体．理想化以后的简谐振动方程为

$$\ddot{x}(t)+\omega^2 x(t)=0. \tag{1.3}$$

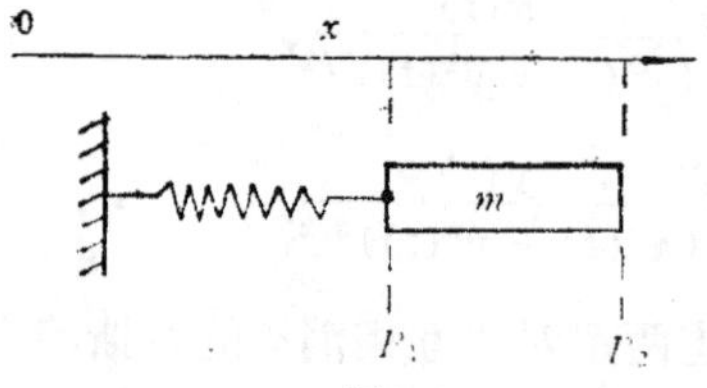

图1.1

在(1.3)中假定略去弹簧质量，摩擦力，空气阻力以及弹簧内部的能量消耗．此外，还必须视物体 m 为一质点．式中 $\omega^2=\kappa/m$，κ 为弹簧的弹性系数．现在设 m 不是质点，它具有长度 P_2-P_1．那末当弹簧力在某一瞬间 t 作用于物体时并不使物体立即移动．因为应力波从 P_1 到 P_2 通常以声速传播，到达界面 P_2 后再反射回来，若干次的来回反射才能使物体各点的加速度比较均匀．此时物体才真正开始移动．若记从时刻 t 到物体开始移动的时间间隔为 τ，则(1.2)应修正为

$$\ddot{x}(t)+\omega^2 x(t-\tau)=0. \tag{1.4}$$

这就在系统中引入了滞量 τ．以后可以看到(1.4)的解与(1.3)的解的性态是迥然不同的．

例2．设有两种动物．一为捕食者，另一为被捕食者．在指定的区域内其个体总数分别记为 $y(t)$ 与 $x(t)$．这种长久敌对组合

的 Volterra 方程为

$$\dot{x}(t)=a_1[1-x(t)/P]x(t)-b_1y(t)x(t),$$
$$\dot{y}(t)=-a_2y(t)+b_2x(t)y(t), \tag{1.5}$$

其中P为 $x(t)$ 之最大可能数目. 实际上捕食者的生殖周期是比较长的,设其为 τ, 则(1.5)应为

$$\dot{x}(t)=a_1[1-x(t)/P]x(t)-b_1y(t)x(t),$$
$$\dot{y}(t)=-a_2y(t)+b_2x(t-\tau)y(t-\tau). \tag{1.6}$$

例3. 考虑麻疹传播的 Lonbon与 Yorke 模型. 以 $s(t)$ 表示在时刻 t 无免疫力的个体数目,γ 为这种个体在人口中所占的比例,$\beta(t)$ 为人口特征函数. 医学统计表明,麻疹传染的潜伏期上,下限为 14—12 天, 因而得到有滞量的微分方程[98]

$$\dot{s}(t)=\beta(t)s(t)[s(t-12)-s(t-14)-2\gamma]+\gamma, \tag{1.7}$$

这里有两个滞量 12 与 14.

又如两个星球或者两个带电粒子,它们之间的引力传递速度为光速,其运动规律的精确模型也不是上述的常微分方程组,而应为[73]

$$\ddot{x}(t)=f_1(x(t)-y(t-r_{21}(t)),\dot{x}(t),\dot{y}(t-r_{21}(t))),$$
$$\ddot{y}(t)=f_2(y(t)-x(t-r_{12}(t)),\dot{y}(t),\dot{x}(t-r_{12}(t))). \tag{1.8}$$

为了阐明所讨论的对象的广泛性,再列举一些有代表性的实例.

例4. 在数理统计中,关于资本主义经济的周期性危机有过下述形式的方程[90]

$$\dot{u}(t)=au(t)+bu(t-\tau)+f(t). \tag{1.9}$$

例5. 在近代核物理中用计数器测量质点源的强度,引出方程[122]

$$\dot{\pi}(t)=-a[\pi(t)-\pi(t-\tau)e^{-a\tau}]. \tag{1.10}$$

例6. 在火箭燃烧的控制理论中,得到方程

$$\dot{u}(t)+(1-n)u(t)+nu(t-\tau)=0. \tag{1.11}$$

例7. 在适当的假定之下,下述方程(1.12)可以作为:(1)放射性同位素和示踪蛋白在生物体内的分布问题[61],(2)化学工程

中染色水通过若干管子循环时来自中央贮槽的染料混合问题[62]，（3）一类运输调度问题[65]等的数学模型

$$\dot{x}(t) = \sum_{i=0}^{N} A_i x(t-\tau_i), \tag{1.12}$$

其中 x 为 n 维向量函数，以后简记为 $x\in R^n$. A_i 都是 $n\times n$ 阵. $\tau_i\geqslant 0$, $i=1,2,\cdots,N$, 恒设 $\tau_0=0$.

例8. 考察信息网络中的无损传输线路，导出如下的方程[66]

$$\dot{u}(t) - K\dot{u}\left(t-\frac{2}{s}\right) = f\left(u(t), u\left(t-\frac{2}{s}\right)\right). \tag{1.13}$$

例9. 在弹性理论中，当考虑到“遗留效应”时导出了方程[114]

$$\ddot{x}(t) + a^2x(t) + \int_0^t K(t-\tau)\dot{x}(\tau)d\tau = f(t). \tag{1.14}$$

例10. 解释植物周期性变化的一个例子是：照射在向日葵上的太阳光改变角度时，向日葵的转动是有滞后的. 转角α应满足方程[86,87]

$$\dot{\alpha}(t) = -K\int_1^\infty f(\tau)\sin\alpha(t-t_0-\tau)d\tau. \tag{1.15}$$

例11. 设 n 为充分大的自然数，$Z(n)$ 为 n 近旁的素数密度. 则有

$$Z'(n) = -Z(n)Z(n^{1/2})/2n. \tag{1.16}$$

例12. Красовский 讨论的一类最优控制系统所导出的方程[131]

$$\dot{x}(t) = P(t)x(t) + B(t)u(t),\quad y(t) = Q(t)x(t),$$

$$\dot{u}(t) = \int_{-r}^0 [d_\theta\eta(t,\theta)]y(t+\theta) + \int_{-r}^0 [d_\theta\mu(t,\theta)]u(t+\theta), \tag{1.17}$$

其中 P,B,Q 皆为已知函数，η,μ 为有界变差的.

从以上 12 个例子可以大致看到我们所要讨论的对象的广泛性. 同时注意到这些例子的共同特点之一是：诸方程的右方不仅

依赖于未知函数(例如 $x(t)$),而且依赖于未知函数的过去的值(例如 $x(t-\tau),\tau>0$). 亦即当前发展的趋势明显地依赖于过去历史的状况. 一言以蔽之,我们需要考虑时间滞后的现象——简称"时滞"现象. 此时,方程组(1.1)应换为差分微分方程组

$$\dot{x}_i(t)=f_i(x_1(t),x_2(t),\cdots,x_n(t),x_1(t-\tau_{i1}),x_2(t-\tau_{i2})\cdots$$

$$x_n(t-\tau_{in})),\tau_{ij}>0,i,j=1,2,\cdots,n. \tag{1.18}$$

这里,一般说来 τ_{ij} 又可以是 t 的函数. 至于初始条件,也不再象(1.2)那样简单,这点后面还要论述.

当所有的 $\tau_{ij}=0(i,j=1,2,\cdots,n)$ 时 (1.18) 是 (1.1) 型的常微分方程. 所以应当说在大多数场合应用常微分方程作为动力系统的模型只是一种近似,而且这种近似必然是有条件的. 只有符合一定条件的系统才可以略去滞量,否则将失去必需的精确度甚至导致错误的数学描述.

§2.若干基本概念

对于差分微分方程组(1.18), 今后将不加说明地沿用类似于常微分方程的一系列概念. 诸如线性与非线性,齐次与非齐次,定常与非定常以及方程的阶、次等概念.

在说到差分微分方程的阶、次、线性与非线性时,必须把未知函数的过去的值与当前的值平等看待. 例如 $x(t-\tau)$ 与 $x(t)$ 的次数或者它们的导数的阶应同等看待. 于是 (1.4) 是线性齐次的二阶方程. (1.6)是非线性二阶系统. (1.8)为 4 阶非线性系统 (f_1,f_2 是非线性的). (1.9) 是一阶非齐次线性系统 ($f(t)\neq 0$). (1.10) 是一阶线性齐次系统,以及 (1.12) 是 N 阶线性齐次系统等等. 而方程

$$\dot{x}(t)=ax(t)x(t-1)$$

便是非线性系统.

在说到定常系统时要特别小心. 例如一个滞量的方程

$$\dot{x}(t)=f(t,x(t),x(t-\tau)), \tag{2.1}$$

f 显含t，不言而喻是非定常系统．若 f 不显含 t，τ又是常数，自然是定常系统．问题是 f 不显含 t 而 $\tau(t)$ 又是 t 的连续函数的情形，(2.1)实质上是非定常的．例如我们有

定理1．对方程

$$\dot{x}(t)=f(x(t),x(t-\tau(t))), \tag{2.2}$$

设 $\tau(t)$ 不恒等于常数，且满足

(1) $\tau(t)>\delta>0$，$\dot{\tau}(t)$ 存在且成立；$\tau(t)-t\dot{\tau}(t)\neq 0$．

(2) $t=\tau(t)s$，可以解得 $t=\phi(s)$，$\phi(s)$ 严格单调上升，当 $s\to\infty$ 时 $\phi(s)\to+\infty$．

则(2.2)施行自变量代换$t=\phi(s)$以后可以化为显含s的方程．

证．由 $s=t/\tau(t)$，$ds/dt=(\tau(t)-t\dot{\tau}(t))/\tau^2(t)$，

$$\frac{dx(t)}{dt}=\frac{dx(\phi(s))}{ds}\left(\frac{\tau(\phi(s))-\phi(s)\dot{\tau}(\phi(s))}{\tau^2(\phi(s))}\right)$$

$$=f(x(\phi(s)),x(\phi(s-1))),$$

或者

$$\frac{dx(\phi(s))}{ds}=\frac{\tau^2(\phi(s))}{\tau(\phi(s))-\phi(s)\dot{\tau}(\phi(s))}f(x(\phi(s)),x(\phi(s-1))).$$

记 $x(\phi(s))=y(s)$，则上式化为

$$\frac{dy(s)}{ds}=\tilde{f}(s,y(s),y(s-1)). \tag{2.3}$$

我们看到，滞量化为常数，但方程化为显含 s 的非定常系统．

例1．设方程(2.2)定义在$t\geqslant 0$ 上．$\tau(t)=(1+t)/(2+t)>0$（当$t\geqslant 0$时），$\dot{\tau}(t)$存在且 $\tau(t)-t\dot{\tau}(t)=[(2+t)+t(1+t)]/(2+t)^2\neq 0$，$t=\phi(s)=\frac{1}{2}[(4+s^2)^{1/2}+s-2]$．$t=0\Longleftrightarrow s=0$ 且$\dot{\phi}(s)>0$，当 $s\to\infty$ 时 $\phi(s)\to\infty$．故定理1的所有条件满足．此时相应的方程(2.3)为

$$\frac{dy(s)}{ds}=\frac{2+s^2+s\sqrt{4+s^2}}{4+s^2+s\sqrt{4+s^2}}f(y(s),y(s-1)). \tag{2.4}$$

在(2.4)中 $y(s)=x(\phi(s))$．其右方显含自变量 s，

现在假定(2.1)中 τ 为常数. 显然当 $\tau=0$ 时它退化为常微分方程，而当(2.1)之左方不出现导数时为一差分方程

$$x(t)=f(t,x(t),x(t-\tau)). \tag{2.5}$$

由此看出，我们称(2.1)为差分微分方程是很自然的，并且初值问题的提法也完全类似：对给定的初始时刻 t_0，在 $[t_0-\tau,t_0]$ 上给定一个连续函数 $\phi(t)$. 要求一个函数 $x(t)$，定义在 $[t_0-\tau,A)$ 上(A 可以是 $+\infty$)，且在 $[t_0-\tau,t_0]$ 上等于 $\phi(t)$ 以及在 $[t_0,A)$ 上满足(2.1). 通常记为

$$\begin{cases}\dot{x}(t)=f(t,x(t),x(t-\tau)),\\ x(t)=\phi(t),t\in[t_0-\tau,t_0].\end{cases} \tag{2.6}$$

关于初值问题的详细说明将在下一章中给出.

对差分微分方程，我们可以按照它的特点给出一种分类法. 如同把偏微分方程划分为椭圆型，双曲型与抛物型一样，不仅有划分原则，而且可以指出各类的理论及其应用上的特点. 先看一个简单的例子.

例2. 对常系数线性方程

$$a\dot{x}(t)+b\dot{x}(t-1)+cx(t)+dx(t-1)=0, \tag{2.7}$$

这里滞量为1，我们按其系数的不同取值把它划分为如下几种情况.

(1)当 $a\neq0,b=0,d\neq0$ 时(2.7)称之为滞后型的. 其特点是："方程中未知函数的最高阶导数不出现滞量".

(2)当 $a\neq0,b\neq0$ 时(2.7)称为中立型的. 其特点是："方程中除了未知函数的最高阶导数以外还出现有滞量的最高阶导数".

(3)当 $a=0,b\neq0,c\neq0$ 时，可以作一变量代换 $t=t_1+1$，使(2.7)化为

$$b\dot{x}(t_1)+cx(t_1+1)+dx(t_1)=0. \tag{2.8}$$

(2.8)称为超前型的. 其特点是："出现未知函数或者低阶导数的变元大于最高阶导数变元的情形". 这时 t_1+1 叫做超前变元，1为"超前量".

此外，还有两种退化情形，即 $a=b=0$ 时(2.7)为一差分方程；

$b=d=0, a\neq 0$ 为一常微分方程. 对比例 2 更为一般的方程

$$x^{(n)}(t)=f(t, x(t), \cdots, x^{(l_0)}(t), x(t-\tau), \cdots, x^{(l_1)}(t-\tau)), \tag{2.9}$$

其中 $l_0\leqslant n-1$, l_1 为非负整数, $x^{(i)}(t)$ 表示 x 的第 i 阶导数. 我们定义:

(1) 当 $l_1<n, \tau>0$ 时 (2.9) 为滞后型.

(2) 当 $l_1=n, \tau>0$ 时 (2.9) 为中立型.

(3) 当 $l_1>n, \tau>0$ 时 (2.9) 为超前型.

显然, 若 $l_1>n, \tau<0$, 则 (2.9) 仍为滞后型的. 若 $l_1<n, \tau<0$, 则 (2.9) 仍为超前型方程. 这只要做自变量代换立即可以推出.

最后, 对更为一般的多个滞量方程

$$x^{(n)}(t)=f(t, x(t), \cdots, x^{(l_0)}(t), x(t-\tau_1), \cdots, x^{(l_1)}(t-\tau_1), \cdots, x(t-\tau_m), \cdots, x^{(l_m)}(t-\tau_m)), \tag{2.10}$$

同样设 $l_0\leqslant n-1$. 记 $l=\max\limits_{1\leqslant i\leqslant m} l_i$, $\sigma=n-l$, 并且假定 $\tau_i>0, i=1,2,\cdots,m$. 那末当 $\sigma>0$ 时称 (2.10) 为滞后型方程, $\sigma=0$ 时为中立型方程, $\sigma<0$ 时为超前型方程[46].

按照我们的分类原则, 方程 (1.4), (1.6), (1.7), (1.9), (1.10), (1.11), (1.12) 都是滞后型差分微分方程, 简记为 RDDE. 在 (1.8) 中 r_{12} 与 r_{21} 都是非负的, 所以也是 RDDE. 而 (1.13) 中 $K\neq 0$, 所以是中立型差分微分方程, 简记为 *NDDE*. 方程 (2.8) 是超前型差分微分方程, 简记为 *ADDE*. (这三种类型的缩写记号在文献中普遍出现, 以后不再说明.)

对三种类型的方程, 其解的记号有如下几种表示: $x(t)$, $x(t, t_0, \phi)$, $x(t, t_0, \phi, f)$ (这里强调了方程的右端函数), 以及 $\underset{x}{\phi}(t, t_0)$ 等等. 在一般情况下我们只沿用前两种记法.

为了本章的需要, 先提一下稳定性的概念. 设 (2.1) 中 $f(t, 0, 0)\equiv 0$, 即它有零解.

若对任意给定的 $\varepsilon>0$, 存在 $\delta(t_0, \varepsilon)>0$, 使得当初始函数满足 $|\phi|<\delta$ 时恒有 $|x(t, t_0, \phi)|<\varepsilon(t\geqslant t_0)$ 则称 (2.1) 的零解是稳定的. 若 δ 不依赖于 t_0, 则称之为一致稳定的.

若(2.1)的零解是稳定的，且存在 $\delta'>0$，使当 $|\phi|<\delta'$ 时，$\lim_{t\to\infty}|x(t,t_0,\phi)|=0$，则称(2.1)的零解是渐近稳定的.

注. 这样定义解的稳定性是有缺陷的，因为对差分微分方程来说，选定 t_0 以后零解在上述意义下假定是稳定的，而另取一个 $t_0'>t_0$，则可能在上述意义下不稳定. 这一点将在第三章中详细说明. 现在总假定：所说的零解稳定与否跟 t_0 的选取无关.

§3. 时滞动力系统的一些特点

本节给出一些注释和反例，以说明时滞动力系统与无时滞的动力系统之间的原则差别. 这对一个熟悉常微分方程而刚刚进入本领域的读者是一种十分必要的对比.

1. 差分微分方程不是常微分方程与差分方程的简单组合

这就是说，虽然差分微分方程同时具备常微分方程与差分方程的一些特点，但还没有一种普遍的方法把问题分开，以达到求解和讨论解的种种性态的目的. 对一些极特殊的系统，的确可以把问题分开，即先求解常微分方程再求解差分方程. 例如对方程

$$F(t,ax(t)+bx(t-\tau),a\dot{x}(t)+b\dot{x}(t-\tau))=0, \tag{3.1}$$

其中 a,b 为常数，可作代换

$$y(t)=ax(t)+bx(t-\tau). \tag{3.2}$$

把(3.1)化为一个常微分方程

$$F(t,y(t),\dot{y}(t))=0, \tag{3.3}$$

于是可以先求解(3.3)，再把解代入(3.2)，然后解这个差分方程. 不过这种分解办法并无普遍意义. 不能期望用这种方式讨论一般的差分微分方程.

2. 无穷维的解空间

考虑线性方程

$$\dot{x}(t)=ax(t-\tau_1)+bx(t-\tau_2), \tag{3.4}$$

$$x(t)=ax(t-\tau_1)+bx(t-\tau_2), \tag{3.5}$$

$$\dot{x}(t)=(a+b)x(t), \tag{3.6}$$

其中 a,b 以及 $\tau_2>\tau_1>0$ 皆为常数．(3.6)是假定略去滞量，它是常微分方程．解空间是有限维的（1 维）．而(3.5)是一个相应的差分方程，它可以用分步法求解，也可以假定它有形式解 $x(t)=\lambda^t c$，这里 λ,c 都是待定常数．代入(3.5)得到特征方程

$$\lambda^{\tau_2}-a\lambda^{\tau_2-\tau_1}-b=0. \tag{3.7}$$

(3.7)可能有有限个根（例如 $\tau_2=2,\tau_1=1$），也可能有无限多个根（例如 τ_1/τ_2 是无理数）．前一种情形解空间是有限维的，后一种情形解空间是无限维的．再看(3.4)，如同常微分方程一样假定它有形式解 $x(t)=e^{\lambda t}c$（λ,c 为待定常数），代入(3.4)得到特征方程：

$$\lambda-ae^{-\tau_1\lambda}-be^{-\tau_2\lambda}=0. \tag{3.8}$$

这时 λ 应满足超越方程(3.8)．一般地说它有无限多个根 $\lambda_j(j=1,2,\cdots)$ 直接验证可知 $e^{\lambda_j t}$ 都是(3.4)的解．亦即(3.4)的解空间除了特别情形以外都是无穷维的．

可见，解空间为无限维这一点，差分微分方程更接近于差分方程而与常微分方程截然不同．这种不同，是有滞量系统与无滞量系统解的性态的巨大差别的根本原因之一．

3．从特征根的分布看方程的三种型式

我们由特征根的不同分布方式出发，举例说明滞后型，超前型和中立型差分微分方程的不同的数学特征．例如对方程

$$\dot{x}(t)=ax(t)+bx(t-\tau), \tag{3.9}$$

$$\dot{x}(t)=ax(t)+bx(t+\tau), \tag{3.10}$$

$$\dot{x}(t)=ax(t)+bx(t-\tau)+c\dot{x}(t-\tau). \tag{3.11}$$

其中 a,b,c 及 $\tau>0$ 均为常数．它们对应的特征方程为：

$$\lambda=a+be^{-\tau\lambda}, \tag{3.12}$$

$$\lambda=a+be^{\tau\lambda}, \tag{3.13}$$

$$\lambda(1-ce^{-\tau\lambda})=a+be^{-\tau\lambda}. \tag{3.14}$$

我们有如下三个定理

定理1. 设$\{\lambda_j\}$为(3.12)根的序列，当$j\to\infty$时$|\lambda_j|\to\infty$，则$j\to\infty$时$\mathrm{Re}\lambda_j\to-\infty$. 因而存在一个实数$a$，使(3.12)的一切根满足$\mathrm{Re}\lambda<a$. 并且在复平面的任何竖条中只有有限个根.

证. 由(3.12)得$\lambda-a=be^{-\lambda\tau}$，故

$$|\lambda-a|=|b|e^{-\tau\mathrm{Re}\lambda},\quad b\neq0. \tag{3.15}$$

由(3.15)，有$|\lambda|\to\infty\Rightarrow|\lambda-a|\to\infty\Rightarrow e^{-\tau\mathrm{Re}\lambda}\to\infty\Rightarrow\mathrm{Re}\lambda\to-\infty$. 另一方面，若不存在$a$使$\mathrm{Re}\lambda<a$，则有一列$\lambda_j$使$\mathrm{Re}\lambda_j\to\infty\Rightarrow|\lambda_j|\to\infty\Rightarrow|\lambda_j-a|\to\infty$，于是(3.15)两边分别为$\infty$和0，得出矛盾.

再证定理的第二个部分：因$h(\lambda)=\lambda-a-be^{-\lambda\tau}$为整函数，故零点是孤立的，它在任何紧集(复平面上)上只有有限个零点. 如图3.1所示，取竖条的有限部分——长方形$ABCD$，在此长方形内$h(\lambda)$只有有限个零点. 我们说竖条$\{x+iy:a_1\leqslant x\leqslant a_2, y\in\ \}$中的全部零点必在某一有限的长方形内. 若不然，必有一列λ_j，当$j\to\infty$时$|\lambda_j|\to\infty\Rightarrow|\lambda_j-a|\to\infty$. 但$a_1<\mathrm{Re}\lambda_j<a_2$，由(3.15)两边得出矛盾. 定理证毕.

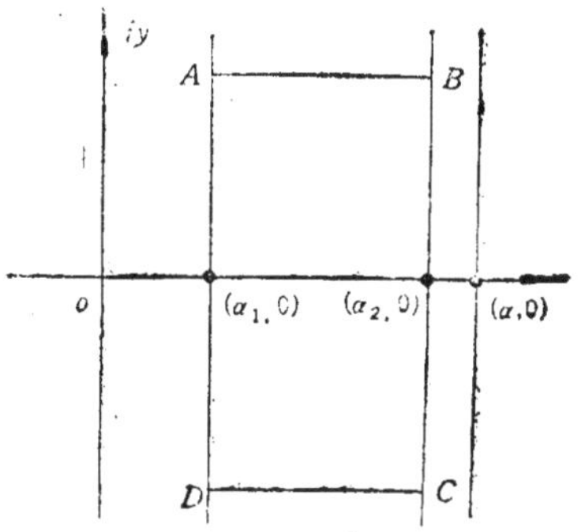

图 3.1

定理2. 设$\{\lambda_j\}$为(3.13)根的序列，当$j\to\infty$时$|\lambda_j|\to\infty$. 则$j\to\infty$时$\mathrm{Re}\lambda_j\to\infty$. 因而存在一个实数$\beta$，使(3.13)的一切根满足$\mathrm{Re}\lambda>\beta$，并在复平面的任何竖条中只有有限个根.

定理3. 若$c\neq0$，则存在常数γ_1,γ_2，使(3.14)的一切根都落在竖条$\{\gamma:\gamma_1<\mathrm{Re}\lambda<\gamma_2\}$之中.

为了概略地表达一下定理1，2，3的结论，我们给出图3.2，3.3，3.4，这说明三者的原则区别. 其中阴影部分表示对应的方程之特征根分布的区域. 可以看到超前型方程(3.10)之特征根只可能有有限个在左半平面，而右半平面通常有无限多个根，所以在通常意义下总是不稳定的.

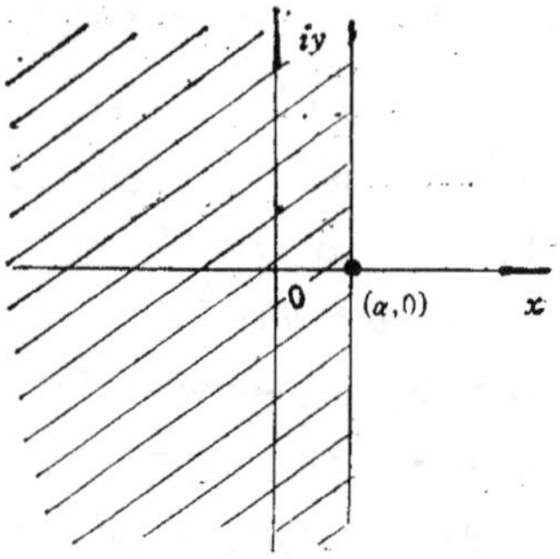

图 3.2

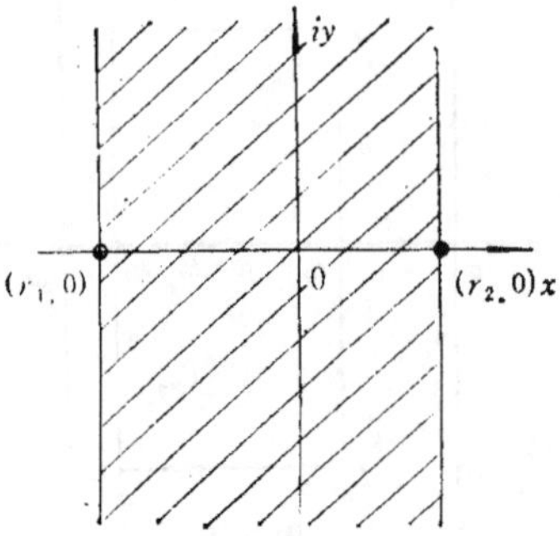

图 3.3

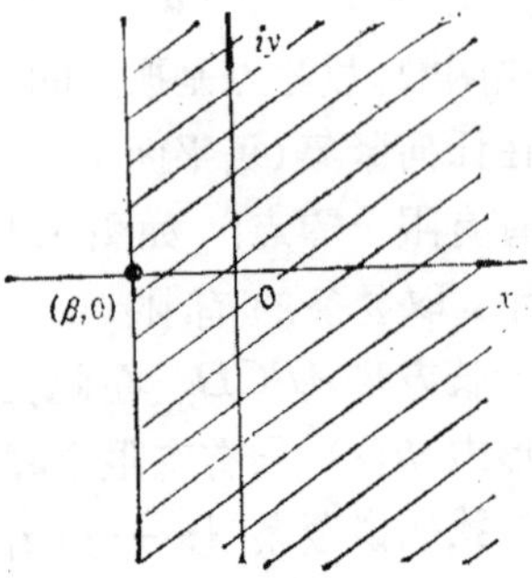

图 3.4

4. 按小滞量展开的可能性问题

对带有滞量的方程，有一种想法是把 τ 看做参数. τ 不大时把 $x(t-\tau)$ 按 Maclaurin 级数展开，取有限项，使原方程化为常微分方程. 例如对方程(2.1)，假定可以把 $x(t-\tau)$ 解出为

$$x(t-\tau)=g(t,x(t),\dot{x}(t)). \tag{3.16}$$

左边的 $x(t-\tau)$ 展为 Maclaurin 级数后，取 n 项得近似方程

$$x(t)-\tau\dot{x}(t)+\frac{1}{2}\tau^2\ddot{x}(t)-\cdots+(-1)^n\frac{1}{n!}\tau^n x^{(n)}(t)$$
$$=g(t,x(t),\dot{x}(t)). \tag{3.17}$$

一般地说，用(3.17)去代替(3.16)是靠不住的，因为(3.17)相当于具小系数的高阶导数不稳定型微分方程. 让我们看一个反例.

例1. 线性定常方程

$$\dot{x}(t) = -2x(t) + x(t-\tau), \tag{3.18}$$

其零解是渐近稳定的,且任何一个解都是有界的. 但用关于 τ 的展开法得到近似方程

$$\dot{x}(t) = -2x(t) + [x(t) - \tau\dot{x}(t) + \frac{1}{2}\tau^2\ddot{x}(t)],$$

不论 τ 如何地小，总是存在指数解 $Ce^{\lambda t}$,($\lambda>0$)，它是无界的,而且由于 C 是任意常数,所以其零解是不稳定的,从而得出相反的解的性态.

5. 小时滞的等价性问题[5]

以方程(2.1)为例,假定时滞 τ 很小，略去 τ 后得到一个常微分方程

$$\dot{x}(t) = f(t, x(t), x(t)). \tag{2.1$'$}$$

试问(2.1)和(2.1)$'$是否同时具有解的存在唯一性? 稳定性? 周期解的存在性? 等等. 这种问题叫做“小时滞的等价性问题”. 下面给出的一系列反例表明,所有等价性问题都是有条件地成立. 换言之,即使时滞很小,也不能轻易略去.

例2. 方程[44]

$$\dot{x}(t) = (x(t-\tau) - K)^{1/3}, K = \text{const}, \tag{3.19}$$

当 $\tau=0$ 时为一常微分方程

$$\dot{x}(t) = (x(t) - K)^{1/3}. \tag{3.20}$$

(3.20) 在初始条件 $t_0=0$，$x(0)=K$ 之下有两个解；$x(t)\equiv K$ 及 $x(t) = K + \frac{2\sqrt{2}}{3\sqrt{3}}t^{3/2}$ ($t\geqslant 0$). 而 (3.19) 用第二章的分步法可以证明解的存在唯一性,只要 $\tau>0$而 不论其如何地小.

反之我们有

例3. 方程[44]

$$\dot{x}(t) = (x(t) - x(t-\tau))^{1/3}, \tag{3.21}$$

当 $\tau=0$ 时(3.21)退化为 $\dot{x}(t)=0$,解在任何初值之下是存在且唯

一的．但不论$\tau>0$如何地小，在初始条件 $x(t)=\phi(t)$，$t\in[-\tau,0]$之下，解可以是非唯一的．例如 $\phi(t)\equiv K=\text{const}$，由例2知它至少在 $t\in[0,\tau]$ 上有两个解．

可见略去时滞可能影响解的唯一性．

对稳定性我们看如下的反例．

例4．设常数 $K<0$，系统[5]

$$\dot{x}(t)=y(t)+K(y(t)-y(t-\tau)),\qquad (3.22)$$
$$\dot{y}(t)=-x((t)-K(x(t)-x(t-\tau)).$$

当 $\tau=0$ 时零解是稳定的，而当 $\tau>0$ 而且足够小时是不稳定的．

关于周期解的存在性有如下两个反例

例5．方程(1.4)当$\tau=0$时对应的常微分方程为 $\ddot{x}(t)+\omega^2x(t)=0$．零解为中心，确有周期解．而 $\tau>0$，不论其如何地小 $\left(\tau<\dfrac{\pi}{\omega}\right)$，(1.4)必无周期解．这可以由特征方程无纯虚根推得．反之有

例6．对一阶中立型方程[26]

$$\dot{x}(t)+\dot{x}(t-\tau)+cx(t)+cx(t-\tau)=0,\qquad (3.23)$$

其中 c 为非零常数．当 $\tau=0$ 时(3.22)化为 $\dot{x}(t)+cx(t)=0$，确无周期解存在．而对任意给定的$\tau>0$，不论其如何地小，总有周期为 2τ 的周期解 $\cos\dfrac{\pi t}{\tau}$．

类似的对比，今后在讨论解的种种性态时还将不断强调指出．

§4．方程的推广与发展概况[45]

1．方程的推广

线性方程

$$\dot{x}(t)=\sum_{i=0}^{m}a_i(t)x(t-\tau_i(t)),\qquad (4.1)$$

其中 $0\leqslant\tau_i(t)\leqslant r=\text{const}\,(i=1,2,\cdots,m)$，$\tau_0(t)\equiv0$，作为极限情形

$$\dot{x}(t)=\sum_{i=0}^{\infty}a_i(t)x(t-\tau_i(t)). \tag{4.2}$$

如果进一步用积分代替求和记号，更一般地有

$$\dot{x}(t)=\int_0^r A(t,\tau)x(t-\tau)d\tau, r\geqslant 0, \tag{4.3}$$

其中A可以是纯量，也可以是$n\times n$阵，倘若$x\in\mathbb{R}^n$的话. 它的更一般情形是非线性方程

$$\dot{x}(t)=\int_0^r g(t,\tau,x(t-\tau))d\tau, r\geqslant 0. \tag{4.4}$$

我们指出，对(4.1)，(4.2)与(4.3)，(4.4)过去总是视为两种不同的情形予以讨论的. 前者的时滞是分立的或者叫"集中"的，它所描述的物理过程叫做滞后过程. 后者的时滞以分布的方式出现，它所描述的物理过程叫做后效过程. 二者在结构上是不互相包含的.

进而引入Stieltjes积分意义下的方程

$$\dot{x}(t)=(s)\int_0^{\sigma(t)}x(t-\tau)d_\tau R(t,\tau), \tag{4.5}$$

其中$x\in\mathbb{R}^n$，通常假定$R(t,\tau)$是有界变差的$n\times n$函数阵，$\sigma(t)$连续且$0\leqslant\sigma(t)\leqslant r$，也可以是常数，核$R(t,\tau)$满足

(i) $R(t,\tau)$定义在$\mathbb{R}\times I_\sigma$上，$\mathbb{R}=(-\infty,\infty)$，$I_\sigma=[0,\sigma(t)]$.

(ii) $R(t,0)\equiv 0$.

(iii) $R(t,\sigma(t))$是$t\in\mathbb{R}$时的连续函数.

(iv) $v(t)=\bigvee_{\tau=0}^{\sigma(t)}R(t,\tau)$局部有界.

(v) $R(t,\tau)$对任一t在下述意义下关于t是平均连续的.

$$\lim_{t'\to t}\int_0^{\min\{\sigma(t'),\sigma(t)\}}|R(t',\tau)-R(t,\tau)|d\tau=0. \tag{4.6}$$

方程(4.5)既包含(4.1)又包含(4.3). 例如，若选取$R(t,\tau)$关于τ连续且可微，即$R'_\tau(t,\tau)$存在，则(4.5)化为(4.3)型的方程

$$\dot{x}(t) = \int_0^{\sigma(t)} R'_\tau(t,\tau)x(t-\tau)d\tau. \tag{4.7}$$

适当选择 $R(t,\tau)$，可使(4.5)化为(4.1)型的差分微分方程．例如

例1．选取 $R(t,\tau)$ 为

$$R(t,\tau) = \begin{cases} 0, \tau = 0, \\ a, 0 < \tau < r, \\ a+b, \tau = r, \end{cases}$$

其中取 $\sigma(t) = r, a, b, r > 0$ 皆为常数．不难验证 R 满足条件 (i)—(v)．以“$(s)\int$”表示 Stieltjes 积分，“$\int$”表示 Riemann 积分，则(4.5)之右方为

$$\begin{aligned}(s)\int_0^r x(t-\tau)d_\tau R(t,\tau) &= \int_0^r x(t-\tau)R'_\tau(t,\tau)d\tau \\ &+ x(t-\tau)[R(t,\tau+0) - R(t,\tau)]_{\tau=0} + x(t-\tau)[R(t,\tau) \\ &- R(t,\tau-0)]_{\tau=r} \\ &= ax(t) + (a+b-a)x(t-r) \\ &= ax(t) + bx(t-r).\end{aligned}$$

例2．可以选择 $R(t,\tau)$，使(4.5)化为

$$\dot{x}(t) = \sum_{i=0}^{m} a_i(t)x(t-\tau_i), \tag{4.8}$$

其中 τ_i 都是常数，且 $0 = \tau_0 < \tau_1 < \tau_2 < \cdots < \tau_m$．取 $\sigma(t) = \tau_m$以及

$$R(t,\tau) = \begin{cases} 0, \tau = 0, \\ a_i(t), \tau_i < \tau \leqslant \tau_{i+1}, \quad i = 0, \cdots, m-1, \\ a_{m-1}(t) + a_m(t), \tau = \tau_m. \end{cases}$$

仿例 1 的计算办法即可使(4.5)化为(4.8)．

至此为止，我们看到 § 1 中 12 个例子都是分立和分布滞量这两种情况，它们可以用(4.5)型的线性和非线性方程统一表示．

最后，我们来提一下泛函微分方程的定义，并说明前述的所有方程都可以作为它的特殊情形．为方便起见我们先单独给出定义，而且只限于滞后型．

设常数 $r \geqslant 0$ 给定，记 $C([-r,0], \mathbb{R}^n)$ 是 $[-r,0] \to \mathbb{R}^n$ 的

连续映射的全体构成的Banach空间，范数 1.1 定义为：$\|\phi\| = \sup\limits_{\theta\in[-r,0]}\|\phi(\theta)\|$，这里$\|\cdot\|$表示 $\mathbb{R}^n$ 中的模，这个空间简记为 C.

取初始时刻为 σ，我们定义滞后型泛函微分方程，简记为 RFDE：

"若 $\sigma\in\mathbb{R}, A\geqslant 0$（$A$ 可以是 $+\infty$），$x(t)\in C([\sigma-r,\sigma+A),\mathbb{R}^n)$，$\dot{x}(t)$ 表示 $x(t)$ 之右导数. 对任意的 $t\in[\sigma,\sigma+A)$，记 $x_t = x(t+\theta)$（$\theta\in[-r,0]$）. 又设$D\subseteq\mathbb{R}\times C, f: D\to\mathbb{R}^n$为给定的泛函，那末称

$$\dot{x}(t) = f(t, x_t) \tag{4.9}$$

是一个滞后型泛函微分方程". 有时，为了表达方程右方的算子，记为 RFDE(f).

"对某个 $x(t)$，若存在 $\sigma\in\mathbb{R}$ 和$A>0$，使得 $x\in C([\sigma-r,\sigma+A),\mathbb{R}^n)$，$(t,x_t)\in D$，且当 $t\in[\sigma,\sigma+A)$ 时 $x(t)$ 满足方程(4.9)，则称 $x(t)$ 为(4.9)在 $[\sigma-r,\sigma+A)$ 上的一个解".

相应于初值问题(2.6)，(4.9)的初值问题为

$$\begin{cases}\dot{x}(t) = f(t, x_t), \\ x_\sigma(\sigma,\phi) = \phi,\end{cases} \tag{4.10}$$

其中 $\sigma\in\mathbb{R}$，$\phi\in C$ 是事先给定的. 所谓初值问题(4.10)的解是指

"对给定的 σ,ϕ，若存在 $A>0$，使得 $x(t,\sigma,\phi)$ 是(4.9)的一个解，且 $x_\sigma(\sigma,\phi)=\phi$ 成立".

这样定义泛函微分方程的原始动力是：对差分微分方程在推广常微分方程的 Ляпунов 第二方法时遇到了困难——即使运用Разумихин条件也无法得到V函数的存在性，所以设想解映射不仅在 $\mathbb{R}^n$ 中确立，而且可以在"由曲线段构成的函数空间"C"中确立. 但是这种想法一经确立，对统一总结已知的理论成果便起到了原先没有预料到的积极作用[79].

为了说明它的广泛性，用下列各例说明之.

例3. 取算子 $f(t,\psi) = -c\psi(-1)[1+\psi(0)]$，则(4.9)化为方程 $\dot{x}(t) = -cx(t-1)[1+x(t)]$.

例4. 取算子 $f(t,\psi) = \sum\limits_{i=0}^{m} a_i(t)\psi(-\tau_i(t))$，则 (4.9) 化为方程

(4.1).

例5. 取算子 $f(t,\psi)=f(t,\psi(0),\psi(-\tau))$，则 (4.9) 化为方程 (2.1).

例6. 取算子 $f(t,\psi)=\int_0^r A(t,\tau)\psi(-\tau)d\tau$，则(4.9)化为方程 (4.3).

例7. 取算子 $f(t,\psi)=\int_0^{\sigma(t)}\psi(-\tau)dR(t,\tau)$，则 (4.9) 化为 (4.5). 当然 f 用 Stieltjes 积分定义.

特别要说明一下，这只表示(4.9)的广泛性，而绝不能说它已包括一切类型的泛函微分方程. 即使连同已经分离出的中立型泛函微分方程在内，也只是普遍意义下的泛函微分方程的一部分——基本的，常用的一些类型. 例如对变元依赖于解及其导数的方程

$$F_1(t,x(t),\dot{x}(t),x(x(t)))=0, \tag{4.11}$$

$$F_2(t,x(t),\dot{x}(t),x(f(t,x(t),\dot{x}(t))))=0. \tag{4.12}$$

由于 $x(t)$ 事先不知道，根本无法肯定方程是属于何种型式，也无法确定初始集合，(4.11) 和 (4.12) 只能沿着泛函方程的求解方法去探索[129].

2. 发展概况[45]

现在我们简单地回顾一下本分支的发展概况. 这不仅有助于对本书特点的了解，而且有助于进一步深入学习泛函微分方程.

从最广泛的意义上说，泛函微分方程是发端于一些古典的几何问题. 如1750年的 Euler 问题，1806 年的 Poisson 问题等等. 在这类问题中导出的泛函微分方程多数是(4.11)，(4.12)型的，长期以来除了猜得出个别特解以外，还没有统一的求解办法，这种状况持续了一个多世纪.

进入本世纪以后，在很多学科中提出了越来越多的泛函微分方程，特别是它的最重要的一类特殊情形——差分微分方程. 这些学科是：自动控制理论，物理学，生物学，医学，商业，经济学，化

工,机械,电子工程问题以及数学自身的几个分支,数理统计,数论,博奕论,信息论等等.到40年代末为止,着重讨论线性常系数差分微分方程,并且主要是设法具体求解这些方程.所用的方法无非是Laplace变换,类似于差分方程的分步法,以及各种展开和近似计算方法.对稳定性的讨论,限于判断特征拟多项式根的分布问题.从理论上说,这个问题在1942年由Понтрягин已经解决(但不是代数判据).此后十年间的工作,在于初步建立基本理论和系统地推广常微分方程的种种结果.特别是Ляпунов第二方法.

历史上的实际情形是:在推广Ляпунов第二方法时遇到了极大的困难.即使引用Разумихин条件,V函数的存在性仍无法保证.于是Красовский于1959年提出了滞后型泛函微分方程的普遍概念,虽然记号与(4.9)不同,但基本思想已经确立[131].对这类RFDE的系统研究在六十年代全面展开.1970年左右由Hale与Cruz共同分离出中立型泛函微分方程[69],得出与RFDE平行的基本理论与稳定性理论.至于具无限滞后的系统,严格的理论基础直到1978年才由Hale与Kato共同确立[81].我们注意到在1978—1983这五年间,对无限滞后系统的研究,占据了泛函微分方程这一分支的重要地位.

在回顾了上述历史概况以及从具体的差分微分方程到最普遍的泛函微分方程的推广过程以后,我们要对这一状况做一说明,希望由此阐明本书的宗旨和处理问题的方法.使读者对后文的论述有一个概括的了解[45].

对现有的滞后型和中立型泛函微分方程,我们指出下列几点.

1. 它们能很好地总结,概括一大类常见的时滞动力系统,而且仅仅是"一大类",而不是全部.例如有不少称之为超中立型的方程,即使在复合算子的意义下也未必能写成

$$\frac{d}{dt}D(t, x_t) = f(t, x_t), \tag{4.13}$$

其中 $D(t, x_t)$ 是差分算子,满足某种非异性条件(原子的假定).

此外，形如(4.11)，(4.12)等类方程也无法包含在已知的 FDE 理论之中.

2. 它们可以概括总结用经典分析方法得到的大量已知结果，但绝不是全部，而仅仅是各类特殊方程的共性. 从应用角度看，真正解决问题的仍然是各种近似计算方法与经典分析方法的许多实质性结果. 而这两个方面恰恰是 FDE 理论所欠缺的. 本书正是为了弥补这种欠缺，直接返回到时滞动力系统本身的应用特点，阐述一系列可以直接验证的准则.

3. 运用已知的 RFDE 和 NFDE 理论，无法解决时滞动力系统的一类极其重要的问题——解的性态对时滞的依赖性. 这是由(4.9)和(4.13)的问题提法决定的. 而这方面困难的解决办法正是本书的主题之一.

4. 同样地，已知的 RFDE 及 NFDE 理论中并未涉及近年来发展的大系统问题. 我们沿用本书提出的方法对时滞大系统的稳定性给出一系列判断准则，这些结果连同大系统理论都可以说是在实际应用问题的直接促进下产生的. 本书单独开辟一章，以阐述我国学者对这一分支的研究工作.

5. 对线性定常差分微分方程，由特征方程(拟多项式)根分布理论出发，从理论上说，解的稳定性准则已经有了，然而，所给出的准则一般是非代数的，在实际应用时往往无法验证. 所以应当强调指出，这方面的工作还远未结束，还有许多艰苦细致的工作要做. 本书对这一点将作出较为详尽的叙述，可以说涉及的内容主要是我国学者的工作.

6. 对于时滞动力系统，从差分微分方程到最广泛的泛函微分方程，推广 Ляпунов 第二方法，是研究稳定性的最重要方法. 迄今为止，有如下四种设想：

(1)形式推广.

对时滞动力系统，例如 $x\in\mathbb{R}^n$ 时的方程(2.5)，把 Ляпунов 的诸基本定理毫不改变地复述一遍，形式上看并没有什么不可以的，然而，这样做要控制 $\dot{V}$ 的正负号是很难的(参看第三章).

例8. 方程

$$\dot{x}(t) = -x(t)x^2(t-\tau). \tag{4.14}$$

取 $V(x)=\frac{1}{2}x^2$，则 $\dot{V}|_{(4.14)} = -x^2(t)x^2(t-\tau) \leqslant 0$，故(4.14)的零解是稳定的.

例9. 方程

$$\dot{x}(t) = ax(t) + bx(t-\tau) \tag{4.15}$$

若还取 $V(x)=\frac{1}{2}x^2$，则 $\dot{V}|_{(4.15)} = ax^2 + bx(t)x(t-\tau)$，这时即使假定 $a<0, b<0$，仍无法判断其稳定性. 要控制 $\dot{V}$ 的第二项之正负号是很难设想的. 所以这种形式的推广仅在五十年代初期被提出一下，从此便消声匿迹了. 这就是说，这种想法是用处不大的.

（2）对小滞量系统，在略去滞量以后得到一个相应的常微分方程. 在适当的条件下，用这个常微分方程的 Ляпунов 函数作为原来的小滞量系统的 Ляпунов 函数来给出稳定性的准则. 本书述及的 Ляпунов 第二方法主要是这种格式.

（3）对形式推广中的缺点，增加 Разумихин 条件. 这一条件并不加强稳定性的定义自身，而是免去一些不必要的苛求. 所用的 Ляпунов 函数仍为通常的常微分方程所用的函数，而不是泛函.

（4）对方程(4.9)和(4.13)，采用的 Ляпунов 函数与前三种完全不同，它为满足各种相应条件的泛函 $V(t,\phi)$.

对（3），（4）两种形式的 Ляпунов 函数及其相应的各式定理，在[79]中有详尽论述.

最后提一下引用本书所附文献的格式，文献按章给出，但文献之序号则全书统一，为读者查对时提供方便而又不致重复.

第二章　差分微分方程的基本理论[139]

§1．初值问题

1．滞后型

考虑一个滞量的方程

$$\dot{x}(t)=f(t,x(t),x(t-\tau(t))),\tau(t)\geqslant 0. \qquad (1.1)$$

早期当 $\tau=\mathrm{const}$ 时叫做差分微分方程，把 $\tau(t)$ 视为 t 的连续函数时叫做广义差分微分方程．近年来，在名词上免去广义与狭义这种不必要的区别，统称之为差分微分方程．

定义．对给定的初始时刻 t_0，称集 $E_{t_0}=\{t-\tau(t):\ t-\tau(t)\leqslant t_0,t\geqslant t_0\}\cup\{t_0\}$ 为(1.1)的初始集．

显然，当 $\tau(t)$ 是有界连续函数时，E_{t_0} 是一个包含 t_0 的闭区间(以t_0 为右端点(参看注3))．而当 $\tau(t)$ 是无界连续函数时 E_{t_0} 可能不连通，单点集$\{t_0\}$必须单独加上去．例如

例1．方程

$$\dot{x}(t)=x(t)-x(te^{-t}), \qquad (1.2)$$

其中 $\tau(t)=t-te^{-t}$ 是无界的，te^{-t} 当 $t\in\mathbb{R}_+=[0,\infty)$ 时的最大值为 e^{-1}．在 $\mathbb{R}_+$ 上 E_{t_0} 的构造的五种型式如下：

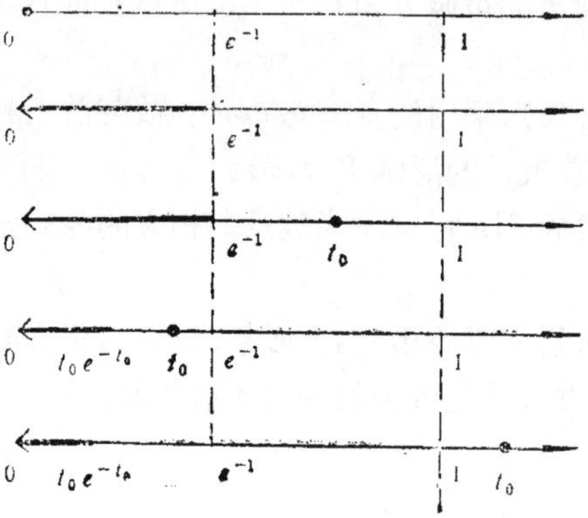

图1.1

(1)$E_0=\{0\}$,

(2)$E_{e^{-1}}=(0,e^{-1}]$,

(3)$E_{t_0}=(0,e^{-1}]\cup\{t_0\}$,
　　$t_0\in(e^{-1},1]$,

(4)$E_{t_0}=(0,t_0]$,
　　$t_0\in(0,e^{-1})$,

(5)$E_{t_0}=(0,t_0e^{-t_0})\cup\{t_0\}$,
　　$t_0\in(1,\infty)$.

在(3)—(5)的情形 E_{t_0}

连通.

进而,具有 m 个滞量的系统

$$\dot{x}(t)=f(t,x(t),x(t-\tau_1(t)),\cdots,x(t-\tau_m(t))), \tag{1.3}$$

其中 $\tau_i(t)\geqslant 0$ $(i=1,2,\cdots,m)$ 是连续的. 记

$$E_{t_0}^i=\{t-\tau_i(t):t-\tau_i(t)\leqslant t_0,t\geqslant t_0\}\cup\{t_0\},$$

则(1.3)之初始集定义为

$$E_{t_0}=\bigcup_{i=1}^{m}E_{t_0}^i. \tag{1.4}$$

(1.1)和(1.3)的基本初值问题记为

$$\begin{cases}\dot{x}(t)=f(t,x(t),x(t-\tau(t))),\\ x(t)=\phi(t),\quad t\in E_{t_0}.\end{cases} \tag{1.1$'$}$$

$$\begin{cases}\dot{x}(t)=f(t,x(t),x(t-\tau_1(t)),\cdots,x(t-\tau_m(t))),\\ x(t)=\phi(t),t\in E_{t_0}.\end{cases} \tag{1.3$'$}$$

基本初值问题(1.1)$'$与(1.3)$'$指的是：对给定的初始时刻 t_0 和初始函数 ϕ,ϕ 在 E_{t_0} 上定义且连续,要求连续函数 $x(t)$,它定义在$E_{t_0}\cup[t_0,A)$上($A>t_0$,可以是 $+\infty$),在E_{t_0}上等于 ϕ,在$[t_0,A)$上满足方程.

对于 n 阶系统,可类似提出基本初值问题,例如对方程

$$x^{(n)}(t)=f(t,x(t),\cdots,x^{(n-1)}(t),x(t-\tau(t)),\cdots,x^{(n-1)}(t-\tau(t))), \tag{1.5}$$

其中 $\tau(t)\geqslant 0$. 初始集 E_{t_0} 如上定义,基本初值问题写成

$$\begin{cases}x^{(n)}(t)=f(t,x(t),\cdots,x^{(n-1)}(t),x(t-\tau(t)),\cdots,x^{(n-1)}(t-\tau(t))),\\ x(t)=\phi(t),x^{(k)}(t)=\phi^{(k)}(t),t\in E_{t_0},\kappa=1,2,\cdots,n-1.\end{cases} \tag{1.5$'$}$$

在上述对(1.1)$'$的提法中,$x(t)$ 与 $\phi(t)$不仅连续,而且要求 $n-1$ 阶导数连续.

2. 中立型与超前型

在详细阐述滞后型基本初值问题提法的基础上，我们对中立

型与超前型作举例性说明即可．对中立型方程与超前型方程 E_{t_0} 定义不变．

考虑方程

$$\dot{x}(t)=f(t,x(t),x(t-\tau(t)),\dot{x}(t-\tau(t))), \tag{1.6}$$

$\tau(t)\geqslant 0$，在初值问题提法中仅增加条件：在 E_{t_0} 上 ϕ 连续可微，且 $\dot{x}(t)=\dot{\phi}(t)\,(t\in E_{t_0})$，即

$$\begin{cases}\dot{x}(t)=f(t,x(t),x(t-\tau(t)),\dot{x}(t-\tau(t))),\\ x(t)=\phi(t),\ \dot{x}(t)=\dot{\phi}(t),\ t\in E_{t_0}.\end{cases} \tag{1.6$'$}$$

对超前型方程

$$\dot{x}(t-\tau)=f(t,x(t),x(t-\tau(t))),\ \tau(t)>0. \tag{1.7}$$

假定(1.7)沿 t 的负向求解，则完全等价于滞后型沿正向求解．这是一种基本初值问题的提法，它确蕴含着"超前"这一含义．另一种提法是(1.7)仍沿正向求解．此时，对 f 的要求极其苛刻．把(1.7)改写为(1.8)的形式，基本初值问题为

$$\begin{cases}x(t)=\tilde{f}(t,x(t-\tau),\dot{x}(t-\tau(t))),\\ x(t)=\phi(t),\ \dot{x}(t)=\dot{\phi}(t),\ t\in E_{t_0}.\end{cases} \tag{1.8}$$

由此看来，中立型方程与超前型方程的正向求解的基本初值问题形式上是一样，只不过中立型方程用下一节的分步法求解时要通过积分这一步骤，而超前型则不然，亦即前者为积分延展，而后者为微分延展．

注 1．从三类型式方程的基本初值问题提法中看到，滞后型的初始数据空间比另外两种大，是 E_{t_0} 上的连续函数全体构成的空间．而中立型与超前型则要求 ϕ 连续可微．这一原则区别将影响到稳定性等一系列概念的含义．

注 2．E_{t_0} 可能退化为单点集 $\{t_0\}$，这时若取初始时刻为 t_0，那么基本初值问题与常微分方程无异．对同一个方程，t_0 的选取不同，E_{t_0} 也不同．例如对方程(1.2)，当 $t_0=0$ 时，$E_0=\{0\}$，而当 $t_0>e^{-1}$ 时为 $[0,t_0e^{-t_0}]\cup\{t_0\}$．

注 3．$\tau(t)$ 有界连续(当然 $\tau(t)\geqslant 0$)，则 E_{t_0} 或为一单点集或

为一闭区间. $\tau(t)$ 连续但无界时仍可能如此，例如$\tau(t)=\frac{1}{2}t$.

3. 齐次初值问题

在初值问题中，E_{t_0} 的含义可以这么分析：$x(t_0)$ 表示瞬间的，现在的因素；$x(t)=\phi(t), t\in E_{t_0}-\{t_0\}$，表示历史的，过去的因素，在基本初值问题提法中顾及了这两个因素全体，并且没有对二者加什么限制. 在一些场合，例如在讨论二阶线性方程时，为了分出一个可供利用的解空间的子空间，提出了如下的齐次初值问题.

$$\begin{cases}\dot{x}(t)=f(t, x(t), x(t-\tau(t))),\\ x(t)=x_0\varphi(t), t\in E_{t_0}, \varphi(t_0)=1,\end{cases} \tag{1.9}$$

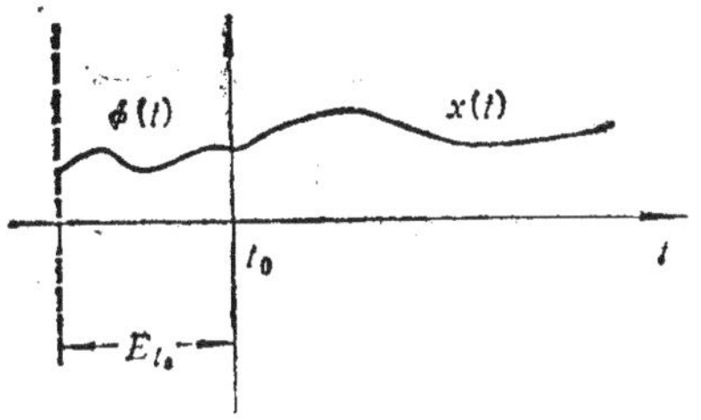

图1.2

$\tau(t)\geqslant 0$，其中要求所有初始函数 $\phi=x_0\varphi(t)$ 都通过 (t_0, x_0) 点. 这时，限制加在瞬间的 ϕ 的值上.

由此看到，初值问题的提法不是唯一的. 当然，在大多数场合，所谓初值问题指的是基本初值问题. 二者的示意图为图1.2,1.3.

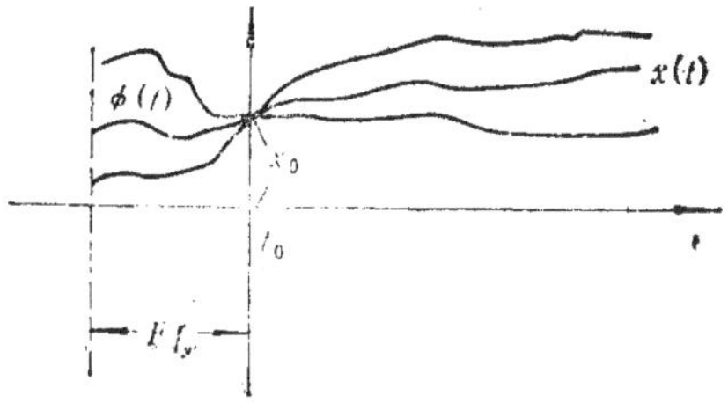

图1.3

在上述讨论中，有可能作出推广. 例如对滞后型，$\phi(t)$ 可以有有限个第一类间断点，初始集定义不变，这类基本初值问题的提法仍然是极其有用的. 例如线性定常系统的基础解便是由这类初始函数定义的.

§2. 分 步 法

这里根据初值问题的提法，给出一种类似于差分方程的分步求解法．它的意义主要不是用于求解，而是在于通过它可以弄清楚许多有关的概念．

首先用一些例子说明时滞及其直接作用范围的概念．对指定的初始时刻 t_0，系统的时滞范围为 E_{t_0}，试问这一时滞对系统的直接作用能持续到什么时候？例如对方程

$$\dot{x}(t)=f(t,x(t),x(t-\tau(t))),t\geqslant 0, \tag{2.1}$$

$\tau(t)\geqslant 0$，我们给出 $\tau(t)$ 取法的三种特例

（1）$\tau(t)\equiv \text{const}>0$，任取 $-t_0\geqslant 0$，则

$$E_{t_0}=[t_0-\tau,t_0].$$

由 $t-\tau\leqslant t_0$ 和 $t\geqslant t_0\Rightarrow t$ 之上确界为 $t_0+\tau$．我们称 $[t_0,t_0+\tau]$ 为 E_{t_0} 直接作用的范围，记为 F_{t_0}．

（2）$\tau(t)=\frac{1}{2}t+1$，取 $t_0=0$，则

$$E_{t_0}=[-1,0].$$

由 $t-\tau=\frac{1}{2}t-1\leqslant 0\Rightarrow t\leqslant 2$，即 $F_{t_0}=[0,2]$．此时 E_{t_0} 的直接作用范围为 $[0,2]$．

（3）$\tau(t)=t-te^{-t}$，$t_0>1$，则由§1知

$$E_{t_0}=(0,t_0e^{-t_0}]\cup\{t_0\}.$$

由 $te^{-t}\leqslant t_0$ 和 $t\geqslant t_0\Rightarrow F_{t_0}=[t_0,\infty)$．可见时滞的作用范围有可能是无限的．

一般地说，时滞的直接作用范围大的系统，在有限时间内求解要方便些．具体做法如下：

1．单滞量的分步法

设(2.1)中 $\tau=\text{const}$（对 $\tau(t)\geqslant\delta>0$ 的情形可类似讨论），则基本初值问题

$$\begin{cases}\dot{x}(t)=f(t,x(t),x(t-\tau)),\\ x(t)=\phi(t),t\in E_{t_0}\end{cases} \tag{2.2}$$

在 F_{t_0} 上的解可以由常微分方程

$$\begin{cases}\dot{x}(t) = f(t, x(t), \phi(t-\tau)),\\ x(t_0) = \phi(t_0)\end{cases}$$

得到. 设 F_{t_0} 的右端点为 t_0^1, 相应的初始集为 $E_{t_0^1}$, 同样可得 $F_{t_0^1}$ 上的解, 只不过在 $E_{t_0^1}$ 上不再用初始函数 ϕ, 而是用到 t_0^1 为止的第一步求得的解作为初始函数. 原则上, 这一步骤可以无限次地进行下去, 这就是所谓的"分步法".

例1. 考虑基本初值问题

$$\begin{cases}\dot{x}(t) = -x(t-1),\\ x(t) = t, t\in[-1, 0],\end{cases} \tag{2.3}$$

这里取 $t_0 = 0, \phi(t) = t$, 要求 $t\geqslant 0$ 时满足方程(2.3)的解 $x(t)$, 在 $[-1, 0]$ 上等于 t. 我们有:

在 $[0, 1]$ 上, 由(2.3)得, $\dot{x}(t) = -(t-1) \Rightarrow x_1 = \frac{-1}{2}(t-1)^2 + c_1$, 由 $\phi(0) = 0 \Rightarrow c_1 = \frac{1}{2}$, 这可保证 $x_1(0) = \phi(0)$. 这里 $x_1(t)$ 给以下标1, 仅表示在 $F_0 = [0, 1]$ 上的解, 无其他含义, 下同.

在 $[1, 2]$ 上, (2.3) 化为 $\dot{x}(t) = \frac{1}{2}(t-2)^2 - \frac{1}{2} \Rightarrow x_2(t) = \frac{1}{3!}(t-2)^3 - \frac{t}{2} + c_2$. 由 $x_1(1) = \frac{1}{2} \Rightarrow c_2 = 1 + \frac{1}{3!}$, 这可保证 $x_2(1) = x_1(1)$. 即在 $F_1 = [1, 2]$ 上的解为

$$x_2(t) = \frac{1}{3!}(t-2)^3 - \frac{t}{2} + \left(1 + \frac{1}{3!}\right).$$

依此类推, 可以作任意次这种形式的积分延展.

对一些特殊的方程, 用分步法可以求得 $t\geqslant 0$ 时的某些特定的解的一般表达式. 例如

例2. 设 $a, c, \tau > 0$ 均为常数, 对基本初值问题

$$\begin{cases}\dot{x}(t) = ax(t-\tau),\\ x(t) \equiv c, t\in[t_0-\tau, t_0],\end{cases} \tag{2.4}$$

用分步法和数学归纳法可得

$$x(t)=c\sum_{n=0}^{\left[\frac{t-t_0}{\tau}\right]+1} a^n\frac{(t-t_0-(n-1)\tau)}{n!}.$$

有时，诸 F_i 中有一个为无限的区间，则用分步法可有限次完成求解过程.

例3. 考虑方程

$$\dot{x}(t)=f(t,x(t),x(te^{-t})),t\geqslant 0. \tag{2.5}$$

设初始时刻 $t_0>1$，则 $E_{t_0}=(0,t_0e^{-t_0}]\cup\{t_0\}$. 在 E_{t_0} 上给定 $\phi(t)$，则(2.5)的基本初值问题用分步法一次便完成求解，即化为常微分方程初值问题

$$\begin{cases}\dot{x}(t)=f(t,x(t),\phi(te^{-t})),\\ x(t_0)=\phi(t_0),\end{cases}\quad t\geqslant 0,$$

因为此时 $F_{t_0}=[t_0,+\infty)$.

对超前型与中立型，分步法可类似进行. 这里只要用两个例子分别予以说明就可以了.

例4. 考虑如下的超前型基本初值问题

$$\begin{cases}\frac{1}{2}\dot{x}(t-1)=x(t)-x(t-1),\\ x(t)=2t^2,\dot{x}=4t,t\in[-1,0],\end{cases} \tag{2.6}$$

这里 $E_0=[-1,0]\,(t_0=0)$.

在[0，1]上，用分步法得到

$$x_1(t)=2t^2-2t,\quad x_1(0)=\phi(0)=0.$$

在[1，2]上，再用分步法得 $\dot{x}_1(t)=4t-2$. 故

$$x_2(t)=2t^2-4t+3,\quad x_2(1)=1\neq x_1(1)=0,$$

即所得之解已不连续. 这里特别强调一下，超前型差分微分方程在进行分步法时并未积分，而是把得到的解 $x_i(t)$ 求导数代入方程即可. 这种微分延拓对方程与初始函数中的光滑性要求十分苛刻，即使进行有限步，所得之解仍可能是不连续的，甚至是不存在的.

例5. 考虑中立型方程

$$\begin{cases}\dot{x}(t)=x(t-1)+2\dot{x}(t-1),\\ x(t)\equiv 1,\ \dot{x}(t)\equiv 0,\ t\in[0,1],\end{cases}\tag{2.7}$$

这里取 $t_0=1, E_1=[0,1]$. 用分步法有

在[1,2]上,(2.7)化为 $\dot{x}(t)\equiv 1\Rightarrow x_1(t)=t+c_1$. 由 $\phi(1)=1=x_1(1)\Rightarrow c_1=0$,即在[1,2]上. $x_1(t)=t$.

在[2,3]上,(2.7)化为

$$\begin{cases}\dot{x}(t)=(t-1)+2=t+1,\\ x(2)=x_1(2)=2,\end{cases}$$

得 $x_2(t)=\frac{1}{2}t^2+t-2$. 依此类推,可以计算得 $[n-1,n]$ 上的解的表达式(n 为正整数).

2. 多滞量的分步法

在多个滞量的情形,计算更为复杂,在这里我们举例阐明这一问题的目的,是使读者进一步了解时滞直接作用的方式.

例6. 方程

$$\dot{x}(t)=ax(t-\tau)+bx(t-3\tau)\quad \tau=\text{const}>0,\tag{2.8}$$

其中有两个滞量,$\tau_1=\tau, \tau_2=3\tau$. 我们考察(2.8)得出 $E_{t_0}=[-3\tau,0]$, $F_{t_0}=[0,3\tau]$,这里 $t_0=0$. 分步法之第一步要用三段表示,记 $[-3\tau,0]$ 上给定的连续函数 $\phi(t)$ 在 $[-\tau,0]$, $[-2\tau,-\tau]$, $[-3\tau,-2\tau]$ 上的限制为 ϕ_1,ϕ_2,ϕ_3. 解 $x(t)$ 在三个区间 $[0,\tau]$, $[\tau,2\tau]$, $[2\tau,3\tau]$ 上的限制为 x_1^1, x_1^2, x_1^3. 此时,在 $[0,3\tau]$ 上求解过程分为三步:

在 $[0,\tau]$ 上,解之一段为 $x_1^1(t)$,应满足

$$\dot{x}_1^1(t)=a\phi_1(t-\tau)+b\phi_3(t-3\tau),\quad x_1^1(0)=\phi(0).$$

直接积分之得到 $x_1^1(t)$.

在 $[\tau,2\tau]$ 上,解之一段为 $x_1^2(t)$,应满足

$$\dot{x}_1^2(t)=ax_1^1(t-\tau)+b\phi_2(t-3\tau)\ ,\ x_1^2(\tau)=x_1^1(\tau),$$

直接积分之得 $x_1^2(t)$.

在 $[2\tau,3\tau]$ 上,解之一段为 $x_1^3(t)$,应满足

$$\dot{x}_1^3(t) = ax_1^2(t-\tau) + b\phi_1(t-3\tau),\ x_1^3(2\tau) = x_1^2(2\tau),$$

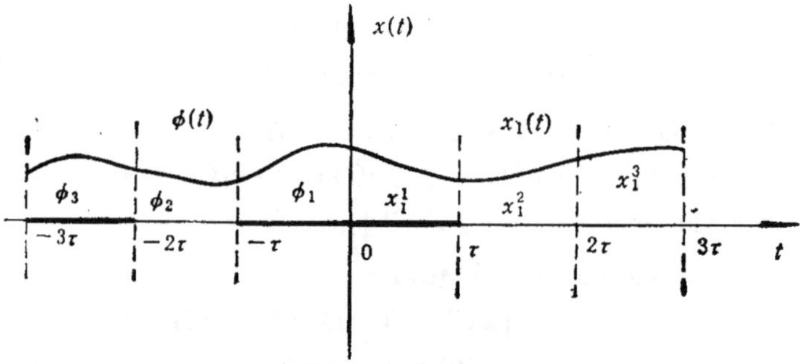

图2.1

积分之得 $x_1^3(t)$.

这里特别希望读者注意到：正向延展中每区间上的 $x(t)$ 究竟是由它以前的哪几段决定的. 为了加深对多滞量分步法的认识以及后文的需要，再看一个例子

例7. 方程

$$\dot{x}(t) = [x^{1/3}(t-\tau_1) - x^{1/3}(t-\tau_2)]^2 x^{1/3}(t), \tag{2.9}$$

τ_1, τ_2 为正常数. 为明确起见设 τ_1, τ_2 "相差不大". 例如设 $\tau_1 < \tau_2 < 2\tau_1$. 取 $t_0 = 0$, $E_0 = [-\tau_2, 0]$, $F_0 = [0, \tau_2]$, 在 E_0 上给定 $\phi(t)$, $\phi(0) = 0$, 在 F_0 上的解 $x(t)$ 可以分两段表示如下：

在$[0, \tau_1]$上，

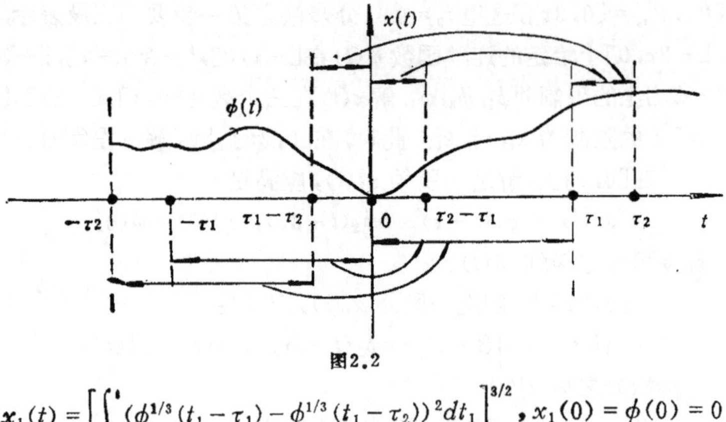

图2.2

$$x_1(t) = \left[\int_0^t (\phi^{1/3}(t_1-\tau_1) - \phi^{1/3}(t_1-\tau_2))^2 dt_1\right]^{3/2},\ x_1(0) = \phi(0) = 0.$$

在$[\tau_1, \tau_2]$上,

$$x_2(t) = \left\{\int_{\tau_1}^{t}\left[\left(\int_0^{s-\tau_1} (\phi^{1/3}(t_1-\tau_1) - \phi^{1/3}(t_1-\tau_2))^2 dt_1\right)^{1/2}\right.\right.$$
$$\left.\left. - \phi^{1/3}(s-\tau_2)\right]^2 ds\right\}^{3/2} + x_1(\tau_1),\ x_1(\tau_1) = x_2(\tau_1).$$

在图2.2中, $x(t)$在$[0, \tau_1]$上的一段是由ϕ在$[-\tau_1, 0]$及ϕ在$[-\tau_2, \tau_1-\tau_2]$上的限制决定的. 而$x(t)$在$[\tau_1, \tau_2]$上的一段是由ϕ在$[\tau_1-\tau_2, 0]$上的限制和$x(t)$在$[0, \tau_2-\tau_1]$上的限制决定的.

3. 若干附注

对分步法我们作如下的补充说明.

注1. 用分步法必须设$\tau(t) \geqslant \delta > 0$, 所得之表达式决不能表示$\tau = 0$的情形. 即对$E_{t_0} = \{t_0\}$的情形不能用分步法求解.

注2. 在应用分步法求解时, 若每一步所对应的常微分方程为可积类型, 则称此差分微分方程为可积类型. 例如设$\tau_i > 0 (i = 1, 2, \cdots, m)$, 下列诸方程都是可积类型的方程

(1) $\dot{x}(t) = f(t, x(t-\tau_1), \cdots, x(t-\tau_m))$,

(2) $M(x(t))dx(t) = N(t, x(t-\tau_1), \cdots, x(t-\tau_m))dt$,

(3) $G_1(x(t))H_1(t, x(t-\tau_1), \cdots, x(t-\tau_m))dx(t)$
$= G_2(x(t))H_2(t, x(t-\tau_1), \cdots, x(t-\tau_m))dt$,

(4) $\dot{x}(t) = p_1(t, x(t-\tau_1), \cdots, x(t-\tau_m))x(t)$
$+ q_1(t, x(t-\tau_1), \cdots, x(t-\tau_m))$,

(5) $\dot{x}(t) = p_2(t, x(t-\tau_1), \cdots, x(t-\tau_m))x(t)$
$+ q_2(t, x(t-\tau_1), \cdots, x(t-\tau_m))x^n(t)$, $n \neq 0, n \neq 1$,

凡此等等. 在阐述某些概念时都是有用的.

注3. 凡用分步法推得的结果, 一般地说未必有小滞量的等价性. 即对于滞量为零时所对应的常微分方程未必成立.

注4. 对滞后型的基本初值问题

$$\begin{cases}\dot{x}(t) = f(t, x(t), x(t-\tau)),\ \tau = \text{const} > 0, \\ x(t) = \phi(t),\ t \in [t_0-\tau, t_0],\end{cases} \tag{2.10}$$

假定 f 可微足够多次，那末一般地说(2.10)之解在 $t_0+(\kappa-1)\tau$ 处的 κ 阶导数有第一类间断点．但低于 κ 阶的导数在此点是连续的．例如在 t_0 处通常一阶导数 $\dot{x}(t)$ 有第一类间断点，因为

$$\dot{x}(t)=f(t,x(t),\phi(t-\tau)),t\in[t_0,t_0+\tau]$$

之积分要求满足条件 $x(t_0)=\phi(t_0)$．但未必有

$$\dot{x}(t_0+0)=\dot{\phi}(t_0-0).$$

只有特别选取 $\phi(t)$ 时上式才有可能成立，即 $\phi(t)$ 必须满足条件

$$\dot{\phi}(t_0-0)=f(t_0,\phi(t_0),\phi(t_0-\tau))=\dot{x}(t_0+0).$$

在点 $t_0+\tau$ 处解之一阶导数是连续的．事实上，导数 $\dot{x}(t)=f(t,x(t),x(t-\tau))$，其右端在 $t_0+\tau$ 处是 t 的连续函数（$x(t)$在 t_0 处连续）．但二阶导数

$$\ddot{x}(t)=\frac{\partial f}{\partial t}+\frac{\partial f}{\partial x(t)}\dot{x}(t)+\frac{\partial f}{\partial x(t-\tau)}\dot{x}(t-\tau),$$

通常在 $t_0+\tau$ 处是间断的．因为如上所述导数 $\dot{x}(t-\tau)$ 在 $t_0+\tau$ 处（即 $\dot{x}(t_0)$）是间断的．但由于 $\dot{x}(t-\tau)$ 和 $x(t-\tau)$ 在 $t_0+2\tau$ 处是连续的，故 $\ddot{x}(t)$ 是连续的，依此类推．这种解随着步距的推移越来越光滑的性质叫做"平展性"．

对于中立型方程则不然，因为在 t_0 处导数通常是间断的，以后每推进一个步距 τ，右端函数 f 中有这种不连续的 $\dot{x}$ 存在，故仍不能保证解在 $t_0+\tau$ 有连续导数．依此类推，在一切 $t_0+K\tau$ 上都保持 t_0 处的光滑性而不增加光滑性．换言之，中立型方程的解是不具有平展性的．

至于超前型方程，在每推进一个步距以后，下一步解是否存在，是否连续都无法保证，更谈不上上述意义下的平展性．

所以，平展性是滞后型方程所特有的．以后将会看到平展性在许多场合起了良好的作用．

§3. 存在唯一性定理

1. 第一类存在唯一性定理

对差分微分方程，当滞量恒大于零时，用分步法可把问题化为

常微分方程的初值问题，再由已知的常微分方程存在唯一性定理，即得相应的存在唯一性准则. 对这种情形，有时问题变得十分简单，例如

例1. 考虑方程

$$\dot{x}(t)=f(t,x(t-\tau_1),x(t-\tau_2)\cdots x(t-\tau_m)),\tag{3.1}$$

这里 $0<\tau_1<\tau_2<\cdots<\tau_m$. 在 $[t_0-\tau_m,t_0]$ 上给定初始函数 $\phi(t)$. 于是(3.1)右端在施行分步法的过程中只是 t 的已知函数，只需考虑它的可积性就行了.

现在考察系统

$$\dot{x}(t)=f(t,x(t),x(t-\tau_1),\cdots,x(t-\tau_m)),\tag{3.2}$$

其中设 $x\in\mathbb{R}^n$, $0<\tau_1<\tau_2<\cdots<\tau_m$, t_l 为常数 (例如 $t_l\leqslant 0$, 或为 $-\infty$). 记 $J=[t_l,\infty)$, $D=\{x:\|x\|<d\}$, $\|\cdot\|$ 表示 $\mathbb{R}^n$ 中的模. 为明确起见，取

$$\|x\|=\left(\sum_{i=1}^{n}|x_i|\right)^{1/2},$$

而 d 可以是 $+\infty$，我们有

定理1. 对(3.1)，若 f: $J\times D^{m+1}\to\mathbb{R}^n$ 满足

(i) f 在 $J\times D^{m+1}$ 中连续，

(ii) f 关于 $x(t)$ 是局部 Lipschitz 型的，

则对初始条件 $t=t_0\in J$, $x(t)=\phi(t)$, $t\in[t_0-\tau_m,t_0]$, $\phi\in D$, 存在 $A>0$ (常数或 $+\infty$), 使 (3.1) 在 $[t_0-\tau_m,\ t_0+A]$ 上有唯一的解 $x(t)$.

证明大意：应用分步法，在步距内(3.1)化为常微分方程，相应的初始条件为 $(t_0,x(t_0))$，由已知的常微分方程存在唯一性定理，存在 $A>0$，及在 $[t_0,A]$ 上的解 $x(t)$，即得(3.1)以 ϕ 为初始函数的解(若 A 小于步距，并不影响分步法的进行).

注1. 对中立型方程与高阶方程，可以导出完全类似的定理[139].

注2. 这一定理不能保证当任何一个滞量 $\tau_j=0$ 时结论仍成立. 如第一章 § 3 例 2，又如

例2. 方程

$$\dot{x}(t)=x(t-\tau_2)+[x(t-\tau_1)-K(1+t)]^{1/3}, \tag{3.2}$$

其中 $K=\text{const}$. 当 $\tau_1>0,\tau_2>0$ 时定理 1 条件成立，解是存在且唯一的．而当 $\tau_1=0,\tau_2>0$ 时方程化为

$$\dot{x}(t)=x(t-t_2)+(x(t)-K(1+t))^{1/3}.$$

取初始函数 $\phi\equiv K$，则在 $[0,\tau_2]$ 上有两个解：$x_1(t)=K(1+t)$ 及 $x_2(t)=K(1+t)+\frac{2\sqrt{2}}{3\sqrt{3}}t^{3/2}$，即唯一性破坏了．

所以，在研究小时滞系统的稳定性，全时滞稳定性等与 $\tau=0$ 有关的问题时，不能以这一定理为前提．下面介绍的定理，由于加强了条件而弥补了这一缺陷．

2．第Ⅱ型存在唯一性定理[73]

仍考虑方程(3.1)，我们说 f 关于 $x(t),x(t-\tau_1),\cdots,x(t-\tau_m)$ 在 $J\times D^{m+1}$ 上是局部 Lipschitz 型的，或者局部满足 Lipschitz 条件，如果对 $G\subseteq J\times D^{m+1}$，存在 Lipschitz 常数 L_G，对一切 $(t,\xi_0,\xi_1,\cdots,\xi_m),(t,\eta_0,\eta_1,\cdots,\eta_m)\in G$ 成立．

$$\|f(t,\xi_0,\xi_1,\cdots,\xi_m)-f(t,\eta_0,\eta_1,\cdots,\eta_m)\|\leqslant L_G\sum_{j=0}^{m}\|\xi_j-\eta_j\|, \tag{3.3}$$

或者

$$\|f(t,\xi_0,\xi_1,\cdots,\xi_m)-f(t,\eta_0,\eta_1,\cdots,\eta_m)\|\leqslant L_G\max_{j=0,\cdots,m}\|\xi_j-\eta_j\|, \tag{3.4}$$

其中 $\|\cdot\|$ 仍为 $\mathbb{R}^n$ 中的模，取法同上．下面要阐述另一类普遍的存在唯一性定理．为简单计，设 $m=1$，即考虑如下的初值问题，

$$\begin{cases}\dot{x}(t)=f(t,x(t),x(t-\tau)),\\ x=\phi(t),t\in[t_0-\tau,t_0],\end{cases} \tag{3.5}$$

其中 $\tau=\text{const}>0$，f：$J\times D^2\to\mathbb{R}^n$．我们有

定理2．设(3.5)中 $\phi(t)$ 连续，f 满足

(i) f 在 $J \times D^2$ 中连续,

(ii) f 关于 $x(t)$, $x(t-\tau)$ 是局部 Lipschitz 型的.

则存在 $A>0$ (可以是∞),使(3.5)在$[t_0-\tau, t_0+A]$上有唯一的连续解 $x(t, t_0, \phi)$.

证. 选取 $A>0, d_1>0$ 充分地小,使 $d_1<d$,且,

$$\Omega=[t_0, t_0+A]\times D_1^2, D_1=\{\psi: \|\psi-\phi\|\leqslant d_1\}.$$

为 $J\times D^2$ 之一子集,即 $\Omega\subseteq J\times D^2$. f 在 Ω 上的 Lipschitz 常数记为 L. 定义一个连续函数 $x_0: [t_0-\tau, t_0+A]\to\mathbb{R}^n$,

$$x_0(t)=\begin{cases}\phi(t), t_0-\tau\leqslant t\leqslant t_0,\\ \phi(t_0), t>t_0.\end{cases} \tag{3.6}$$

记 $M=\sup\limits_{\Omega}\|f\|$. 由 $\phi\in D$ 有 $\|\phi\|<d$. 故可定义函数序列

$$x_K(t)=\begin{cases}\phi(t), \quad t_0-\tau\leqslant t\leqslant t_0,\\ \phi(t_0)+\int_{t_0}^t f(t_1, x_{K-1}(t_1), x_{K-1}(t_1-\tau)\,dt, t>t_0,\end{cases} \tag{3.7}$$
$$K=1,2,\cdots$$

这样定义的(3.7)仍在D中. 因为用归纳法, $K=0$ 时由 (3.6)$\Rightarrow$ $\|x_0(t)\|<d, t\geqslant t_0-\tau$. 设 $K-1$ 时成立,对于K的情形, 记$\|\phi(t_0)\|=d_0<d$. 我们有

$$\|x_K(t)\|\leqslant\|\phi(t_0)\| +\int_{t_0}^t\|f(t_1, x_{K-1}(t_1), x_{K-1}(t_1-\tau)\|dt_1$$
$$\leqslant d_0+M|t-t_0|\leqslant d_0+MA.$$

取 $A<(d-d_0)/2M$,则$\|x_K(t)\|\leqslant d$.

现在证明 $x_K(t)$ 在$[t_0-\tau, t_0+A]$上一致收敛. 由

$$\|x_{K+1}(t)-x_K(t)\|\leqslant L\int_{t_0}^t(\|x_K(t_1)-x_{K-1}(t_1)\|+\|x_K(t_1-\tau)-x_{K-1}(t_1-\tau)\|)\,dt_1,$$

其中 $t\in[t_0, t_0+A]$. 由于在$[t_0-\tau, t_0]$上 $x_K(t)-x_{K-1}(t)\equiv 0$, 故有

$$\|x_{K+1}(t)-x_K(t)\|\leqslant 2L\int_{t_0}^t \|x_K(t_1)-x_{K-1}(t_1)\|dt_1,$$
$$t\in[t_0-\tau, t_0+A].$$

在$[t_0, t_0+A]$中，$\|x_1(t)-x_0(t)\| \leqslant M(t-t_0)$，故有

$$\|x_1(t)-x_0(t)\| \leqslant M|t-t_0|, t\in[t_0-\tau, t_0+A].$$

由此推得

$$\|x_2(t)-x_1(t)\| \leqslant 2L\int_{t_0}^{t} M|t_1-t_0|dt_1 = 2L\int_{t_0}^{t} M(t_1-t_0)dt_1$$
$$\leqslant M(2L)(t-t_0)^2\frac{1}{2!}, \quad t\in[t_0-\tau, t_0+A].$$

依此类推有

$$\|x_k(t)-x_{k-1}(t)\| \leqslant \frac{M(2L)^{k-1}(t-t_0)^k}{k!} \tag{3.8}$$

$$t\in[t_0-\tau, t_0+A], \quad k=1,2,\cdots$$

立即得出$x_k(t)$在$[t_0-\tau, t_0+A]$上是一致收敛的．于是由(3.7)两边取极限得到解$x(t, t_0, \phi)$．

再证唯一性．设在$[t_0-\tau, t_0+\tilde{A}]$上还有一个解$y(t, t_0, \phi)$，这里$\tilde{A}$是$y$的存在区间，可能不等于$A$，此时可取$\min(A, \tilde{A})$为区间之右端点，为方便计仍记为$A$．由

$$y(t)=\begin{cases}\phi(t), & t_0-\tau\leqslant t\leqslant t_0,\\ \phi(t_0)+\int_{t_0}^{t} f(t_1, y(t_1), y(t_1-\tau))dt_1,\end{cases} \tag{3.9}$$

与(3.7)得

$$\|x_k(t)-y(t)\| \leqslant L\int_{t_0}^{t}[\|x_{k-1}(t_1)-y(t_1)\| + \|x_{k-1}(t_1-\tau)-$$
$$y(t_1-\tau)\|]dt_1,$$

或者

$$\|x_k(t)-y(t)\| \leqslant 2L\int_{t_0}^{t} \|x_{k-1}(t_1)-y(t_1)\|dt_1, t\in[t_0-\tau, t_0+A], \tag{3.10}$$

而在$[t_0, t_0+A]$上有

$$\|x_0(t)-y(t)\| \leqslant \int_{t_0}^{t}\|f(t_1, y(t_1), y(t_1-\tau))\|dt_1 \leqslant M(t-t_0).$$

反复迭代(3.10)得

$$\|x_k(t)-y(t)\| \leqslant \frac{M(2L)^k(t-t_0)^{k+1}}{(k+1)!}, t\in[t_0-\tau, t_0+A].$$

上式当 $k\to\infty$ 时右方为零$\Rightarrow x(t)\equiv y(t), t\in[t_0-\tau, t_0+A]$. 定理证毕.

注3. 在定理 2 中可令$\tau=0$而结论仍成立. 它与定理 1 不同, 可以包括对应的常微分方程的存在唯一性定理.

用定理 1 及定理 2 类似的证明方法可以推出以下诸结论:

推论1. 若(3.1)中 τ 为 t 的连续函数且 $\tau_i(t)\geqslant\delta>0$ $(i=1, 2, \cdots, m)$, 则在定理 1 的条件之下其结论仍成立.

推论2. 若(3.5)中有m个滞量 $\tau_i(t)\geqslant 0(i=1, 2, \cdots, m)$, 诸 $\tau_i(t)$ 皆连续, 则定理 2 仍成立.

注4. 上述定理与推论都是局部的, 可以完全类似于常微分方程的做法, 沿 t 的正向延拓解. 事实上, 取 $t_0'=t_0+A$, 则重复一下定理的证明过程便推得解在$[t_0-\tau, t_0+A+A_1]$上存在. 依此类推. 可以使解的存在区间向 J 的右端延拓. 顺便指出, 上文中设$J=[t_l, \infty)$, 事实上, 通常是 $J=[t_l, \beta)$, $\beta>t_l$ 为一常数, 而未必取 β 为∞.

§4. 一 些 注 解

由于差分微分方程是普遍的泛函微分方程的特例, 所以泛函微分方程基本理论中有关解的存在性, 唯一性, 连续依赖性的结论, 对差分微分方程都适用. 鉴于本书的主题是稳定性理论, 所以不再列出更多的结论, 有兴趣的读者可以参看 Hale 著《泛函微分方程理论》一书的第二章[79].

1. 解的唯一性的含义

差分微分方程的解空间通常是无限维的, 它与常微分方程大不相同, 这一点在第一章中已经明确指出了. 例如对一维系统, 解的几何表示可以象本章中图 1.2 那样地表达. 不难想象这时解与解之间在非奇点处必定允许相交, 否则等于说可以使某个无限维空间与一个平面(甚至平面的一部分)同胚, 而这是不可能的.

为了阐明这一深刻的特点，以如下的基本初值问题为例，

$$\begin{aligned}&\dot{x}(t)=f(t,x(t),x(t-\tau)),\\&x=\phi(t),t\in[t_0-\tau,t_0],\end{aligned}\tag{4.1}$$

其中 $x\in\mathbb{R},\tau=\text{const}>0$. 当 $\tau=0$ 时对应的常微分方程为

$$\dot{x}(t)=f(t,x(t),x(t)),\tag{4.2}$$

初值为(t_0,x_0)，这里 $x_0=x(t_0)$. 现在回顾一下 (4.1) 解的唯一性的定义；"对给定的 t_0 和 $\phi(t)$，存在定义在$[t_0-\tau,t_0+A]$上的连续函数 $x(t)$. 它在$[t_0-\tau,t_0]$上等于 ϕ，在$[t_0,t_0+A]$ 上满足方程". 其中最重要的是：$x(t)$定义在$[t_0-\tau,t_0+A]$上而不认为只定义在$[t_0,t_0+A]$上. 这意味着对两个不同的初始函数 ϕ_1,ϕ_2，它们所确定的两个解 $x_1(t,t_0,\phi_1)$和 $x_2(t,t_0,\phi_2)$，在 $t\geqslant t_0$ 以后有可能相交而不违背唯一性的定义. 而(4.2)却代表一个平面上的方向场，若在非奇点处有$x_1(t_1)=x_2(t_1)$（某一$t_1\geqslant t_0$），则由唯一性立即推出$x_1(t)\equiv x_2(t)$. 二者截然不同. 看一个例子：

例1. 一维系统

$$\dot{x}(t)=-x\left(t-\frac{\pi}{2}\right)\tag{4.3}$$

有解 $x_1(t)=\sin t$ 及 $x_2(t)=\cos t$，二者当 $t\in\mathbb{R}$ 时相交无限多次而不认为唯一性破坏.

例2. 考虑方程

$$\dot{x}(t)=b(t)x(t-1),\tag{4.4}$$

$$b(t)=\begin{cases}0, & t\leqslant 0,\\ \cos 2\pi t-1, & 0<t\leqslant 1,\\ 0, & t>1.\end{cases}$$

当 $t\leqslant 0$ 时令 $x(t)\equiv K=\text{const}$，代入 (4.4) 知其为$(-\infty,0]$上的解. 由于在$(-\infty,0]$上(4.4)退化为常微分方程 $\dot{x}(t)=0$，这时解是唯一的. 而在$[0,1]$上(4.4)为

$$\dot{x}(t)=(\cos 2\pi t-1)K,x(0)=K.\tag{4.5}$$

(4.5)之解 $x(t)=K+K\int_0^t(\cos 2\pi t-1)dt=K\left(\frac{1}{2\pi}\sin 2\pi t-t\right.$

$+1\Big)$，故 $x(1)=K+K\int_0^1(\cos 2\pi t-1)\,dt=0$. 这表明在 $t=1$ 时所有解都过 $t=1$, $x=0$ 点. 当 $t\geqslant 1$ 时，由 $b(t)\equiv 0\Rightarrow \dot{x}(t)=0$，加上初始条件 $x(1)=0\Rightarrow x(t)\equiv 0$，这表示自 $t=1$ 以后全部叠合于零解. 但(4.4)的确满足§3定理1及定理2的唯一性条件(这里不妨设 $t_0<0$).

不难看出，由于唯一性的这一特别含义，人们将很难在 $\mathbb{R}^n$ 中推广常微分方程的几何理论，这是我们反复强调这一概念的主要原因.

2. 解的反向延拓问题

对滞后型差分微分方程，由于初始函数 ϕ 是给定的，只要求它连续而未要求它可微，而且即使可微也未必满足方程. 所以，一般地说解是反向不可延拓的. 当然，在十分苛刻的条件下有些解是可以反向延拓的.

迄今为止，对一般的滞后型系统，f 和 ϕ 究竟应满足什么条件它们确定的解才有唯一的反向延拓?这是基本上没有弄清楚的问题.

注5. 这里说的"唯一的反向延拓"指的是连续解. 所说的"f 与 ϕ 应满足的条件"指的是某种充要条件.

例3. 设常数 $a\neq -b$, $b\neq 0$, $\tau>0$，并取 $t_0=0$，则对方程

$$\dot{x}(t)=ax(t)+bx(t-\tau), \tag{4.6}$$

取初始函数 $\phi(t)\equiv K\ (t\in[-\tau,0])$，那末在 $[-2\tau,-\tau]$ 之上，(4.6)的解为 $x(t)=-aK/b$. 由于 $-aK/b\neq K$，故 $x(t)$ 在 $-\tau$ 处一般是不连续的(除了 $a=0$, $K=0$ 以外). 可见，即使能反向延拓，连续解还是没有保证.

例4. 考察本节例2的方程(4.4)，从它的解的粘合情形不难看出，反向延拓解即使存在也不是唯一的(有无限多).

注6. 我们注意到滞后系统的反向延拓类似于超前型方程的正向求解，是微分延拓而不是积分延拓，问题的实质困难也就在这里.

第三章　稳定性的有关概念

§1. 常微分方程的稳定性定理

在这一节里，我们要列出常微分方程的 Ляпунов 稳定性定义和定理，并把有关常系数的、线性的、非线性的以及在第一、第二临界情形下的系统的所有 Ляпунов 的运动稳定性定理叙述出来，但不给出这些定理的详细证明．因为这些证明在很多有关运动稳定性理论的专著中均可找到[1,13,131]．

对系统

$$\dot{x}_s(t)=X_s(t,x_1,x_2,\cdots,x_n),\ s=1,2,\cdots,n, \tag{1.1}$$

仍记 $J=[t_l,\infty)$．设 $x=(x_1,x_2,\cdots,x_n)\in\Omega\subseteq\mathbb{R}^n$ Ω 为 n 维空间的开域，X_s 在 $J\times\Omega$ 中连续且满足解的唯一性条件，$X_s(t,0,0,\cdots,0)=0$．

(1.1)零解的 Ляпунов 意义下的诸稳定性定义如下(其中记初值为 t_0,x_s^0)：

定义 1．若对任意给定的 $\varepsilon>0$，存在 $\delta>0$(δ一般与 ε 及 t_0有关)，使得当 $|x_s^0|\leqslant\delta(s=1,\cdots,n)$ 时对一切 $t\geqslant t_0$ 有 $|x_s(t)|<\varepsilon(s=1,\cdots,n)$，则称零解为稳定的．反之为不稳定的．

若在稳定的定义中 δ 不依赖于 t_0，则称之为一致稳定的．

若(1.1)的零解是稳定的，并且存在 $\delta'>0$ 使得当 $|x_s^0|\leqslant\delta'$ 时均有 $\lim\limits_{t\to\infty}x_s(t)=0(s=1,\cdots,n)$，则称(1.1)的零解为渐近稳定的．

定义2．设实变函数 $V(t,x_1,\cdots,x_n)$定义在 $t\geqslant T$，$|x_s|\leqslant H>0$ 上，连续，单值且 $V(t,0,\cdots,0)=0$．(作为特别情形 V 不显含 t)，则称之为 Ляпунов 函数．

若存在常数 T 及 $H>0$，使 V 在定义域上除了可取零值以外保持同一正负号，则称 V 为常号的．

若V不依赖于t，当$\|x\|\neq 0$时V保持为正(或负)号，则称V为正定(或负定)的．合称定号的．

若对常号函数$V(t, x_1, \cdots, x_n)$，在定义域中存在正定函数$W(x_1, x_2, \cdots, x_n)$，使$V-W$或$-V-W$为常正的，则V称为定号的．若$V-W\geqslant 0$，则V称为正定的；若$-V-W\geqslant 0$，则V称为负定的．

下面分五种情形叙述有关的 Ляпунов 运动稳定性定理．

1．常系数线性系统

$$\dot{x}_s = P_{s1}x_1 + \cdots + P_{sn}x_n,\ s=1,\cdots,n, \tag{1.2}$$

其中$P_{s\sigma}(s,\sigma=1,\cdots,n)$是常数．(1,2)的特征方程为

$$|P_{s\sigma}-\delta_{s\sigma}\lambda| = 0,\ s,\sigma=1,\cdots,n, \tag{1.3}$$

其中

$$\delta_{s\sigma}=\begin{cases} 0, & \text{当 } s\neq\sigma \text{ 时}, \\ 1, & \text{当 } s=\sigma \text{ 时}. \end{cases}$$

定理1．若(1.3)所有的根都具有负实部，即$\mathrm{Re}(\lambda_j)<0(j=1,\cdots,n)$，则对任何事先给定的齐次式的定号函数$U(x_1,\cdots,x_n)$，都存在唯一的同次的定号函数$V$，使得

$$\dot{V}|_{(1.2)} = \sum_{s=1}^{n}\frac{\partial V}{\partial x_s}(P_{s1}x_1+\cdots+P_{sn}x_n) = U,$$

且V与U的正负号相反．

2．驻定系统

$$\dot{x}_s = X_s(x_1,\cdots,x_n),\ s=1,2,\cdots,n, \tag{1.4}$$

这里X_s定义在$|X_s|\leqslant H$上，且$X_s(0,\cdots,0)\equiv 0(s=1,\cdots,n)$，$H$为一正常数．

定理2．若对(1.4)能找到一个正定函数$V(x_1,\cdots,x_n)$，它对t的全导数由(1.4)构成，为

$$\dot{V}|_{(1.4)} = \sum_{s=1}^{n}\frac{\partial V}{\partial x_s}X_s(x_1,\cdots,x_n). \tag{1.5}$$

$\dot{V}$常负或者恒等于零，则(1.4)的零解是稳定的．

定理 3. 若对(1.4)能找到一个正定函数 $V(x_1,\cdots,x_n)$，它对 t 关于(1.4)的全导数(1.5)是负定的，则(1.4)的零解是渐近稳定的.

定理 4. 若(1.4)有函数 $V(x_1,\cdots,x_n)$，对 t 关于(1.4)的全导数(1.5)是正定的，并且在原点的任一邻域内 $V(x_1,\cdots,x_n)$ 都能取到正值，则(1.4)的零解是不稳定的.

显然，定理 2—4 对(1.2)都成立.

3. 一次近似定理

我们考虑系统

$$\dot{x}_s=\sum_{\sigma=1}^{n} P_{s\sigma}x_\sigma+X_s(x_1,\cdots,x_n),\quad s=1,\cdots,n, \qquad (1.6)$$

其中 $P_{s\sigma}$ 为常数，X_s 定义在 $|x_s|\leqslant H>0$，且其展开式的首项不低于 2 次.

定理 5. 若(1.2)的所有的特征根都有负实部，则(1.6)的零解是渐近稳定的.

4. 第一临界情形

方程

$$\dot{x}=X(x,x_1,\cdots,x_n),$$

$$\dot{x}_s=\sum_{\sigma=1}^{n} P_{s\sigma}x_\sigma+q_sx+X_s(x,x_1,\cdots,x_n), \qquad (1.7)$$

$$s=1,2,\cdots,n,$$

其中 $P_{s\sigma}$ 与 q_s 是常数，X 与 X_s 是定义在原点邻域内的解析函数，其展式的首项不低于 2 次. 又 $|P_{s\sigma}-\delta_{s\sigma}\lambda|=0$ 的所有根的实部 $\mathrm{Re}\,\lambda_j<0(j=1,\cdots,n)$，

$$X^{(0)}(x,0,\cdots,0)=gx^m+g_{m+1}x^{m+1}+\cdots \quad g\neq 0,m\geqslant 2,$$

$$X_s^{(0)}(x,0,\cdots,0)=g_sx^{m_s}+g_s^{(m_s+1)}x^{m_s+1}+\cdots,g_s\neq 0,$$

且 $m_s\geqslant m$.

定理6. 设m是奇数，$g<0$，则(1.7)的零解是渐近稳定的.

定理7. 设m是奇数，$g>0$，则(1.7)的零解是不稳定的.

定理8. 设m是偶数，$g\neq 0$，则(1.7)的零解是不稳定的.

定义3. 若(1.7)除了满足上述条件外还有条件$q_s=0$，$X^{(0)}(x,0,\cdots,0)\equiv X_s^{(0)}(x,0,\cdots,0)\equiv 0\ (s=1,\cdots,n)$，我们就称(1.7)为奇异情形.

定理9. 方程(1.7)在奇异情形下，零解总是稳定的，但不是渐近稳定的.

5. 第二临界情形

我们考虑方程组

$$
\begin{aligned}
&\dot{x}=-\lambda y+X(x,y,x_1,\cdots,x_n),\\
&\dot{y}=\lambda x+Y(x,y,x_1,\cdots,x_n),\\
&\dot{x}_s=\alpha_s x+\beta_s y+P_{s1}x_1+\cdots+P_{sn}x_n+X_s(x,y,\\
&\quad x_1,\cdots,x_n),\\
&s=1,2,\cdots,n,
\end{aligned}
\tag{1.8}
$$

其中X,Y,X_s是x,y,x_σ的解析函数，其展式的首项次数不低于2，$\alpha_s,\beta_s,P_{s\sigma}$均为实常数，$\lambda>0$且$|P_{s\sigma}-\delta_{s\sigma}\chi|=0(s,\sigma=1,\cdots n)$的所有根$\chi_j$都有性质$\mathrm{Re}(\chi_j)<0(j=1,\cdots,n)$.

对(1.8)，我们可以找到一个解析变换

$$
\begin{aligned}
x&=u(x_1,\cdots,x_n)+\xi,\\
y&=v(x_1,\cdots,x_n)+\eta,
\end{aligned}
\tag{1.9}
$$

其中$u(x_1,\cdots,x_n)$与$v(x_1,\cdots,x_n)$满足方程

$$
\sum_{s=1}^{n}(P_{s1}x_1+P_{s2}x_2+\cdots+P_{sn}x_n+\alpha_s u+\beta_s v
$$

$$
+X_s)\frac{\partial u}{\partial x_s}=-\lambda v+X,
$$

$$
\sum_{s=1}^{n}(P_{s1}x_1+P_{s2}x_2+\cdots+P_{sn}x_n+\alpha_s u+\beta_s v
$$

$$+X_s)\frac{\partial v}{\partial x_s}=\lambda u+Y. \tag{1.10}$$

然后再引进极座标，即可把(1.8)化成

$$\begin{aligned}&\frac{dr}{d\theta}=rR,\\&\frac{dx_s}{d\theta}=q_{s1}x_1+\cdots+q_{sn}x_n+r(a_s\cos\theta+b_s\sin\theta)+Q_s,\end{aligned} \tag{1.11}$$

这里 $|q_{s\sigma}-\delta_{s\sigma}\chi|=0(s,\sigma=1,2,\cdots,n)$ 的所有根 χ_i 都具有性质 $\mathrm{Re}(\chi_j)<0(i=1,\cdots,n)$.

为了对方程组(1.11)进行分类，我们引入记号

$$R^{(0)}(r)=R|_{x_1=\cdots=x_n=0},$$

$$Q_s^{(0)}(r)=Q_s|_{x_1=\cdots=x_n=0}.$$

我们可以断言，经过变换可将方程组(1.11)化为下面两种类型之一：

(甲)一般情形

$$a_s=b_s=0,s=1,2,\cdots,n,$$

$$R^{(0)}(r)=gr^{m-1}+O(r^m)g\neq0,m\geqslant2,$$

$$Q_s^{(0)}(r)=O(r^m),s=1,2,\cdots,n,$$

$O(r^m)$表示展成 r 的幂级数时其首项次数不低于m.

(乙)特殊情形

$$a_s=b_s=0,s=1,2,\cdots,n,$$

$$R^{(0)}(r)\equiv0,Q_s^{(0)}(r)\equiv0,s=1,2,\cdots,n.$$

对一般情形，方程组(1.11)可化为下列形式

$$\begin{aligned}&\frac{dz}{d\theta}=zZ,\\&\frac{dz_s}{d\theta}=q_{s1}z_1+q_{s2}z_2+\cdots+q_{sn}z_n+Z_s,\end{aligned} \tag{1.12}$$

$$s=1,2,\cdots,n,$$

这里 Z, Z_s 是 $z, z_1, \cdots, z_n$ 的正则函数，系数是 θ 的三角多项式.
对实 θ 而言，Z, Z_s 是 $z, z_1, \cdots z_n$ 的正则函数：

$$Z=(z,z_1,\cdots,z_n)_1, Z_s=(z,z_1,\cdots,z_n)_2,$$

$$Z^{(0)}(z)=Z|_{z_1=\cdots=z_n=0}=gz^{m-1}+(z)_m, g\neq 0,$$

$$Z_s^{(0)}(z)=Z_s|_{z_1=\cdots=z_n=0}=O(z^m).$$

定理 10. 当 $g>0$ 时，(1.12)的零解不稳定.

当 $g<0$ 时，(1.12)的零解为渐近稳定的.

针对特殊情形，方程组(1.11)可化为

$$\begin{cases} \dfrac{dz}{d\theta}=zZ, \\ \dfrac{dz_s}{d\theta}=q_{s1}z_1+\cdots+q_{sn}z_n+Z_s, s=1,2,\cdots,n, \end{cases} \tag{1.13}$$

其中 Z, Z_s 是 $z, z_1, \cdots, z_n$ 的正则函数，其系数是 θ 的三角多项式：

$$Z=(z,z_1,\cdots,z_n)_1, Z_s=(z,z_1,\cdots,z_n)_2,$$

$$Z^{(0)}(z)\equiv Z_s^{(0)}(z)\equiv 0, s=1,2,\cdots,n.$$

此时我们有如下结论：

定理 11. 在特殊情形(乙)，方程(1.13)的零解总是稳定的.

§2. 差分微分方程稳定性的定义

1. 滞后型

考虑方程

$$\begin{cases} \dot{y}(t)=f(t,y(t),y(t-\tau_1(t)),\cdots y(t-\tau_m(t))), \\ y(t)=\phi(t), t\in E_{t_0}, \end{cases} \tag{2.1}$$

其中 $\tau_i(t)\geqslant 0\ (i=1,2,\cdots,m)$ 连续， t_0 为初始时刻，$\phi(t)$ 为给定的初始函数，通常设 f 在定义域 $J\times D^{m+1}$ 上满足解存在唯一性的一般条件，$y\in\mathbb{R}^n$，

与常微分方程一样，对指定的解 $\tilde{y}(t,t_0,\tilde{\phi})$ 的稳定性问题可以化为零解的稳定性问题. 事实上，作代换

$$x(t)=y(t)-\tilde{y}(t), \tag{2.2}$$

从而有 $x(t-\tau_i(t))=y(t-\tau_i(t))-\tilde{y}(t-\tau_i(t))(i=1,2,\cdots,m)$ 且

$$\begin{aligned}\dot{x}(t)=&\tilde{f}(t,x(t)+\tilde{y}(t),x(t-\tau_1)+\tilde{y}(t-\tau_1),\cdots,x(t-\tau_m)\\&+\tilde{y}(t-\tau_m))-\tilde{f}(t,\tilde{y}(t),\tilde{y}(t-\tau_1),\cdots,\tilde{y}(t-\tau_m)),\\\dot{x}\overset{\text{def}}{=}&f(t,x(t),x(t-\tau_1(t)),\cdots x(t-\tau_m(t))).\end{aligned} \tag{2.3}$$

由(2.2)知 $\|x(t)\|=\|y(t)-\tilde{y}(t)\|$，这里 $\|\cdot\|$ 为 $\mathbb{R}^n$ 中的模，即(2.1)的解 $\tilde{y}(t)$ 的稳定性问题可化为(2.3)的零解的稳定性问题.

相应的 Ляпунов 意义下的稳定性定义在第一章§2中提了一下，现在给以系统的定义.

定义 1. 系统(2.3)的零解称为稳定的，如果对给定的初始时刻 t_0 和任意的 $\varepsilon>0$，存在 $\delta(\varepsilon,t_0)>0$，使得当初始集 E_{t_0} 上的初始函数 $\phi(t)$ 满足 $\|\phi(t)\|<\delta$ 时，对一切 $t\geqslant t_0$ 有 $\|x(t,t_0,\phi)\|<\varepsilon$.

定义 2. 系统(2.3)的零解叫做渐近稳定的，如果它是稳定的，并且对充分小的 $\delta'>0$，当 $\|\phi(t)\|<\delta'$ 时恒有

$$\lim_{t\to\infty}\|x(t,t_0,\phi)\|=0.$$

定义 3. 系统(2.3)的零解叫做一致渐近稳定的，如果它一致稳定，且存在这样的 $\delta>0$，使得对每一个 $\varepsilon>0$ 有 $T(\varepsilon)$ 存在，当 $t>t_1+T(\varepsilon)$，$\|\phi(t)\|<\delta$ 时 $\|x(t,t_0,\phi)\|<\varepsilon$，其中 δ 不依赖于 t_1 的选择. $\phi(t)$ 定义在 E_{t_1} 上，$t_1\geqslant t_0$（t_0 是给定的初始时刻）.

定义 4. 系统(2.3)的零解叫做依指数规律渐近稳定的，如果存在常数 $\delta>0,\alpha>0,B\geqslant1$，使得由不等式 $\|\phi\|<\delta$ 可以推出 $t>T$ 时

$$\|x(t,t_0,\phi)\|\leqslant B\max_{t\in E_{t_0}}\|\phi\|e^{-\alpha(t-t_0)}.$$

定义 5. 系统(2.3)的零解叫做全局渐近稳定的，如果它是稳定的，并且对任何初始函数 $\phi(t)$ 成立：$\lim\limits_{t\to\infty}\|x(t,t_0,\phi)\|=0$.

仔细分析一下上述诸定义，便会发现它是有缺陷的，我们先给

出一个反例，详细讨论将在下一节给出.

例 1. 对第二章§ 1 的例 1 中方程

$$\dot{x}(t)=x(t)-x(te^{-t}), \tag{2.4}$$

取 $t_0=0$, $E_0=\{0\}$. (2.4)之通解为 $x(t)\equiv c(=\text{const})$，故当 $t_0=0$ 时零解是稳定的. 若取 $t_0>1$，则 $E_{t_0}=(0,t_0e^{-t_0}]\cup\{t_0\}$，取一族初始函数

$$\phi(t)=\begin{cases}\delta, & t=t_0,\\ \dfrac{\delta}{2}, & t\in(0,t_0e^{-t_0}],\end{cases}$$

其中 δ 可取任意小的正数. 此时(2.4)有解

$$x(t)=\frac{\delta}{2}[e^{(t-t_0)}+1], t\geqslant t_0. \tag{2.5}$$

解(2.5)是无界的，故若取 $t_0>1$，则零解是不稳定的.

这说明，存在一类时滞系统，其零解稳定与否跟初始时刻 t_0 的选择有关. 这类系统在应用中是危险的，因为初始时刻后移将导致不稳定性，实际上不应视之为稳定的. 因此，在定义 1 中"给定的初始时刻 t_0" 应改为"每个初始时刻 $t_0'\geqslant t_0$". 或者简单地说，"诸定义中稳定与否与 t_0 的取法无关".

注 1. 在上述诸定义中，模 $\|x\|$ 可换为 $|x_s|$ $(s=1,\cdots,n)$，而一切结论不变.

2. 中立型

中立型方程

$$\begin{aligned}\dot{x}(t)=f(t,x(t),x(t-\tau_1(t)),\cdots,x(t-\tau_m(t)),\\ \dot{x}(t-\tau_1(t)),\cdots,\dot{x}(t-\tau_m(t))).\end{aligned} \tag{2.6}$$

这时初始条件为 $t=t_0$, $x(t)=\phi(t)$, $\dot{x}(t)=\dot{\phi}(t)$, $t\in E_{t_0}$，故在滞后型的诸定义中增加一个条件 $\|\dot{\phi}(t)\|<\delta$，其他叙述不变.

同样地，原定义中存在与滞后型类似的缺陷，即稳定性可能依赖于 t_0 的取值. 例如

例 2. 考察中立型方程

$$\dot{x}(t) = a(t)\dot{x}(t-1), \tag{2.7}$$

$$a(t) = \begin{cases} 0, & t \leqslant 0, \\ t^2, & 0 < t < 2, \\ 4, & t \geqslant 2. \end{cases}$$

当 $t_0 \leqslant -1$ 时,对任一$\phi(t) \in C^1([-1,0],\mathbb{R})$,用分步法推出过$(t_0, \phi)$的解 $x(t,t_0,\phi) \equiv \phi(t_0)\ (t \geqslant t_0)$,即当 $t_0 \leqslant -1$ 时零解是稳定的. 而当取 $t_0 \geqslant 2$ 时(2.7)为

$$\dot{x}(t) = 4\dot{x}(t-1), t \geqslant 2. \tag{2.8}$$

(2.8)的特征方程为 $\lambda = 4\lambda e^{-\lambda}$, 除一个零根外还有根 $\lambda = \ln 4 > 0$, 即(2.8)存在无界解族 $\delta e^{(\ln 4)t}$, δ 是任意常数, 故当 $t_0 \geqslant 2$ 时零解是不稳定的[57].

注 2. 有许多文献里对初始函数空间中取一种模$\|\phi(t)\|_1 = \rho_\phi$,解空间取另一种模$\|x(t)\|_2 = \rho_x$,并把这两种不同的模引入稳定性的定义, 称之为 $\rho_\phi - \rho_x$ 稳定性. 事实上, 这并没有改变 Ляпунов 意义下的稳定性定义的实质, 但有些场合却可以带来许多方便.

注 3. 差分微分方程的上述诸稳定性定义中没有表达出另一种扰动, 即滞量的变动与稳定性的关系. 而这一点是常微分方程所没有的, 它仅对应于滞量为零的情形. 这方面涉及本书将详尽论述的三种稳定性问题:

(i)在什么条件下略去小滞量而不影响零解稳定性.

(ii)确定使系统零解稳定的τ的界限.

例 3. 方程

$$\dot{x}(t) = x(t) - x(t-\tau), \tag{2.9}$$

当 $\tau \in [0,1)$时,(2.9)的零解是稳定的;当 $\tau \geqslant 1$ 时是不稳定的(参看第五章). $\tau = 1$ 即所指的"稳定的界限".

(iii)在有些问题中, 考虑到实际上 τ 的大小的测定是困难的,因此要问,对任何大于零的 τ,是否微分差分方程组(2.3)的零解都是渐近稳定的? 对这一问题的处理方式为:令 $\tau = 0$, (2.3) 变

为常微分方程

$$\dot{x}(t)=f(t,x(t),x(t-0),\cdots,x(t-0)). \tag{2.10}$$

假定 (2.10) 的零解是渐近稳定的，并且对 f 给出适当的条件，使(2.3)对一切正数 $\tau_1,\cdots,\tau_m$ 来说零解总是渐近稳定的. 当然，这种问题迄今为止的成功是有限度的，事实上，仅仅对线性常系数和固定时滞的系统有所期望的结果. 这称之为无条件稳定性.

例 4. 方程

$$\dot{x}(t)=ax(t)+bx(t-\tau), \tag{2.11}$$

当 $\tau=0$ 时(2.11)为

$$\dot{x}(t)=(a+b)x(t). \tag{2.12}$$

当 $a+b<0$ 时(2.12)的零解渐近稳定. 为了使(2,11)的零解对一切 τ 仍为渐近稳定的，还必须假定 $a-b\leqslant 0$，这一结论在后文中将给出证明.

§3. 稳定性依赖于初始时刻问题[24]

从上一节例 1，例 2 中可以看出，在差分微分方程稳定性理论中存在着这种十分困难的问题，本书要阐述这一问题的实质和一些基本结果.

首先指出一个明显的事实;

定理 1. 滞量为常数，右端不含 t 的自治系统

$$\dot{x}(t)=f(x(t),x(t-\tau_1),\cdots,x(t-\tau_m)) \tag{3.1}$$

的零解的稳定性是不依赖于初始时刻的选择的.

若 $\tau_1,\cdots,\tau_m$ 皆为常数，且 f 关于 t 是周期的，则(2.3)的零解的稳定性也与 t_0 的选择无关. 但若 $\tau_1,\cdots,\ \tau_m$ 不是常数，而是连续函数，则上述结论不成立. 请看反例.

例 1. 考虑方程

$$\dot{x}(t)=-3x(t)+b(t)x(t-\tau(t)), \tag{3.2}$$

其中 $b(t)$ 是周期为 1 的周期函数：

$$b(t)=3(|t|^2-|t|),\ -1\leqslant t\leqslant 0,$$

$$b(t+1)=b(t),\quad -\infty<t<\infty.$$

而 $\tau(t)$ 当 $t>0$ 时等于零,当 $t\leqslant 0$ 时是周期为 1 的周期函数;

$$\tau(t)=\begin{cases}\tau(t+1), & -\infty<t\leqslant -1,\\ |t|^{1/3}-|t|, & -1\leqslant t\leqslant 0,\\ 0, & t>0.\end{cases}$$

取 $t_0=-2$,在 $[-2,-1]$ 中(3.2)有解

$$x(t)=-x_0(1+t)^3,x_0=x(-2) \tag{3.3}$$

事实上,把(3.3)代入(3.2)之两边即知其为解, x_0 是任意常数,由于 $t_0=-2,E_{t_0}=\{-2\}$,由唯一性,(3.3)即(3.2)之全部解. 而当 $t\geqslant -1$ 时, 不问 x_0 如何选取 $x(-1)=0$ 总是成立的. 由于 $E_{-1}=\{-1\}$,故一切解在 $x(-1)$ 处全部叠合为零解, $t\geqslant 0$ 以后(3.2)退化为常微分方程,即(3.2)的解已全部求出,并表示为

$$x(t)=\begin{cases}-x_0(1+t)^3, t\in[-2,-1],\\ 0, \qquad t>-1.\end{cases}$$

从而推出当初始时刻 $t_0=-2$ 时(3.2)的零解是稳定的.

今取 $t_0=0$,则(3.2)退化为常微分方程

$$\dot{x}(t)=[3+b(t)]x(t). \tag{3.4}$$

(3.4)的解可以表示为

$$x(t)=x_0\exp\left(\int_0^t(3+b(t_1))dt_1\right),$$

它在 $\mathbb{R}_+=[0,\infty)$ 上是无界的而不问 x_0 如何地小. 所以初始时刻 $t_0=0$ 时零解是不稳定的.

接着我们设(2.3)满足解对初值连续依赖性条件,有

定理 2. 对时滞方程(2.3),设 $t_0^1,t_0^2\in J=[t_l,\infty)$, $t_0^1<t_0^2$,则由 t_0^2 时零解的稳定性可以推出 t_0^1 时零解的稳定性,由 t_0^1 时零解是不稳定的可以推出初始时刻为 t_0^2 时零解是不稳定的.

由解连续依赖于初值即可得此结论,但定理之逆命题不成立,这由例 1 知之.

定理 3. 若上述假定下的系统(2.3)的稳定性与初始时刻 t_0 的选取有关,则必存在一点 $t^*\in J$,使得当 $t_0\in[t_l,t^*)$ (记为 $E_{t^*}^l$)时,

系统(2.3)的零解是稳定的，而当 $t_0 \in (t^*, \infty)$ (记为 $E_{t^*}^r$)时零解为不稳定的.

证. 由所设，存在 t_0^1 及 t_0^2 分别使(2.3)的零解为稳定和不稳定的，依定理2 $t_0^1 < t_0^2$，且对一切 $t_0 \leqslant t_0^1$，(2.3)的零解都是稳定的，对一切 $t_0 \geqslant t_0^2$，(2.3)的零解都是不稳定的，取 $t_0^3 = (t_0^1 + t_0^2)/2$，则若在 t_0^3 处零解是稳定的.则 $t_0 \leqslant t_0^3$ 时零解都是稳定的；若在 t_0^3 处零解是不稳定的，则 $t_0 \geqslant t_0^3$ 时零解都是不稳定的. 按这两种情形在 $[t_0^3, t_0^2]$ (或者在 $[t_0^1, t_0^3]$) 中取 $t_0^4 = (t_0^3 + t_0^2)/2$ (或者 $t_0^4 = (t_0^1 + t_0^3)/2$)，如此下去便得 t^*.

我们称 t^* 为临界点，对已经计算出 t^* 的所有例子均表明 $t^* \in E_{t^*}^l$，但在 E_{t^*} 不是单点集的一般情形还没有能证明 $t^* \in E_{t^*}^l$，这时作为一个研究课题列出，供读者参考.

例 2. 对上一节例1的方程(2.4)我们指出，$t^* = 0$.

首先，当 $t_0 = e^{-1}$ 时，$E_{e^{-1}} = (0, e^{-1}]$，取 $\phi(t) = \delta t$，δ 为任意给定的常数，不难用分步法求得

$$x(t, e^{-1}, \delta t) = \frac{\delta}{2} te^{-t} + \frac{\delta}{4} e^{-t} + \frac{\delta}{4} e^{-\left(1+\frac{2}{e}\right)} (4e^{1/e} - e - 2) e^{t}. \tag{3.5}$$

不问 δ 如何地小，系统自 e^{-1} 出发的解(3.5)总是无界的，即 $e^{-1} \in E_{t^*}^r$.

其次作序列

$$t_1 = e^{-1}, t_2 = t_1 e^{-t_1} = 1/e^{1+\frac{1}{e}}, t_3 = t_2 e^{-t_2}, \cdots$$

显然，当 $n \to \infty$ 时 $t_n \to 0$，对任意的 $t_0 \in (0, e^{-1})$，存在足够大的 n 可使 $t_n \leqslant t_0$，由初始时刻 t_n 出发沿 t 增加的方向用分步法，有限次积分便可得方程之解($t \geqslant t_n$)，只要证明对任意的 n，自 t_n 出发时零解是不稳定的，则由定理2便可推出 $t_0 \in E_{t^*}^r$.

今取 t_n 为初始时刻，n 为任意指定的正整数，在 E_{t_n} 上给定初始函数 $\phi = \delta t$ (δ 为任意给定的常数)，用分步法经 $n-1$ 次积分以

后便可延拓到 e^{-1} 处，在$[t_n, e^{-1}]$上解记为 $x_1(t, t_n, \delta t)$，如图3.1所示。以 e^{-1} 为初始时刻，则 $E_{e^{-1}} = E_{t_n} \cup [t_n, e^{-1}]$，用分步法一步即

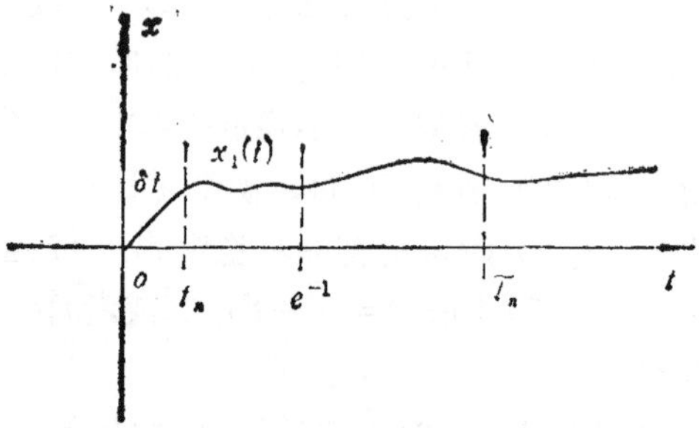

图3.1

可在$[e^{-1}, \infty)$求得解. 此时 $x(te^{-t})$ 作为$[0, e^{-1}]$上的已知函数，可表示为

$$x(te^{-t}) = \begin{cases} \delta t, & t \in E_{t_n}, \\ x_1(t, t_n, \delta t), & t \in [t_n, e^{-1}]. \end{cases} \tag{3.6}$$

现在注意时滞的直接作用范围，E_{t_n} 作用于$[\bar{t}_n, \infty)$，而$[t_n, e^{-1}]$作用于$[e^{-1}, \bar{t}_n]$，这里 $\bar{t}_n > e^{-1}$，$t_n = \bar{t}_n e^{-\bar{t}_n}$（注意到 e^{-1} 为 te^{-t} 的极大值，其两侧都是单调连续的）. 所以在 $[\bar{t}_n, \infty)$ 上解的表达式与(3.5)类似，是无界的，即 $t_n \in E^{r}_{t^*}$. 于是由定理 2 知 $t_0 \in E^{r}_{t^*}$，又已证当 $t_0 = 0$ 时零解稳定，故再由定理 2，3 便证得 $t^* = 0$.

临界值 t^* 的计算并不容易，因为迄今还没有有效的一般方法. 不过对已知的例子大部分都已求得 t^* 之值，而且有 $t^* \in E^{r}_{t^*}$. 下面引出几个例子，但略去计算过程.

例3. 方程

$$\dot{x}(t) = b(t) x(t - \tau(t)), \tag{3.7}$$

$$b(t) = \begin{cases} -2, & t \leqslant 0, \\ -2 + t, & t > 0, \end{cases} \qquad \tau(t) = \begin{cases} \tau_1(t), & t \leqslant 0, \\ 0, & t > 0. \end{cases}$$

若 $\tau_1(t) = \sqrt{|t|} - |t|$ $(-1 \leqslant t \leqslant 0)$，$\tau_1(t+1) = \tau_1(t)$ $(t \leqslant -1)$，则$t^* = -1$.

例4. 对方程

$$\dot{x}(t)=b(t)x\left(t-\frac{3\pi}{2}\right), \tag{3.8}$$

$$b(t)=\begin{cases}0, & t<\dfrac{3\pi}{2},\\ -\cos t, & \dfrac{3\pi}{2}\leqslant t\leqslant 3\pi,\\ 1, & t>3\pi,\end{cases}$$

可以计算得 $t^*=0$，且 $t^*\in E_{t_0}^{l}$.

例5. 对方程

$$\dot{x}(t)=x(t)-x(t-\tau(t)), \tag{3.9}$$

$$\tau(t)=\begin{cases}0, & t<0,\\ t, & t\geqslant 0,\end{cases}$$

可以计算得 $t^*=0$，且 $t^*\in E_{t_0}^{l}$.

这种稳定性依赖于初始时刻取值的性质叫做变异性 (Variability)，这类系统叫做变异系统. 人们最关心的两个问题是

第一个问题

在已知的稳定性理论中是如何避开这一麻烦问题的？回答是：实际上，除了定理1涉及的自治系统以外，并不是通过直接检验差分微分方程的变异性来达到目的的，因为迄今还不知道有什么有效的检验方法. 然而，差分微分方程的稳定性理论却在照样讨论着，事实上，除了自治系统之外，稳定性的种种准则只要它们的全部手续不依赖于初始时刻 t_0，便已排除了系统的变异性. 应当提请读者注意的也正是这一点；"不问用任何手段给出一个差分微分方程零解的稳定性准则，都需要判断它是否依赖于初始时刻 t_0." 令人鼓舞的事实是，已知的 Ляпунов 第二方法的各种主要稳定性定理的条件都不依赖 t_0，故实质上已排除了系统的变异性.

第二个问题

在差分微分方程类中，这种变异方程是否只是个别的例外？

回答是：至少从理论上看它不是个别现象．我们用一个定理表述这一事实的概况如下：

考虑滞后型差分微分方程

$$\dot{x}(t)=f(t,x(t),x(t-\tau(t))),x\in\mathbb{R}. \tag{3.10}$$

为了给出建立一族变异系统，作如下假定，

(i) $\tau(t)$ 连续且 $0\leqslant\tau(t)\leqslant r=\text{const}$，

(ii) $J=[t_l,\infty)$，$D=\{x:|x|\leqslant d,d=\text{const}>0\}$，$f$ 在 $J\times D^2$ 上连续并且是局部 Lipschitz 型的．

(iii) $f(t,0,0)\equiv 0\,(t\in J)$，且 f 在 $J\times D^2$ 上有界．当选取不同的 $\tau(t)$ 时，f 也不同，即方程(3.10)也不同．

记满足上述诸条件的 f 的全体为 F，把 F 分为三个子集 F_1,F_2,F_V，$F=F_1\cup F_2\cup F_V$，三个集合的元所对应的方程(3.10)的零解分别为稳定的和不稳定的，以及零解稳定依赖于初始时刻 t_0．此时我们有

定理4．(3.10)在(i)，(ii)，(iii)的假定之下，存在 F_V 的子集到 F_2 的满射 $\mathscr{A}:F_V\to F_2$．

证．分如下四个步骤：

(i)任取 F_2 中一个元 f_1，它对应的(3.10)为

$$\dot{x}(t)=f_1(t,x(t),x(t-\tau(t))), \tag{3.11}$$

即(3.11)的零解是不稳定的（与 $t_0\in J$ 的选取无关）．不妨设 $t_l>0$（$t_l\leqslant 0$ 的情形可类似证明[24]），定义函数 $Z(t)$ 如下

$$Z(t)=\begin{cases}0, & t\leqslant t_l,\\ (t-t_l)/t_l, & t_l<t\leqslant 2t_l,\\ 1, & t>2t_l.\end{cases}$$

这样可由 f_1 定义一个 $\tilde{f}_1$ 为

$$\tilde{f}_1=\begin{cases}0, & t\leqslant t_l,\\ Z(t)f_1, & t>t_l.\end{cases}$$

由 $t>t_l$ 时 $Z(t)>0$ 及 f 的连续性得 $f_1\neq f_2\Longleftrightarrow\tilde{f}_1\neq\tilde{f}_2$．此时得与(3.11)对应的方程

$$\dot{x}(t)=\tilde{f}_1(t,x(t),x(t-\tau(t))). \tag{3.12}$$

(ii) 设 $\tau(t_l)=r_l>0$ ($r_l=0$ 的情形更简单[24])，记 K 为使 $Kt_l\geqslant r_l$ 的最小正整数. 选取一个滞后型差分微分方程

$$\dot{x}(t)=b(t)x(t-\tau_1(t)),\tag{3.13}$$

$$b(t)=\begin{cases}0 & t\leqslant-(K+1)t_l,\\ \dfrac{1}{t_l}\left[\cos\dfrac{2\pi t}{t_l}-1\right], & -(K+1)t_l<t\leqslant-Kt_l,\\ 0, & t>-Kt_l,\end{cases}$$

$$\tau_1(t)=\begin{cases}r_l, & t\leqslant0,\\ [r_lt-t_l(t-t_l)]/t_l, & 0<t\leqslant t_l,\\ r_l, & t>t_l.\end{cases}$$

由此定义另一个方程

$$\dot{x}(t)=g_1(t,x(t),x(t-\tau_2(t))),\tag{3.14}$$

$$g_1=\begin{cases}b(t)x(t-\tau_1(t)), & -2(K+1)t_l\leqslant t\leqslant t_l,\\ \tilde{f}_1(t,x(t),x(t-\tau(t))), & t>t_l.\end{cases}$$

记 $\tilde{J}=[-2(K+1)t_l,\infty)$，$g$ 在 $\tilde{J}\times D^2$ 上，条件(i)，(ii)，(iii) 仍成立. 同样地，在 $t>t_l$ 时 $\tilde{f}_1\neq\tilde{f}_2\Longleftrightarrow$ 在 $\tilde{J}$ 上 $g_1\neq g_2$ (注意到在 $[-2(K+1)t_l,t_l]$ 上一切 g 均取 $b(t)x(t-\tau_1(t))$，且 $\tau_2(t)$ 取 $\tau_1(t)$).

(iii) 不难验证 $t_0<-(K+1)t_l$ 时零解稳定，$t_0>(K+1)t_l$ 时零解不稳定，即(3.14)具有变异性.

(iv) 对(3.14)作自变量代换 $\tilde{t}=t+(2k+3)t_l$，则方程定义在 $J=[t_l,\infty)$ 上，其右端为 F_V 中之一元. 这就建立了映射 $\mathscr{A}$.

§4. 两种解法的基本思想

本节要说明后文中沿用的两种主要方法的基本思想，并给出线性常系数系统的 V 函数公式.

1. 直接解法

研究方程组

$$\dot{x}_i(t)=\sum_{j=1}^{n}(a_{ij}+b_{ij})x_j(t),\ i=1,\cdots,n,\tag{4.1}$$

及方程组

$$\dot{x}_i(t)=\sum_{j=1}^{n}\left(a_{ij}x_j(t)+b_{ij}x_j(t-\tau)\right), \tag{4.2}$$

$\tau>0, i=1,2,\cdots,n.$

(4.1)零解为渐近稳定的充要条件是特征方程

$$D(\lambda)\equiv|a_{ij}+b_{ij}-\lambda\delta_{ij}|=0 \tag{4.3}$$

之所有根具有负实部，这一条件可以用 Routh-Hurwitz 条件来判定.

而(4.2)的特征方程为

$$D(\lambda,\tau)\equiv|a_{ij}+b_{ij}e^{-\lambda\tau}-\lambda\delta_{ij}|=0. \tag{4.4}$$

用 Laplace 变换表示解以后将会看到，(4.2)零解为渐近稳定的充要条件是特征方程(4.4)之一切根具有负实部. 但是(4.4)是超越方程，其根一般地说有无限多个. 下一章要介绍它的根全具有负实部的条件只是超越判定，实际上是难以验证的，本书研究给出代数判定的可能性和具体的判断准则.

我们以一阶方程

$$\dot{x}(t)=ax(t)+bx(t-\tau) \tag{4.5}$$

为例，阐述此法之基本思想. (4.5)之特征方程为

$$\lambda-(a+be^{-\lambda\tau})=0, \tag{4.6}$$

研究 λ 的实部为正时根存在的可能性，这时因为设 $\mathrm{Re}(\lambda)>0$，并且 $\tau>0$，故有

$$|e^{-\lambda\tau}|<1.$$

从而

$$|\lambda|=|a+be^{-\lambda\tau}|\leqslant|a|+|b|. \tag{4.7}$$

这样，在 $\mathrm{Re}(\lambda)>0$ 的一侧，只要考虑以原点为心，$|a|+|b|$ 为半径的半圆内部即可. 利用 τ 可以任意小的假定，当 τ 足够小时，(4.3)与(4.4)在相应的半圆内根的个数相等. 这样便可得到，当(4.3)的根 λ 都具有负实部时，(4.4)对足够小的 τ 也有同样性质. 从另一角度说，还可以得到(4.4)根保持实部小于零的 τ 的估值.

同样地，当(4.3)有根λ具正实部时，(4.4)当 $\tau>0$ 但足够小时也具有同样的性质.

对§2中提到的无条件稳定性，可用类似的思想处理. 即对任何 $\tau\geqslant 0$，可得 $|\lambda|\leqslant|a|+|b|$，但进一步还需要研究 τ 的影响. 由于 τ 是任意的，不能仅对 τ 充分小进行讨论，而应对所有的 $\tau\geqslant 0$ 进行研究. 事实上，只要对所有的 $\tau\geqslant 0$. 能使方程

$$a+be^{-\lambda\tau}-\lambda=0$$

的根 λ 不在虚轴 $\mathrm{Re}(\lambda)=0$ 上即可. 这等于把 $\lambda=iy$ 代入上式，要求对所有的 $\tau\geqslant 0$ 有

$$a+be^{-iy\tau}-iy\neq 0.$$

注意到 y 可以在 $-\infty$ 到 $+\infty$ 中变化，τ 可在 0 到 $+\infty$ 中变化，并且 y 与 τ 无关，利用这一特点便可知 $y\tau$ 可以单独记为 ω. 由此有

$$(a+b\cos\omega)-(y+b\sin\omega)i\neq 0,$$

或者要求

$$a+b\cos\omega=0$$

与

$$y+b\sin\omega=0$$

不能同时成立. 若此二式同时成立，其中 ω 及 y 为实数，则此两式消去 ω 便得到

$$y^2+a^2-b^2=0.$$

此式若无实根，便要求 $b^2-a^2<0$. 此外，当 $b^2-a^2=0$ 时，$y=0$，这时 $y\tau$ 与 y 均为零，对此要特别研究. 当然，当 $\tau=0$ 时解为 $a+b=\lambda$，当 $a+b<0$ 时才是渐近稳定的. 最后我们得到无条件稳定的充要条件为

$$a+b<0,\ b^2-a^2\leqslant 0$$

同时满足. 这里用到的一个特点是：当 $y\neq 0$，τ 及 y 任取时，τy 是独立的. 这样，由特征方程的实部与虚部分别为零，可以将 $-\tau y=\omega$ 和 y 中之一消去，得到一个代数方程，将问题化为代数方程求实根的问题. 这对有数值系数的方程而言，可用 Sturm 定理来判定，这样再一次避免了超越方程的问题，而得到代数判定.

2. **间接解法**

研究方程组(4.1)以及方程组

$$\dot{x}_i(t)=\sum_{j=1}^{n}(a_{ij}x_j(t)+b_{ij}x_j(t-\tau_{ij}(t))). \tag{4.8}$$

把(4.1)与(4.8)对比，这时可将(4.8)写成

$$\begin{aligned}\dot{x}_i(t)&=\sum_{j=1}^{n}(a_{ij}+b_{ij})x_j(t)\\&+\sum_{j=1}^{n}b_{ij}(x_j(t-\tau_{ij}(t))-x_j(t))\\&\overset{\text{def}}{=\!=}\sum_{j=1}^{n}(a_{ij}+b_{ij})x_j(t)+\psi_i(t),\end{aligned} \tag{4.9}$$

$$i=1,2,\cdots,n,$$

这样，我们便可将 $\psi_i(t)$ 看做一个扰动，也就是方程受到一种特殊的经常扰动. 这时要解决两个课题：

第一. 为了使 (4.1) 零解的稳定性能保证 (4.9) 零解的稳定性，如何估计滞量的大小范围？

第二. 关于 (4.1) 的 Ляпунов 函数的具体表达式问题已有明确结果，我们把蔡燧林[4]得到的结果列出，并且为了后文应用方便起见，给出它证明. 设实常系数线性微分方程组

$$\dot{x}_i=\sum_{j=1}^{n}a_{ij}x_j, i=1,2,\cdots,n \tag{4.10}$$

之特征根皆具负实部. 由§1定理1知，对给定的正定(或负定)二次型$U(x_1,\cdots x_n)$，恒存在唯一负定(或正定)的二次型$V(x_1,\cdots,x_n)$满足

$$\dot{V}|_{(4.10)}=\sum_{i=1}^{n}\sum_{j=1}^{n}a_{ij}x_j\frac{\partial V}{\partial x_i}=U. \tag{4.11}$$

现在给定负定的二次型 $U=-A\sum_{j=1}^{n}x_j^2, A=\text{const}>0$, 由(4.11)

计算出 Ляпунов 函数V的明确表达式. 此表达式为一些平方和,而其系数是 Routh-Hurwitz 行列式

$$\Delta_1 \equiv P_1, \Delta_2 = \begin{vmatrix} P_1 & P_3 \\ P_0 & P_2 \end{vmatrix}, \cdots \Delta_n = \begin{vmatrix} P_1 P_3 & \cdots & P_{2n-1} \\ P_0 P_2 & \cdots & P_{2n-2} \\ & \cdots & \\ 0 \quad 0 & \cdots & P_n \end{vmatrix}$$

的函数($P_0=1, P_k=0$, 当 $k>n$时). 诸 P_i 为多项式

$$|a_{ij}-\lambda\delta_{ij}| = (-1)^n(\lambda^n + P_1\lambda^{n-1} + \cdots + P_n)$$

之系数. 为书写简单,引入一些记号

(i) 在 n 阶系数行列式$|a_{s\sigma}|$中,第 j 列的元素换以$\begin{pmatrix} x_1 \\ \vdots \\ x_n \end{pmatrix}$之后,取它的$\nu_1, \cdots, \nu_k$ 行及 $\nu_1, \cdots, \nu_k$ 列的元素($\nu_1 < \cdots < \nu_k$)作出的k阶子行列式,以 $M^{(j)}_{\nu_1 \cdots \nu_k}(x_1, \cdots, x_n)$表示之.

(ii) 记号 $\Sigma M^{(j)}_{\nu_1, \cdots, \nu_k}(x_1, \cdots, x_n)$(为方便计有时记为 Σ_k)表示诸$M^{(j)}_{\nu_1 \cdots, \nu_k}(x_1, \cdots, x_n)$对$\nu_1, \cdots, \nu_k$的和,其中$\nu_1, \cdots, \nu_k$是集$(1, 2, \cdots, n)$中的各种可能组合,但必须取到 j.

(iii) 行列式 Δ_s 的第 s 行中的所有元素 P_{k-1}, 易以$\Sigma M^{(j)}_{\nu_1, \cdots, \nu_k}(x_1, \cdots, x_n)$所得到的新行列式, 用 $\Delta_{sj}(x_1, \cdots, x_n)$表示,则有

定理5. 给定实常系数线性方程组(4.10),则可取 Ляпунов 函数

$$V = \Delta_2 \cdots \Delta_n \sum_{j=1}^{n} x_j^2 + \sum_{\sigma=1}^{n-1} \sum_{j=1}^{n} \prod_{\substack{s=1 \\ s \neq \sigma \pm 1}}^{n} \Delta_s \Delta^2_{\sigma j}(x_1, \cdots, x_n). \quad (4.12)$$

它沿(4.10)的积分曲线的微商是

$$\dot{V}|_{(4.10)} = -2\Delta_1\Delta_2 \cdots \Delta_n \sum_{j=1}^{n} x_j^2. \quad (4.13)$$

该公式的 $n=2$ 的形式是 Малкин 首先得到的,作为例子,我们给出此公式当 $n=3$ 时的形状;

$$V=P_3(P_1P_2-P_3)^2(x_1^2+x_2^2+x_3^2)+P_1P_3(P_1P_2-P_3)\left[\left(\begin{vmatrix}x_1 & a_{12}\\x_2 & a_{22}\end{vmatrix}\right.\right.$$

$$+\left.\begin{vmatrix}x_1 & a_{13}\\x_3 & a_{33}\end{vmatrix}\right)^2+\left(\begin{vmatrix}a_{11} & x_1\\a_{21} & x_2\end{vmatrix}+\begin{vmatrix}x_2 & a_{23}\\x_3 & a_{33}\end{vmatrix}\right)^2$$

$$\left.+\left(\begin{vmatrix}a_{11} & x_1\\a_{31} & x_3\end{vmatrix}+\begin{vmatrix}a_{22} & x_2\\a_{32} & x_3\end{vmatrix}\right)^2\right]$$

$$+\left[\left(P_3x_1-P_1\begin{vmatrix}x_1 & a_{12} & a_{13}\\x_2 & a_{22} & a_{23}\\x_3 & a_{32} & a_{33}\end{vmatrix}\right)^2+\left(P_3x_2-P_1\begin{vmatrix}a_{11} & x_1 & a_{13}\\a_{21} & x_2 & a_{23}\\a_{31} & x_3 & a_{33}\end{vmatrix}\right)^2\right.$$

$$\left.+\left(P_3x_3-P_1\begin{vmatrix}a_{11} & a_{12} & x_1\\a_{21} & a_{22} & x_2\\a_{31} & a_{32} & x_3\end{vmatrix}\right)^2\right], \tag{4.14}$$

$$\frac{dV}{dt}=-2P_1(P_1P_2-P_3)^2P_3(x_1^2+x_2^2+x_3^2). \tag{4.15}$$

这样的函数(4.12),不仅在 $\Delta_1,\cdots,\Delta_n$ 均大于零时是 Ляпунов 函数,而且当 Δ_s 均不等于零或者虽然有的 Δ_s 为零,但若此时的 V 仍为正定函数时,也是 Ляпунов 函数.

引理1. 下列诸式(4.16)—(4.21)是恒等的(沿(4.10)的积分曲线求微商):

$$\sum_{i=1}^{n} a_{ij}x_ix_j=-\Delta_1x_j^2-\Sigma M_{\nu_1}^{(j)}(x_1,\cdots,x_n)\Delta_{1j}(x_1,\cdots,x_n); \tag{4.16}$$

$$\frac{d}{dt}\Sigma M_{\nu_1\cdots\nu_k}^{(j)}(x_1,\cdots,x_n)=(-1)^kP_kx_j-\Sigma M_{\nu_1\cdots\nu_{k+1}}^{(j)}(x_1,\cdots,x_n), \tag{4.17}$$

$\kappa=1,2,\cdots,n-1;$

$$\frac{d}{dt}\Sigma M_{\nu_1\cdots\nu_n}^{(j)}(x_1,\cdots,x_n)=(-1)^nP_nx_j; \tag{4.18}$$

$$\frac{d}{dt}\Delta_{\sigma j}(x_1,\cdots,x_n) = -\begin{vmatrix} P_1 & \cdots & P_{2\sigma-3} & P_{2\sigma-1} \\ P_0 & \cdots & P_{2\sigma-4} & P_{2\sigma-2} \\ & & \cdots & \\ 0 & \cdots & P_{\sigma-1} & P_{\sigma+1} \\ 0 & \cdots & \Sigma_\sigma & \Sigma_{\sigma+2} \end{vmatrix}, \quad (4.19)$$

$\sigma = 2,\cdots,n-2$;

$$\frac{d}{dt}\Delta_{n-1,j}(x_1,\cdots,x_n) = -\begin{vmatrix} P_1 & \cdots & P_{2n-5} & P_{2n-3} \\ P_0 & \cdots & P_{2n-6} & P_{2n-4} \\ & & \cdots & \\ 0 & \cdots & P_{n-2} & P_n \\ 0 & \cdots & \Sigma_{n-1} & 0 \end{vmatrix}$$

$$= P_n\Delta_{n-2,j}(x_1,\cdots,x_n); \quad (4.20)$$

$$\Delta_\sigma\frac{d}{dt}\Delta_{\sigma,j}(x_1,\cdots,x_n) + \Delta_{\sigma-1}\Delta_{\sigma+1,j}(x_1,\cdots,x_n)$$

$$= \Delta_{\sigma+1}\Delta_{\sigma-1,j}(x_1,\cdots,x_n), \quad (4.21)$$

$$\sigma = 2,\cdots,n-2,\ j = 1,2,\cdots,n.$$

证．上述诸恒等式中，(4.16)可直接由定义推得，(4.18)可仿照(4.17)来证明，(4.20)可仿照(4.19)证明，只须注意到(4.18)与(4.17)的不同点就可以了．所以在此我们只证明(4.17)，(4.19)和(4.21)．

对于等式(4.17)，可以只限于讨论 $j=1$ 的情形，因为变换原方程组(4.10)中 j 与 1 的位置，并不改变组(4.10)的本质，而可以使之变成 $j=1$．

(4.17)的左边是

$$\frac{d}{dt}\Sigma M^{(1)}_{1,\nu_2\cdots\nu_k}(x_1,\cdots,x_n) = \frac{d}{dt}\Sigma\begin{vmatrix} x_1 & a_{1\nu_2} & \cdots & a_{1\nu_k} \\ x_{\nu_2} & a_{\nu_2\nu_2} & \cdots & a_{\nu_2\nu_k} \\ & & \cdots & \\ x_{\nu_k} & a_{\nu_k\nu_2} & \cdots & a_{\nu_k\nu_k} \end{vmatrix}$$

$$=\Sigma\sum_{s=1}^{n}\begin{vmatrix}a_{1s} & a_{1\nu_2} & \cdots & a_{1\nu_k}\\ a_{\nu_2 s} & a_{\nu_2\nu_2} & \cdots & a_{\nu_2\nu_k}\\ & \cdots & & \\ a_{\nu_k s} & a_{\nu_k\nu_2} & \cdots & a_{\nu_k\nu_k}\end{vmatrix}x_s$$

$$=\Sigma\sum_{s=2}^{n}\begin{vmatrix}a_{1s} & a_{1\nu_2} & \cdots & a_{1\nu_k}\\ a_{\nu_2 s} & a_{\nu_2\nu_2} & \cdots & a_{\nu_2\nu_k}\\ & \cdots & & \\ a_{\nu_k s} & a_{\nu_k\nu_2} & \cdots & a_{\nu_k\nu_k}\end{vmatrix}x_s+\Sigma\begin{vmatrix}a_{11} & a_{1\nu_2} & \cdots & a_{1\nu_k}\\ a_{\nu_2 1} & a_{\nu_2\nu_2} & \cdots & a_{\nu_2\nu_k}\\ & \cdots & & \\ a_{\nu_k 1} & a_{\nu_k\nu_2} & \cdots & a_{\nu_k\nu_k}\end{vmatrix}x_1, \tag{*}$$

其中 Σ 为对 $\nu_2,\cdots,\nu_k(1<\nu_2<\cdots<\nu_k\leqslant n)$ 的各种可能组合求和. (4.17)之右边是

$$(-1)^k P_k x_1-\Sigma M^{(1)}_{1,\nu_2,\cdots\nu_{k+1}}(x_1,\cdots,x_n)$$
$$=(-1)^k P_k x_1-\Sigma M^{(1)}_{1\mu_1,\cdots\mu_k}(x_1,\cdots,x_n)$$
$$=(-1)^k P_k x_1-\Sigma\begin{vmatrix}x_1 & a_{1\mu_1} & \cdots & a_{1\mu_k}\\ x_{\mu_1} & a_{\mu_1\mu_1} & \cdots & a_{\mu_1\mu_k}\\ & \cdots & & \\ x_{\mu_k} & a_{\mu_k\mu_1} & \cdots & a_{\mu_k\mu_k}\end{vmatrix}$$
$$=\left[(-1)^k P_k-\Sigma\begin{vmatrix}a_{\mu_1\mu_1} & \cdots & a_{\mu_1\mu_k}\\ & \cdots & \\ a_{\mu_k\mu_1} & \cdots & a_{\mu_k\mu_k}\end{vmatrix}\right]x_1$$
$$-\Sigma\begin{vmatrix}0 & a_{1\mu_1} & \cdots & a_{1\mu_k}\\ x_{\mu_1} & a_{\mu_1\mu_1} & \cdots & a_{\mu_1\mu_k}\\ & \cdots & & \\ x_{\mu_k} & a_{\mu_k\mu_1} & \cdots & a_{\mu_k\mu_k}\end{vmatrix}, \tag{**}$$

其中 Σ 为对 $\mu_1,\cdots,\mu_k(1<\mu_1<\cdots<\mu_k\leqslant n)$ 的各种可能组合求和. 我们来证明(*) = (**).

对含 x_1 的项：在(**)中，注意到 $(-1)^k p_k$ 是系数行列式 $|a_{s\sigma}|$ 的所有 k 阶主子式的和，而

$$\sum \begin{vmatrix} a_{\mu_1\mu_1} & \cdots & a_{\mu_1\mu_k} \\ & \cdots & \\ a_{\mu_k\mu_1} & \cdots & a_{\mu_k\mu_k} \end{vmatrix}$$

是不含 a_{11} 的所有 k 阶主子式的和，因而 (**) 中 x_1 的系数是含 a_{11} 的 k 阶主子式的和，即(*)中 x_1 的系数．即(**)中含 x_1 的项等于(*)中含 x_1 的项．

对其他的 $x_i(i\neq 1)$：先证(**)中的每一项，必是在(*)中的一项．事实上，对任一组合 $\mu_1,\cdots,\mu_k(1<\mu_1<\cdots<\mu_k\leqslant n)$，考虑其中任一个 $\mu_i(1\leqslant i\leqslant k)$，相应地，含 x_{μ_i} 的项是

$$-(-1)^{1+(i+1)}\begin{vmatrix} a_{1\mu_1} & \cdots & a_{1\mu_k} \\ & \cdots & \\ a_{\mu_{i-1}\mu_1} & \cdots & a_{\mu_{i-1}\mu_k} \\ a_{\mu_{i+1}\mu_1} & \cdots & a_{\mu_{k+1}\mu_2} \\ & \cdots & \\ a_{\mu_k\mu_1} & \cdots & a_{\mu_k\mu_k} \end{vmatrix} x_{\mu_i}$$

而在(*)中，我们可取 $s=\mu_i,\nu_2=\mu_1,\cdots,\nu_i=\mu_{i-1},\nu_{i+1}=\mu_{i+1},\cdots,\nu_k=\mu_k,\nu_2,\cdots,\nu_k$ 构成一种组合，得到(*)中含 x_{μ_i} 的同样的一项：

$$\begin{vmatrix} a_{1\mu_i} & a_{1\mu_1}\cdots a_{1\mu_{i-1}}a_{1\mu+1}\cdots a_{1\mu_k} \\ a_{\mu_1\mu_i} & \cdots \\ & \cdots \\ a_{\mu_{i-1}\mu_i} & \cdots \\ & \cdots \\ a_{\mu_{i+1}\mu_i} & \cdots \\ & \cdots \\ a_{\mu_k\mu_i} & \cdots \qquad a_{\mu_k\mu_k} \end{vmatrix} x_{\mu_i}$$

$$=(-1)^{i-1}\begin{vmatrix} a_{1\mu_1} & \cdots & a_{1\mu_k} \\ & \cdots & \\ a_{\mu_{i-1}\mu_1} & \cdots & a_{\mu_{i-1}\mu_k} \\ a_{\mu_{i+1}\mu_1} & \cdots & a_{\mu_{i+1}\mu_k} \\ & \cdots & \\ a_{\mu_k\mu_1} & \cdots & a_{\mu_k\mu_k} \end{vmatrix} x_{\mu_i}$$

所述得证.

反之,证(*)中每一非零项,必是(**)中的一项. 事实上,对(*)中任取一组合 $\nu_2,\cdots,\nu_k$ 及 s,若 $s=$ 某一个 ν_σ,则

$$\begin{vmatrix} a_{1s} & a_{1\nu_2} & \cdots & a_{1\nu_k} \\ & \cdots & & \\ a_{\nu_k s} & a_{\nu_k\nu_2} & \cdots & a_{\nu_k\nu_k} \end{vmatrix}=0.$$

故只需考虑 $s\neq\nu_\sigma(\sigma=2,\cdots,\kappa)$. 设 $\nu_i<s<\nu_{i+1}$,则(*)中含 x_s 的项是

$$\begin{vmatrix} a_{1s} & a_{1\nu_2} & \cdots & a_{1\nu_k} \\ & \cdots & & \\ a_{\nu_k s} & a_{\nu_k\nu_2} & \cdots & a_{\nu_k\nu_k} \end{vmatrix} x_s$$

$$=(-1)^{i-1}\begin{vmatrix} a_{1\nu_2} & \cdots & a_{1\nu_i} & a_{1s} & a_{1\nu_{i+1}} & \cdots & a_{1\nu_k} \\ & & & \cdots & & & \\ a_{\nu_k\nu_2} & \cdots & a_{\nu_k\nu_i} & a_{\nu_k s} & a_{\nu_k\nu_{i+1}} & \cdots & a_{\nu_k\nu_k} \end{vmatrix} x_s,$$

在(**)中取 $\mu_1=\nu_2,\cdots,\mu_{i-1}=\nu_i,\mu_{i+1}=\nu_{i+1},\cdots,\mu_k=\nu_k,\mu_i=s$,得到同样含 x_s 的一项

$$-(-1)^{1+(i+1)}\begin{vmatrix} a_{1\nu_2} & \cdots & a_{1\nu_i} & a_{1s} & a_{1\nu_{i+1}} & \cdots & a_{1\nu_k} \\ & & & \cdots & & & \\ a_{\nu_k\nu_2} & \cdots & a_{\nu_k\nu_i} & a_{\nu_k s} & a_{\nu_k\nu_{i+1}} & \cdots & a_{\nu_k\nu_k} \end{vmatrix} x_s,$$

故所述得证. 最后,注意到(*)中没有两个行列式是一样的,(**)中亦是如此,这样就证明了(*) = (**). 等式(4.17)证毕.

对(4.19),我们分两种情形来证明. 设 σ 为奇数,由 $\Delta_{\sigma,j}(x_1,\cdots,x_n)$ 的定义及(4.17)有

$$\frac{d}{dt}\Delta_{\sigma,j}(x_1,\cdots,x_n)=\frac{d}{dt}\begin{vmatrix} P_1 & \cdots & P_{\sigma-2} & P_\sigma & \cdots & P_{2\sigma-1} \\ & & & \cdots & & \\ 0 & \cdots & P_0 & P_2 & \cdots & P_{\sigma+1} \\ 0 & \cdots & 0 & \Sigma_2 & \cdots & \Sigma_{\sigma+1} \end{vmatrix}$$

$$
=\begin{vmatrix} P_1 & \cdots & P_{\sigma-2}P_\sigma & \cdots & P_{2\sigma-1} \\ & & \cdots & & \\ 0 & \cdots & P_0P_2 & \cdots & P_{\sigma+1} \\ 0 & \cdots & 0\ P_2 & \cdots & P_{\sigma+1} \end{vmatrix} x_j - \begin{vmatrix} P_1 & \cdots & P_{\sigma-2}P_\sigma & \cdots & P_{2\sigma-1} \\ & & \cdots & & \\ 0 & \cdots & P_0P_2 & \cdots & P_{\sigma+1} \\ 0 & \cdots & 0\ \Sigma_3 & \cdots & \Sigma_{\sigma+2} \end{vmatrix}.
$$

注意到 $P_0\equiv 1$，$x_j\equiv\Sigma_1$，则上式就可以化为(4.19)的右边，对 σ 为奇数证毕．设 σ 为偶数，则有

$$
\frac{d}{dt}\Delta_{\sigma,j}(x_1,\cdots,x_n)=\frac{d}{dt}\begin{vmatrix} P_0 & \cdots & P_{\sigma-1} & \cdots & P_{2\sigma-1} \\ & & \cdots & & \\ 0 & \cdots & P_1 & \cdots & P_{\sigma+1} \\ 0 & \cdots & \Sigma_1 & \cdots & \Sigma_{\sigma+1} \end{vmatrix}
$$

$$
=-\begin{vmatrix} P_1 & \cdots & P_{\sigma-1} & \cdots & P_{2\sigma-1} \\ & & \cdots & & \\ 0 & \cdots & P_1 & \cdots & P_{\sigma+1} \\ 0 & \cdots & P_1 & \cdots & P_{\sigma+1} \end{vmatrix} x_j - \begin{vmatrix} P_1 & \cdots & P_{\sigma-1} & \cdots & P_{2\sigma-1} \\ & & \cdots & & \\ 0 & \cdots & P_1 & \cdots & P_{\sigma+1} \\ 0 & \cdots & \Sigma_2 & \cdots & \Sigma_{\sigma+2} \end{vmatrix},
$$

前一项为零，因而上式等于(4.19)的右边，(4.19)证毕．

今证(4.21)，我们将右边所有各项全移到左边，证其和为零．由 Δ_σ 及 $\Delta_{\sigma,j}(x_1,\cdots,x_n)$ 的定义及(4.19)，有

$$
-\Delta_{\sigma+1}\Delta_{\sigma-1,j}(x_1,\cdots,x_n)+\Delta_{\sigma-1}\Delta_{\sigma+1,j}(x_1,\cdots,x_n)
$$
$$
+\Delta_\sigma\frac{d}{dt}\Delta_{\sigma,j}(x_1,\cdots,x_n)
$$

$$
=-\begin{vmatrix} P_1 & \cdots & P_{2\sigma-1} & P_{2\sigma+1} \\ P_0 & \cdots & P_{2\sigma-2} & P_{2\sigma} \\ & & \cdots & \\ 0 & \cdots & P_\sigma & P_{\sigma+2} \\ 0 & \cdots & P_{\sigma-1} & P_{\sigma+1} \end{vmatrix}\begin{vmatrix} P_1 & \cdots & P_{2\sigma-5} & P_{2\sigma-3} \\ P_0 & \cdots & P_{2\sigma-6} & P_{2\sigma-4} \\ & & \cdots & \\ 0 & \cdots & P_{\sigma-2} & P_\sigma \\ 0 & \cdots & \Sigma_{\sigma-2} & \Sigma_\sigma \end{vmatrix}
$$

$$
+\begin{vmatrix} P_1 & \cdots & P_{2\sigma-1} & P_{2\sigma+1} \\ P_0 & \cdots & P_{2\sigma-2} & P_{2\sigma} \\ & & \cdots & \\ 0 & \cdots & P_\sigma & P_{\sigma+2} \\ 0 & \cdots & \Sigma_\sigma & \Sigma_{\sigma+2} \end{vmatrix}\begin{vmatrix} P_1 & \cdots & P_{2\sigma-5} & P_{2\sigma-3} \\ P_0 & \cdots & P_{2\sigma-6} & P_{2\sigma-4} \\ & & \cdots & \\ 0 & \cdots & P_{\sigma-2} & P_\sigma \\ 0 & \cdots & P_{\sigma-3} & P_{\sigma-1} \end{vmatrix}
$$

$$
-\begin{vmatrix} P_1 & \cdots & P_{2\sigma-3} & P_{2\sigma-1} \\ P_0 & \cdots & P_{2\sigma-1} & P_{2\sigma-2} \\ & & \cdots & \\ 0 & \cdots & P_{\sigma-1} & P_{\sigma+1} \\ 0 & \cdots & P_{\sigma-2} & P_{\sigma} \end{vmatrix}
\begin{vmatrix} P_1 & \cdots & P_{2\sigma-3} & P_{2\sigma-1} \\ P_0 & \cdots & P_{2\sigma-4} & P_{2\sigma-2} \\ & & \cdots & \\ 0 & \cdots & P_{\sigma} & P_{\sigma+2} \\ 0 & \cdots & P_{\sigma-1} & P_{\sigma+1} \\ 0 & \cdots & \Sigma_{\sigma} & \Sigma_{\sigma+2} \end{vmatrix}
$$

如果将上式依次写成 $-AB+CD-EF$，把 A 和 C 按最后一行元素展开，A 中最后一行第 κ 列的元素对应的子式记为 D_k，则显然有 $E=D_{\sigma+1}$，将 $-AB+CD$ 中有相同的 D_k 提出来，这样有

$$
-AB+CD-EF
$$

$$
=D_{\sigma+1}\begin{vmatrix} P_1 & \cdots & P_{2\sigma-3} & 0 \\ P_0 & \cdots & P_{2\sigma-4} & 0 \\ & & \cdots & \\ 0 & \cdots & P_{\sigma-1} & P_{\sigma+1} \\ 0 & \cdots & \Sigma_{\sigma} & \Sigma_{\sigma+2} \end{vmatrix}
-D_{\sigma}\begin{vmatrix} P_1 & \cdots & P_{2\sigma-3} & 0 \\ P_0 & \cdots & P_{2\sigma-4} & 0 \\ & & \cdots & \\ 0 & \cdots & P_{\sigma-1} & P_{\sigma-1} \\ 0 & \cdots & \Sigma_{\sigma} & \Sigma_{\sigma} \end{vmatrix}
$$

$$
+D_{\sigma-1}\begin{vmatrix} P_1 & \cdots & P_{2\sigma-3} & 0 \\ P_0 & \cdots & P_{2\sigma-4} & 0 \\ & & \cdots & \\ 0 & \cdots & P_{\sigma-1} & P_{\sigma-3} \\ 0 & \cdots & \Sigma_{\sigma} & \Sigma_{\sigma-2} \end{vmatrix}
$$

$$
+\cdots+(-1)^{\sigma}D_1\begin{vmatrix} P_1 & \cdots & P_{2\sigma-3} & 0 \\ P_0 & \cdots & P_{2\sigma-4} & 0 \\ & & \cdots & \\ 0 & \cdots & P_{\sigma-1} & 0 \\ 0 & \cdots & \Sigma_{\sigma} & 0 \end{vmatrix}
$$

$$
-D_{\sigma+1}\begin{vmatrix} P_1 & \cdots & P_{2\sigma-3} & P_{2\sigma-1} \\ P_0 & \cdots & P_{2\sigma-4} & P_{2\sigma-2} \\ & & \cdots & \\ 0 & \cdots & P_{\sigma-1} & P_{\sigma+1} \\ 0 & \cdots & \Sigma_{\sigma} & \Sigma_{\sigma+2} \end{vmatrix}.
$$

合并上式的第一项与最后一项之后，容易看出，上式是下面行列式的 Laplace 展式与$(-1)^{\sigma-1}$之积

$$
\begin{array}{r}
\sigma\text{行}\left\{\begin{array}{c} \\ \\ \\ \\ \\ \end{array}\right. \\
\sigma\text{行}\left\{\begin{array}{c} \\ \\ \\ \\ \\ \\ \end{array}\right. \\
\end{array}
\left|\begin{array}{ccccccc}
P_1 & \cdots & P_{2\sigma-1} & P_{2\sigma+1} & & & \\
P_0 & \cdots & P_{2\sigma-2} & P_{2\sigma} & & & \\
0\,P_1 & \cdots & P_{2\sigma-3} & P_{2\sigma-1} & & 0 & \\
 & \cdots & & & & & \\
0 & \cdots & P_{\sigma} & P_{\sigma+2} & & & \\
0 & \cdots & 0 & -P_{2\sigma-1} & P_1 & \cdots & P_{2\sigma-3} \\
0 & \cdots & 0 & -P_{2\sigma-2} & P_0 & \cdots & P_{2\sigma-4} \\
 & & & \cdots & & & \\
0 & \cdots & 0 & -P_{\sigma+2} & 0 & \cdots & P_{\sigma} \\
0 & \cdots & P_{\sigma-1} & 0 & 0 & \cdots & P_{\sigma-1} \\
0 & \cdots & \Sigma_{\sigma} & 0 & 0 & \cdots & \Sigma_{\sigma}
\end{array}\right|.
$$

$$\underbrace{\qquad\qquad}_{\sigma+1\text{个列}}\qquad\underbrace{\qquad\qquad}_{\sigma-1\text{个列}}$$

今将它的第$2,3,\cdots,\sigma$列分别减去第$\sigma+2,\sigma+3,\cdots,2\sigma$列，然后将第$3,4,\cdots\sigma$行分别加到第$\sigma+1,\sigma+2,\cdots 2\sigma-2$行上去，得到一个行列式，此行列式是$2\sigma$阶的，在它的左下角有一个$\sigma$行$\sigma+1$列的矩形块，其元素皆为零，$\sigma+(\sigma+1)=2\sigma+1>2\sigma$，根据行列式中熟知的 Соболев 引理，知此行列式等于零. 等式(4.21)证毕.

基本定理 5 的证明. 我们将(4.12)沿(4.10)的积分曲线求微商，注意到(4.16)有

$$
\begin{aligned}
\frac{dV}{dt} &= 2\Delta_2\cdots\Delta_n\sum_{j=1}^{n}\sum_{i=1}^{n} a_{ij}x_ix_j \\
&+2\sum_{\sigma=1}^{n-1}\sum_{j=1}^{n}\prod_{\substack{s=1\\ s\neq\sigma\pm1}}^{n}\Delta_s\Delta_{\sigma,j}(x_1,\cdots,x_n)\frac{d}{dt}\Delta_{\sigma,j}(x_1,\cdots,x_n) \\
&= -2\Delta_1\cdots\Delta_n\sum_{j=1}^{n}x_j^2-2\Delta_2\cdots\Delta_n\sum_{j=1}^{n}[\Sigma M_{\sigma_1}^{(j)}(x_1,\cdots,x_n)
\end{aligned}
$$

$$\times\Delta_{1,j}(x_1,\cdots,x_n)\Big]$$

$$+2\sum_{j=1}^{n}\sum_{\sigma=1}^{n-1}\prod_{\substack{s=1\\ s\neq\sigma\pm1}}^{n}\Delta_s\Delta_{\sigma,j}(x_1,\cdots,x_n)\frac{d}{dt}\Delta_{\sigma,j}(x_1,\cdots,x_n).$$

由(4.20)，$P_n\Delta_{n-1}=\Delta_n$ 及(4.21)有

$$\sum_{\sigma=1}^{n-1}\prod_{\substack{s=1\\ s\neq\sigma\pm1}}^{n}\Delta_s\Delta_{\sigma,j}(x_1,\cdots,x_n)\frac{d}{dt}\Delta_{\sigma,j}(x_1,\cdots,x_n)$$

$$=\sum_{\sigma=1}^{n-3}\prod_{\substack{s=1\\ s\neq\sigma\pm1}}^{n}\Delta_s\Delta_{\sigma,j}(x_1,\cdots,x_n)\frac{d}{dt}\Delta_{\sigma,j}(x_1,\cdots,x_n)$$

$$+\Delta_1\cdots\Delta_{n-4}\Delta_{n-2}\Delta_n\Delta_{n-2,j}(x_1,\cdots,x_n)\frac{d}{dt}\Delta_{n-2,j}(x_1,\cdots,x_n)+\Delta_1\cdots\Delta_{n-3}\Delta_{n-1}\Delta_{n-1,j}(x_1,\cdots,x_n)\frac{d}{dt}\Delta_{n-1,j}(x_1,\cdots,x_n)$$

$$=\sum_{\sigma=1}^{n-3}\prod_{\substack{s=1\\ s\neq\sigma\pm1}}^{n}\Delta_s\Delta_{\sigma,j}(x_1,\cdots,x_n)\frac{d}{dt}\Delta_{\sigma,j}(x_1,\cdots,x_n)$$

$$+\Delta_1\cdots\Delta_{n-4}\Delta_{n-1}\Delta_n\Delta_{n-3,j}(x_1,\cdots,x_n)\Delta_{n-2,j}(x_1,\cdots,x_n)$$

$$=\sum_{\sigma=1}^{n-4}\prod_{\substack{s=1\\ s\neq\sigma\pm1}}^{n}\Delta_s\Delta_{\sigma,j}(x_1,\cdots,x_n)\frac{d}{dt}\Delta_{\sigma,j}(x_1,\cdots,x_n)$$

$$+\Delta_1\cdots\Delta_{n-5}\Delta_{n-2}\Delta_{n-1}\Delta_n\Delta_{n-4,j}(x_1,\cdots,x_n)\Delta_{n-3,j}(x_1,\cdots,xn).$$

继续用(4.21)，由归纳法不难证明上式等于

$$\Delta_3\cdots\Delta_n\Delta_{1,j}(x_1,\cdots,x_n)\left[\Delta_{2,j}(x_1,\cdots,x_n)+\Delta_1\frac{d}{dt}\Delta_{1,j}(x_1,\cdots,x_n)\right]$$

$(j=1,2,\cdots,n)$．如果再注意到

$$\Delta_1=p_1,\Delta_2=p_1p_2-p_3,$$

$$\Delta_{2,j}(x_1,\cdots,x_n) = p_1\Sigma M^{(j)}_{\nu_1\nu_2\nu_3}(x_1,\cdots,x_n)$$

$$-p_3\Sigma M^{(j)}_{\nu_1}(x_1,\cdots,x_n),$$

$$\Delta_{1,j}(x_1,\cdots,x_n) = \Sigma M^{(j)}_{\nu_1\nu_2}(x_1,\cdots,x_n)$$

及(4.17),那末立即可得(4.13).定理证毕.

最后指出，Ляпунов 函数不是唯一的,可以有各不种同的作法,例如 Барбашин 公式[23]. 当处理特殊问题时,还可以另行考虑适当的,更为简单的公式.

第四章　直接法的基本定理

§1. Понтрягин 定理[133,79,64]

我们要讨论的常系数线性系统的滞量τ为常数，所指的滞后型与中立型系统分别为

$$\dot{x}_i=\sum_{j=1}^{n}\left[a_{ij}x_j(t)+b_{ij}x_j(t-\tau)\right], \tag{1.1}$$

$$\dot{x}_i=\sum_{j=1}^{n}\left[a_{ij}x_j(t)+b_{ij}x_j(t-\tau)+c_{ij}\dot{x}_j(t-\tau)\right], \tag{1.2}$$

$$i=1,2,\cdots,n,\ \ \tau>0,$$

这时相应的特征方程分别是

$$|a_{ij}+b_{ij}e^{-\lambda\tau}-\delta_{ij}\lambda|=0, \tag{1.3}$$

$$|a_{ij}+b_{ij}e^{-\lambda\tau}+c_{ij}\lambda e^{-\lambda\tau}-\delta_{ij}\lambda|=0. \tag{1.4}$$

对$\tau=0$的情形(1.3)为一代数方程

$$\lambda^n+P_1\lambda^{n-1}+\cdots+P_n=0. \tag{1.5}$$

我们知道，在常微分方程解的稳定性理论中，关于特征方程$P(\lambda)=0$(即(1.5))的根的实部符号这样一个问题是极其重要的．如果给了方程组的平衡态之位置及其对应的特征多项式$P(\lambda)$，则欲使平衡态的位置稳定，其充分必要条件是特征多项式$P(\lambda)$的所有根都有负实部．这一问题是由于需要分析水轮机转速调节中的稳定性而由 Hurwitz 在十九世纪末解决的．但是我们现在的特征方程(1.3)或(1.4)已不是代数方程，可系统的稳定性仍然与特征根的分布紧紧连系在一起，例如(1.3)或(1.4)之一切根λ_j都有$\mathrm{Re}\lambda_j\leqslant\delta<0$时，系统(1.1)或(1.2)的零解是渐近稳定的．这样，推广 Hurwitz 准则使之适用于(1.3)或(1.4)的问题便显得十分

迫切．本世纪30年代到40年代初期对这一问题展开了广泛的研究．本节阐述的是1942年Понтрягин对这一问题的总结性结果．当然，正象第一章已指出的那样，这只是超越判据，它离实际运用尚远，还有待进一步研究．

不论是(1.3)或(1.4)，我们都把它置之于复平面上来考虑零点分布．改记 λ 为 z，一般地，考虑函数

$$H(z)=h(z,e^{z}) \tag{1.6}$$

的全部零点的分布状况，特别是零点全在左半平面的判断准则．

为了方便起见，用 r 记 $h(z,t)$ 关于 z 的次数(这里 $t=e^{z}$)，用 s 记 $h(z,t)$ 关于 t 的次数，称形如 $az^{r}t^{s}$ 的项为主项(a 为常数)．Понтрягин解决了下列两个问题，即

(i) 如果多项式 $h(z,t)$ 没有主项，则函数 $H(z)$ 必有无限个零点，且这些零点可取任意大的正实部．

(ii) 如果多项式 $h(z,t)$ 有主项，为了解决前面提出的问题，Понтрягин指出：必须研究函数 $H(z)$ 在虚轴上的性状，也就是在 $z=yi$ 时的性状，这里 y 是实变元．显见函数 $H(yi)$ 此时可分解成实部与虚部，即

$$H(yi)=F(y)+iG(y),$$

其中

$$F(y)=f(y,\cos y,\sin y),$$
$$G(y)=g(y,\cos y,\sin y),$$

且 $f(y,u,v)$ 与 $g(y,u,v)$ 是多项式．Понтрягин断定：要使函数 $H(z)$ 所有的根都有负实部，必要且充分条件是使函数 $F(y)$ 与 $G(y)$ 的根都是实的，而且在这当中至少对某一个 y 值我们有不等式

$$G'(y)F(y)-F'(y)G(y)>0$$

(注意函数 $F(y)$ 的特点，它是 $y,\sin y,\cos y$ 的多项式)．Понтрягин接着又指出，关于判定形如 $F(y)$ 的函数，它的全部根都是实的这样一个问题，可以按照下列两个原则去解决：

(1) 要使函数 $F(y)$ 的所有根都是实的，必要与充分条件是

从充分大的 k 开始，函数 $F(y)$ 在区间 $-2k\pi\leqslant y\leqslant 2k\pi$ 上有 $4sk+r$ 个根，这里所有的根都是实的.

（2）后一个原则，完全是类似的对应于多项式情形的原则，就是从充分大的数开始，保证没有复根而只有实根.

这是 Понтрягин 结果的概述，现在对上述结果给以详尽的论证.

1. 缺主项时 $h(z,e^z)$ 的零点分布

设 $h(z,t)$ 是两个变量 z 与 t 的具有实的或复的常系数的多项式

$$h(z,t)=\sum_{m,n}a_{mn}z^m t^n. \tag{1.7}$$

当 $a_{rs}\neq 0$ 且指数 r 与 s 同时取它们的极大值时，我们称项 $a_{rs}z^r t^s$ 为多项式 (1.7) 的主项. 亦即若在 (1.7) 中取出任何另外的一项 $a_{mn}z^m t^n$，$a_{mn}\neq 0$ 则有 (i) $r>m$，$s>n$；(ii) $r=m, s>n$；(iii) $r>m$，$s=n$ 中之一. 显然，并不是所有的多项式都有主项.

定理 1. 在(1.7)缺主项的情况下，函数 $h(z,e^z)$ 必定有无穷多个具有任意大正实部的零点集合.

证. 首先以最简单的情形为例说明定理的全貌. 不妨就 $h(z,t)=t-z$（此即没有主项的最简单的例子）的情形来讨论. 因此我们有

$$e^z-z=0.$$

以 $z=x+iy$ 代入得

$$e^x(\cos y+i\sin y)-(x+iy)=0,$$

所以

$$e^x\cos y=x,\quad e^x\sin y=y. \tag{1.8}$$

当 x 与 y 为很大的正数时，我们来求 (1.8) 的近似解. 由 $\cos y=e^{-x}x\Rightarrow y\sim 2k\pi+\dfrac{\pi}{2}$（$\sim$表近似）再由 (1.8) 之第二式有

$e^{x}\sim 2k\pi+\dfrac{\pi}{2}$,故

$$x\sim\ln\left(2k\pi+\frac{\pi}{2}\right).$$

于是 $h(z,t)=t-z=0$ 的解可以写成

$$Z=\ln\left(2k\pi+\frac{\pi}{2}\right)+i\left(2k\pi+\frac{\pi}{2}\right)+\zeta,$$

其中当 $k\to\infty$ 时,$\dfrac{1}{k}\to 0$, $\zeta\to 0$.

类似地,对一般的 $h(z,e^{z})=0$ 我们要求形如

$$z=\alpha\ln 2k\pi+2k\pi i+\ln\theta+\zeta \tag{1.9}$$

的解. α 为正的有理数,$\theta\neq 0$ 为复数,均可按(1.7)的形式去选取,ζ 虽为未知的,但当 $\dfrac{1}{k}\to 0$ 时它亦趋于零. 由(1.9)我们有

$$e^{z}=(2k\pi)^{\alpha}\theta e^{\zeta},$$
$$z=i2k\pi(1+\delta_1(\zeta)),$$

其中

$$\delta_1(\zeta)=\frac{\alpha\ln 2k\pi+\ln\theta+\zeta}{2k\pi i}.$$

故当 $\dfrac{1}{k}\to 0$ 时 $\delta_1(\zeta)\xrightarrow{一致}0$,且 $\delta_1(\zeta)$ 为 ζ 之解析函数. 代入(1.7)有

$$\begin{aligned}h(z,e^{z})&=\sum_{m,n}a_{mn}z^{m}(e^{z})^{n}\\&=\sum_{m,n}a_{mn}[i2k\pi(1+\delta_1(\zeta))]^{m}[(2k\pi)^{\alpha}\theta e^{\zeta}]^{n}\\&=\sum_{m,n}(2k\pi)^{m+\alpha n}a_{mn}i^{m}\theta^{n}e^{n\zeta}(1+\delta_1(\zeta))^{m}.\end{aligned}$$

上式右端按 $(2k\pi)$ 之降幂排列,首项次数以 β 记之(当 $a_{mn}\neq 0$ 时)得

$$h(z,e^z) = \sum_{\substack{n \\ m+\alpha n=\beta}} (2k\pi)^\beta a_{mn} i^m \theta^n e^{n\zeta} + (2k\pi)^\beta \delta_2(\zeta)$$

$$= \sum_{\substack{n \\ m+\alpha n=\beta}} (2k\pi)^\beta b_n \theta^n e^{n\zeta} + (2k\pi)^\beta \delta_2(\zeta),$$

其中 $\delta_2(\zeta)$ 是 ζ 的解析函数且当 $|\zeta| \leqslant 1, k\to\infty$ 时，一致收敛于零. 由于 β 是可以取到的最大值，故至少有一个 n，使得对 (m,n) 既有 $m+\alpha n=\beta$，又有 $a_{mn}\neq 0$.

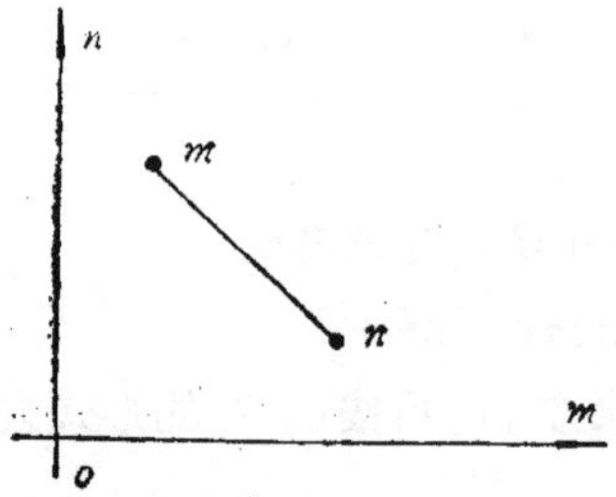

图 1.1

现在要证，(1.7) 中如无主项，则适当选取 α，必定至少有两个不同的 n，合于条件 $\beta=\alpha n+m$. 从 (m, n) 平面的直线图 1.1 中，很自然可以看出这一点. 于是方程

$$\sum_n b_n \theta^n = 0 \tag{1.10}$$

至少有一个非零根. 以下即取此根为 θ，代入 $h(z,e^z)=0$ 以确定 ζ，即

$$\sum_n b_n \theta^n e^{n\zeta} + \delta_2(\zeta) = 0. \tag{1.11}$$

(1.11) 之左方当 $k\to\infty$ 时一致收敛于函数 $\sum_n b_n \theta^n e^{n\zeta}$. 另一方面，由 $\sum_n b_n \theta^n e^{n\zeta} = 0$ 及 (1.10) 立即推出有根 $\zeta=0$. 又根据一致收敛性，当 k 很大时 (1.11) 有根 ζ_k，当 $k\to\infty$ 时 $\zeta_k\to 0$，故方程 $h(z,$ e^z　0 有解

$$Z = \alpha \ln 2k\pi + i2k\pi + \ln\theta + \zeta_k.$$

由某个大的 k 开始，注意到 $\frac{1}{k}\to 0$ 时 $\zeta_k \xrightarrow{\text{一致}} 0$，以及 α, θ，与 k 无关，则 k 相当大时这个解显然有正实部分.

余下的问题是，如何适当地选取 α 才能保证至少存在两个不同的n，使$m+\alpha n=\beta$成立以及$a_{mn}\neq 0$. 关于这一点，前面仅仅用图1.1作直观说明，现在证明之：

我们取

$$s=\max_{a_{mn}\neq 0}\{n\},$$

$$r=\max_{a_{ns}\neq 0}\{m\},$$

则由于无主项，必存在(p,q)，$p>r$，$q<s$，使$a_{pq}\neq 0$.

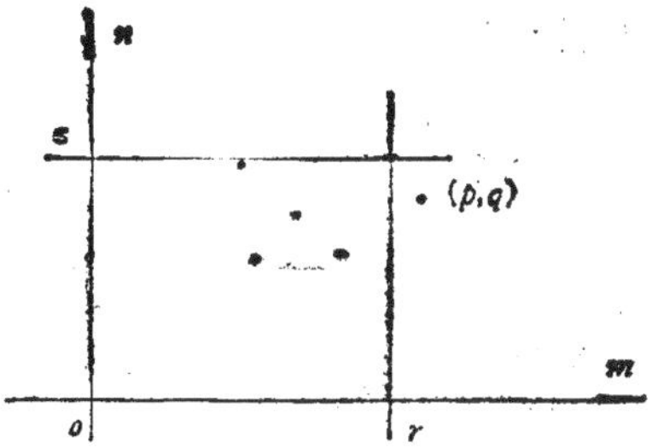

图 1.2

在方程(1.7)中以$z^{\alpha}(\alpha>0)$代t，则有

$$h(z,z^{\alpha})=\sum_{m,n}a_{mn}z^{m+\alpha n}.$$

上式中也有首项，当α很大时其首项为$a_{rs}z^{r+\alpha s}$；当α接近于零时，它不会再是首项了．因为至少项$a_{pq}z^{p+\alpha q}$要排在$a_{rs}z^{r+\alpha s}$的前面(这是因为$p>r$)．故当α由$+\infty$变到零时，必有这样的α，使得至少有两个幂次是相等的，即$r+\alpha s=m+\alpha n=\beta$. 我们取此$\alpha$，显然$\alpha$是有理数，因为它们满足

$$r+\alpha s=m+\alpha n.$$

定理1证毕.

2. 函数$f(z,\cos z,\sin z)$的零点

设$f(z,u,v)$为z,u,v的实常系数多项式，则

$$f(z,\cos z,\sin z)=F(z).$$

它是变量z的整超越函数，并且在变量z取实数值时，$F(z)$就取实值．我们来研究$F(z)$只有实根之充要条件，$f(z,u,v)$之展式为

$$f(z,u,v)=\sum_{m,n}z^{m}\varphi_{m}^{(n)}(u,v), \tag{1.12}$$

其中$\varphi_{m}^{(n)}(u,v)$是u，v的n次齐次式．因为在后面我们将要设$u=\cos z$，$v=\sin z$，故可假定$\varphi_{m}^{(n)}(u,v)$不能被u^2+v^2除尽，由于

$|u|\leqslant 1$，$|v|\leqslant 1$ 及 $u^2+v^2=1$，以及 $u^2+v^2=0$ 可推出 $u=1$ 时 $v=\pm i$. 这样我们就可以把对 (1.12) 中的 $\varphi_m^{(n)}(u,v)$ 所作的假定改写成形式

$$\varphi_m^{(n)}(1,\pm i)\neq 0. \tag{1.13}$$

(1.13) 是对 (1.12) 中所有这种项而言的.

记(1.12)中之首项为 $z^r\varphi_r^{(s)}(u,v)$，此地 r,s 均为最大，利用1中所得之结论，我们可以证明

定理2. 如果多项式(1.12)没有主项，则函数 $F(z)$ 必有无限多个非实的根.

这个定理的证明放在定理3的证明之后.

对(1.12)存在首项的情形，将首项取出，则有

$$f(z,u,v)=z^r\varphi_*^{(s)}(u,v)+\sum_{\substack{m<r\\ n\leqslant s}} z^m\varphi_m^n(u,v),$$

其中 $\varphi_*^{(s)}(u,v)$ 已不是 u,v 之 s 次齐次多项式，其原因就是 $\varphi_*^{(s)}(u,v)$ 中不仅含有 u,v 的齐次式的最高次项，而且亦可能含 u,v 的齐次式的较低次项. 因此，$\varphi_*^{(s)}(u,v)$ 可以写成

$$\varphi_*^{(s)}(u,v)=\sum_{n\leqslant s}\varphi_r^{(n)}(u,v). \tag{1.14}$$

此时函数

$$\Phi_*^{(s)}(z)=\varphi_*^{(s)}(\cos z,\sin z)$$

显然有周期 2π. 下面我们来证明在 $a\leqslant x<2\pi+a\ (z=x+iy)$ 中函数 $\Phi_*^{(s)}(z)$ 只有有限个根，即有 $2s$ 个根. 如果我们证明了这个结论，立即可知必存在无限点集 $\{a\}\ (a=\varepsilon)$，使得对任何 y 都有

$$\Phi_*^{(s)}(\varepsilon+iy)\neq 0.$$

在较多的情况下 ε 可取成零.

定理3. 设 $f(z,u,v)$ 的首项为 $z^r\varphi_r^{(s)}(u,v)$，又设 ε 使 $\Phi_*^{(s)}(\varepsilon+iy)\neq 0$ 对所有实的 y 都成立，则在带形域

$$-2k\pi+\varepsilon\leqslant x\leqslant 2k\pi+\varepsilon$$

中(这里 $z=x+iy$)，$F(z)$ 由某个大的 k 起将有 $4sk+r$ 个根. 因

此，为了要使 $F(z)$ 只有实根，其充要条件是由某个大的 k 起在 $-2k\pi+\varepsilon\leqslant x\leqslant 2k\pi+\varepsilon$ 中有 $4sk+r$ 个实根.

证. 先证在带形域 $a\leqslant x<2\pi+a$ $(z=x+iy)$ 中函数 $\Phi_{\bullet}^{(s)}(z)$ 有 $2s$ 个根.

设 $u=\frac{1}{2}(t+t^{-1})$，$v=\frac{1}{2i}(t-t^{-1})$，则当 $t=e^{iz}$ 时有

$$u=\frac{1}{2}(e^{iz}+e^{-iz})=\frac{1}{2}\cdot 2\cos z=\cos z,$$

$$v=\frac{1}{2i}(e^{iz}-e^{-iz})=\sin z.$$

以这样的 u,v 代入 $\varphi_{\bullet}^{(s)}(u,v)$，得 $\varphi_{\bullet}^{(s)}(t)$ 为 t 的有限级数（t 及 t^{-1} 的），对变数 t 而言，最高正项 s 次之系数为 $\varphi_{r}^{(s)}\left(\frac{1}{2},-\frac{i}{2}\right)$（只要注意 $\frac{1}{2i}=-\frac{i}{2}$ 及 $\varphi_{\bullet}^{(s)}(u,v)$ 之展式即知之）. 对 t 之最低负次幂项，s 次之系数为 $\varphi_{r}^{(s)}\left(\frac{1}{2},\frac{i}{2}\right)$（其道理同上），由(1.13)知 $\varphi_{r}^{(s)}\left(\frac{1}{2},-\frac{i}{2}\right)\neq 0$，$\varphi_{r}^{(s)}\left(\frac{1}{2},\frac{i}{2}\right)\neq 0$，所以 $\varphi_{\bullet}^{(s)}(t)=0$ 恰好有 $2s$ 个根（因为 $\varphi_{\bullet}^{(s)}(t)$ 之常数项亦不为零）. 我们通过 $t_1,t_2,\cdots,t_{2s}$ 表示这 $2s$ 个根，对方程

$$\Phi_{\bullet}^{(s)}(z)=0 \tag{1.15}$$

来说，现在只要解 $e^{iz}=t_j$，一个固定的解在 $a\leqslant x<2\pi+a$ 中恰有一个根，如 t_j 各不相等，则(1.15)在此带中恰好有 $2s$ 个根. 如有重根 t_j，则方程(1.15)亦有重根.

下面我们再来研究 $|y|$ 很大时 $(z=x+iy)$ $\Phi_{m}^{(n)}(z)=\varphi_{m}^{(n)}(\cos z,\sin z)$ 的情形，并注意 $e^{iz}=e^{-y+ix}$，$e^{-iz}=e^{y-ix}$，$(e^{iz})^n=e^{-ny+inx}$，$(e^{-iz})^n=e^{ny-inx}$，则我们就有

$$\begin{cases}\Phi_m^{(n)}(x+iy)=e^{ny-inx}\left(\varphi_m^{(n)}\left(\frac{1}{2},\frac{i}{2}\right)+\delta_1\right),\\ \Phi_m^{(n)}(x+iy)=e^{-ny+inx}\left(\varphi_m^{(n)}\left(\frac{1}{2},-\frac{i}{2}\right)+\delta_2\right),\end{cases} \tag{1.16}$$

这里当 $y\to+\infty$ 时 $\delta_1\xrightarrow{\text{一致}}0$，当 $y\to-\infty$ 时 $\delta_2\xrightarrow{\text{一致}}0$. 同时我们还要注意

$$\cos z=\frac{1}{2}\left(e^{ix-y}+e^{-ix+y}\right)=\frac{1}{2}\left(e^{iz}+e^{-iz}\right),$$

$$\sin z=\frac{1}{2i}\left(e^{ix-y}+e^{-ix+y}\right)=\frac{1}{2}\left(e^{iz}-e^{-iz}\right),$$

以及当 $y\to\infty$ 或 $y\to-\infty$ 时，e^y 及 e^{-y} 的变化情形，注意了这些事实，则不难看出(1.16)的正确性．由 (1.16) 立即可得非齐次函数 $\Phi_*^{(s)}(z)$ 有下述性质

$$\begin{cases}\Phi_*^{(s)}(x+iy)=e^{sy-isx}\left(\varphi_r^{(s)}\left(\frac{1}{2},\frac{i}{2}\right)+\delta_3\right),\\ \Phi_*^{(s)}(x+iy)=e^{-sy+isx}\left(\varphi_r^{(s)}\left(\frac{1}{2},-\frac{i}{2}\right)+\delta_4\right),\end{cases} \tag{1.17}$$

其中当 $y\to+\infty$ 时，$\delta_3\xrightarrow{\text{一致}}0$，当 $y\to-\infty$ 时 $\delta_4\xrightarrow{\text{一致}}0$.

取 $b'>0$，使得 $\Phi_*^{(s)}(x+iy)\neq0$，当 $|y|>b'$ (此不等式可以成立，因为 $\varphi_r^{(s)}\left(\frac{1}{2},\frac{i}{2}\right)\neq0$. $\varphi_r^{(s)}\left(\frac{1}{2},-\frac{i}{2}\right)\neq0$). 且 b' 很大时，δ_3 与 δ_4 都很小．因此，它们就可分别被数 $\varphi_r^{(s)}\left(\frac{1}{2},\frac{i}{2}\right)$ 与 $\varphi_r^{(s)}\left(\frac{1}{2},-\frac{i}{2}\right)$所控制.

由(1.16)与(1.17)即知，当 $|y|\geqslant b'$ 时

$$\left|\frac{\Phi_m^{(n)}(x+iy)}{\Phi_*^{(s)}(x+iy)}\right|<c_1,\quad s\geqslant n, \tag{1.18}$$

其中 c_1 是常数，它与多项式(1.12)及 b' 有关．同理，由(1.16) 与(1.17)我们有

$$\left|\frac{\Phi_m^{(s)}(\pm 2k\pi+\varepsilon+iy)}{\Phi_*^{(s)}(\pm 2k\pi+\varepsilon+iy)}\right|<c_2, \tag{1.19}$$

这里 c_2 是与(1.12)及 ε 有关的某个常数，我们在方形域

P_{kb}：

$$-2k\pi+\varepsilon\leqslant x\leqslant 2k\pi+\varepsilon,$$

$$-b\leqslant y\leqslant b,$$

中估计 $F(z)$ 的零点个数，$F(z)$ 可写成下列形式：

$$F(z)=z^r\Phi_*^{(s)}(z)\times\left[1+\sum_{\substack{m<r\\ n\leqslant s}} z^{m-r}\cdot\Phi_m^{(n)}(z)/\Phi_*^{(s)}(z)\right], \tag{1.20}$$

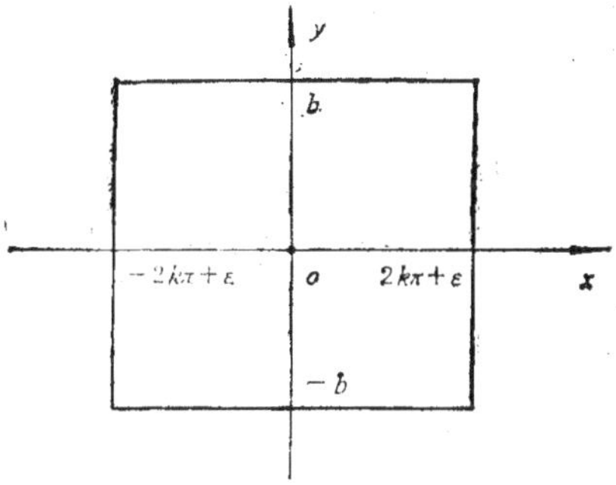

图 1.3

这里 z^{m-r} 之幂 $m-r<0$，故由(1.18)及(1.19)，当 b 与 k 相当大时有

$$F(z)=z^r\Phi_*^{(s)}(z)(1+\delta_5), \tag{1.21}$$

当 $k\to\infty$，$b\to\infty$ 时 $\delta_5\to 0$. 因此 $F(z)$ 及 $z^r\Phi_*^{(s)}(z)$ 在 P_{kb} 中之根的数目相等. 我们再将 k 固定于某个大的数，令 $b\to\infty$，则 $F(z)$ 与 $z^r\Phi^{(s)}(z)$ 在带形域

$$-2k\pi+\varepsilon\leqslant x\leqslant 2k\pi+\varepsilon$$

中之零点个数相等（这一点将在下面证明）. 而函数 $z^r\Phi_*^{(s)}(z)$ 显然有 $4sk+r$ 个零点（因为在前面已证明过函数 $\Phi_*^{(s)}(z)$ 在区间 $a\leqslant x<2\pi+a$ 中只有 $2s$ 个零点）. 关于 $F(z)$ 与 $z^r\Phi^{(s)}(z)$ 的零点个数相同这一事实，我们只要补证下面一点即可. 即若函数 $g(z)$ 在 P_{kb} 内及其边界 P 上无奇点，在 P 上亦无零点，作 $g^*(z)=g(z)(1+\delta(z))$，$|\delta(z)|<1$，则作

$$g(z,\tau)=g(z)(1+\tau\delta(z)),$$

当 τ 由零变到 1 时，$g(z,\tau)$ 在 P 上不为零，故 $g^*(z)$ 与 $g(z)$ 在 P_{kb} 内之零点个数相等（实际上这就是 Rouche 定理）定理 3 证毕.

现在来证明定理 2. 设 $f(z,u,v)$ 无首项，

$$f(z,u,v)=\sum_{m,n} z^m\varphi_m^{(n)}(u,v), \tag{1.12}$$

当 $n=s$ 时记 $s=\max n$, $r=\max m$（在(1.12)中），则(1.12)中出现 $z^r\varphi_r^{(s)}(u,v)$，但又无首项，故还要存在一项 $z^p\varphi_p^{(q)}(u,v)$ 使 $P>r$ 及 $q<s$. 把

$$u=\frac{1}{2}(t+t^{-1}),\quad v=\frac{1}{2i}(t-t^{-1})$$

代入，并以 t^s 乘之，得 $h(z,t)$，其中必有一项 $z^rt^{2s}\varphi_r^{(s)}\left(\frac{1}{2},-\frac{i}{2}\right)$，且此项的 t 的幂最高. 又因 t 的次项中 Z 的幂为最高，而多项式 $h(z,t)$ 还有另外一项 $z^pt^{q+s}\varphi_p^{(q)}\left(\frac{1}{2},-\frac{i}{2}\right)$，且 $P>r, q+s<2s$，故 $h(z,t)$ 无首项，所以 $h(-iz,t)$ 也无首项. 由定理1知 $h(-iz,e^z)=0$ 有根，且具有正实部分. 由此即得方程 $h(z,e^{iz})=0$ 的虚部不为零的根. 证毕.

定理2与定理3给出了函数 $f(z,\cos z,\sin z)$ 只有实根之充要条件，当 $f(z,u,v)$ 无主项时，立刻可知 $f(z,\cos z,\sin z)$ 有无限多个非实的根. 当有主项时，下面的定理可以告诉我们，函数 $f(z,u,v)$ 是否有无限多个非实的根.

定理4. (1.14)

$$f(z,u,v)=z^r\varphi_*^{(s)}(u,v)+\sum_{\substack{m<r\\ n\leqslant s}} z^m\varphi_m^{(n)}(u,v)$$

有主项

$$\varphi_*^{(s)}(u,v)=\sum_{n\leqslant s}\varphi_r^{(n)}(u,v).$$

（1）如果 $\Phi_*^{(s)}(z)=\varphi_*^{(s)}(\cos z,\sin z)$ 有非实的根，则函数 $F(z)=f(z,\cos z,\sin z)$ 有无限多个非实的根.

（2）如果 $\Phi_*^{(s)}(z)$ 只有实根，而且是单根，则函数 $F(z)$ 有不多于有限个非实的根.

证. 我们用方程

$$\Phi_{*}^{(s)}(z)+\sum_{\substack{m<r\\n\leqslant s}} z^{m-r}\Phi_{m}^{(n)}(z)=0 \tag{1.22}$$

代替 $F(z)=0$. 设 $\Phi_{*}^{(s)}(c)=0$, c 为非实数，我们求(1.22) 的形如 $z=-2k\pi+c+\zeta$ 的解，这里当 k 很大时，$|\zeta|$很小. 方程(1.22)可写成

$$\Phi_{*}^{(s)}(c+\zeta)+\delta(\zeta)=0, \tag{1.23}$$

$\delta(\zeta)$ 为 ζ 之解析函数. 又当 $|\zeta|\leqslant 1$ 时，$k\to\infty$，$\delta(\zeta)\xrightarrow{\text{一致}}0$，但因(1.23)的左方当$k\to\infty$时一致收敛于$\Phi_{*}^{(s)}(c+\zeta)$，而方程$\Phi_{*}^{(s)}(c+\zeta)=0$ 有显然的解 $\zeta=0$，故方程(1.23)当 $k\to\infty$ 时有解 $\zeta_k\to 0$，由此即得定理的第一个结论，亦即因 c 非实，故解 $z=2k\pi+c+\zeta_k$ 当 k 很大时也非实.

如果方程 $\Phi_{*}^{(s)}(z)=0$ 的所有根都是实的，又无重根，则在带形域 $2k\pi+\varepsilon\leqslant x\leqslant 2(k+1)\pi+\varepsilon$ 中，曲线 $w=\Phi_{*}^{(s)}(x)$ 穿过 $w=0$ 轴的 $2s$ 个不同的点. 曲线

$$w=\Phi_{*}^{(s)}(x)+\sum_{\substack{m<r\\n\leqslant s}} x^{m-r}\Phi_{m}^{(n)}(x) \tag{1.24}$$

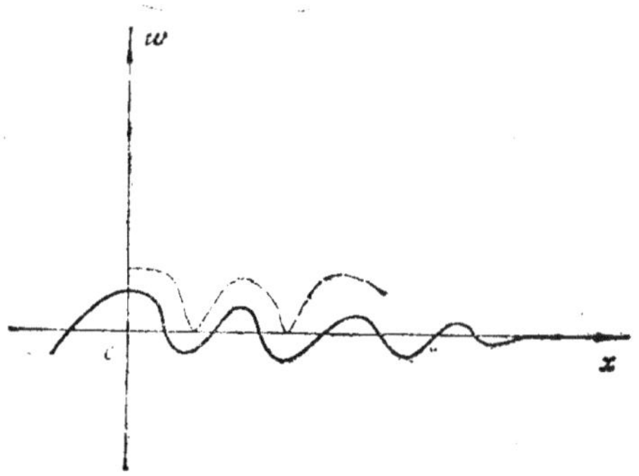

图 1.4

当 k 相当大时与 $w=\Phi_{*}^{(s)}(x)$ 相差不多，故当 k 相当大时，(1.24)与 $w=0$ 在带形域 $-2k\pi+\varepsilon\leqslant x\leqslant 2(k+1)\pi+\varepsilon$ 上相交于 $2s$ 个点，因此 $F(z)$ 在 $-2k\pi+\varepsilon\leqslant x\leqslant 2k\pi+\varepsilon$ 中的实根为 $4sk+r'$

个，当k足够大时由定理3知，$F(z)$的非实根的个数为$r-r'$. 定理证毕.

欲在上述区间中研究函数$\Phi_*^{(s)}(z)$的根，亦即要解某个多项式之根，须将$\cos z,\sin z$用$\tan\frac{z}{2}$表示：

$$\cos z=\frac{1-\tan^2\frac{z}{2}}{1+\tan^2\frac{z}{2}},\quad \sin z=\frac{2\tan\frac{z}{2}}{1+\tan^2\frac{z}{2}},$$

其次，取$\tan\frac{z}{2}$为新未知数t，在多项式$\varphi_*^{(s)}(u,v)$中命

$$u=\frac{(1-t^2)}{1+t^2},\qquad v=\frac{2t}{1+t^2},$$

再乘以$(1+t^2)^s$，所得的多项式以$\varphi^s(t)$记之，显见此多项式之最高次为$2s$. 在$\varphi^s(t)$中若t^{2s}项不出现，这就意味着$\varphi^{(s)}(t)$有解$t=\infty$. 关于这一点，我们只要把u,v的表示式实际代入$\varphi^{(s)}(u,v)$，简化之有

$$\varphi^{(s)}(t)=\frac{t\text{ 之最高次为 }2s-1\text{ 项}+\cdots}{(1+t^2)^s},$$

因此有$\varphi^{(s)}(\infty)=0$，即$\tan\frac{z}{2}=\infty\Rightarrow z=\pi$. 即$\Phi_*^{(s)}(z)$有解$z=\pi$，其重次等于$\varphi^{(s)}(t)$之最高次与$2s$的差数. $\varphi^{(s)}(t)$的任何有限根t，对应于$\Phi_*^{(s)}(z)$的根$\tan\frac{z}{2}=t$，其中实根对应于实根，非实根对应于非实根. 特别地，只有$\tan\frac{z}{2}=\pm i$无解. 但由(1.13)知$\varphi^{(s)}(t)$无$\pm i$之根，实际上我们有

$$\varphi^{(s)}(t)=\varphi_r^{(s)}(1-t^2,2t)+\sum_{m<s}\varphi_r^{(m)}(1-t^2,2t)(1+t^2)^{s-m},$$

把$t=\pm i$代入即得$\varphi^{(s)}(\pm i)=\varphi_r^{(s)}(2,\pm i)\neq 0$.

3. $h(z,e^z)$ 有主项时的零点分布

$$h(z,t)=\sum_{m,n} a_{mn}z^m t^n, \tag{1.25}$$

又 $a_{rs}z^r t^s$ 为 (1.25) 之首项. 在(1.25)中把 z^r 之系数取出，置

$$h(z,t)=z^r\chi_{*}^{(s)}(t)+\sum_{m<r,n\leqslant s} a_{mn}z^m t^n. \tag{1.26}$$

函数 $\chi_{*}^{(s)}(e^z)$ 显然是 z 的以 $2\pi i$ 为周期的函数. 又在 $b\leqslant y<b+2\pi$ 中有不多于 s 个根，因此存在实数 $\varepsilon>0$，使得对任何 x 有

$$\chi_{*}^{(s)}(e^{x+i\varepsilon})\neq 0. \tag{1.27}$$

定理 5. 由上述条件，以 N_k 记 $h(z,e^z)$ 在 $-2k\pi+\varepsilon\leqslant y\leqslant 2k\pi+\varepsilon$ $(x>0, z=x+iy)$ 中的根的个数. 设 $h(z,e^z)$ 在虚轴上无根，即 $h(iy,e^{iy})\neq 0$. 当 y 由 $-2k\pi+\varepsilon$ 变到 $2k\pi+\varepsilon$ 时，向量 $W=h(iy,e^{iy})$ 所转的角度以 V_k 记之，则

$$V_k=2\pi\left(2sk-N_k+\frac{1}{2}r\right)+\delta_k,$$

其中当 $k\to\infty$ 时 $\delta_k\to 0$.

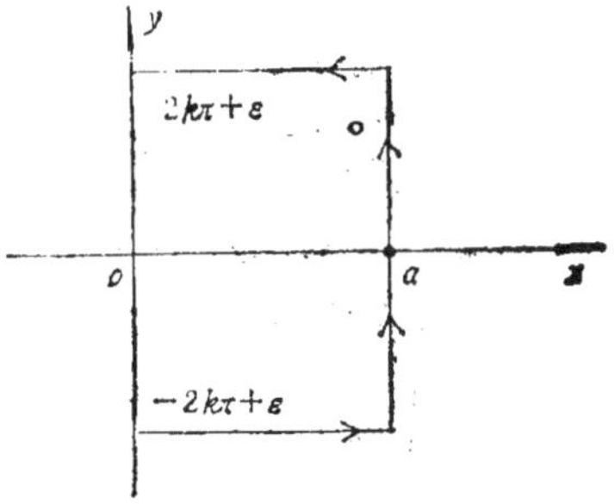

图 1.5

证. 考虑长方形 P_{ka}:

$$0\leqslant x\leqslant a,$$

$$-2k\pi+\varepsilon\leqslant y\leqslant 2k\pi+\varepsilon.$$

我们来估计 $w=h(z,e^z)$，当 z 在 P_{ka} 的三个边上(除了 $x=0$ 以外)转动时，w 之幅角的转数由(1.26)及(1.27)得

$$h(z,e^z)=z^r\chi_{*}^{(s)}(e^z)(1+\delta_1(z)),$$

这里当 $k\to\infty, a\to\infty$ 时，在 P_{ka} 的三个边上 $\delta_1(z)\xrightarrow{\text{一致}}0$ 故 $h(z,e^z)$ 与 $z^r\chi_{*}^{(s)}(e^z)$ 之幅角转数之差为 η，且当 $k\to\infty, a\to\infty$ 时 $\eta\to 0$.

$z^r\chi_{*}^{(s)}(e^z)$ 的转数等于 z 的转数加 $\chi_{*}^{(s)}(e^z)$ 的转数，显然 z^r 的转数是 $r\pi$ (在三条边上)，而 $\chi_{*}^{(s)}(e^z)$ 为周期的. 所以在下边与上

边的转数互相抵消，而在右边上 $\chi_s^{(s)}(e^z)$ 与 $a_{rs}e^{sz}$ 的转数相差不大，后者显然为 $4k\pi s$，合并得到 $h(z,e^z)$ 在三边上的转数与 $4\pi sk+\pi r$ 相差不多. 当 z 在 P_{ka} 上转动时，$h(z,e^z)$ 在 P_{ka} 中的根数等于向量 $W=h(z,e^z)$ 的完全挠动数，由此直接得到定理 5 .

定理 5 表明研究 $H(z)=h(z,e^z)$ 在虚轴上的情形是很重要的，$H(z)$ 在虚轴上可表示成

$H(iy)=F(y)+iG(y)=f(y,\cos y,\sin y)+ig(y,\cos y,\sin y)$，

$f(y,u,v),g(y,u,v)$ 为多项式. 进一步考虑 $h(z,t)$ 与 f,g 之间的关系，令

$$\alpha^{(n)}(u,v)+i\beta^{(n)}(u,v)=(u+iv)^n,$$

这里 $\alpha^{(n)}(u,v)$ 与 $\beta^{(n)}(u,v)$ 是实系数多项式，则有

$$\alpha^{(n)}(u,v)=\frac{1}{2}[(u+iv)^n+(u-iv)^n],$$

$$\beta^{(n)}(u,v)=\frac{1}{2i}[(u+iv)^n-(u-iv)^n].$$

现在证明多项式

$$a\alpha^{(n)}(u,v)+b\beta^{(n)}(u,v)=\gamma^{(n)}(u,v),$$

当 a,b 均为实数，且不同时为零时满足条件

$$\gamma^{(n)}(1,\pm i)\neq 0.$$

由 $\alpha^{(n)}(u,v),\beta^{(n)}(u,v)$ 的假定得

$$\begin{aligned}\gamma^{(n)}(1,\pm i)&=a\alpha^{(n)}(1,\pm i)+b\beta^{(n)}(1,\pm i)\\&=\frac{a}{2}[(1\pm i^2)^n+(1\mp i^2)^n]+\frac{b}{2i}[(1\pm i^2)^n-(1\mp i^2)^n]\\&=\frac{1}{2}(a+ib)\cdot 2^n=2^{n-1}(a+ib),\end{aligned}$$

同时也可以直接看出

$$\begin{aligned}H(iy)&=h(iy,e^{iy})=f(y,u,v)+ig(y,u,v)\\&=\sum_{m,n}(a'_{mn}+ia''_{mn})i^m y^m(\alpha^{(n)}(u,v)+i\beta^{(n)}(u,v)).\end{aligned}\tag{1.28}$$

由(1.25)知道 $a'_{mn}+ia''_{mn}=a_{mn}$，其中 a'_{mn}，a''_{mn} 为实数. 如果置

$$\begin{cases} f(y,u,v)=\sum_{mn} y^m\varphi_m^{(n)}(u,v), \\ g(y,u,v)=\sum_{mn} y^m\psi_m^{(n)}(u,v), \end{cases} \tag{1.29}$$

则由(1.28)得

$$\varphi_m^{(n)}(u,v)=\pm(a'_{mn}\alpha^{(n)}(u,v)-a''_{mn}\beta^{(n)}(u,v)),$$

$$\psi_m^{(n)}(u,v)=\pm(a''_{mn}\alpha^{(n)}(u,v)+a'_{mn}\beta^{(n)}(u,v)), \tag{1.30}$$

这里符号与阶数由 m 被 4 除的余数而定. 设入，μ 为两个不同时为零的实数，则

$$\lambda f(y,u,v)+\mu g(y,u,v)=\sum_{m,n} y^m(\lambda\varphi_m^{(n)}(u,v)+\mu\psi_m^{(n)}(u,v)).$$

由(1.30)得

$$\lambda\varphi_m^{(n)}(u,v)+\mu\psi_m^{(n)}(u,v)=a\alpha^{(n)}(u,v)+b\beta^{(n)}(u,v).$$

因为

$$\begin{vmatrix} a'_{mn} & -a''_{mn} \\ a''_{mn} & a'_{mn} \end{vmatrix}=(a'_{mn})^2+(a''_{mn})^2=|a_{mn}|^2,$$

故当 $a_{mn}\neq 0$ 时有 $|a_{mn}|^2\neq 0$.

现在若 $a_{rs}z^rt^s$ 为多项式 $h(z,u,v)$ 之首项，则 $\lambda f(y,u,v)+\mu g(y,u,v)$ 的首项是

$$y^rr^{(s)}(u,v)=y^r(a\alpha^{(s)}(u,v)+b\beta^{(s)}(u,v)),$$

这里 a 与 β 不同时为零，故它满足条件(1.14). 如果在 2 中取 y^r 之系数 $\varphi_r^{(s)}(u,v)$ 与 $\psi_r^{(s)}(u,v)$，则在多项式 $\lambda f(y,u,v)+\mu g(y,u,v)$ 中 y^r 之系数 $\lambda\varphi_r^{(s)}(u,v)+\mu\psi_r^{(s)}(u,v)$ 也同 2 中一样，存在实数 ε，使对任何实数 y 有

$$\lambda\Phi_r^{(s)}(\varepsilon+iy)+\mu\psi_r^{(s)}(\varepsilon+iy)\neq 0.$$

显然在此条件下对任何实数 x 有 $\chi_r^{(s)}(e^{x+i\varepsilon})\neq 0$.

以下将证明 $H(z)$ 没有零根，而根具有正实部分的条件.

定理6. 设 $h(z,t)$ 有首项 $a_{rs}z^rt^s$，令 $H(Z)=h(z,e^z)$ 及 $H(iy)=F(y)+iG(y)$，若 $H(z)$ 之所有根都在虚轴的左半平面，

则当 y 由 $-\infty$ 变到 $+\infty$ 时，向量 $W=H(iy)$ 总以正速度向正方向旋转. 其解析表达式为 $G'(y)F(y)-F'(y)G(y)>0$，当 y 由 $-2k\pi$ 变到 $2k\pi$ 时，w 转过 $4k\pi s+\pi r+\delta_1$，$\lim\limits_{k\to\infty}\delta_1=0$. 反之，当 $-2k\pi\leqslant y\leqslant 2k\pi$ 时，W 转过 $4k\pi s+\pi r+\delta_1$，则它必以正速度向正方向旋转，且 $H(z)$ 的零点均在虚轴的左半平面（须假定 $H(z)$ 在虚轴上无零根）.

在阐述定理 7 之前先介绍一个名词

$p(y)$，$q(y)$ 为实变数的两个实函数，我们说它们的零点是交错的. 如果满足下列三个条件：

(i) 零点均为单重的，

(ii) $p(y)$ 与 $q(y)$ 无相同的零点，

(iii) 在一个函数（$p(y)$ 或 $q(y)$）的两个根之中必有另一个函数的一个根.

定理 7. 设 $h(z,t)$ 有首项 $a_{rs}z^rt^s$，$H(z)=h(z,e^z)$，$H(iy)=F(y)+iG(y)$，若 $H(z)$ 的所有零点在虚轴的左方，则 $F(y)$ $G(y)$ 的零点是实的且互相交错，并对所有的 y 有

$$G'(y)F(y)-G(y)F'(y)>0. \tag{1.31}$$

欲使函数 $H(z)$ 的零点均在虚轴的左方，只需要满足下面三个条件之一即可：

(1) $F(y)$，$G(y)$ 的零点是实的，交错的，且不等式(1.31)至少对一个 y 满足.

(2) 如果函数 $F(y)$ 的所有零点是实的，且它的每个零点满足(1.31)，即有 $F'(y_0)G(y_0)<0$.

(3) 函数 $G(y)$ 所有的零点是实的，而且每一个零点 $y=y_0$ 都满足(1.31)，即 $G'(y_0)F(y_0)>0$.

现在分下列几点来证明定理 6 和定理 7.

(a) 当 $a\leqslant y\leqslant b$ 时，$W=H(iy)$ 的转数以 $v(a,b)$ 记之，有

$$\frac{d}{dy}v(0,y)=\frac{G'(y)F(y)-G(y)F'(y)}{F^2(y)+G^2(y)}, \tag{1.32}$$

故 $\frac{d}{dy}v(0,y)$ 之正负号与 $G'(y)F(y)-G(y)F'(y)$ 重合.

$$(b)\quad v(a+\varepsilon,b+\varepsilon)=v(a,b)+\delta_2, \tag{1.33}$$

当 ε 固定,$a\to\pm\infty$,$b\to\pm\infty$ 时,$\delta_2\to 0$. 首先我们有

$$v(a,b)=v(a,c)+v(c,b).$$

同时由函数 $H(z)$ 的结构直接可以看出 $v(a,\ a+\varepsilon)=\varepsilon+\delta_3$ 且当 ε 固定,$a\to\pm\infty$ 时,$\delta_3\to 0$. 二者合并之即得(1.33).

(c) 设 λ,μ 是不同时为零的两个实数,证明存在实数 ε,使之对任何实数 y,同时满足下列四个不等式:

$$\begin{cases}\lambda\Phi_{\bullet}^{(s)}(\varepsilon+iy)+\mu\Psi_{\bullet}^{(s)}(\varepsilon+iy)\neq 0,\\ \mu\Phi_{\bullet}^{(s)}(\varepsilon+iy)=\lambda\Psi_{\bullet}^{(s)}(\varepsilon+iy)\neq 0,\\ \Phi_{\bullet}^{(s)}(\varepsilon+iy)\neq 0,\\ \Psi_{\bullet}^{(s)}(\varepsilon+iy)\neq 0.\end{cases} \tag{1.34}$$

由定理 3,对函数 $\lambda F(y)+\mu G(y)$,$F(y)$,$G(y)$ 保证可满足. 从这些不等式知道,当 k 相当大时点 $H(\pm 2k\pi+\varepsilon i)$ 不在 w 平面的三条直线上:

$$\lambda w'+\mu w''=0,\quad w'=0,\quad w''=0,\quad w=w'+iw''.$$

由定理 6 前面的说明推知(1.34)同时满足.

(d) 设当 $\frac{1}{k}\to 0$,$\delta_4\to 0$ 时,$V(-2k\pi,\ 2k\pi)=\tau\ (4k\pi s+\pi r)+\delta_4(\tau=\pm 1)$,在此条件下我们要证明函数 $\lambda F(y)+\mu G(y)$ 只有单根. 对任何实的且不同时为零的 λ,μ,

$$\tau(G'(y)F(y)-F'(y)G(y))>0.$$

要证 (d),对已给的 λ,μ 选取满足条件 (c) 的 ε,由(1.33)知,当 y 由 $-2k\pi+\varepsilon$ 变到 $2k\pi+\varepsilon$ 时,w 转过角 $\tau(4k\pi s+\pi r)+\delta_5$,故从几何上明显看出,$w=H(iy)$ 曲线穿过直线 $\lambda w'+\mu w''=0$ 的不少于 $4ks+r$ 个不同的 y 点. 而从定理 3 知道,函数 $\lambda F(y)+\mu G(y)$ 在同一区间中的零点不多于 $4ks+r$ 个,故 $\lambda F(y)+\mu G(y)$ 的所有零点均为实的且无重根. 零点无重根这一性质,特别表示

曲线 $w=H(iy)$ 不切于直线 $\lambda w'+\mu w''=0$，亦即 w 的向量在所有的时候都以不为零的速度向前进．因此由(a)得出不等式

$$\tau(G'(y)F(y)-G(y)F'(y))>0.$$

现在证明定理6和定理7的前半段．

设函数 $H(z)$ 的所有零点在虚轴的左半平面，则由定理5及(b)知

$$v(-2k\pi,2k\pi)=4k\pi s+\pi r+\delta_6.$$

由(d)知 $F(y)$ 与 $G(y)$ 的所有零点是正的，单重的，又

$$G'(y)F(y)-G(y)F'(y)>0.$$

因此向量 W 在所有的时间均以正速度正向(即反时钟方向)旋转．由此，显然函数 $F(y)$ 与 $G(y)$ 的零点交错．因此定理6与定理7的前半段结论得证．

再证定理6与定理7的后半段结论，首先注意，如果

$$v(-2k\pi,2k\pi)=4k\pi s+r+\delta_7,$$

这里当 $\frac{1}{k}\to 0$ 时 $\delta_7\to 0$，则由定理5与(b)可见函数 $H(z)$ 的零点都在虚轴的左半平面．因此定理6之后一部分得证．进而，若条件(1)，(2)，(3)中的任一个满足，则有

$$v(-2k\pi,2k\pi)\geqslant 4k\pi s+\pi r+\delta_7.$$

我们先证(1)，即 $F(y)$，$G(y)$ 的零点是实的，单重的，交错的，则由定理3及(b)和几何直观，我们便有

$$v(-2k\pi,2k\pi)=\tau(4k\pi+\pi r)+\delta_7.$$

故由(d)知 $\tau(G'(y)F(y)-G(y)F'(y))>0$，而且由(1)的条件知，不等式(1.31)至少对一个 y 满足，于是有 $\tau=1$．如果满足条件(2)或(3)，则由定理3及(b)和几何直观知

$$v(-2k\pi,2k\pi)=4k\pi s+\pi r+\delta_7.$$

因此，如前所述 $H(z)$ 的零点均在虚轴的左半平面．这样，定理6与定理7全部证毕．

下面指出在虚轴的右半平面有根的情形．

定理8．设 $H(z)=h(z,e^z)$，此地 $h(z,t)$ 具有首项 $a_{r,s}z^rt^s$．

以 $\chi_{*}^{(s)}(t)$ 表示 z^r 在多项式 $h(z,t)$ 中的系数，如果函数 $\chi_{*}^{(s)}(e^z)$ 至少有一根在虚轴的右方，则函数 $H(z)$ 就有无限多个零点在虚轴的右方.

如果 $\chi_{*}^{(s)}(e^z)$ 的零点均在虚轴左方，则函数 $H(z)$ 在虚轴右方有不多于有限个的零点.

证明类似于定理 4.

关于 $\chi_{*}^{(s)}(e^z)$ 的零点是否都在虚轴左方，可化为多项式来决定. 首先 $\chi^{(s)}(e^z)$ 的零点是否在虚轴左方，由 $x_{*}^{(s)}(t)$ 的零点在 $|t|<1$ 而定. 作变换

$$t=(1+z_*)/(1-z_*),$$

则将圆 $|t|<1$ 变到 $\mathrm{Re}(z_*)<0$. 由此，在 $\chi_{*}^{(s)}(t)$ 中作变换 $t=(1+z_*)/(1-z_*)$，取出分子将会遇到用定理 6 及定理 7 来解 z_* 的多项式的根的问题.

最后，我们强调指出：这些定理提供的判断准则，在实际应用中是难以进行的，仅仅是从理论上解决了原先提出的问题. 在实际上可行的判断准则应当是代数的，而不是超越的. 这正是本书的基本目的之一.

§2. 线性系统的若干性质

本节要指出三点，第一是线性齐次和非齐次差分微分方程与常微分方程类似的一系列基本性质. 第二是特征方程有重根时解的表示问题. 第三是为了阐明自治线性系统可以应用 Laplace 变换求解，并且用反演公式表示它的解，引进线性系统解的指数估计. 为避免冗长的记号和计算以一阶系统为例，结果皆适用于 n 阶系统.

1. 一般性质

设 $x\in\mathbb{R}$，$a\neq0$，b，c，$\tau\geq0$ 皆为常数或 t 的连续函数. 记 $L(x)=a\dot{x}(t)+bx(t)+cx(t-\tau)$，则齐次与非齐次的一阶纯量方

程分别为

$$L(x)=0 \tag{2.1}$$

$$L(x)=f(t) \tag{2.2}$$

$f: \mathbb{R}\to\mathbb{R}$，为给定的连续函数．我们有

(i) 若 $x_1(t,t_0,\phi)$，$x_2(t,t_0,\phi_2)$ 为(2.1)的两个解，c_1，c_2 为任意的两个常数，则 $c_1x_1+c_2x_2$ 也是(2.1)之一解，即

$$L(c_1x_1+c_2x_2)=c_1L(x_1)+c_2L(x_2)=0,$$

注意到在 E_{t_0} 上 $c_1x_1+c_2x_2=c_1\phi_1+c_2\phi_2$.

(ii) 若 $y(t,t_0,\phi_1)$ 为(2.2)之一解，$x(t,t_0,\phi_2)$ 为(2.1)之一解，则 $y+x$ 是(2.2)的一个解，即

$$L(y+x)=L(y)+L(x)=f(t),$$

注意在 E_{t_0} 上 $x(t)+y(t)=\phi_1+\phi_2$.

(iii) (叠加原理) 若有 k 个方程

$$L(x)=f_s(t),\ s=1,2,\cdots,k. \tag{2.3}$$

它们分别有解 $x_s(t,t_0,\phi_s)$ $(s=1,2,\cdots,k)$，则 $\sum_{i=1}^{k} x_i(t)$ 是方程

$L(x)=\sum_{i=1}^{k} f_i(t)$ 的解．同理在 E_{t_0} 上有

$$\sum_{i=1}^{k} x_i(t)=\sum_{i=1}^{K}\phi_i(t),\ t\in E_{t_0}.$$

(iv) 若 a,b,c,τ 均为实的，则(2.2)在初值条件 $x(t)=\phi(t)+i\psi(t)$ $(t\in E_{t_0})$ 之下的解 $x(t)=u(t)+iv(t)$ 的实部和虚部分别是方程

$$L(x)=\mathrm{Re}\ f(t)\ 与\ L(x(t))=\mathrm{Im}\ f(t)$$

的解，并且在 E_{t_0} 上 $u(t)=\phi(t)$，$v(t)=\psi(t)$.

(v) 未知函数 x 的线性代换和独立变量的代换均使 L 保持线性.

(vi) 选择函数 $g(t)$，代换 $x(t)=y(t)+g(t)$，可以把(2.2)化为(2.1)．若在 E_{t_0} 上 $x(t)=\phi(t)$，则在 E_{t_0} 上新变量 $y(t)$

$=\phi(t)-g(t)$. 注意 $g(t)$ 必须定义在 $E_{t_0}\cup[t_0,\infty)$ 上.

上述各项对 n 阶系统也成立.

2. 特征方程重根时解的表示[79]

对 (2.1), 其特征方程为

$$h(\lambda)=\lambda-\tilde{a}-\tilde{b}e^{-\lambda\tau}=0, \tag{2.4}$$

这里 $\tilde{a}=-b/a, \tilde{b}=-c/a$. 当然, 我们现在假定 $a\neq 0, b, c, \tau>0$ 都是常数. 设(2.4)有一个根 λ 为 m 重的. 我们有

定理 1. 若 λ 为 (2.4) 之 m 重根, 则诸函数 $t^k e^{\lambda t}, k=0,1,\cdots,m-1$ 皆为(2.1)之解.

证. λ 为(2.4)的根, 设 $x(t)=t^k e^{\lambda t}$, k 为 0 到 $m-1$ 中的任一整数. 代入(2.1)左边并乘以 $e^{-\lambda t}$ 得

$$e^{-\lambda t}[\dot{x}(t)-\tilde{a}x(t)-\tilde{b}x(t-\tau)]=t^k\lambda+kt^{k-1}-\tilde{a}t^k-\tilde{b}(t-\tau)^k e^{-\lambda\tau}$$

$$=\sum_{j=0}^{k}\binom{k}{j}t^{k-j}h^{(j)}(\lambda). \tag{2.5}$$

(2.5) 是由 $(t-\tau)^k$ 用二项式定理展开后, 注意到 $h^{(j)}(\lambda)$ 表示 $h(\lambda)$ 的各阶导数: $h^{(0)}(\lambda)=h(\lambda), h^{(1)}(\lambda)=1+\tau b e^{-\lambda\tau}, h^{(i)}(\lambda)=(-1)^{i-1}\times b\tau^i e^{-\lambda\tau}(i\geqslant 2)$, 推出的. 若 λ 为 $h(\lambda)$ 的 m 重零点, 则 $h(\lambda)=h^0(\lambda)=\cdots=h^{(m-1)}(\lambda)=0$. 故对 $k=0,1,\cdots,m-1, x(t)=t^k e^{\lambda t}$ 为方程 (2.1)的解.

这样, 对 (2.4) 的一切根 λ_j, 不论是单根或者是重根, 对应于(2.1)的解均可表示为 $e^{\lambda_j t}$ 或者 $e^{\lambda t}, te^{\lambda t}, \cdots, t^{m-1}e^{\lambda t}$. 若 λ 是某一 m 重根的话. 由上一段, 它们的线性组合仍然是 (2.1) 的解. 进而, 它们的无穷线性组合, 只要收敛, 仍然是 (2.1) 的解. 不过, 到现在为止, 我们不能象常微分方程的情形那样断定: 方程之一切解均可由 $e^{\lambda_j t}$ 及 $t^k e^{\lambda t}$ 形的独立解的线性组合表示之. 这一点, 必须借助于 Laplace 变换来解决.

3. 解的指数估计[79]

在后文中我们要对线性自治系统施行 Laplace 变换, 而施行

Laplace 变换的理论依据便是 $x(t)$ 必须有一个指数估计. 先给出一个引理.

引理1. 若 $u(t)$ 与 $\alpha(t)$ 均为 $[a,b]$ 上的实连续函数, $\beta(t)\geqslant 0$, 在 $[a,b]$ 上可积, 使得

$$u(t)\leqslant\alpha(t)+\int_a^t\beta(s)u(s)ds,\quad a\leqslant t\leqslant b,\tag{2.6}$$

则必有

$$u(t)\leqslant\alpha(t)+\int_a^t\beta(s)\alpha(s)\left[\exp\int_s^t\beta(t_1)dt_1\right]ds,\quad a\leqslant t\leqslant b.\tag{2.7}$$

若加上 α 是非减的, 则

$$u(t)\leqslant\alpha(t)\exp\int_a^t\beta(s)ds,\quad a\leqslant t\leqslant b.\tag{2.8}$$

证. 设 $R(t)=\int_a^t\beta(s)u(s)ds$, 则

$$\dot{R}(t)=\beta(t)u(t)\leqslant\beta\alpha+\beta R,$$

或者

$$\dot{R}(t)-\beta(t)R(t)\leqslant\beta(t)\alpha(t).\tag{2.9}$$

(2.9) 两边乘上 $\exp\left(-\int_a^t\beta(s_1)ds_1\right)$ 后把 t 改为 s 得:

$$\frac{d}{ds}\left[R(s)\exp\left(-\int_a^s\beta(s_1)ds_1\right)\right]\leqslant\beta(s)\alpha(s)\exp\left(-\int_a^s\beta(s_1)ds_1\right).$$

上式自 a 到 t 积分之得

$$R(t)\leqslant\int_a^t\beta(s)\alpha(s)\exp\left(\int_s^t\beta(s_1)ds_1\right)ds.\tag{2.10}$$

由(2.10)与(2.6)推知(2.7)成立.

若 $\alpha(t)$ 非减, 则由不等式(2.7)推得

$$u(t)\leqslant\alpha(t)\left[1+\int_a^t\beta(s)\left(\exp\int_s^t\beta(s_1)ds_1\right)ds\right]$$

$$=\alpha(t)\exp\int_a^t\beta(s)ds.$$

对于纯量方程

$$\dot{x}(t)=ax(t)+bx(t-\tau),\tag{2.11}$$

$$\dot{x}(t)=ax(t)+bx(t-\tau)+f(t), \tag{2.12}$$

这里 $a,b,\tau>0$ 皆为常数，f: $\mathbb{R}\to\mathbb{R}$ 连续．取 $t_0=0$，我们有

定理 2．若(2.12)的基本初值问题的解为 $x(t,0,\phi)$，则存在正常数 α,β，使得

$$|x(t,0,\phi)|\leqslant\alpha e^{\beta t}\left(\|\phi\|+k\int_0^t|f(s)|ds\right),\quad t\geqslant0, \tag{2.13}$$

其中 $k=\dfrac{1}{\alpha}$，$\|\phi\|=\sup\limits_{\theta\in[-\tau,0]}|\phi(\theta)|$．

证．因为 $t\geqslant0$ 时，$x(t,0,\phi)$ 满足(2.12)即

$$x(t)=\phi(0)+\int_0^t[ax(s)+bx(s-\tau)+f(s)]ds,t\geqslant0,$$

且 $t\in[-\tau,0]$ 时 $x(t)=\phi(t)$．故 $t\geqslant0$ 时

$$\begin{aligned}|x(t)|&\leqslant|\phi(0)|+\int_0^t|f(s)|ds+\int_0^t|a||x(s)|ds+\int_{-\tau}^t|b||x(s)|ds\\&\leqslant(1+|b|\tau)\|\phi\|+\int_0^t|f(s)|ds+\int_0^t(|a|+|b|)|x(s)|ds.\end{aligned}$$

由引理 1 得

$$|x(t)|\leqslant\left[(1+|b|\tau)\|\phi\|+\int_0^t|f(s)|ds\right]\exp(|a|+|b|)t. \tag{2.14}$$

在(2.14)中由于 $|b|\geqslant0$，可令 $\alpha=1+|b|\tau,\beta=|a|+|b|$，即为(2.13)．

若 $f(t)\equiv0$，即(2.11)的解有估计式

$$|x(t)|\leqslant\alpha e^{\beta t}\|\phi\|. \tag{2.15}$$

再考虑中立型方程

$$\frac{d}{dt}[x(t)-cx(t-\tau)]=ax(t)+bx(t-\tau)+f(t), \tag{2.16}$$

$a,b,c,\tau>0$ 仍为常数，f: $\mathbb{R}\to\mathbb{R}$，连续．我们有

定理 3．设 $x(t,0,\phi)$ 为(2.16)基本初值问题的解，则存在正常数 α 和 β 使得

$$|x(t,0,\phi)|\leqslant\alpha e^{\beta t}\left[\|\phi\|+\int_0^t|f(s)|ds\right],\quad t\geqslant0, \tag{2.17}$$

其中 $\|\phi\|=\sup\limits_{\theta\in[-\tau,0]}|\phi(\theta)|$．

证明与定理 2 类似，仍由(2.16)对应的积分方程

$$x(t)=\phi(0)-c\phi(-\tau)+cx(t-\tau)+\int_0^t[ax(s)+bx(s-\tau)]ds$$
$$+\int_0^t f(s)ds$$

进行估计. 当然也要引用引理 1 的结果,略去推导.

对(2.11),(2.12),(2.16) 对应的 n 阶情形,定理 2.3 仍成立.

§3. Bellman 定理[84,103]

我们仍按照 Bellman 原来的记号,对方程

$$x^{(n)}(t)+\sum_{k=0}^{n-1}\sum_{i=1}^{n}c_{ik}x^{(k)}(t-\tau_i)=0, \tag{3.1}$$
$$0<\tau_1<\tau_2<\cdots<\tau_n,$$

作变数代换,令

$$x(t)=x_1(t),$$
$$x^{(k)}(t)=x_{k+1}(t),\ k=1,2,\cdots,n-1. \tag{3.2}$$

以(3.2)代入(3.1)得

$$\dot{x}_k(t)=x_{k+1}(t),\ k=1,\cdots,n-1, \tag{3.3}$$
$$\dot{x}_n(t)=-\sum_{k=0}^{n-1}\sum_{i=1}^{n}c_{ik}x_{k+1}(t-\tau_i).$$

所以(3.1)包含在更一般的系统中

$$\dot{x}_i(t)=\sum_{j=1}^{n}a_{ij}^{(1)}x_j(t)+\sum_{j=1}^{n}a_{ij}^{(2)}x_j(t-\tau_1)+\cdots \tag{3.4}$$
$$i=1,2,\cdots,n.$$

写成向量矩阵形式为

$$\dot{x}(t)=A_0x(t)+A_1x(t-\tau_1)+\cdots+A_nx(t-\tau_n), \tag{3.5}$$

$x(t)\in R^n$, A_k 为 $n\times n$ 阵,初值条件是

$$x(t)=\varphi(t),\quad 0\leqslant t\leqslant\tau_n, \tag{3.6}$$

1．先考虑最简单的 $n=1$ 的情形，即方程

$$\dot{x}(t+1)=ax(t+1)+bx(t). \tag{3.7}$$

这里作过变量代换 $t=t_1+1(\tau=1)$，其初始条件化为

$$x(t)=\varphi(t),\quad 0\leqslant t\leqslant 1. \tag{3.8}$$

现在 $x(t),\varphi(t)\in\mathbb{R}$，依第二章的存在唯一性定理，(3.7)在初始条件(3.8)之下的解存在且唯一．

对(3.7)两边施行 Laplace 变换得

$$\int_0^\infty \frac{d}{dt}x(t+1)e^{-\lambda t}dt=a\int_0^\infty x(t+1)e^{-\lambda t}dt+b\int_0^\infty x(t)e^{-\lambda t}dt$$

或者

$$-x(1)+\lambda e^{\lambda}\int_1^\infty x(t)e^{-\lambda t}dt=ae^{\lambda}\int_1^\infty x(t)e^{-\lambda t}dt+b\int_0^\infty x(t)e^{-\lambda t}dt.$$

利用(3.8)可以写成

$$-\varphi(1)-(\lambda e^{\lambda}-ae^{\lambda})\int_0^1\varphi(t)e^{-\lambda t}dt$$
$$=(b+ae^{\lambda}-\lambda e^{\lambda})\int_0^\infty x(t)e^{-\lambda t}dt. \tag{3.9}$$

记 $h^{-1}(\lambda)=[b+ae^{\lambda}-\lambda e^{\lambda}]^{-1}$，$X(\lambda)=\int_0^\infty x(t)e^{-\lambda t}dt$，则(3.9)为

$$X(\lambda)=h^{-1}(\lambda)\left[\varphi(1)+h(\lambda)-b)\int_0^1\varphi(t)e^{-\lambda t}dt\right].$$

由 Laplace 反演变换公式得解 $x(t)$ 之表达式为

$$x(t)=\frac{1}{2\pi i}\int_c h^{-1}(\lambda)\Big[\varphi(1)+$$
$$(h(\lambda)-b)\int_0^1\varphi(t_1)e^{-\lambda t_1}dt_1\Big]e^{t\lambda}d\lambda, \tag{3.10}$$

此处 c 是适当选取的一条直线．

现在我们作以下的稳定性假设：在 $h(\lambda)=0$ 的所有根 $\mathrm{Re}(\lambda)\leqslant-\lambda_0<0$ 的左边，取 c 为直线 $-\frac{\lambda_0}{2}+is\ (s\in\mathbb{R})$，我们证明由

(3.10) 表示的 $x(t)$ 是 (3.7) 满足初始条件 (3.8) 的解.

把 $x(t)$ 分开为两部分.

$$x(t)=\frac{1}{2\pi i}\int_c\left[\varphi(1)-b\int_0^1\varphi(t_1)e^{-\lambda t_1}dt_1\right]e^{t\lambda}h^{-1}(\lambda)d\lambda$$

$$+\frac{1}{2\pi i}\int_c\left[\int_0^1\varphi(t_1)e^{-\lambda t_1}dt_1\right]e^{t\lambda}d\lambda.$$

$$\overset{\text{def}}{=\!=}x_1(t)+x_2(t).$$

事实上，当 $t>1$ 时，$x_2(t)=0$，并且当 $t\in[0,1]$ 时 $x_2(t)=\varphi(t)$. 当 $t<1$ 时，$x_1(t)=0$，这是因为积分 $x_1(t)$ 当 $\mathrm{Re}(\lambda)>-\lambda_0$ 时是解析的. 今以 $\left(-\frac{\lambda_0}{2},0\right)$ 为中心，充分大的 R 为半径，作一个位于 $-\frac{\lambda_0}{2}+is$ 右边的半圆. 如图 3.1 所示，由于被积函数是解析的，由 Cauchy 定理知，当 $t<1$ 时 $x_1(t)$ 表示的积分为零并且定义：当 $t=1$ 时 $x(1)=\varphi(1)$.

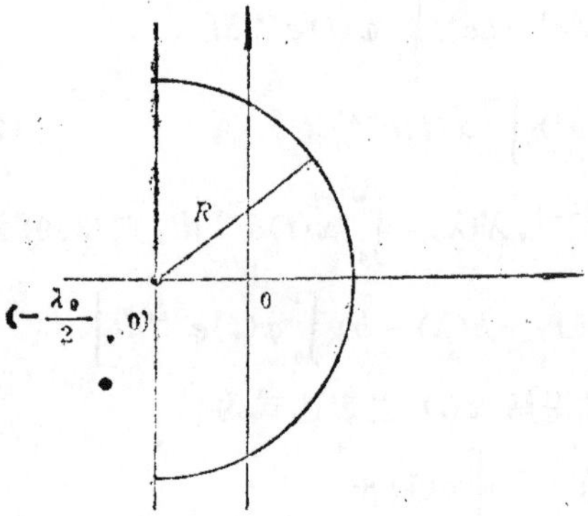

图 3.1

现在证明 $t>1$ 时 $x_1(t)$ 满足 (3.7). 当 $t>1$ 时，直接证明 $x_1(t)$ 满足 (3.7) 是比较困难的. 为此另外定义一个函数 v,

$$v(t)=\int_t^\infty x(t_1)dt_1,$$

$$x(t)=x_1(t)=$$

$$\frac{1}{2\pi i}\int_c h^{-1}(\lambda)\left[\varphi(1)-b\int_0^1\varphi(t_1)e^{-\lambda t_1}dt_1\right]e^{t\lambda}d\lambda,\quad(3.11)$$

则 $v(t)$ 是 (3.7) 的解. 因为：

(i) $v(t)$ 是存在的，令 $\lambda=-\frac{\lambda_0}{2}+is$，代入 (3.11) 不难推出

当 $t\to\infty$ 时 $x(t)\leqslant c_1e^{-1/2\lambda t}$ $(c_1=\text{const})\Rightarrow v(t)=\int_t^\infty x(t_1)dt_1$ 存在.

(ii) 由(3.11)得

$$
\begin{aligned}
v(t) &= \int_t^\infty x(t_1)dt_1 \\
&= \int_t^\infty \left(\frac{1}{2\pi i}\int_c h^{-1}(\lambda)\left[\varphi(1)-b\int_0^1 \varphi(t_2)e^{-\lambda t_2}dt_2\right]e^{t_1\lambda}d\lambda \right)dt_1 \\
&= \frac{1}{2\pi i}\int_c h^{-1}(\lambda)\left[\varphi(1)-b\int_0^1 \varphi(t_1)e^{-\lambda t_1}dt_1\right]\frac{1}{\lambda}e^{t\lambda}d\lambda.
\end{aligned}
\tag{3.12}
$$

将 $v(t)$ 的表达式(3.12)代入(3.7)即得.

$$
\begin{aligned}
&\frac{d}{dt}v(t+1)-av(t+1)-bv(t) \\
&= \frac{-1}{2\pi i}\int_c \left[\varphi(1)-b\int_0^1 \varphi(t_1)e^{-\lambda t_1}dt_1\right]\frac{1}{\lambda}e^{t\lambda}d\lambda.
\end{aligned}
\tag{3.13}
$$

由(3.13)看出,对任何线路 c 而言,由于被积函数在 $t>1$ 时是解析的,故由 Cauchy 定理知(3.13)右边积分为零,这就证明了 $v(t)$ 是方程(3.7)之解.

因为(3.13)左边为

$$
-x(t+1)-a\int_{t+1}^\infty x(t_1)dt_1-b\int_t^\infty x(t_1)dt_1=0,
$$

将上式微分之,即得(3.7),这就证明了 $x(t)=x_1(t)$ 当 $t>1$ 时是(3.7)的解,且满足初值条件(3.8).

现在进一步研究 $x(t)$ 与 $\varphi(t)$ 的关系. 由

$$
\begin{aligned}
x_1(t) &= -\frac{\varphi(1)}{2\pi i}\int_c h^{-1}(\lambda)e^{t\lambda}d\lambda-\frac{b}{2\pi i}\int_c h^{-1}(\lambda) \\
&\quad\times\left[\int_0^1 \varphi(t_1)e^{-\lambda t_1}dt_1\right]e^{t\lambda}d\lambda \\
&\overset{\text{def}}{=\!=} I_1+I_2.
\end{aligned}
\tag{3.14}
$$

估计 I_1, I_2 这两个积分的数值, 不难看出

$$
|I_1|\leqslant c_1\varphi(1)\leqslant c_1\max_{0\leqslant t\leqslant 1}|\varphi(t)|,\quad t\geqslant 1,
\tag{3.15}
$$

而 I_2 可以写成

$$I_2=-\frac{b}{2\pi i}\int_0^1\varphi(t_1)\left[\int_c h^{-1}(\lambda)e^{(t-t_1)\lambda}d\lambda\right]dt_1. \quad (3.16)$$

这个积分是沿着线路在 $R\to\infty$ 时从 $-R$ 到 $+R$ 积分的极限，利用收敛性及变换在有限区间上的积分，我们将得到当 $R\to\infty$ 时(3.16)的极限. 而积分

$$\int_c h^{-1}(\lambda)e^{(t-t_1)\lambda}d\lambda$$

含有因子 $c_1e^{1/2(-\lambda_0)(t-t_1)}$，当 $t\to\infty$ 时，这个积分是有界的. 因此得到

$$|I_2|\leqslant c_1\max_{0\leqslant t\leqslant 1}|\varphi(t)|.$$

总结上述结果，我们得到定理:

定理 1. 若方程 $h(\lambda)=\lambda e^{\lambda}-ae^{\lambda}-b=0$ 的所有的根都位于 $\mathrm{Re}(\lambda)=-\lambda_0<0$ 的左边，则满足初值条件(3.8)的方程(3.7)的解是 $\varphi(t)$ 的一个连续运算(用(3.10)表示). 且有

$$\max_{0\leqslant t<\infty}|x(t)|\leqslant c_1\max_{0\leqslant t\leqslant 1}|\varphi(t)|. \quad (3.17)$$

2. 其次考虑非齐次的情形

$$\dot{x}(t+1)=ax(t+1)+bx(t)+w(t),\quad t>0 \quad (3.18)$$

及

$$x(t)=\varphi(t),\quad t\in[0,1]. \quad (3.19)$$

假定 $w(t)$ 是可积的. 则(3.18)在(3.19)之下解存在且唯一.

我们用 $x_0(t)$ 表示(3.18)对应的齐次方程的解. 与讨论(3.7)的解的表示一样，用 Laplace 变换导出(3.18)的解表示为

$$x(t)=x_0(t)+\frac{1}{2\pi i}\int_c h^{-1}(\lambda)\left[\int_0^\infty w(t_1)e^{-\lambda t_1}dt_1\right]e^{t\lambda}d\lambda, \quad (3.20)$$

其中当然假定积分 $\int_0^\infty w(t_1)e^{-\lambda t_1}dt_1$ 沿着路径 c 是存在的. 换言之，$w(t)$ 的Laplace 变换式有意义(例如 $w(t)$ 有指数估计). 我们注意到(3.20)为两项之和，第一项 $x_0(t)$ 与第二项的积分表达式事

实上是§2,1 中的性质 (ii) 的具体化，换句话说，第二项的积分是(3.18)之一解.

今设

$$\int_0^{\infty}|w(t_1)e^{-\lambda t_1}|dt_1<\infty,\quad \lambda=-\frac{1}{2}\lambda_0+it. \tag{3.21}$$

则

$$x(t)=x_0(t)+\frac{1}{2\pi i}\int_0^{\infty}w(t_1)\left[\int_c h^{-1}(\lambda)e^{\lambda(t-t_1)}d\lambda\right]dt_1$$

或者

$$x(t+1)=x_0(t+1)+\frac{1}{2\pi i}\int_0^{\infty}w(t_1)\left[\int_c h^{-1}(\lambda)e^{\lambda}e^{\lambda(t-t_1)}d\lambda\right]dt_1.$$

我们看到这个积分除去 $t>t_1$ 外，沿着线路是为零的，因此，对 $t>0$,

$$x(t+1)=x_0(t+1)+\frac{1}{2\pi i}\int_0^{t}w(t_1)K(t-t_1)dt_1,$$

其中

$$K(t-t_1)=\int_c h^{-1}(\lambda)e^{\lambda}e^{\lambda(t-t_1)}d\lambda.$$

前面已证

$$|K(t)|\leqslant c_1e^{-\frac{\lambda_0 t}{2}},\quad t\geqslant 0,$$

因此，我们有

$$\int_0^{t}|K(t-t_1)|dt_1=\int_0^{t}|K(t_1)|dt_1<\int_0^{\infty}|K(t_1)|dt_1<\infty.$$

总结以上结果，得到以下定理：

定理 2. 假定 $h(\lambda)=0$ 之一切根都位于 $\mathrm{Re}(\lambda)=-\lambda_0<0$ 的左边，再假定在任何有限区间上，$w(t)$ 是连续的，有界变差的函数，并且有

$$\int_0^{\infty}|w(t_1)|e^{-\frac{1}{2}\lambda_0 t_1}dt_1<\infty.$$

则满足初值条件(3.19)的方程(3.18)的解，对 $t>0$ 有

$$x(t+1)=x_0(t+1)+\frac{1}{2\pi i}\int_0^{t}w(t_1)K(t-t_1)dt_1,$$

这里

$$\int_0^{\infty}|K(t_1)|dt_1<\infty.$$

以上我们考虑了非齐次线性微分差分方程解的稳定性，利用这个结果可以导致非线性微分差分方程的情形.

3. 考虑如下形式的非线性方程

$$\dot{x}(t+1)=ax(t+1)+bx(t)+f(x(t)),\ t>0, \tag{3.22}$$

初值条件为

$$x(t)=\varphi(t),\ t\in[0,1]. \tag{3.23}$$

设 $f(x(t))$ 有如下形式

$$f(x(t))=b_1(t)x(t)+b_2(t)x(t+1)+\sum_{i+j\geq 2}b_{ij}(t)x^i(t)x^j(t+1),$$

这里 $b_1(t)$, $b_2(t)$ 充分小，并在 $[0,\infty)$ 上绝对可积及 $|b_{ij}(t)|\leqslant b_{ij}$，其中二重级数

$$\sum_{i+j\geq 2}b_{ij}x^iy^j$$

当 $|x|$，$|y|$ 充分小时是收敛的.

应用定理 2，对非线性项可以引出考虑如下的 Volterra 型的积分方程

$$x(t+1)=x_0(t+1)+\int_0^t f(x)K(t-t_1)dt_1.$$

对(3.22)，由定理 2 及应用逐次逼近法有

$$x^{(0)}(t+1)=x_0(t+1)$$

及

$$x^{(n+1)}(t+1)=x_0(t+1)+\int_0^t f(x^{(n)})K(t-t_1)dt_1.$$

由上述假定

$$2c_1\left(\max_{0\leqslant t\leqslant 1}|\varphi(t)|\right)e^{\frac{1}{2}(-\lambda_0 t)} \text{ 及 } \max_{0\leqslant t\leqslant 1}|\varphi(t)|$$

充分地小．用归纳法我们不难证明序列 $x^{(n)}(t+1)$ 均匀有界，级数

$$\sum_{n=0}^{\infty}|x^{(n+1)}(t+1)-x^{(n)}(t+1)|$$

在任何有限区间上是均匀收敛的[64]，故当 $n\to\infty$ 时 $x^{(n)}(t+1)\to x(t+1)$ 且

$$x(t+1)=x_0(t+1)+\int_0^t f(x)K(t-t_1)dt_1$$

成立．由定理 2 的证明过程知道，$x(t)$ 是 (3.22) 的满足初始条件 (3.23) 的解．因此得：

定理 3．若 $h(\lambda)=0$ 的一切根都位于 $\mathrm{Re}\lambda=-\lambda_0<0$ 的左边，并且 $\max\limits_{0\leqslant t\leqslant 1}|\varphi(t)|$ 充分小，则满足初值条件 (3.23) 的，方程 (3.22) 的解 $x(t)$ 存在且唯一，并且当 $t\to\infty$ 时 $x(t)\to 0$．

唯一性是由 $f(x)$ 关于 x 满足 Lipschitz 条件而得到的，我们对于线路 $\frac{1}{2}(-\lambda_0)+is(s\in\mathbb{R})$ 证明了 $x_0(t)\leqslant c_1e^{\frac{1}{2}(-\lambda_0 t)}$，对非线性项也不难得到此结论，只要对线性项变更线路 $\frac{1}{4}(-\lambda_0)+is(s\in\mathbb{R})$，以及当 $t\to\infty$ 时 $b_1(t),b_2(t)\to 0$．除假定 $\varphi(t)$ 连续以及 $\max\limits_{0\leqslant t\leqslant 1}|\varphi(t)|$ 的大小外，对 $\varphi(t)$ 没有其他限制，而前面的结论需要 $\varphi(t)$ 是有界变差函数．由此，我们得到满足条件 (3.23) 的方程 (3.22) 的解是连续的，有界变差的，若 $\max\limits_{0\leqslant t\leqslant 1}|\varphi(t)|$ 充分小，则解也充分小．

对 $|b_{ij}(t)|\leqslant b_{ij}$ 的限制是不必要的，加大系数为 $e^{(\lambda_0-\varepsilon)}(\varepsilon>0)$，则可略去详细证明的经过．

对线性差分微分方程组 (3.5)

$$\dot{x}(t)=A_0x(t)+A_1x(t-\tau_1)+\cdots+A_nx(t-\tau_n)$$

的零解稳定性的研究与上述对方程(3,7)的情形本质上没有什么不同,推广证明过程留给读者.

§4. 通解与常数变易公式[79]

本节要借助 Laplace 变换定义线性自治系统的基础解,从而得到通解和常数变易公式.

仍以一阶纯量方程为例:

$$\dot{x}(t+\tau)=ax(t+\tau)+bx(t), \tag{4.1}$$

其中 $a,b,\tau>0$ 均为常数.

定义. 我们称(4.1)在初始条件

$$x(t)=\phi_0(t)=\begin{cases}0, & 0\leqslant t<\tau,\\ 1, & t=\tau,\end{cases} \tag{4.2}$$

之下的解为基础解. 仿第二章的存在唯一性定理,可以证明 $x_0(t)$ 存在且唯一,而且它在任何紧集上是有界变差的.

或者按近年来的习惯记号,考虑方程

$$\dot{x}(t)=ax(t)+bx(t-\tau), \tag{4.3}$$

$$x(t)=\phi_0(t)=\begin{cases}0, & -\tau\leqslant t<0,\\ 1, & t=0.\end{cases} \tag{4.4}$$

由本章§2关于解的指数估计式,我们有

定理 1. (4.3)的基础解可表示为

$$x_0(t)=\int_{(C)}h^{-1}(\lambda)e^{\lambda t}d\lambda, \tag{4.5}$$

其中 $C>\beta$, β 是§2中指数估计式里的常数.

证. 对(4.3)两边施行 Laplace 变换,记 $x_0(t)$ 之 Laplace 变换式为 $X_0(\lambda)$,则

$$X_0(\lambda)=h^{-1}(\lambda),$$

这里 $h^{-1}(\lambda)=\lambda-a-be^{-\lambda\tau}$, 其中用到 $\dot{x}(t)$ 的 Laplace 变换公式以及(4.4),故由反演公式推得(4.5).

定理 2. (4.3)之通解可以表示为

$$x(t,0,\phi)=x_0(t)\phi(0)+b\int_{-\tau}^{0}x_0(t-\theta-\tau)\phi(\theta)d\theta, \qquad (4.6)$$

其中 ϕ 为$[-\tau,0]$任意给定的初始函数，x_0 为(4.3)之基础解.

证. 由(4.3)两边乘 $e^{-\lambda t}$，并由 0 到∞积分

$$\int_0^\infty \dot{x}(t)e^{-\lambda t}dt=a\int_0^\infty x(t)e^{-\lambda t}dt+b\int_0^\infty x(t-\tau)e^{-\lambda t}dt.$$

记 $\int_0^\infty x(t)e^{-\lambda t}dt=X(\lambda)$，有

$$\lambda X(\lambda)-x(0)=aX(\lambda)+be^{-\lambda\tau}X(\lambda)+be^{-\lambda\tau}\int_{-\tau}^{0}\phi(\theta)e^{-\lambda\theta}d\theta.$$

由 $x(0)=\phi(0)$得

$$h(\lambda)X(\lambda)=\phi(0)+be^{-\lambda\tau}\int_{-\tau}^{0}\phi(\theta)e^{-\lambda\theta}d\theta$$

或

$$X(\lambda)=h^{-1}(\lambda)\phi(0)+h^{-1}(\lambda)be^{-\lambda\tau}\int_{-\tau}^{0}\phi(\theta)e^{-\lambda\theta}d\theta. \qquad (4.7)$$

由反演公式

$$\begin{aligned}x(t)&=\int_{\sigma}X(\lambda)e^{\lambda t}d\lambda\\&=\int_{\sigma}h^{-1}(\lambda)\phi(0)e^{\lambda t}d\lambda+\int_{\sigma}h^{-1}(\lambda)be^{\lambda t}e^{-\lambda\tau}\\&\quad\times\int_{-\tau}^{0}\phi(\theta)e^{-\lambda\theta}d\theta d\lambda\\&=x_0(t)\phi(0)+b\int_{\sigma}h^{-1}(\lambda)e^{\lambda t}e^{-\lambda\tau}\int_{-\tau}^{0}\phi(\theta)e^{-\lambda\theta}d\theta d\lambda.\end{aligned} \qquad (4.8)$$

为计算 (4.8) 之右边第二项，我们定义一个函数 $\omega:[-\tau,\ \infty)\to[0,1]$为

$$\omega(\theta)=\begin{cases}1, & \theta<0,\\0, & \theta\geqslant 0.\end{cases}$$

另外，再扩展 ϕ 的定义域：当 $\theta\geqslant 0$ 时定义 $\phi(\theta)=\phi(0)$，即 ϕ 定义在$[-\tau,\infty)$上，这样，我们有

$$e^{-\lambda\tau}\int_{-\tau}^{0} e^{-\lambda\theta}\phi(\theta)d\theta = \int_{0}^{\infty} e^{-\lambda s}\phi(-\tau+s)\omega(-\tau+s)ds.$$

上式右端视之为 $\phi(-\tau+s)\omega(-\tau+s)$ 的 Laplace 变换式，把它代入(4.8)之第二项，利用卷积定理，(4.8)右边第二项为

$$b\int_{0}^{t} x_0(t-s)\phi(-\tau+s)\omega(-\tau+s)ds$$

$$= b\int_{0}^{\tau} x_0(t-s)\phi(-\tau+s)ds.$$

令 $s=\tau+\theta$，上式右端为

$$b\int_{-\tau}^{0} x_0(t-\theta-\tau)\phi(\theta)d\theta,$$

于是推得(4.6)成立. 证毕.

非齐次方程

$$\dot{x}(t) = ax(t) + bx(t-\tau) + f(t), \tag{4.9}$$

f: $J \to \mathbb{R}$，连续. 我们设 $f(t)$ 有指数估计，于是有

定理 3. (4.9)之通解可以表示为

$$\tilde{x}(t,0,\phi) = x(t,0,\phi) + \int_{0}^{t} x_0(t-s)f(s)ds, \tag{4.10}$$

其中 $x(t,0,\phi)$ 为(4.3)之通解，x_0 为(4.3)之基础解，$\tilde{x}$ 表示(4.9)之通解.

证. 对(4.9)两边施行 Laplace 变换，仿定理 2 的做法可得 $\tilde{x}$ 之变换式 $\tilde{X}(\lambda)$ 的表示

$$\tilde{X}(\lambda) = h^{-1}(\lambda)\left[\phi(0) + be^{-\lambda\tau}\int_{-\tau}^{0} e^{-\lambda\theta}\phi(\theta)d\theta\right] + h^{-1}(\lambda)F(\lambda),$$

其中 $F(\lambda)$ 为 $f(t)$ 之 Laplace 变换式. 由(4.7)可改写上式为

$$\tilde{X}(\lambda) = X(\lambda) + X_0(\lambda)F(\lambda). \tag{4.11}$$

对(4.11)用反演公式和卷积定理即得(4.10).

注 1. 若 $f(t)$ 不假定有指数限制，则对给定的连续的 $f(t)$，定义另一函数为 $\tilde{f}$，它在任何区间 $[0,T]$ 上等于 $f(t)$，在 $[0,T+\varepsilon]$ 上 ($\varepsilon>0$) 等于零，在 $[T,T+\varepsilon]$ 上用线段连接使 $\tilde{f}$ 是连续的. 那么 $\tilde{f}$ 在 $\mathbb{R}_+$ 中必有指数限制. 由 T 之任意性亦可得定理 3 的结论.

注 2．定理 1，2，3 对 n 阶系统也成立．

中立型方程

$$\dot{x}(t)=ax(t)+bx(t-\tau)+c\dot{x}(t-\tau) \tag{4.12}$$

及非齐次方程

$$\dot{x}(t)=ax(t)+bx(t-\tau)+c\dot{x}(t-\tau)+f(t), \tag{4.13}$$

其中 $a,b,c,\tau>0$ 均为常数，$f: J\to\mathbb{R}$．同样称(4.12)在初始条件(4.4)加上 $\dot{\phi}_0=0$(在 0 处没有导数)之下的解为基础解．记

$$H(\lambda)=\lambda(1-ce^{-\lambda\tau})-a-be^{-\lambda\tau}. \tag{4.14}$$

用类似的方法可以推得

定理 4．设 $x_0(t)$ 为(4.12)之基础解．则

$$x_0(t)=\int_c H^{-1}(\lambda)e^{\lambda t}d\lambda.$$

定理 5．设 $x_0(t)$ 为(4.12)之基础解，$x(t,0,\phi)$ 为(4.12)由任一初始函数 ϕ 确定的解，则有

$$x(t,0,\phi)=x_0(t)[\phi(0)-c\phi(-\tau)]+b\int_{-\tau}^{0}x_0(t-\theta-\tau)\phi(\theta)d\theta$$

$$+c\phi(-\tau+t)\omega(-\tau+t)+c\int_{-\tau}^{0}\dot{x}_0(t-\theta-\tau)\phi(\theta)d\theta, \tag{4.15}$$

其中 $\omega(\theta)$ 由下式确定

$$\omega(\theta)=\begin{cases}1, & \theta<0;\\ 0, & \theta\geq 0.\end{cases}$$

若 $t\geq\tau$，则(4.15)中不出现含有 ω 的项，若 $t<\tau$ 则这种项为 $c\phi(-\tau+t)$，它正是 Stieltjes 积分

$$-c\int_{-\tau}^{t-\tau}[dx_0(t-\theta-\tau)]\phi(\theta)$$

之值，故 $x(t,0,\phi)$ 的表达式(4.15)可改写为

$$x(t,0,\phi)=x_0(t)[\phi(0)-c\phi(-\tau)]$$

$$+b\int_{-\tau}^{0}x(t-\theta-\tau)\phi(\theta)d\theta-c\int_{-\tau}^{0}[dx_0(t-\theta-\tau)]\phi(\theta). \tag{4.16}$$

定理 6．设 $x_0(t)$ 为(4.12)之基础解，$x(t,0,\phi)$ 为(4.12)之通解，$\bar{x}(t,0,\phi)$ 为(4.13)的，由任一初始函数 ϕ 确定的解，则

$$\tilde{x}(t,0,\phi)=x(t,0,\phi)+\int_0^t x_0(t-s)f(s)ds. \qquad (4.17)$$

注 3．定理 4 中的积分路线 c 的选取仍由方程(4.12)的解的指数估计中的常数决定．定理 4—6 中涉及的所有初始函数均设为可微．

§5. Фрид 定 理

И. А. Фрид定理表述方程[131]

$$x^{(n)}(t+\tau_m)=\sum_{\mu=0}^{m}\sum_{\nu=0}^{n-1}a_{\mu\nu}x^{(\nu)}(t+\tau_\mu),$$
$$0=\tau_0<\tau_1<\cdots<\tau_m \qquad (5.1)$$

的稳定性，其初值为

$$x^{(\nu)}(t)=\varphi^{(\nu)}(t),\ 0\leqslant\nu\leqslant n-1,\ 0\leqslant t\leqslant\tau_m,$$

$\varphi^{(\nu)}(t)$ 是连续有界变差函数．(5.1)之特征方程为

$$D(\lambda)\overset{\Delta}{=}\lambda^n e^{\tau_m\lambda}-\sum_{\mu=0}^{m}\sum_{\nu=0}^{n-1}a_{\mu\nu}\lambda^\nu e^{\tau_\mu\lambda}. \qquad (5.2)$$

假定(5.2)的特征根中只有有限个实部为零的单根，而其他的所有根的实部都满足条件

$$\mathrm{Re}(\lambda)<-d,\ d>0.$$

则可证(5.1)的解有估值

$$|x^{(\nu)}(t)|<Ke^{-ct}+M,$$

对所有的 $t\geqslant0$ 及 $0\leqslant\nu\leqslant n-1$，这里，$K,M,c$ 为正常数．又当初值相当小时，常数 M 可以任意小．

由此结果即可证明下述定理．

定理 1．假定具有时滞的方程(5.1)的特征方程(5.2)仅有有限个实部为零的单根，而其余所有根的实部都小于某一负数 $-d$，则(5.1)的零解是稳定的．

先证有一个时滞的情形

$$\dot{x}(t+\tau)=ax(t+\tau)+bx(t), \tag{5.3}$$

在 $0\leqslant t\leqslant\tau$ 时，初值 $x(t)=\varphi(t)$，$\varphi(t)$ 是连续的有界变差函数. (5.3)的特征方程

$$D(\lambda)=\lambda e^{\tau\lambda}-ae^{\tau\lambda}-b \tag{5.4}$$

有两个共轭纯虚根 ip 与 $-ip(p>0)$，其他的根皆有 $\mathrm{Re}(\lambda)<-d(d>0)$. 由 §4 定理 1，(5.3)之通解为

$$x(t)=x_1(t)+x_2(t),$$

其中 $x_1(t)$ 相当于 $x_0(t)\varphi(1)$. 这里的目的是要精确估计 (5.3) 的解，以证明其稳定性. 先要证明

当 $t>\tau$ 时，$x_2(t)=0$. $x_1(t)$ 满足 (5.3).

当 $0\leqslant t\leqslant\tau$ 时，$x_2(t)=\varphi(t)$.

当 $0\leqslant t<\tau$ 时，$x_1(t)=0$.

则由解的唯一性与连续性知当 $0\leqslant t\leqslant\tau$ 时

$$x(t)=\varphi(t).$$

又当 $t\geqslant\tau$ 时，$x(t)$ 满足(5.3). 然后估计当 $t\geqslant\tau$ 时的 $x(t)$，得到 $|x(t)|<Ke^{-\sigma t}+M$，只要对应的初始函数任意小，M 便可以任意小. 如果证明了这一点，便证明了定理 1.

注意，倘若(5.3)(或者(5.2))之一切特征根皆具有负实部，那么由通解表达式直接可得出指数估计，以证明零解是渐近稳定的.

为了证明定理 1，先证一个引理：

引理 1. 若方程

$$D(\lambda)=\sum_{\mu=0}^{m}\sum_{\nu=0}^{n-1}a_{\mu\nu}\lambda^{\nu}e^{\tau_\mu\lambda}$$

的根的实部在 (a,b) 之外，则对任何数 $c=\mathrm{Re}(\lambda)\neq 0$，满足不等式 $a<c<b$ 有估值

$$|D(\lambda)|>K|\lambda|^n,$$

此处 $\lambda=c+it\ (t\in\mathbb{R})$，而 K 为正常数，并设至少有一个 $a_{\mu n}\neq 0\ (0\leqslant\mu\leqslant m)$.

证. 把 $D(\lambda)$ 写成

$$D(\lambda)=\lambda^n\sum_{\mu=0}^{m}a_{\mu n}e^{\tau_\mu\lambda}+\sum_{\mu=0}^{m}\sum_{\nu=0}^{n-1}a_{\mu\nu}\lambda^\nu e^{\tau_\mu\lambda},$$

取T如此地大,使得当$|t|>T$时有不等式

$$\frac{1}{2}\left|\lambda^n\sum_{\mu=0}^{m}a_{\mu n}e^{\tau_\mu\lambda}\right|>\left|\sum_{\mu=0}^{m}\sum_{\nu=0}^{n-1}a_{\mu\nu}\lambda^\nu e^{\tau_\mu\lambda}\right|.$$

则对$|t|>T$我们有

$$|D(\lambda)|>\frac{1}{2}|\lambda|^n\left|\sum_{\mu=0}^{m}a_{\mu n}e^{\tau_\mu\lambda}\right|$$

或者

$$|D(\lambda)|>K_1|\lambda|^n,\quad K_1>0.$$

对$|\lambda|\leqslant T$,可取$k_2>0$,使得

$$k_2<|D(\lambda)|/|\lambda|^n,\quad \lambda\neq 0.$$

于是当$|t|\leqslant T$时有

$$|D(\lambda)|>k_2|\lambda|^n.$$

取$k=\min(k_1,k_2)$,对所有t,得到

$$|D(\lambda)|>k|\lambda|^n\ 及\ k>0.$$

引理证毕.

现在证明定理1.

对方程(5.3)施行 Laplace 变换得

$$\int_0^\infty \dot{x}(t+\tau)e^{-\lambda t}dt=a\int_0^\infty x(t+\tau)e^{-\lambda t}dt+b\int_0^\infty x(t)e^{-\lambda t}dt,$$

利用分部积分得到

$$[x(t+\tau)e^{-\lambda t}]_0^\infty+\lambda\int_0^\infty x(t+\tau)e^{-\lambda t}dt$$

$$=a\int_0^\infty x(t+\tau)e^{-\lambda t}dt+b\int_0^\infty x(t)e^{-\lambda t}dt.$$

由于所有积分皆绝对收敛,故当$t\to\infty$,$x(t+\tau)e^{-\lambda t}\to 0$时,变换前两个积分的积分变数,有

$$-x(\tau)+\lambda e^{\tau\lambda}\int_\tau^\infty x(t)e^{-\lambda t}dt$$

$$= ae^{\lambda\tau}\int_{\tau}^{\infty} x(t)e^{-\lambda t}dt + b\int_{0}^{\infty} x(t)e^{-\lambda t}dt$$

或者

$$(\lambda e^{\tau\lambda} - ae^{\tau\lambda})\int_{\tau}^{\infty} x(t)e^{-\lambda t}dt - b\int_{0}^{\infty} x(t)e^{-\lambda t}dt = x(\tau).$$

两边同时加上

$$(\lambda e^{\tau\lambda} - ae^{\tau\lambda})\int_{0}^{\tau} x(t)e^{-\lambda t}dt,$$

又注意到在 $0\leqslant t\leqslant\tau$ 时 $x(t)=\varphi(t)$，得到

$$(\lambda e^{\tau\lambda} - ae^{\tau\lambda} - b)\int_{0}^{\infty} x(t)e^{-\lambda t}dt = \varphi(\tau) + (\lambda e^{\lambda\tau} - ae^{\lambda\tau}) \times\int_{0}^{\tau}\varphi(t)e^{-\lambda t}dt.$$

由反演公式得

$$x(t) = \frac{1}{2\pi i}\int_{\Gamma+\gamma} e^{t\lambda}D^{-1}(\lambda)\left[\varphi(\tau) + (D(\lambda)+b) \times\int_{0}^{\tau}\varphi(t_1)e^{-\lambda t_1}dt_1\right]d\lambda, \tag{5.5}$$

此地 Γ 表示直线 $\lambda=-c+is$，C 为满足条件 $0<c<d$ 的常数，而 $s\in\mathbb{R}$，γ 表示两个闭线路，一个包含点 ip，另一个包含点 $-ip$，Γ,γ 内部及边界上无其他根.

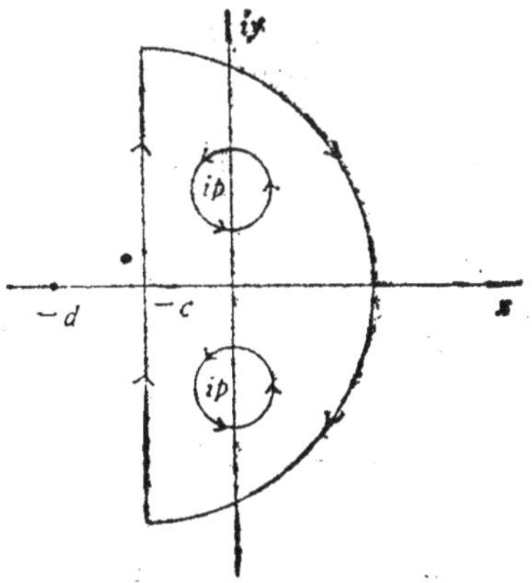

图 5.1

现在要证明，对所有 $t\geqslant\tau$，(5.5) 为方程 (5.3) 的解，当 $0\leqslant t\leqslant\tau$ 时，又等于 $\varphi(t)$，将(5.5)写成

$$x(t) = x_1(t) + x_2(t) = \frac{1}{2\pi i}\int_{\Gamma+\gamma} e^{t\lambda}D^{-1}(\lambda)\left[\varphi(\tau) + b\int_{0}^{\tau}\varphi(t_1)e^{-\lambda t_1}dt_1\right]d\lambda$$

$$+\frac{1}{2\pi i}\int_{\Gamma+\gamma}\left[\int_0^\tau \varphi(t_1)e^{-\lambda t_1}dt_1\right]e^{t\lambda}d\lambda.$$

我们来考虑

$$x_2(t)=\frac{1}{2\pi i}\int_{\Gamma+\gamma}\left[\int_0^\tau \varphi(t_1)e^{-\lambda t_1}dt_1\right]e^{t\lambda}d\lambda.$$

引入辅助函数

$$g(t)=\begin{cases}\varphi(t), & 0\leqslant t\leqslant\tau,\\ 0, & t>\tau.\end{cases}$$

则有

$$x_2(t)=\frac{1}{2\pi i}\int_{\Gamma+\gamma}\left[\int_0^\infty g(t_1)e^{-\lambda t_1}dt_1\right]e^{t\lambda}d\lambda.$$

但这个是 $g(t)$ 的 Laplace 反变换，故 $x_2(t)=g(t)$，亦即

$$x_2(t)=0,\quad 当\ t>\tau\ 时,$$

$$x_2(t)=\varphi(t),\ 当\ 0\leqslant t\leqslant\tau\ 时.$$

现在考虑 $x_1(t)$，

$$\begin{aligned}x_1(t)&=x_{1\Gamma}(t)+x_{1\gamma}(t)\\&=\frac{1}{2\pi i}\int_\Gamma D^{-1}(\lambda)\left[\varphi(\tau)+b\int_0^\tau\varphi(t_1)e^{-\lambda t_1}dt_1\right]e^{t\lambda}d\lambda\\&\quad+\frac{1}{2\pi i}\int_\gamma D^{-1}(\lambda)\left[\varphi(\tau)+b\int_0^\tau\varphi(t_1)e^{-\lambda t_1}dt_1\right]e^{t\lambda}d\lambda.\end{aligned}$$

当 $t<\tau$ 时，

$$\begin{aligned}x_{1\Gamma}&=\frac{1}{2\pi i}\int_\Gamma D^{-1}(\lambda)\left[\varphi(\tau)+b\int_0^\tau\varphi(t_1)e^{-\lambda t_1}dt_1\right]e^{t\lambda}d\lambda\\&=\frac{1}{2\pi i}\int_\Gamma D^{-1}(\lambda)e^{\lambda t}\left[\varphi(\tau)+b\int_0^\tau\varphi(t_1)e^{-\lambda t_1}dt_1\right]d\lambda\end{aligned}$$

$$\begin{aligned}x_{1\gamma}&=\frac{1}{2\pi i}\int_\gamma D^{-1}(\lambda)\left[\varphi(\tau)+b\int_0^\tau\varphi(t_1)e^{-\lambda t_1}dt_1\right]e^{t\lambda}d\lambda\\&=\frac{1}{2\pi i}\int_\gamma D^{-1}(\lambda)e^{\lambda t}\left[\varphi(\tau)+b\int_0^\tau\varphi(t_1)e^{-\lambda t_1}dt_1\right]d\lambda.\end{aligned}$$

由 Cauchy 定理和 Jordan 引理推知 $x_{1\Gamma}(t)$ 等于在 ip 及 $-ip$ 两

点所算得的留数，而 $x_{1\gamma}(t)$ 也等于这些留数，但反号，因积分路线相反，故当 $t<\tau$ 时有

$$x_{1\Gamma}(t)=-x_{1\gamma}(t)$$

以及

$$x_1(t)=x_{1\Gamma}(t)+x_{1\gamma}(t)=0.$$

对 $t>\tau$，将证明 $x_{1\Gamma}(t)$ 与 $x_{1\gamma}(t)$ 都是方程(5.3)的解，于是由方程的线性与齐次性知，对 $t>\tau$，$x_1(t)=x_{1\Gamma}(t)+x_{1\gamma}(t)$ 也是方程(5.3)的解.

将 $x_{1\gamma}(t)$ 代入方程(5.3)，有

$$\frac{1}{2\pi i}\int_\gamma D^{-1}(\lambda)e^{\lambda\tau}\left[\varphi(\tau)+b\int_0^\tau\varphi(t_1)e^{-\lambda t_1}dt_1\right]e^{\lambda t}\lambda d\lambda$$

$$-\frac{a}{2\pi i}\int_\gamma D^{-1}(\lambda)e^{\lambda\tau}\left[\varphi(\tau)+b\int_0^\tau\varphi(t_1)e^{-\lambda t_1}dt_1\right]e^{\lambda t}d\lambda$$

$$-\frac{b}{2\pi i}\int_\gamma D^{-1}(\lambda)e^{\lambda t}\left[\varphi(\tau)+b\int_0^\tau\varphi(t_1)e^{-\lambda t_1}dt_1\right]d\lambda$$

$$=\frac{1}{2\pi i}\int_\gamma\left[\varphi(\tau)+b\int_0^\tau\varphi(t_1)e^{-\lambda t_1}dt_1\right]e^{\lambda t}d\lambda=0.$$

由 Cauchy 定理，当 $t>\tau$ 时有 $x_{1\Gamma}(t)$ 满足方程(5.3).

要证 $x_{1\gamma}(t)$ 是方程(5.3)的解则更复杂些. 引进辅助函数

$$v(t)=\int_t^\infty x_{1\Gamma}(t_1)dt_1.$$

先证 $v(t)$ 对 $t>\tau$ 是方程(5.3)的解，然后借助于微分容易验证 $x_{1\Gamma}(t)$ 也是(5.3)之解. 首先必须证明 $v(t)$ 的存在性. 为此，要估计 $x_{1\Gamma}(t)$. 因所研究的是 $t>\tau>0$，故由 Cauchy 定理，Jordan 引理有

$$\frac{1}{2\pi i}\int_\Gamma\frac{1}{\lambda}e^{-\lambda\tau}\left[\varphi(\tau)+b\int_0^\tau\varphi(t_1)e^{-\lambda t_1}dt_1\right]e^{t\lambda}d\lambda\equiv0.$$

因此可写成

$$x_{1\Gamma}=\frac{1}{2\pi i}\int_\Gamma D^{-1}(\lambda)\left[\varphi(\tau)+b\int_0^\tau\varphi(t_1)e^{-\lambda t_1}dt_1\right]e^{t\lambda}d\lambda$$

$$-\frac{1}{2\pi i}\int_\Gamma \frac{1}{\lambda}e^{-\lambda\tau}\left[\varphi(\tau)+b\int_0^\tau \varphi(t_1)e^{-\lambda t_1}dt_1\right]e^{t\lambda}d\lambda$$

或者

$$x_{1\Gamma}(t)=\frac{1}{2\pi i}\int_\Gamma D^{-1}(\lambda)\frac{1}{\lambda}e^{-\lambda\tau}\left[\varphi(\tau)+b\int_0^\tau\varphi(t_1)e^{-\lambda t_1}dt_1\right]$$
$$\times(ae^{\tau\lambda}+b)e^{t\lambda}d\lambda.$$

由引理1有 $|D(\lambda)|>K_1|\lambda|$，故

$$|x_{1\Gamma}(t)|\leqslant\frac{e^{-ct}}{2\pi e^{-c\tau}}\int_{-\infty i-c}^{\infty i-c}\frac{1}{K_1}\frac{1}{|\lambda|^2}\Bigg(|(\varphi(t)|+$$
$$|b|\times\int_0^\tau|\varphi(t_1)|e^{ct_1}dt_1|\Bigg)(|a|e^{-c\tau}+|b|)d\lambda$$
$$<\frac{|\varphi|e^{-ct}}{2\pi K_1}\int_{-\infty i-c}^{\infty i-c}\frac{|a|+|b|\varepsilon^{c\tau}}{|\lambda|^2}\left(1+|b|\int_0^\tau e^{ct_1}dt_1\right)d\lambda.$$

因分母有 $|\lambda|^2$，故积分收敛，因此有

$$|x_{1\Gamma}(t)|<K|\varphi|e^{-ct},\tag{5.6}$$

其中K为正常数.

由于 $v(t)$ 的存在性，我们将有

$$v(t)=\int_t^\infty\left(\frac{1}{2\pi i}\int_\Gamma D^{-1}(\lambda)\left[\varphi(\tau)+b\int_0^\tau\varphi(t_1)e^{-\lambda t_1}dt_1\right]e^{t_2\lambda}d\lambda\right)dt_2$$
$$=-\frac{1}{2\pi i}\int_\Gamma D^{-1}(\lambda)\frac{e^{t\lambda}}{\lambda}\left[\varphi(\tau)+b\int_0^\tau\varphi(t_1)e^{-\lambda t_1}dt_1\right]d\lambda.$$

变更积分次序，容易检证上式成立.

将 $v(t)$ 代入(5.3)得

$$v(t+\tau)-av(t+\tau)-bv(t)$$
$$=-\frac{1}{2\pi i}\int_\Gamma D^{-1}(\lambda)e^{\tau\lambda}e^{t\lambda}\left[\varphi(\tau)+b\int_0^\tau\varphi(t_1)e^{-\lambda t_1}dt_1\right]d\lambda$$
$$+\frac{a}{2\pi i}\int_\Gamma D^{-1}(\lambda)\frac{1}{\lambda}e^{\tau\lambda}e^{t\lambda}\left[\varphi(\tau)+b\int_0^\tau\varphi(t_1)e^{-\lambda t_1}dt_1\right]d\lambda$$
$$+\frac{b}{2\pi i}\int_\Gamma D^{-1}(\lambda)\frac{1}{\lambda}e^{t\lambda}\left[\varphi(\tau)+b\int_0^\tau\varphi(t_1)e^{-\lambda t_1}dt_1\right]d\lambda$$

或者

$$\dot{v}(t+\tau)-av(t+\tau)-bv(t)$$
$$=-\frac{1}{2\pi i}\int_{\Gamma}\left[\varphi(\tau)+b\int_0^{\tau}\varphi(t_1)e^{-\lambda t_1}dt_1\right]\frac{1}{\lambda}e^{t\lambda}d\lambda,$$

由 Cauchy 定理和 Jordan 引理推知上式右方为零．因此，$v(t)$ 是方程(5.3)的解，故可写出恒等式

$$\dot{v}(t+\tau)-av(t+\tau)-bv(t)\equiv 0.$$

将 $v(t)$ 的表达式

$$v(t)=\int_t^{\infty}x_{1\Gamma}(t)dt$$

代入有

$$-x_{1\Gamma}(t+\tau)-a\int_{t+\tau}^{\infty}x_{1\Gamma}(t_1)dt_1-b\int_t^{\infty}x_{1\Gamma}(t_1)dt_1\equiv 0.$$

微分上式得到

$$\dot{x}_{1\Gamma}(t+\tau)-ax_{1\Gamma}(t+\tau)-bx_{1\Gamma}(t)\equiv 0.$$

由此，对 $t>\tau$，$x_{1\Gamma}(t)$ 是方程(5.3)的解，故对 $t>\tau$ 有 $x_1(t)=x_{1\Gamma}(t)+x_{1\gamma}(t)$，它满足方程(5.3)．

因此，我们已证对 $0\leqslant t\leqslant\tau$，$x(t)=x_1(t)+x_2(t)\equiv\varphi(t)$．对 $t>\tau$，有 $x_1(t)=x_{1\Gamma}(t)+x_{1\gamma}(t)$ 满足方程(5.3)．

现在要估计 $x(t)$，当 $t>\tau$ 时，因 $x_2(t)=0$，故只要估计 $x_1(t)$ 即可．

由(5.6)得 $|x_{1\Gamma}(t)|<K\|\varphi\|e^{-\varepsilon t}$，估计第二项

$$x_{1\gamma}(t)=\frac{1}{2\pi i}\int_{\gamma}D^{-1}(\lambda)e^{t\lambda}\left[\varphi(\tau)+b\int_0^{\tau}\varphi(t_1)e^{-\lambda t_1}dt_1\right]d\lambda,$$

等于计算 ip 及 $-ip$ 的留数．它为一次极点．留数在分母的单根 λ_0 处为

$$\left[\frac{\left(\varphi(\tau)+b\int_0^{\tau}\varphi(t_1)e^{-\lambda t_1}dt_1\right)e^{t\lambda}}{\frac{d}{d\lambda}[\lambda e^{\tau\lambda}-ae^{\tau\lambda}-b]}\right]_{\lambda=\lambda_0}$$

$$=\frac{\varphi(\tau)+b\int_0^{\tau}\varphi(t_1)e^{-\lambda_0 t_1}dt_1}{\tau\lambda_0 e^{\tau\lambda_0}+e^{\tau\lambda_0}-a\tau e^{\tau\lambda_0}}e^{t\lambda_0}$$

$$=\frac{\varphi(\tau)+b\int_0^{\tau}\varphi(t_1)e^{-\lambda_0 t_1}dt_1}{e^{\tau\lambda_0}+b\tau}e^{t\lambda_0},$$

且由于 λ_0 为单根，有 $e^{\tau\lambda_0}+\tau b\neq 0$. 由此得到

$$|x_{1\gamma}(t)|\leqslant\left|\frac{\varphi(\tau)+b\int_0^{\tau}\varphi(t_1)e^{-ipt_1}dt_1}{e^{ip\tau}+\tau b}e^{ipt}\right|$$

$$+\left|\frac{\varphi(\tau)+b\int_0^{\tau}\varphi(t_1)e^{ipt_1}dt_1}{e^{-ip\tau}+\tau b}e^{-ipt}\right|$$

$$\leqslant\frac{|\varphi(\tau)|+|b|\tau\max\limits_{0\leqslant t\leqslant\tau}|\varphi(t)|}{|e^{ip\tau}+\tau b|}$$

$$+\frac{|\varphi(\tau)|+|b|\tau\max\limits_{0\leqslant t\leqslant\tau}|\varphi(t)|}{|e^{-ip\tau}+\tau b|}.$$

分母均为常数，分子为 $\max\limits_{0\leqslant t\leqslant\tau}|\varphi(t)|$ 的次数，故可写成

$$|x_{1\gamma}(t)|<\overline{M}\max_{0\leqslant t\leqslant\tau}|\varphi(t)|=\overline{M}\|\varphi\|.$$

当 $\max\limits_{0\leqslant t\leqslant\tau}|\varphi(t)|$ 任意小时，$\overline{M}$ 可使之任意小，因 i 有

$$|x_1(t)|<(Ke^{-ct}+\overline{M})\|\varphi\|.$$

上面我们是假定有两个纯虚根的情形. 显然，如果在虚轴上有 n 个(n 为有限数)单根（包括零根 $\lambda_0=0$ 在内)，则解的估值不变，只是在 M 内加入在这个根的被积函数的留数之和，而且每一个留数都是 $\max\limits_{0\leqslant t\leqslant\tau}|\varphi(t)|$ 与常数之积.

对于 n 阶的并有 m 个时滞的方程 (5.1) 或对具有若干个时滞的线性齐次方程组，证明类似，定理 1 证毕.

定理 2. 若在特征方程(5.2)中具有实部为零的重根，则方程(5.1)的零解是不稳定的.

证. 设 $\lambda=\lambda_0$ 是重根(零根或纯虚根). γ 为包含这个根的某一闭曲线,但不包含其他的根在内部或在边界上.

积分

$$x_{1\gamma}(t)=\frac{1}{2\pi i}\int_\gamma \frac{\varphi(\tau)+b\int_0^\tau \varphi(t_1)e^{-\lambda t_1}dt_1}{\lambda e^{\tau\lambda}-ae^{\tau\lambda}-b}e^{t\lambda}d\lambda$$

等于在点 $\lambda=\lambda_0$ 被积函数的留数. 以 $F(\lambda)$ 表示分子, $D(\lambda)$ 表分母, 在 λ_0, $F(\lambda)$ 是解析的, $D(\lambda)$ 有重根. 因此有

$$F(\lambda)=c_0+c_1(\lambda-\lambda_0)+c_2(\lambda-\lambda_0)^2+\cdots+c_i(\lambda-\lambda_0)^i+\cdots$$

$$D(\lambda)=b_0+b_1(\lambda-\lambda_0)+b_2(\lambda-\lambda_0)^2+\cdots+b_i(\lambda-\lambda_0)^i+\cdots$$

其中 $c_i=\frac{1}{i!}F^{(i)}(\lambda_0)$, $b_i=\frac{1}{i!}D^{(i)}(\lambda_0)$, 且 $c_0\neq 0$. 又如果 λ_0 为 $D(\lambda)$ 的 m 重根, 则 $b_2=b_3=\cdots=b_{m-1}=0$, $b_m\neq 0$, 设 λ_0 为 $D(\lambda)$ 的二重根, 则 $b_0=b_1=0$, $b_2\neq 0$.

$\frac{F(\lambda)}{D(\lambda)}$ 在 λ_0 的留数为

$$\frac{d}{d\lambda}\left[\frac{(\lambda-\lambda_0)^2F(\lambda)}{D(\lambda)}\right]_{\lambda=\lambda_0}$$

$$=\frac{d}{dx}\left[\frac{c_0+(\lambda-\lambda_0)c_1+(\lambda-\lambda_0)^2c_2+\cdots}{b_2+(\lambda-\lambda_0)b_3+(\lambda-\lambda_0)^2b_4+\cdots}\right]_{\lambda=\lambda_0}$$

$$=\left\{\frac{[c_1+2(\lambda-\lambda_0)c_2+\cdots][b_2+(\lambda-\lambda_0)b_3+\cdots]}{[b_2+(\lambda-\lambda_0)b_3+\cdots]^2}\right.$$

$$\left.-\frac{[c_0+(\lambda-\lambda_0)c_1+\cdots][b_3+2(\lambda-\lambda_0)b_4+\cdots]}{[b_2+(\lambda-\lambda_0)b_3+\cdots]^2}\right\}_{\lambda=\lambda_0}$$

$$=\frac{c_1b_2-c_0b_3}{b_2^2}.$$

如果 λ_0 是 $D(\lambda)$ 的 m 重根, 则 $b_2=b_3=\cdots=b_{m-1}=0$, $b_m\neq 0$, $F(\lambda)/D(\lambda)$ 在 λ_0 的留数

$$\frac{1}{(m-1)!}\frac{d^{m-1}}{d\lambda^{m-1}}\left[\frac{(\lambda-\lambda_0)^mF(\lambda)}{D(\lambda)}\right]_{\lambda=\lambda_0}$$

$$= \frac{1}{(m-1)!} \frac{d^{m-1}}{d\lambda^{m-1}} \left[\frac{c_0 + (\lambda - \lambda_0)c_1 + \cdots}{b_m + (\lambda - \lambda_0) b_{m+1} + \cdots} \right]_{\lambda = \lambda_0}.$$

微分之后，代入 $\lambda = \lambda_0$，在分子有 $c_0, c_1, \cdots, c_{m-1}$ 的线性表示，c_{m-1} 的系数为 $b_m \neq 0$ 的某个次数，但

$$c_i = \frac{F^{(i)}(\lambda_0)}{i!}, \quad F(\lambda) = \left[\varphi(\tau) + b \int_0^\tau \varphi(t_1) e^{-\lambda t_1} dt_1 \right] e^{t\lambda}.$$

当 $F(\lambda)$ 微分 $m-1$ 次，再代入 $\lambda = \lambda_0$，易见 $x_{1r}(t)$ 为 t 的具有常系数的多项式与 $e^{t\lambda}$ 之积.

因此，当特征方程具有实数部分为零的重根时，则对 $X_{1\Gamma}(t)$ 之估计仍然如前：

$$|X_{1\Gamma}(t)| < Ke^{-ct}.$$

而 $x_{1\gamma}(t)$ 则为具常系数的 t 的多项式与 $e^{t\lambda_0}$ 之积. 因此，对任何初始函数非零解 $x(t) = x_1(t) = x_{1\Gamma}(t) + x_{1\gamma}(t)$，对 $t > \tau$，当 t 相当大时，可以大于已给定的任意数，因之，零解不稳定.

对于 n 阶方程具有 m 个时滞的情形，零解的不稳定性可以类似证明.

第五章 一维系统的运动稳定性

§1. Hayes 定理[84]

在我们详细讨论的一维系统中，需要研究超越方程

$$h(s)=se^s-ae^s-b=0 \tag{1.1}$$

的根的分布问题. 特别地，要知道在怎样的条件下就可保证方程(1.1)的根具有性质 $\mathrm{Re}(s)<0$，事实上有 $\mathrm{Re}(s)\leqslant -K<0(K>0)$. 因此我们要引入 Hayes 定理. 注意(1.1)中的 a,b 为实数.

先给出两个引理.

引理1. 考虑方程

$$s=Ce^s \tag{1.2}$$

位于 s 的上半平面的根.

(i) 当 $C>0$ 时，在每一带形区域

$$2p\pi<v<(2p+1)\pi,\quad p=0,1,2,\cdots,\quad s=u+iv, \tag{1.3}$$

内方程(1.2)都有一根位于曲线

$$v=\pm(C^2e^{2u}-u^2)^{1/2} \tag{1.4}$$

与曲线

$$u=v\cot v \tag{1.5}$$

的对应分枝的唯一交点上. 除此而外，当 $0<c\leqslant e^{-1}$ 时，对应于 $p=0$ 的带形区域内，既不含曲线(1.4)与(1.5)的交点，亦不含方程(1.2)的根.

(ii) 当 $C<0$ 时，方程(1.2)的根都位于下列每一个带形区域

$$(2p+1)\pi<v<2(p+1)\pi,\quad p=0,1,2,\cdots \tag{1.6}$$

内的曲线(1.4)与(1.5)的交点上.

(iii) 在这两种情形都有对应的方程(1.2)的根位于 s 的下半平面.

(iv)只有当 $C=e^{-1}$ 时,方程(1.2)才有实根. 且 $s=1$ 是方程(1.2)的重根.

(1)当 $0<C<e^{-1}$ 时,方程 (1.2) 有两个根位于实轴的正半轴与曲线(1.4)的交点上.

(2)当$C<0$ 时,方程(1.2)只有一个根在实轴的负半轴与曲线(1.4)的唯一交点上.

证. 首先我们注意,若 $\xi+i\eta$ 是一个根,则 $\xi-i\eta$ 也是一个根,因为(1.2)中的系数是实的,所以我们只要考虑上半平面的根就可以了.

把 s 表成复数形式

$$s=re^{i\theta}=u+iv,$$

代入方程 (1.2),即得 $s=u+iv=Ce^{u+iv}=re^{i\theta}$,即 $u=r\cos\theta$, $v=r\sin\theta$; $r=Ce^{u}$, $\theta=v$,由 $u^2+v^2=r^2$ 知 $v^2=r^2-u^2=C^2e^{2u}-u^2$,所以

$$v=\pm(C^2e^{2u}-u^2)^{1/2}.$$

又 $\tan\theta=v/u$,所以 $u=v\cot\theta=v\cot v$.

在带形区域

$$\pi<v<2\pi,\ 3\pi<v<4\pi,\cdots$$
$$(2p+1)\pi<v<2(p+1)\pi$$

内,v 与 $\sin v$ 永远是反号的. 又因为 $v=r\sin\theta$,因而 $v\neq\theta$,这也就说明了方程(1.2)在这些带形区域内是没有根的. 但是在带形区域

$$0<v<\pi,\ 2\pi<v<3\pi,\cdots,\ 2p\pi<v<(2p+1)\pi$$

内曲线(1.5)的分枝与曲线(1.4)的交点上有根这一点是比较明显的,因为在这些区域内,v 与 $\sin v$ 永远同号.

又当 $0<C\leqslant e^{-1}$ 时, 在 $p=0$ 处所对应的带形区域 $0<v<\pi$ 内,由 $u=v\cot v=v\dfrac{\cos v}{\sin v}$ 知:

$$u(0)=\lim_{v\to 0^+}v\cot v=1,\qquad u(\pi)=\lim_{v\to\pi-0}v\cot v=-\infty,$$
$$u'(v)=\cot v-v\csc^2 v<0,$$

所以

$$u=v\cot v<1, \text{当 } 0<v<\pi \text{ 时}.$$

而另一方面，由 $v=\pm(C^2e^{2u}-u^2)^{1/2}$ 知，要有实根必须要 $C^2e^{2u}-u^2>0$，即 $C>u/e^u$（对所有的 $v\in(0,\pi)$）。但我们知道，ue^{-u} 此时是 u 的增函数，所以在所讨论的情况下有 $u/e^u<1/e=e^{-1}$. 故若要求有 $C>u/e^u$，只要能够有 $C>e^{-1}$ 即可. 可是由所设这是不可能的，亦即 $C\leqslant e^{-1}$，从而证明了在对应于 $p=0$ 的带形区域 $0<v<\pi$ 内方程(1.2)是无根的，这就是引理的结论(i).

其次，当 $C<0$ 时我们有 $r=-Ce^u$，$\theta=v+\pi$，这是因为

$$s=re^{i\theta}=-re^{i(\theta+\pi)}=Ce^{u+iv}=Ce^ue^{iv}.$$

此时可以看出在带形区域

$$\pi<v<2\pi,\ 3\pi<v<4\pi,\cdots,\ (2p+1)\pi<v<2(p+1)\pi$$

内，v 与 $\sin(\pi+v)$ 永远同号. 因此方程(1.2)就有位于这些带形区域内的曲线(1.5)的分枝与曲线(1.4)的交点上的根.

下面验证引理1中第(iv)点. 既然我们要求方程(1.2)有实根，因此 $v=0$，此时方程 $s=u+iv=Ce^{u+iv}$ 就变为 $u=Ce^u$. 我们来讨论 $k(u)=Ce^u-u$.

首先讨论 $0<C<e^{-1}$ 的情形. 此时 $k(1)=Ce-1<0$，$k(0)=C>0$，$k(\infty)>0$，故在 $u>0$ 的实轴部分至少有两个根(注意，此时在 $u<0$ 时方程无根)，如果要求方程有重根，就应有 $k(u)=0$，$k'(u)=0$，即 $Ce^u-u=0$ 与 $Ce^u-1=0$. 联合解之得 $u=1$，此即方程之重根. 将 $u=1$ 代入方程 $Ce=1$，所以 $C=e^{-1}$. 即为方程有重根 $u=1$ 时 C 应满足的条件.

再讨论 $C<0$ 时方程有实根的情形. 由 $k(u)=Ce^u-u$，$k'(u)=Ce^u-1<0$，所以 $k(u)$ 随 u 的上升而单调减少，$k(0)=C<0$，$k(-\infty)>0$，故方程必有且只有一实根位于 u 的负半轴上(当 $u>0$ 时方程无根)，此即(iv). 引理证毕.

为了更形象地说明引理1的结论，下面用图解来说明方程(1.2)的根的分布情形.

由曲线(1.4)我们得

$$\frac{dv}{du}=\pm\frac{C^2e^{2u}-u}{(C^2e^{2u}-u^2)^{1/2}}.$$

方程右端除 $u=\pm Ce^u\,(C\neq e^{-1})$ 外是有限的，因此我们完全可以用图解来说明这条曲线

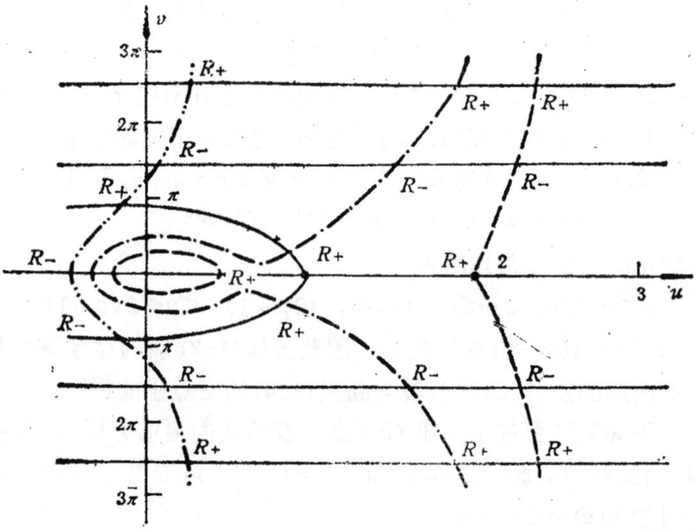

图1.1

—— 表示曲线 $u=v\cot v$;

$\left.\begin{array}{l}\cdots\text{—}\cdots\text{—}\\ \text{—}\cdot\text{—}\cdot\text{—}\\ \text{-}\,\text{-}\,\text{-}\,\text{-}\,\text{-}\end{array}\right\}$ 表示曲线 $v=\pm(C^2e^{2u}-u^2)^{1/2}$ 对应于 $\left\{\begin{array}{l}C=\pm0.3\\ C=\pm0.4\\ C=\pm4.0\end{array}\right.$ 的情形

R_+ 表示方程 $s=Ce^s$ 对应于 $C>0$ 时的根，

R_- 表示方程 $s=Ce^s$ 对应于 $C<0$ 时的根.

从图中我们看出，只要略为推导便有，

(i) 曲线 (1.4) 的闭分枝只在 $-e^{+1}\leqslant C\leqslant e^{-1}$ 中存在，这是因为仅当 $C=e^{-1}$ 或 $C=-e$ 时方程 (1.2) 才有实根. 再注意引理 1 的结论 (iv) 与 (iii) 即知之.

(ii) 曲线 (1.4) 的全部开分枝在实轴交点的右边，这是因为在这个分枝上的方程 (1.2) 的全部根都位于这个交点的右边.

(iii) 曲线 (1.4) 的开分枝与曲线 (1.5) 的每一个分枝在 $0<v$

$<\pi$ 内只有一个交点. 关于这一点，我们略为详细地证明一下，因为在 $0<v<\pi$ 内，不能直接看出(1.5)的分枝与(1.4)的交点个数.

不妨设 $s=\sigma+it(0<t<\pi)$ 是方程(1.2)在 $C>0$ 时的一个根，代入方程(1.2)就有

$$\sigma+it=Ce^{\sigma}(\cos t+i\sin t).$$

可是由 $s=\sigma+it=re^{i\theta}$ 及方程 $s=Ce^{s}$，我们有

$$re^{i\theta}=Ce^{\sigma+it}=Ce^{\sigma}\cdot e^{it}\Rightarrow r=Ce^{\sigma},\ \ t=\theta,$$

以及

$$\sigma=r\cos t,\quad t=r\sin t,$$

所以

$$|s|=r=Ce^{\sigma}=Ce^{r\cos t}.$$

前面已把 s 表示成 $s=u+iv$ 的形式，当 s 是方程 $s=Ce^{s}$ 的根时，曾导出关系式 $u=v\cot v$. 结合现在讨论的情形，就有 $\sigma=t\cot t$，所以由关系式 $t=r\sin t$ 即可导出

$$t=r\sin t=Ce^{\sigma}\sin t=Ce^{t\cot t}\sin t,$$

亦即

$$t\cot t=\ln\left\{\frac{t}{C\sin t}\right\}.$$

令

$$\mu(t)=t\cot t-\ln\left\{\frac{t}{C\sin t}\right\},$$

则

$$\mu'(t)=\frac{\sin t\cos t-t}{\sin^2 t}+\frac{t-\tan t}{t\tan t}<0.$$

因此当 t 在区间 $0<t<\pi$ 内递增时，函数 $u(t)$ 单调减少. 对所有的有限正数 C 而言，当 $\mu(\pi)<0$ 时，$\mu(0)=1+\ln C>0$ 时，就可保证在带形区域 $0<t<\pi$ 内方程(1.2)恰有一根. 要达到此目的，我们只要假设 $C>e^{-1}$，否则当 $C<e^{-1}$ 时就有 $1+\ln C<0$，可是 $\mu(\pi)<0$，因此在这一情形下，函数 $\mu(t)$ 在 $0<t<\pi$ 内没有根. 同样，当 $C>e^{-1}$ 时对下半平面的带形区域：$-\pi<t<0$，函数 $\mu(t)$ 亦有一

个零点．总结上述讨论，我们即得下述结论，即在 $0<t<\pi$ 内，(1.5)的分枝与曲线(1.4)或者有一个交点或者没有交点，都是按 $|C|\gtrless e^{-1}$ 而定的．

同理，在 $-\pi<t<0$ 内，(1.5)的分枝与曲线(1.4)或者有一个交点或者没有交点都是按 $|C|\gtrless e^{-1}$ 而定的．

引理2． 方程 $s=Ce^{s}$ 的所有根位于直线 $\mathrm{Re}(s)=K$ 的右边，当且仅当 $K<1$ 以及

$$Ke^{-K}<C<e^{-K}(v^2+K^2)^{1/2}$$

时成立．其中对 $0<v<\pi$ 的 v 而言，$v=v(K)$ 是 $v\cot v=K$ 的唯一零点．

在证引理2之前，首先注意(1.2)的根不能全部位于直线 $\mathrm{Re}(s)=K\,(K\geqslant 1)$ 的右边(参看第一章)．

对应于最大的 C 值，方程(1.2)在 $-\pi<v<\pi$ 这一带形区域内位于直线 $\mathrm{Re}(s)=K$ 右边所能取到的那些零点．

假设这些零点位于直线 $\mathrm{Re}(s)=K$ 上，令其值为 $K=\pm v$，则有 $v\cot v=K$ 及 $v=(C^2e^{2k}-K^2)^{1/2}$．所以

$$v^2=C^2e^{2K}-K^2,\ \text{即}\ v^2+K^2=C^2e^{2K}.$$

因而

$$C=e^{-K}(v^2+K^2)^{1/2}. \tag{1.7}$$

如果 C 值比(1.7)的 C 值还要小，则方程(1.2)的零点就位于直线 $\mathrm{Re}(s)=K$ 的右边．

如果 $C<0$ 时总可将 C 的最小值逐渐增大到使负实根 ζ 落到直线 $\mathrm{Re}(s)=K$ 的右边(因为所有其它的根都位于此根的右边)，则 $s-Ce^{s}\gtrless 0$ 按 $s\gtrless\zeta$ 而定．如果 $K-Ce^{K}<0$，就有 $K<\zeta$．因此要使 ζ 落到 $\mathrm{Re}(s)=K$ 的右边，必须 $C>Ke^{-K}$．$C=0$ 时，方程有一个根在原点．最后还要说明 $v(K)$ 是 $v\cot v=K$ 的唯一零点(当 $0<v<\pi$ 时)，就是因为 $\dfrac{d}{dv}(v\cot v)=\dfrac{\sin v\cos v-v}{\sin^2 v}<0$ (当 $0<v<\pi$ 时)，这说明 $\phi(v)=v\cot v$，当 v 从0增长到 π 时是单调减少的，且 $\phi(0)=1$，$\phi(\pi)=-\infty$．所以在 $0<v<\pi$ 内 $\phi(v)=K$ 只有

一个零点. 引理 2 证毕.

由引理 2 可推出下列的 Hayes 定理.

定理1. 方程 $h(s)=0$ 的零点位于直线 $\mathrm{Re}(s)=0$ 的左边，当且仅当 $a<1$ 及 $a<-b<(v^2+a^2)^{1/2}$. 这里 v 是 $v\cot v=a$ 在 $0<v<\pi$ 内的根.

证. 只要把 b 写成 $b=-Ce^a$，再作变换

$$s=a-s_1,$$

代入方程(1.1)即得

$$se^s-ae^s+Ce^a=-s_1e^{a-s_1}+Ce^a=0,$$

所以

$$s_1=Ce^{s_1}. \tag{1.8}$$

由引理 2 知，要使(1.8)的全部根位于直线 $\mathrm{Re}(s_1)=a$ 的右边，当且仅当 $a<1$ 及 $ae^{-a}<C<e^{-a}(v^2+a^2)^{1/2}$，亦即要使方程(1.1)的所有根位于直线 $\mathrm{Re}(s)=0$ 的左边，当且仅当 $a<1$ 及 $ae^{-a}<C<e^{-a}(v^2+a^2)^{1/2}$. 因此，一方面由 $ae^{-a}<C$ 就可推得 $a<Ce^a\Rightarrow a<-b$，另一方面由 $Ce^a<(v^2+a^2)^{1/2}$，即 $-b<(v^2+a^2)^{1/2}$ 综合得

$$a<-b<(v^2+a^2)^{1/2}.$$

证毕.

象引理 2 的推论一样，我们有下列显然的论断：

引理3. 方程 $s=Ce^s$ 的一个根位于直线 $\mathrm{Re}(s)=K$ 上，而所有其它的根位于此直线的右边，当且仅当 $K\leqslant1$ 及 $C=Ke^{-K}$. 方程 $s=Ce^s$ 的两个根位于直线 $\mathrm{Re}(s)=K$ 上，而所有其它的根位于此直线的右边，当且仅当 $K\leqslant1$ 及 $C=e^{-K}(v^2+K^2)^{1/2}$.

由引理 2 与引理 3 我们可以推得定理 1 的一个特殊情形，即 Hayes 第二定理.

定理2. 方程 $h(s)=0$ 的根位于直线 $\mathrm{Re}(s)=K$ 的左边，当且仅当

$$a-K<1 \text{及} (a-K)e^K<-b<e^K[v^2+(a-K)^2]^{1/2},$$

这里 v 是方程 $v\cot v=a-K\ (0<v<\pi)$ 的唯一的根.

（1）方程(1.1)有一个根位于直线 $\mathrm{Re}(s)=K$ 上，而所有其它

的根都位于此直线的左边，当且仅当

$$a-K\leqslant 1 \text{ 及 } -b=(a-K)e^{K}.$$

（2）方程(1.1)有二个根位于直线 $\mathrm{Re}(s)=K$ 上，而所有其它的根都位于此直线的左边，当且仅当

$$a-K<1 \text{ 及 } -b=e^{K}[v^2+(a-K)^2]^{1/2}.$$

证．作变换令 $b=-Ce^{a}$，$s=a-s_1$，则(1.1)就变成

$$s_1=Ce^{s_1}. \tag{1.8}$$

方程(1.8)的所有根都位于直线 $\mathrm{Re}(s_1)=a$ 的右边，当且仅当 $a<1$ 及 $a<-b<(v^2+a^2)^{1/2}$，其中 v 是 $v\cot v=a$ 在 $0<v<\pi$ 内的唯一的根，亦即方程(1.1)的所有根都位于直线 $\mathrm{Re}(s)=K$ 的左边，当且仅当方程(1.8)的所有根都位于直线 $\mathrm{Re}(s_1)=a-K$ 的右边，其充要条件是 $a-K<1$，以及

$$(a-K)e^{-(a-K)}<C<e^{-(a-K)}[v^2+(a-K)^2]^{1/2},$$

亦即

$$(a-K)e^{K}<Ce^{a}<e^{K}[v^2+(a-K)^2]^{1/2}.$$

再直接引用引理3，即得定理中的（1）与（2）两点结论．定理2证毕．

§2． 线性系统的等价性定理[10]

定理1．考虑方程

$$\dot{x}(t)=ax(t)+bx(t-\tau). \tag{2.1}$$

若常数 a 与 b 满足条件

$$a+b<0, \tag{2.2}$$

则必存在一正数 $\Delta=\Delta(a,b)>0$，使得当 τ 满足条件 $0<\tau<\Delta(a,b)$ 时，方程(2.1)的零解渐近稳定．

换言之，由微分方程

$$\dot{x}(t)=(a+b)x(t) \tag{2.3}$$

的零解渐近稳定，即可推出在 $0<\tau<\Delta(a,b)$ 的条件下，方程(2.1)的零解渐近稳定．

$\Delta=\Delta(a,b)$的具体公式为

$$\Delta(a,b)=\begin{cases}+\infty, & \text{当}|a|\geqslant|b|\text{时},\\ \dfrac{1}{\sqrt{b^2-a^2}}\cot^{-1}\left(\dfrac{a}{\sqrt{b^2-a^2}}\right), & \text{当}|a|<|b|\text{时},\end{cases}$$

其中反三角函数取$[0,\pi]$之间的值.

证. 以形式解 $x(t)=e^{\lambda t}$ 代入(2.1)有

$$\lambda=a+be^{-\tau\lambda}$$

或者

$$\tau\lambda e^{\tau\lambda}-\tau ae^{\tau\lambda}-\tau b=0,\ \ \tau>0. \tag{2.4}$$

记 $s=\tau\lambda$, $A=\tau a$, $B=\tau b$,则有

$$se^s-Ae^s-B=0.$$

由§1 定理 1 知,此方程的零点具有 $\mathrm{Re}(s)<0$ 的充要条件为 $A<1$ 及

$$A<-B<(v^2+A^2)^{1/2},$$

这里 v 是 $v\cot v=A$ 在 $0<v<\pi$ 内的根. 条件(2.2)保证了 $A<-B$.

下面分 $B^2\leqslant A^2$ 及 $B^2>A^2$ 两种情形来研究.

当 $B^2\leqslant A^2$ 时,因 $v>0$,故必满足 $-B<(v^2+A^2)^{1/2}$. 并且由 $A<-B$ 及 $B^2\leqslant A^2$ 可导出 $A<0$ (这是由 $A+B<0$, $(B+A)(B-A)=B^2-A^2\leqslant0$ 得出 $B-A\geqslant0>A+B$, 即 $2A<0$ 的), 故 $A<0<1$ 成立.

由此可见, 在 $B^2\leqslant A^2$ 时, $\tau>0$ 是无条件稳定的(或称之为全时滞稳定的),即可以取 $\Delta=\infty$.

当 $B^2>A^2$ 时, 要求 τ 的条件;临界值在 $-B=(v^2+A^2)^{1/2}$. 由此得到:(A,B)参数平面上的分界线的参数表示

$$A=v\cot v,\ \ B=-v\csc v,\ \ 0<v<\pi,$$

或利用 $v=\sqrt{B^2-A^2}$ 代入 $A=v\cot v$,消去 v 有关系

$$A=\sqrt{B^2-A^2}\cot\sqrt{B^2-A^2}.$$

以 $A=a\tau$, $B=b\tau$ 代回去,可解出 τ 得到

$$\tau=\frac{1}{\sqrt{b^2-a^2}}\cot^{-1}\left(\frac{a}{\sqrt{b^2-a^2}}\right).$$

由此即得 $|b|>|a|$ 时 τ 的界限为

$$\Delta(a,b)=\frac{1}{\sqrt{b^2-a^2}}\cot^{-1}\left(\frac{a}{\sqrt{b^2-a^2}}\right). \tag{2.5}$$

在 $\tau<\Delta(a,b)$ 的条件下，类似可证

$$\mathrm{Re}(s)\leqslant-\lambda(a,b)<0.$$

在该基础上，可以利用 Bellman 的定理 3 来证明我们的定理 1. Bellman 的定理 3 可叙述如下：

"若方程 $se^s-ae^s-b=0$ 的根在 $\mathrm{Re}(s)=-\lambda<0$ 的左方，又如果 $\max\limits_{0\leqslant t\leqslant 1}|\phi(t)|$ 足够小，则对初始条件

$$x(t)=\phi(t),\quad 0\leqslant t\leqslant 1,$$

方程

$$\dot{x}(t+1)=ax(t+1)+bx(t)$$

的解存在且唯一，并且当 $t\to+\infty$ 时 $x(t)\to 0$."

现在只要取新自变数 t'，使

$$t=\tau t'+\tau=\tau(t'+1)$$

及新的函数(参看第一章 §2 定理 1)

$$v(t'+1)=x(t),$$

则方程(2.1)化为

$$\dot{v}(t'+1)=\tau av(t'+1)+\tau bv(t').$$

这时由 Hayes 定理 2，可以证明上式的特征方程

$$\lambda e^{\tau\lambda}-\tau ae^{\tau\lambda}-\tau b=0$$

的根

$$\lambda=-\frac{\tau(a+b)}{2}<0.$$

于是由 Bellman 定理知，当 $0\leqslant t'\leqslant 1$ 时，若 $\max\limits_{0\leqslant t'\leqslant 1}|v(t')|$ 足够小，则 $v(t')$ 存在且唯一，并且当 $t'\to\infty$ 时，$v(t')\to 0$. 由此，当 $t=\tau t'+\tau\to\infty$ 时，有 $x(t)\to 0$，只要 $\max\limits_{-\tau\leqslant t\leqslant 0}|x(t)|$ 足够小. 这表示在条

件(2.2)之下，当 $0<\tau<\Delta(a,b)$ 时，方程的零解是渐近稳定的，定理1证毕.

推论1. 在条件(2.2)之下，也可以统一地取具体形式

$$\Delta(a,b)=\frac{\pi}{2(|a|+|b|)}. \tag{2.6}$$

证. 当 $v=\frac{\pi}{2}$ 时，$A=0$, $B=-\frac{\pi}{2}$. 这是分界曲线上 $|A|+|B|$ 取最小值之点，最小值显然为 $\frac{\pi}{2}$. 由此，当取

$$\Delta(a,b)=\frac{c}{|a|+|b|}$$

的特殊形式时，c 之最大值为 $\frac{\pi}{2}$.

定理2. 设方程(2.1)的系数 a 及 b 满足条件

$$a+b>0, \tag{2.7}$$

则对任何 $\tau>0$，方程(2.1)之零解必为不稳定的.

也就是说，由方程(2.3)的零解的不稳定性可以推出方程(2.1)的零解的不稳定性对任何 $\Delta>0$ 均成立.

证. 只要证明方程(2.4)在条件(2.7)之下对任何 $\tau>0$ 均有正实根 $s=s(\tau)>0$，即得方程(2.1)之零解的不稳定性.

(2.4)可以写成

$$s=a+be^{-s\tau}. \tag{2.8}$$

不妨把 b 看成参数，a 看成定数，则在 (τ,s) 平面上，由于 b 之不同，而定义一系列的曲线. 这一系列曲线的微分方程可如下算出：由(2.8)对 τ 微分之，有

$$\frac{ds}{d\tau}=be^{-s\tau}\left[-s-\tau\frac{ds}{d\tau}\right].$$

用(2.8)消去参数 b，即用 $be^{-s\tau}=s-a$ 代入，则得

$$\frac{ds}{d\tau}=\frac{-s(s-a)}{1+\tau(s-a)}$$

或等价的方程组

$$\frac{ds}{dt}=-s(s-a),\quad \frac{d\tau}{dt}=1+\tau(s-a).$$

由此方程的来源知(2.8)满足这个方程，(2.8)通过点

$$\tau=0,\quad s=a+b.$$

现在在(τ,s)平面的第一象限中来研究(2.8)的图形，分$a\leqslant 0$与$a>0$两种情况.

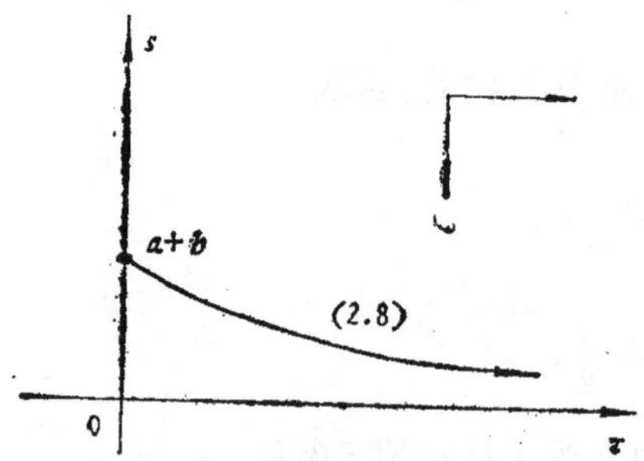

图2.1

设$a\leqslant 0$，则在第一象限$(\tau>0,s>0)$中

$$\frac{ds}{dt}<0,\quad \frac{d\tau}{dt}>1.$$

故(2.8)的图形如图2.1所示. 这里(2.8)的图形不能穿过$s=0$,这是因为$s=0$是一解，而这个方程之解是唯一的.

图2.1表明对任何$\tau\geqslant 0$,有$s=s(\tau)>0$满足(2.8)，这便是所要证的.

设$a>0$，则又分为$b>0$，$b=0$及$b<0$三种情形. $b=0$时(2.8)化为$s=a>0$,对任何$\tau\geqslant 0$成立,即定理2证毕.

今设$a>0$，$b>0$，则研究(τ,s)平面上$\tau>0$，$s>a>0$中(2.8)之图形. 在$\tau>0$，$s>a>0$中有

$$\frac{ds}{dt}<0,\quad \frac{d\tau}{ds}>1.$$

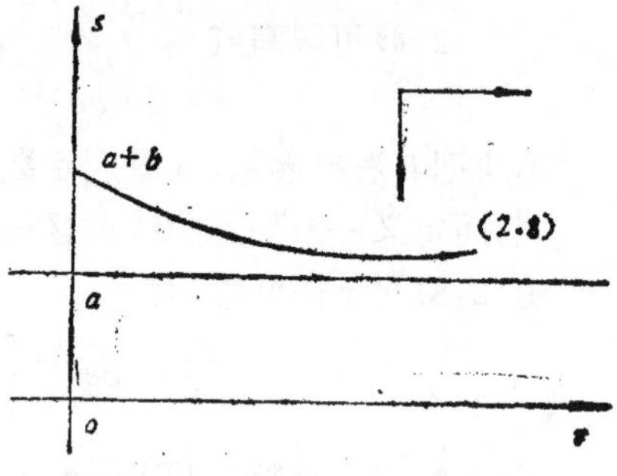

图2.2

故(2.8)的图形如图2.2所示. 这时(2.8)之图形不能穿过$s=a$,这是因为$s=a$是一个解,而这个方程的解都是唯一的, 图2.2表明,对任何$\tau\geqslant 0$有

$$s=s(\tau)>a>0$$

满足(2.8)．这便是所要证的．

设 $a>0,b<0$，我们研究 (τ,s) 平面上 $\tau>0$，$0<s<a$ 中(2.8)之图形．如图2.3所示，此时微分方程之向量场在 $1+\tau(s-a)=0$ 上方有

$$\frac{d\tau}{dt}>0,\quad \frac{ds}{dt}>0.$$

又(2.8)不能穿过

$$1+\tau(s-a)=0,$$

这由向量场的方向所保证．

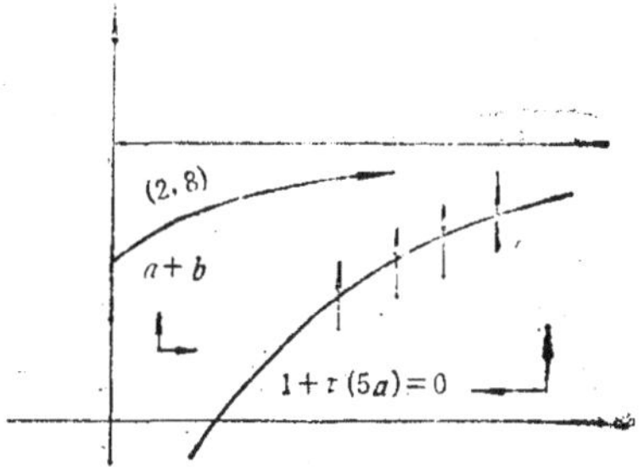

图2.3

故(2.8)之根对任何 $\tau\geqslant 0$ 成立

$$s=s(\tau)>a+b>0.$$

总之，我们对 $\tau>0$，有 $s=s(\tau)>0$ 满足(2.8)，故定理2得证．

注1．上述证明不只知道 $s(\tau)$ 的存在，而且可以看出 s 如何随着 τ 的变化而变化．也可以不计这种变化，证明则可简化如下；命

$$h(s)=s-a-be^{-\tau s},$$

则因 $\tau>0$，故可见 $h(+\infty)=+\infty, h(0)=-a-b<0$．由此必有 $s_0>0$，使 $h(s_0)=0$，定理2得证．

定理3．设已给方程

$$\dot{x}(t)=ax(t)-ax(t-\tau). \tag{2.9}$$

则必存在一正数 $\Delta=\Delta(a)>0$，使得当 $0<\tau<\Delta$ 时，方程(2.9)之零解是稳定的．

换句话说，由方程

$$\dot{x}(t)=(a-a)x(t)=0$$

的零解的稳定性可以推出方程(2.9)的零解是稳定的，只要 $0<\tau<\Delta$ 即可．

实际上，当 $a\leqslant 0$ 时，可取 $\Delta=+\infty$；当 $a>0$ 时，则 Δ 之上限为 $\frac{1}{a}$.

证. $a=0$ 情形不必证明了，只须证 $a>0$, $a<0$ 两种情形.

设 $a<0$, 对任何 $\tau>0$ 均可证明(2.9)之零解是稳定的，例如取 $\varepsilon>0$,则可取 $\eta=\dfrac{\varepsilon}{2}>0$. 必有

$$|x(t)|=|\varphi(t)|\leqslant\eta,\quad 0\leqslant t\leqslant\tau,$$

推得

$$|x(t)|<\varepsilon,\quad t>0.$$

用反证法，设 $x(t)$ 越出 $|x(t)|\leqslant\varepsilon$ 之外，不妨设 t_1 为 $x(t)$ 达到 ε（对 $-\varepsilon$ 可类似证明）之第一个时间，即 $x(t_1)=\varepsilon$, $x(t_1-\tau)<\varepsilon$, 故

$$\dot{x}(t_1)=ax(t_1)-ax(t_1-\tau)<a\varepsilon-a\varepsilon=0.$$

由 $\dot{x}(t_1)<0$ 知存在 $\varepsilon_1>0$,使 $x(t_1-\varepsilon_1)>x(t_1)=\varepsilon$, 故 t_1 不是达到 ε 之第一个时间,这里得出矛盾. 所以 $|x(t)|<\varepsilon$ 对一切 $t>0$ 成立，即 $a<0$ 的情形证毕.

以下证 $a>0$ 的情形.

首先我们指出当 $\tau=\dfrac{1}{a}>0$ 时，(2.9)之零解是不稳定的. 这只要注意到 $x(t)=\alpha t$（α 为任何实数）是方程

$$\dot{x}(t)=ax(t)-ax\left(t-\frac{1}{a}\right)\tag{2.10}$$

的一个特解，便得此结论.

其次要证可取 $\Delta=\dfrac{1}{a}>0$, 亦即证明对任何的 $0<\tau<\Delta=\dfrac{1}{a}$, 方程(2.9)的零解是稳定的.

这只需要证明，在 $0<\tau<\dfrac{1}{a}=\Delta$ 时，方程(2.9)之特征方程

$$h(s)=se^{\tau s}-ae^{\tau s}+a=0\tag{2.11}$$

的根除一个单根 $s=0$ 以外，其他的根都满足不等式

$$\mathrm{Re}(s_i)\leqslant-K<0,\quad K>0,\tag{2.12}$$

所以由 Фрид 定理知(2.9)的零解是稳定的.

现在来验算(2.11)的根的分布状况.

首先,当(2.11)之左方展为 s 的幂级数时有

$$0 = s(1+\tau s+\cdots) - a(1+\tau s+\cdots) + a$$
$$= s(1-a\tau) + s^2(\cdots),$$

而 $1-a\tau\neq 0$,即可见 $s=0$ 为(2.11)之根,而且是单重的.其次,可由 Hayes 定理 2 来验算其他的根都满足条件

$$\mathrm{Re}(s_i)<0.$$

为此,只要研究(2.11)的等价方程(置 $\lambda=\tau s$).

$$\lambda e^{\lambda} - (\tau a)e^{\lambda} + (\tau a) = 0.$$

其根除一个单根在 $\lambda=0$ 外,其他根在 $\mathrm{Re}(\lambda_i)<0$ 的充要条件为

$$\tau a\leqslant 1,\ 以及\ -(-\tau a) = \tau a,$$

后者为恒等式,而前者由假定 $0<\tau<\Delta=\dfrac{1}{a}$ 所保证,故 Hayes 定理的条件满足.以下只要进一步证明存在 k,使得(2.12)满足即可.

因 $\tau<\dfrac{1}{a}$,故置 $\tau=\dfrac{1}{ha}$,有 $h>1$,现取

$$K=\frac{1}{\tau}\min\left[1,\ \frac{4}{3}(h-1)\right]>0,$$

要验证这样定义的K是满足(2.12)的,仍用反证法.设若不然,即(2.11)或其等价方程

$$s-a+ae^{-\tau s}=0 \tag{2.13}$$

有根 s_0 满足条件

$$0>\mathrm{Re}(s_0)>-K. \tag{2.14}$$

在 s_0 的周围取一长方形 M,由下述不等式所定.

$$|\mathrm{Re}(s)-\mathrm{Re}(s_0)|\leqslant\varepsilon<\frac{1}{2}(K+\mathrm{Re}(s_0))>0,$$

$$|\mathrm{Im}(s)|\leqslant L=|\mathrm{Im}(s_0)|+ae^{\tau/2(K-\mathrm{Re}(s_0))}.$$

现在将(2.13)分为函数 $\phi_1(s)=s-a$ 及 $\phi_2(s)=ae^{-\tau s}$之和,当 s 绕M的边界一周时,$\phi_1(s)$ 也绕一长方形 M'(即M向左位移 a 所得的同一个长方形记为 M')的边界一周,而 $\phi_2(s)$则在以L为半径,

原点为中心的圆内运动，由

$$|\phi_2(s)| \leqslant ae^{-\tau(\mathrm{Re}(s_0)-\varepsilon)} < ae^{\tau/2(K-\mathrm{Re}(s_0))} < L$$

可知之．而长方形M或M'之一边为$2L$，因此M'不能完全在以原点为心，L为半径的圆内．再来证$\phi_2(s)$之轨迹必穿过M'最右的一边，因为若不然，则$\phi_2(s)$将在此边的右方，而$\phi_1(s)$则在此边的左方，故函数$\phi_1(s)+\phi_2(s)$的轨迹不能绕原点整周，亦即M中无(2.11)的根，这与s_0的选取相矛盾．现只有$\phi_2(s)$的轨迹穿过M'的最右边，即穿过$\mathrm{Re}(s)=\mathrm{Re}(s_0)-a+\varepsilon$，$-L<\mathrm{Im}(s)<L$所定义的线段．但$|\phi_2(s)|$当$s$在$M$上时的最大值为$ae^{-\tau(\mathrm{Re}(s_0)-\varepsilon)}$，由此知必有不等式

$$ae^{-\tau(\mathrm{Re}(s_0)-\varepsilon)} \geqslant |\mathrm{Re}(s_0)-a+\varepsilon|.$$

此不等式对ε的选取无关．命$\varepsilon\to 0$即得不等式

$$ae^{\tau(-\mathrm{Re}(s_0))} \geqslant |\mathrm{Re}(s_0)-a| = a-\mathrm{Re}(s_0). \tag{2.15}$$

另一方面，当

$$0 < x < \min\left[1,\ \frac{4}{3}(h-1)\right]$$

时可以证明$e^x<1+hx$，这是因为

$$\begin{aligned}
e^x &= 1+x\left(1+\frac{x}{2!}\left(1+\frac{x}{3}+\frac{x^2}{3.4}+\cdots\right)\right)\\
&< 1+x\left(1+\frac{x}{2!}\left(1+\frac{x}{3}+\left(\frac{x}{3}\right)^2+\cdots\right)\right)\\
&= 1+x\left(1+\frac{x}{2}\frac{1}{1-\frac{x}{3}}\right) \quad (\text{因 } x<1)\\
&< 1+x\left(1+\frac{x}{2}\frac{1}{1-\frac{1}{3}}\right)\\
&< 1+x(1+(h-1)) \qquad \left(\text{因为 } x<\frac{4}{3}(h-1)\right)\\
&= 1+hx.
\end{aligned}$$

现在取 $x=\tau(-\mathrm{Re}(s_0))<\tau K=\min\left[1, \frac{4}{3}(h-1)\right]$，则

$$\begin{aligned}
ae^{\tau(-\mathrm{Re}(s_0))} &< a[1+h\tau(-\mathrm{Re}(s_0))] \\
&= a\left[1+\frac{1}{a}(-\mathrm{Re}(s_0))\right] \\
&= a-\mathrm{Re}(s_0).
\end{aligned} \tag{2.16}$$

不等式(2.15)与(2.16)矛盾，故满足(2.14)之 s_0 不存在，即(2.12)成立．定理3证毕．

§3．非线性系统的等价性定理

定理1．设方程

$$\dot{x}(t)=ax(t)+bx(t-\tau)+F_2,$$

$$F_2=\sum_{i+j\geqslant 2} c_{ij}(t)x^i(t)x^j(t-\tau), \tag{3.1}$$

这里常数 a,b 及函数 F_2 满足条件

(i) $a+b<0.$ (3.2)

(ii) 存在一个数 $\varepsilon>0$，使得当 $|x|<\varepsilon$，$|y|<\varepsilon$ 时有

$$\sum_{i+j\geqslant 2} c_{ij}|x^i||y^j|<+\infty,$$

这里 $|c_{ij}(t)|\leqslant c_{ij}$．则存在一个数 $\Delta>0$，使得当 $0<\tau<\Delta$，方程(3.1)之零解渐近稳定，即由方程

$$\dot{x}(t)=(a+b)x(t)+\sum_{i+j\geqslant 2} c_{ij}(t)x^{i+j}(t) \tag{3.3}$$

的零解的渐近稳定可以推出方程(3.1)的零解的渐近稳定性($a+b\neq 0$)．

证．由定理1的证明有 $\Delta=\Delta(a,b)>0$，使得当 $0<\tau<\Delta$ 时，方程式

$$\lambda=a+be^{-\tau\lambda} \tag{3.4}$$

的根 s_i 满足不等式

$$\operatorname{Re}(s_i) \leqslant -\tau K = \frac{\tau(a+b)}{2} < 0. \tag{3.5}$$

由 Bellman 定理 3 即得 $t \to +\infty$ 时 $x(t) \to 0$. 证毕.

定理2. 把定理 1 中的方程(3.1)的条件(3.2)换为 $a+b>0$, 则对任何 $\tau>0$, 方程(3.1)的零解不稳定, 即由方程(3.3)的零解不稳定性可以推出(3.1)的零解的不稳定性(对任意的 $\tau>0$).

证. 由 $a+b>0$ 及定理 1 的条件(ii), 可以取 $\varepsilon>0$ 如此地小, 使得当 $|x|\leqslant\varepsilon$, $|y|\leqslant\varepsilon$, 时有

$$F_2(|x|,|y|) < \frac{a+b}{4}(|x|+|y|).$$

现在只要证明, 不论初始函数取得如何地小, 必有解当 $t\to\infty$ 时越出 $|x(t)|<\varepsilon$.

以下分别就 $b\leqslant 0$ 及 $b>0$ 两种情形来证明.

设 $b\leqslant 0$, 则在

$$0 < x(t-\tau) \leqslant x(t) \leqslant \varepsilon \tag{3.6}$$

的条件下有

$$\begin{aligned}\dot{x}(t) &> ax(t) + bx(t-\tau) - \frac{a+b}{4}(x(t)+x(t-\tau)) \\ &\geqslant ax(t) + bx(t) - \frac{a+b}{4}(x(t)+x(t)) \\ &= \frac{a+b}{2}x(t).\end{aligned}$$

现在研究一个比较方程

$$\frac{d\xi(t)}{dt} = \frac{a+b}{2}\xi(t), \tag{3.7}$$

此方程有解

$$\xi(t) = Ce^{\frac{a+b}{2}t}, \quad C>0.$$

在 $0\leqslant t\leqslant\tau$ 中取初始函数 $x_1(t)=\xi(t)$, 求(3.1)之解 $x_1(t)$, 要证此解越出 $|x_1(t)|\leqslant\varepsilon$ 之外.

用反证法．设对所有的 $t\geqslant 0$ 恒有 $|x_1(t)|\leqslant \varepsilon$．注意到 $a-\frac{a+b}{4}>-\left[b-\frac{a+b}{4}\right]>0\left(因\ a+b>\frac{a+b}{2}及\ b\leqslant 0,\ a+b>0\right)$ 先证 $x_1(t)$ 是单调增加的，首先 $x_1(t)$ 在 $0\leqslant t\leqslant \tau$ 中单调增加，而且

$$\dot{x}_1(\tau+0)>\left(a-\frac{a+b}{4}\right)x_1(\tau)+\left(b-\frac{a+b}{4}\right)x_1(0)$$

$$=\left(a-\frac{a+b}{4}\right)Ce^{\frac{a+b}{2}\tau}+\left(b-\frac{a+b}{4}\right)C$$

$$>C\left(a-\frac{a+b}{4}+b-\frac{a+b}{4}\right)>0,$$

故 $x_1(t)$ 在 $t>\tau$ 之后一段时间内仍是单调增加的．

如果 $x_1(t)$ 当 t 继续增加时不是单调的，则至少在 $t>\tau$ 之某一个时刻必有 t 使得 $\dot{x}_1(t)=0$，记 t_0 为 $t>\tau$ 后第一个使 $\dot{x}_1(t)=0$ 的时刻，则由单增性知 $x_1(t_0)>x_1(t_0-\tau)>0$，故

$$0=\dot{x}_1(t_0)>\left(a-\frac{a+b}{4}\right)x_1(t_0)+\left(b-\frac{a+b}{4}\right)x_1(t_0-\tau)$$

$$>\left(a-\frac{a+b}{4}\right)(x_1(t_0)-x_1(t_0-\tau))>0.$$

得出矛盾，因此 $x_1(t)$ 在 $t\geqslant 0$ 时是单调增加的．从而条件(3.6)对 $x_1(t)$ 成立．故对 $x_1(t)$ 有不等式

$$\frac{dx_1(t)}{dt}>\frac{a+b}{2}x_1(t),\quad t\geqslant \tau.$$

由此即得当 $t\geqslant 0(C>0)$ 时，$x_1(t)\geqslant Ce^{\frac{a+b}{2}t}$；而当 $t\to\infty$ 时则显然有 $x_1(t)\to\infty$，即 $x_1(t)$ 有大于 ε 之时．另一方面，当 $\tau>0$，固定之，$C>0$ 可取得很小，使得 $Ce^{\frac{a+b}{2}\tau}$ 小于任何已给的正数，即初始函数可取得任意小，故当 $b\leqslant 0$ 时，(3.1)之零解是不稳定的．

下面证 $b>0$ 的情形，此时必可取得 $n>2$ 且使得

$$b-\frac{a+b}{n}>0,$$

固定n,然后取ε_1如此地小，使得当$|x|\leqslant\varepsilon_1$, $|y|\leqslant\varepsilon_1$有

$$F_2(|x|\cdot|y|)\leqslant\frac{a+b}{n}(|x|+|y|),$$

则在条件

$$0<x(t),\ x(t-\tau)\leqslant\varepsilon_1 \tag{3.8}$$

下有不等式

$$\dot{x}(t)>\left(a-\frac{a+b}{n}\right)x(t)+\left(b-\frac{a+b}{n}\right)x(t-\tau).$$

这时作辅助方程为

$$\frac{d\xi(t)}{dt}=\left(a-\frac{a+b}{n}\right)\xi(t)+\left(b-\frac{a+b}{n}\right)\xi(t-\tau). \tag{3.9}$$

因

$$\left(a-\frac{a+b}{n}\right)+\left(b-\frac{a+b}{n}\right)=(a+b)\left(1-\frac{2}{n}\right)>0,$$

故由§2定理2知方程(3.9)有特解

$$\xi(t)=ce^{st},\quad c>0,\quad s>0.$$

现在取初始函数$x_1(t)=\xi(t)=ce^{st}$在$0\leqslant t\leqslant\tau$中,研究方程(3.1)的解$x_1(t)$,则显然有

$$\dot{x}_1(\tau+0)>\dot{\xi}(\tau)>0,$$

即在$t>\tau$之一段时间中必有$x_1(t)>\xi(t)>0$. 用反证法可证对所有$t>\tau$有$x_1(t)>\xi(t)$. 如不然，则以t_0为$t-\tau$中第一个时刻使$x_1(t)=\xi(t)$,于是

$$x_1(t_0)=\xi(t_0),\quad x_1(t_0-\tau)\geqslant\xi(t_0-\tau).$$

从而

$$\begin{aligned}\dot{x}_1(t_0)&>\left(a-\frac{a+b}{n}\right)x_1(t_0)+\left(b-\frac{a+b}{n}\right)x_1(t_0-\tau)\\&\geqslant\left(a-\frac{a+b}{n}\right)\xi_1(t_0)+\left(b-\frac{a+b}{n}\right)\xi_1(t_0-\tau)=\dot{\xi}(t_0).\end{aligned}$$

由此知在$\tau<t<t_0$中有$x_1(t)<\xi(t)$, 因此，t_0不是$t>\tau$的第一个使$x_1(t)=\xi(t)$的时间，得到矛盾. 故对所有$t>\tau$有$x_1(t)>\xi(t)$

>0，而当$t\to+\infty$时，$\xi(t)\to\infty$ 故 $x_1(t)\to+\infty$. 设 $x_1(t)$将有大于 ε_1 之时，而初始函数可取 $C>0$ 如此地小，使 $Ce^{\varepsilon\tau}$ 小于任意给定的正数，故方程(3.1)之零解在 $b>0$ 时也是不稳定的. 定理5证毕.

定理3. 考虑方程

$$\dot{x}(t)=ax(t)-ax(t-\tau)+F_2. \tag{3.10}$$

对任何的 a 及任何的 τ，必可找到 F_2 使方程(3.10)的零解是不稳定的.

证. 当 $a\geqslant 0$ 时，例如取 $F_2=[x(t)]^2$，则任取初始函数 $x(t)=\varphi(t)$ $(0\leqslant t\leqslant\tau)$，只要$\varphi(t)>0$ 并且单调增加，例如取 $\varphi(t)=\alpha t$ $(\alpha>0)$即可. 于是

$$\dot{x}(\tau+0)=ax(\tau)+x^2(\tau)>0.$$

但 $\dot{x}(t)$当 $t\geqslant\tau$ 时是连续的，故知 $\dot{x}(t)$在 $t\geqslant\tau$ 之一小段区间上有 $\dot{x}(t)>0$. 以下要证：对所有 $t\geqslant\tau$ 均有 $\dot{x}(t)>0$,否则至少有 t_0 使 $\dot{x}(t)=0$. 取 t_0 为 $t>\tau$ 中第一个时刻,使 $\dot{x}(t)=0$，则 $x(t_0)>x(t_0-\tau)>0$. 另一方面有

$$0=\dot{x}(t_0)=ax(t_0)-ax(t_0-\tau)+x^2(t_0)>x^2(t_0)>0,$$

导出矛盾,故 $x(t)$单调增加. 由此知

$$\dot{x}(t)>F_2=x^2(t),$$

故立即得到当 $t\to\infty$ 时，$x(t)\to\infty$. 于是 (3.10) 之零解是不稳定的.

现在研究 $a<0$ 的情形.

取 $F_2=-ax^2(t-\tau)$,并取初始函数

$$\varphi(t)\equiv\eta>0,\quad 0\leqslant t\leqslant\tau,\quad \eta\text{ 为常数}.$$

则有 $\dot{x}(\tau+0)=-a\eta^2>0$. 故开始时 $x(t)$单调增加,即有

$$x(t)>\eta,\ \text{当 } \tau<t<\tau+\tau_1 \text{ 时}.$$

其次我们断言对所有 $t>\tau$ 均有 $x(t)>\eta$. 因为如有 $t_0>\tau$ 使 $x(t_0)=\eta$,取 t_0 为第一个这种值,则 $x(t_0-\tau)\geqslant\eta$. 故有

$$\dot{x}(t_0)=ax(t_0)-ax(t_0-\tau)-ax^2(t_0-\tau)\geqslant-a\eta^2>0.$$

于是当 ε 很小时将有

$$x(t_0-\varepsilon)<x(t_0)=\eta.$$

t_0 不是 $t>\tau$ 中 $x(t_0)=\eta$ 之第一个时间，这个矛盾证明了 $t>\tau$ 时有 $x(t)>\eta$.

以下要研究 $x(t)$ 当 t 很大时是否单调或者是振动的.

首先我们断言，不存在$t_0>\tau$，使得当$t>t_0$时 $x(t)$ 单调减少.用反证法，如 t_0 存在，则因 $x(t)$ 单调减少，又有 $x(t)>\eta$，故 $\lim\limits_{t\to\infty}x(t)$ 存在并且大于或等于 η，由此，当 t 相当大时有 $|ax(t)-ax(t-\tau)|<\dfrac{-\eta^2a}{2}$. 另一方面，$-ax^2(t-\tau)>-a\eta^2$，故当 t 相当大时有

$$\dot{x}(t)>\frac{-a\eta^2}{2}>0.$$

这与 $x(t)$ 在 $t>t_0$ 时单调减少的假设相矛盾，于是当 t 很大时 $x(t)$ 不能单调减少. 我们也可断言，不存在 $t_0>\tau$，使得当 $t>t_0$ 时，$x(t)$ 有界但是单调增加，因如果 $x(t)$ 有界且单调增加，则有

$$\lim_{t\to\infty}x(t)=U<+\infty.$$

故当 t 相当大，可使

$$|ax(t)-ax(t-\tau)|<-\frac{aU^2}{2}$$

及

$$x(t-\tau)>\frac{9}{10}U.$$

于是当 t 相当大时有

$$\dot{x}(t)>-a\left(\frac{9}{10}U\right)^2+\frac{aU^2}{2}>\frac{-aU^2}{4}>0.$$

故 $\lim\limits_{t\to\infty}x(t)=+\infty$，这与$U$之存在性矛盾.

现在只有两种情形，即 $x(t)$ 当 t 很大为无界单调增加或为振动. 如为无界单调增加，则得不稳定性，故我们只要证明振动的情形也有 $\lim\limits_{t\to\infty}x(t)=+\infty$，则定理证毕.

前已证明当 $t>\tau$ 时有 $x(t)>\eta$. 今以 t_i 表示 $x(t)$ 在 $t>\tau$ 之相对极小值所取的时间，则由

$$0=\dot{x}(t_i)=ax(t_i)-ax(t_i-\tau)-ax^2(t_i-\tau),$$

有 $x(t_i)=x(t_i-\tau)+x^2(t_i-\tau)\geqslant\eta+\eta^2$. 这便表明了，由第一个相对极小值 $x(t_0)$ 起，当 $t>t_0>\tau$ 时，有 $x(t)>\eta+\eta^2$.

现在考虑 $t>t_0+\tau$，那末所有的相对极小值为

$$0=\dot{x}(t_i)=ax(t_i)-ax(t_i-\tau)-ax^2(t_i-\tau),$$

故

$$\begin{aligned}x(t_i)&=x(t_i-\tau)+x^2(t_i-\tau)\geqslant(\eta+\eta^2)+(\eta+\eta^2)^2\\&=(\eta+\eta^2)(1+\eta+\eta^2).\end{aligned}$$

任取其中一点为 t_1，则当 $t>t_1$ 时有

$$x(t)\geqslant(\eta+\eta^2)(1+\eta+\eta^2).$$

同理，考虑 $t>t_1+\tau$ 中之 $x(t)$ 的相对极小值，则得当 $t>t_2$ 时

$$x(t)\geqslant(\eta+\eta^2)(1+\eta+\eta^2)+[(\eta+\eta^2)(1+\eta+\eta^2)]^2.$$

现在只需要证明，若

$$s_0=\eta>0,\quad s_1=s_0+s_0^2,\quad s_2=s_1+s_1^2,\cdots,$$

$$s_n=s_{n-1}+s_{n-1}^2,$$

则必有 $\lim\limits_{n\to\infty}s_n=+\infty$. 事实上可证

$$s_n\geqslant\eta(1+\eta)^n,$$

这可由归纳法证之，当 $n=0$ 时上式是成立的. 今设 $n\geqslant0$ 有 $s_n\geqslant\eta(1+\eta)^n$，则

$$\begin{aligned}s_{n+1}&\geqslant\eta(1+\eta)^n+[\eta(1+\eta)^n]^2\geqslant\eta(1+\eta)^n[1+\eta]\\&=\eta(1+\eta)^{n+1},\end{aligned}$$

即因 $\eta>0$，当 $n\to\infty$ 时有 $s_n\to+\infty$. 定理 6 证毕.

§4. 简单的总结

对方程

$$\dot{x}(t)=ax(t)+bx(t-\tau)+F_2(x(t),x(t-\tau))$$

与方程

$$\dot{x}(t) = (a+b)x(t) + F_2(x(t), x(t))$$

在稳定性方面的等价性可叙述如下：

当 $a+b>0$ 时，对任何 $\tau>0$，两方程的零解均为不稳定的，即二者之不稳定性是等价的。

当 $a+b<0$ 时，有 $\Delta=\Delta(a,b)>0$，具体表示为

$$\Delta=\Delta(a,b)=\begin{cases} +\infty, & \text{当 } |a|\geqslant|b| \text{ 时}, \\ \dfrac{1}{\sqrt{b^2-a}} \cot^{-1}\left(\dfrac{a}{\sqrt{b^2-a^2}}\right), & \text{当 } |a|<|b| \text{ 时}, \end{cases}$$

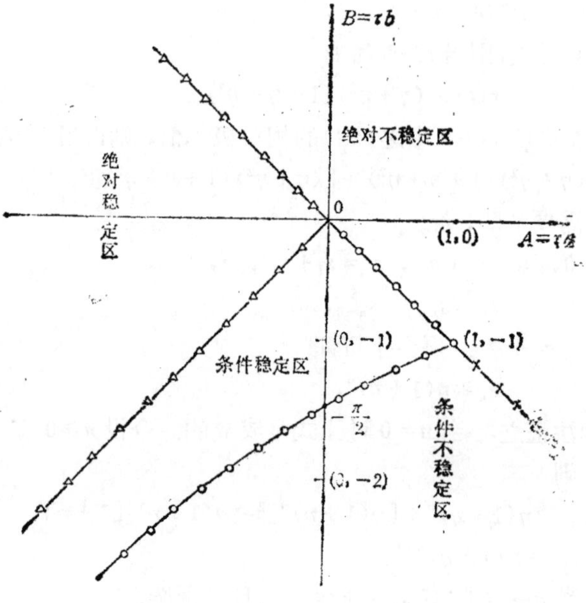

图4.1

(A,B)参数平面稳定区域图。

$A=a\tau$，$B=b\tau$，$\tau\in\mathbb{R}_+=[0,\infty)$。

△——绝对稳定。

○——条件稳定。

×——条件不稳定。

其中 $\cot^{-1}$ 取 0 到 π 之间的值，使得当 $0<\tau<\Delta$ 时两方程之零解均为稳定的，即在 $0<\tau<\Delta$ 时，两者的稳定性是等价的。

当 $a+b=0$ 时，则有 $\Delta=\Delta(a,b)>0$ 存在，使得当 $0<\tau<\Delta$，$F_2\equiv0$ 时，两方程之零解均为稳定的。即在 $0<\tau<\Delta$，$F_2\equiv0$ 时，二者的稳定性是等价的，又可取 F_2 使得对任何 $\tau>0$，二者之零解皆为不稳定的。

对参数平面 (A,B)，可分为四区

$$
\begin{cases}
A+B>0, & \text{绝对不稳定区；}\\
A+B\leqslant 0 \quad \begin{cases}
A-B>0 \quad \begin{cases}
A>\sqrt{B^2-A^2}\ \cot\left(\sqrt{B^2-A^2}\right) & \text{条件不稳定区；}\\
A\leqslant\sqrt{B^2-A^2}\ \cot\left(\sqrt{B^2-A^2}\right) & \text{条件稳定区；}
\end{cases}\\
A-B\leqslant 0, & \text{绝对稳定区.}
\end{cases}
\end{cases}
$$

四区的分布状况，如图 4.1 所示。

注1. 上面使用的方法，通常叫做“幅相法”。有另外两种途径可以导出相同的结果，其一称之为“D 划分法”其二称之为“Мейман–Чеботарёв法”[138]，对 D 划分法，我们将在下一节作简略介绍。

§5. D 划分法

常系数自治线性系统

$$
\dot{x}_i(t)=\sum_{j=1} a_{ij}\,x_j(t)+\sum_{j=1}^{n} b_{ij}\,x_j(t-\tau), \tag{5.1}
$$

$$
i=1,2,\cdots,n
$$

或者

$$
\dot{x}_i(t)=\sum_{j=1}^{n} a_{ij}\,x_j(t)+\sum_{j=1}^{n} b_{ij}x_j(t-\tau)+\sum_{j=1}^{n} c_{ij}\,\dot{x}_j(t-\tau), \tag{5.2}
$$

$$
i=1,2,\cdots n,
$$

所对应的特征方程分别记为

$$h(\lambda)=0, \tag{5.3}$$

$$H(\lambda)=0. \tag{5.4}$$

D 划分法的大意是：寻求系数空间中的一些超曲面，在这些超曲面上(5.3)(或(5.4))至少有一个零点在虚轴上，它们把系数空间划分为若干区域，在这些区域内，每一个点〔对应一个方程(5.1)(或(5.2))〕所对应的特征方程(5.3)(或(5.4))有相同数目的，具正实部的零点．注意，这里说的零点数目，总是指它们的重数之和．

倘若这些超曲面视之为点集 $\Gamma_i(i=1,2,\cdots,p)$，用它们划出的开区域记为 $D_i(i=1,2,\cdots,q)$．系数空间的维数记为 $\mathbb{R}^m$(设为 m 维的，例如(5.1)为 $2n^2$ 维，(5.2)的系数空间为 $3n^2$ 维的，凡此等等)．则

$$\left(\bigcup_{i=1}^{p}\Gamma_i\right)\cup\left(\bigcup_{i=1}^{q}D_i\right)=\mathbb{R}^m,\quad D_i\cap D_j=\varnothing\,(i\neq j).$$

图 4.1 实际就是一种 D 划分．我们可以重新用不同于前述的手段，得到图 4.1 如下：

考虑一维系统

$$\dot{x}(t)+ax(t)+bx(t-\tau)=0, \tag{5.5}$$

$$h(\lambda)=\lambda+a+be^{-\tau\lambda}. \tag{5.6}$$

(i) 当 $a+b=0$ 时(5.6)有零根，所以是一条 D 划分边界，记之为 Γ_1.

(ii) 今设(5.6)有实部为零的根 iy，代入(5.6)得

$$iy+a+be^{-\tau iy}=0$$

或者

$$iy+a+b(\cos\tau y-i\sin\tau y)=0,$$

分开实部与虚部，我们得到 D 划分边界方程之参数表达式为

$$\begin{aligned}&a+b\cos\tau y=0,\\&y-b\sin\tau y=0\end{aligned} \tag{5.7}$$

或者

$$b = \frac{y}{\sin \tau y}, \quad a = -\frac{y\cos \tau y}{\sin \tau y}. \tag{5.8}$$

这根曲线和直线 $a+b=0$ 都成了 D 划分的边界，如图 5.1 所示，记为 Γ_2. 当 $a>0$, $b=0$ 时，$h(\lambda)$ 退化，没有正实部的根，所以区域 D_1 是方程 (5.5) 解的渐近稳定区（当 $b\to 0$ 时，$h(\lambda)$ 的所有根之实部除了一个以外均趋于 $-\infty$）. 当由区域 D_1 通过直线 $a+b=0$ 移至区域 D_2 时出现一个具正实部的根，因为由 (5.6) 我们得；在这直线上 $dx=-ba/1-b\tau$. 所以，当缩小 a，而 b 为常数，$b<\frac{1}{\tau}$ 时，在此直线上根的实部等于零，得出正的增量. 若 $b>\frac{1}{\tau}$，则 $da>0$ 及 $dx>0$，所以在区域 D_3 中有两个具正实部的根. 凡此等等，从稳定性的角度考虑，稳定区 D_1 已划出. 然后进一步讨论 Γ_i 上及 D_1 内部的各种具体情形，例如介于直线 $a=b$ 与 $a=-b$. $a>0$ 的区域是全时滞稳定区等等. （参看[139].）

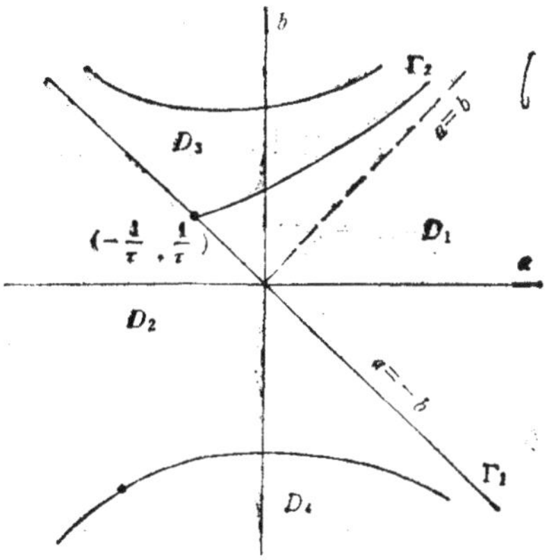

图5.1

第六章　小时滞系统的运动稳定性（一般情形）

§1. 线性系统的稳定情形[8]

考虑微分方程组

$$\dot{x}_i(t)=\sum_{j=1}^{n}(a_{ij}+b_{ij})x_j(t),\quad i=1,\cdots,n \tag{1.1}$$

与微分差分方程组

$$\dot{x}_i(t)=\sum_{j=1}^{n}(a_{ij}x_j(t)+b_{ij}x_j(t-\tau_{ij}(t))),\quad i=1,2,\cdots,n \tag{1.2}$$

之间在稳定性问题中的等价性，此处 a_{ij}，b_{ij} 均为常数，$\tau_{ij}(t)$ 或为非负的实常数，或为非负的实连续函数.

方程组(1.1)及(1.2)的特征方程分别为

$$D(\lambda)=|a_{ij}+b_{ij}-\delta_{ij}\lambda|=0 \tag{1.3}$$

及

$$D(\lambda,\tau)=|a_{ij}+b_{ij}e^{-\lambda\tau_{ij}}-\delta_{ij}\lambda|=0, \tag{1.4}$$

而方程组(1.2)还可写成另一形式

$$\begin{aligned}\dot{x}_i(t)&=\sum_{j=1}^{m}(a_{ij}+b_{ij})x_j(t)\\&\quad+\sum_{j=1}^{n}b_{ij}(x_j(t-\tau_{ij}(t))-x_j(t))\\&=\sum_{j=1}^{n}(a_{ij}+b_{ij})x_j(t)+\psi_i(t),\end{aligned} \tag{1.2}'$$

$$i=1,2,\cdots,n.$$

当 $\tau_{ij}(t)$ 相当小时，$\psi_i(t)$ 可以看做微小扰动。

引理1. 设(1.3)的所有根的实部为负，则存在两个正数 $\Delta=\Delta(a_{ij},b_{ij})>0$ 及 $\varepsilon=\varepsilon(a_{ij},b_{ij})>0$，使得当 $0\leqslant\tau_{ij}\leqslant\Delta(j=1,2,\cdots,n)$ 时，(1.4)的所有根 λ 皆满足关系

$$\mathrm{Re}(\lambda)\leqslant-\varepsilon.$$

证. (1.3)只有 n 个根，设它们的实部的最大值是 $L<0$. 则不妨取 $\varepsilon=-\frac{L}{2}$，并进一步决定 Δ 如下：

(1.4)可以写成 λ 之 n 次多项式

$$\lambda^n+A_1\lambda^{n-1}+\cdots+A_n=0, \tag{1.4$'$}$$

其系数 A_i 为 $e^{-\lambda\tau_{ij}}$ 及 a_{ij}, b_{ij} 的多项式.

在条件

$$\mathrm{Re}(\lambda)\geqslant0,\tau_{ij}\geqslant0, \tag{1.5}$$

之下，可知 $|e^{-\lambda\tau_{ij}}|\leqslant1$，故在(1.5)的条件下，$A_1, A_2\cdots, A_n$ 有界. 以 K_1 记之，

$$K_1=\max_{i=1,\cdots,n}|A_i|,\text{当 } \mathrm{Re}(\lambda)\geqslant0 \text{ 及 } \tau_{ij}\geqslant0 \text{ 时}.$$ 取

$$x_0=\max(1,(n+1)K_1)>0.$$

则当

$$\mathrm{Re}(\lambda)\geqslant x_0 \tag{1.6}$$

时，由于

$$\begin{aligned}&|\lambda^n+A_1\lambda^{n-1}+\cdots+A_n|\\&\geqslant|\lambda|^n\left[1-\frac{|A_1|}{|\lambda|}-,\cdots,-\frac{|A_n|}{|\lambda|^n}\right]\\&\geqslant|x_0|^n\left[1-\frac{nK_1}{(n+1)K_1}\right]>0,\end{aligned}$$

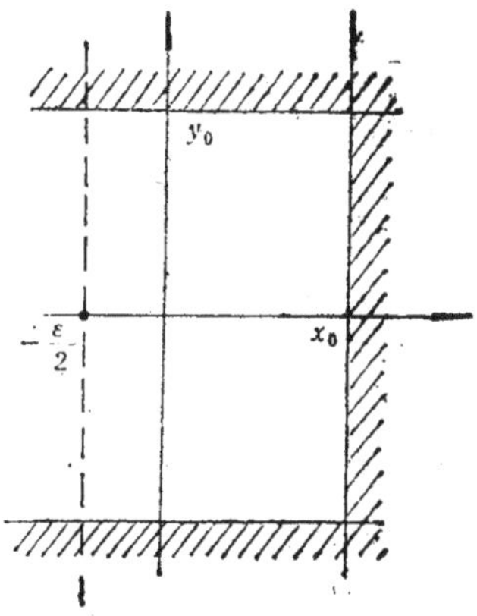

图1.1

知(1.4)′无根. 类似地，在条件

$$\mathrm{Re}(\lambda)\geqslant-\varepsilon,\quad 1\geqslant\tau_{ij}\geqslant0, \tag{1.7}$$

之下$|e^{-\lambda\tau_{ij}}|\leqslant e^{\varepsilon}$. 故在(1.7)的条件下，$A_1, A_2, \cdots, A_n$有界. 以$K_2$记之，

$$K_2=\max_{i=1,\cdots n}|A_i|, \text{当 } \mathrm{Re}(\lambda)\geqslant -\varepsilon \text{ 及 } \tau_{ij}\geqslant 0 \text{ 时},$$

取

$$y_0=\max(1,(n+1)K_2)>0.$$

则当

$$\mathrm{Re}(\lambda)\geqslant -\varepsilon, |\mathrm{Im}(\lambda)|\geqslant y_0 \tag{1.8}$$

时

$$|\lambda^n+A_1\lambda^{n-1}+\cdots+A_n|\geqslant|\lambda|^n\left[1-\frac{nK_2}{(n+1)K_2}\right]$$

$$>|y_0|^n\left[1-\frac{nK_2}{(n+1)K_2}\right]>0$$

成立，亦即(1.4)′无根.

现在要研究

$$S: -\varepsilon\leqslant\mathrm{Re}(\lambda)\leqslant x_0, \ |\mathrm{Im}(\lambda)|\leqslant y_0. \tag{1.9}$$

这一矩形中的情形，其中

$$D(\lambda,\tau)=D(\lambda)+R(\lambda,\tau),$$

$$R(\lambda,0)\equiv 0, \text{ 对任何 } \lambda.$$

由假定知$D(\lambda)=0$之根都在$\mathrm{Re}(\lambda)\leqslant -2\varepsilon$，故在$S$中及边界上$D(\lambda)\neq 0$，记$\Gamma$为边界，有

$$m=\min_{\lambda\in\Gamma}|D(\lambda)|>0,$$

则由$R(\lambda,\tau)$对λ及τ_{ij}之连续性，有$\Delta>0$，Δ如此地小(不妨取$\Delta<1$)使得当

$$0\leqslant\tau_{ij}\leqslant\Delta \tag{1.10}$$

时有

$$\max_{\lambda\in\Gamma}|R(\lambda,\tau)|<m.$$

因此对S边界上满足(1.10)的τ_{ij}，由Rouche定理知道$D(\lambda,\tau)=0$在S中之根的个数，与$D(\lambda)=0$在S中之根的个数相同，而$D(\lambda)=0$在S中无根，故$D(\lambda,\tau)=0$亦如此，

合并(1.6),(1.8)及(1.9)即得引理1. 由引理1及 Bellman 定理便可推得

定理1. 设方程组(1.1)的零解是渐近稳定的，则存在一个正数 $\Delta=\Delta(a_{ij},b_{ij})>0$,使得当 $\tau_{ij}(t)$ 为常数,并且 $0\leqslant\tau_{ij}\leqslant\Delta$ 时,方程(1.2)的零解是渐近稳定的.

为了研究 $\tau_{ij}(t)$ 非常数的情形，强调一下 Разумихин 条件[135,136]：对正定函数 $V(t,x_1,\cdots,x_n)$，设其满足

$$\begin{aligned}&V(\xi,x_1(\xi),\cdots,x_n(\xi))\leqslant V(t,x_1(t),\cdots,x_n(t)),\\&t-\Delta\leqslant\xi\leqslant t,\ t\geqslant t_0,\ 0\leqslant\tau_{ij}(t)\leqslant\Delta\end{aligned}\tag{1.11}$$

的解的集合非空,则 $\dot{V}$ 在这集上为常负函数,且可以保证系统零解是稳定的.

事实上，Разумихин 条件的最原始提法是：要保证系统零解的稳定性,在应用直接推广的 Ляпунов 第二方法定理时，$\dot{V}$ 不必要恒为常负，只要当 $|x_i(t-\tau)|\leqslant|x_i(t)|$ $(t\geqslant t_0,\ \tau>0\ ,i=1,2,\cdots,n)$ 时保证 $\dot{V}$ 常负即可. 这并没有加强稳定性的条件，只是免除了不必要的限制.

为明确起见,这一原始设想写成

$$\|x(t-\tau)\|\leqslant\|x(t)\|;\ t\geqslant t_0,\ \tau>0,\tag{1.12}$$

其中 $x\in\mathbb{R}^n$，$\|x(t)\|=\left(\sum_{i=1}^{n}x_i^2(t)\right)^{\frac{1}{2}}$. 显然,(1.12)是(1.11)的一种特别情形. 若把(1.12)改为

$$K\|x(t-\tau)\|\leqslant\|x(t)\|,\ K=\mathrm{const}\leqslant1,$$

并不改变所得到的稳定性结论，只是当 $K<1$ 时要求 $\dot{V}$ 常负是比(1.12)强一些. 今后如无特别申明，都取 $K=1$. 同理,(1.11)有时要换成略强的条件.

$$KV(\xi,x_1(\xi),\cdots,x_n(\xi))\leqslant V(t,x_1(t),\cdots,x_n(t)),\ K<1.\tag{1.13}$$

定理2. 设(1.1)之零解是渐近稳定的,且诸 $\tau_{ij}(t)$ 皆为 t 的连续函数时，则存在一个正数 $\Delta=\Delta(a_{ij},b_{ij})>0$，使得当 $\tau_{ij}(t)$满足条件

$$0 \leqslant \tau_{ij}(t) \leqslant \Delta. \tag{1.14}$$

方程组(1.2)的零解也是渐近稳定的.

证. 由所设方程(1.1)的零解是渐近稳定的,故存在二次型的正定函数 $V(x_1,\cdots,x_n)=\sum_{i,j=1}^{n} c_{ij}x_ix_j$，使得对方程组(1.1)的全导数

$$\left.\frac{dV}{dt}\right|_{(1.1)} = \sum_{i=1}^{n} \frac{\partial V}{\partial x_i}\frac{dx_i}{dt} = \sum_{i=1}^{n} \frac{\partial V}{\partial x_i}\left(\sum_{j=1}^{n} (a_{ij}+b_{ij})x_i\right)$$
$$= W(x_1,x_2,\cdots,x_n) \tag{1.15}$$

是负定的.

现在对方程组(1.2)，仍用这个 $V(x_1,\cdots,x_n)$ 作为 Ляпунов 函数. 由(1.15)得

$$\left.\frac{dV}{dt}\right|_{(1.2)} = \sum_{i=1}^{n} \frac{\partial V}{\partial x_i}\frac{dx_i}{dt}$$
$$= W(x_1,\cdots,x_n) + \sum_{i=1}^{n} \frac{\partial V}{\partial x_i}\psi_i. \tag{1.16}$$

考虑(1.16)右方之第二项，先不妨设 $0 \leqslant \tau_{ij}(t) \leqslant \Delta_0$，$\Delta_0 > 0$，由 $\tau_{ij}(t)$ 之连续性，依第二章 §1 定义知 E_{t_0} 为一含 t_0 的闭区间，不妨设 Δ_0 为 $\tau_{ij}(t)$ 之诸上确界之最之值，即 $E_{t_0}=[t_0-\Delta_0, t_0]$. 由解之连续依赖性，我们只要在 $t \geqslant t_0+2\Delta_0$ 以后估计(1.16)即可. 因为只有在 $t \geqslant t_0+2\Delta_0$ 时，对 $\xi_{ij} \in [t-\tau_{ij}(t), t]$(1.11)才有意义. 当然 t_0 是任意的,故

$$\sum_{i=1}^{n} \frac{\partial V}{\partial x_i}\psi_i$$
$$= \sum_{i=1}^{n}\left(\sum_{j=1}^{n} (c_{ij}+c_{ji})x_j(t)\right)\left(\sum_{j=1}^{n} b_{ij}(x_j(t-\tau_{ij}(t))-x_j(t))\right)$$
$$= \sum_{i=1}^{n}\left(\sum_{j=1}^{n} (c_{ij}+c_{ji})x_j(t)\right)\left(\sum_{j=1}^{n} b_{ij}\dot{x}_j(\xi_{ij})(-\tau_{ij}(t))\right)$$

$$
=\sum_{i=1}^{n}\left(\sum_{j=1}^{n}(c_{ij}+c_{ji})x_j(t)\right)\left[\sum_{j=1}^{n}b_{ij}(-\tau_{ij}(t))\right.
$$

$$
\left.\cdot\sum_{l=1}^{n}(a_{jl}x_l(\xi_{ij}))+b_{jl}x_l(\xi_{ij}-\tau_{ij}(\xi_{ij}))\right], \qquad (1.17)
$$

这里

$$
t-\tau_{ij}(t)\leqslant\xi_{ij}\leqslant t,\ \ \xi_{ij}-\tau_{ij}(\xi_{ij})\leqslant t.
$$

于是(1.17)之估式在条件(1.12)之下为

$$
\left|\sum_{i=1}^{n}\frac{\partial V}{\partial x_i}\psi_i\right|\leqslant\Delta_0\sum_{i=1}^{n}\left[\sum_{j=1}^{n}(|c_{ij}|+|c_{ji}|)|x_j(t)|\right]
$$

$$
\cdot\left[\sum_{j=1}^{n}|b_{ij}|\sum_{l=1}^{n}(|a_{jl}|+|b_{jl}|)|x_l(t)|\right].
$$

今令

$$
U(x_1,\cdots x_n)=\sum_{i=1}^{n}\left[\sum_{j=1}^{n}(|c_{ij}|+|c_{ji}|)|x_j|\right]\left[\sum_{j=1}^{n}|b_{ij}|\right.
$$

$$
\left.\times\sum_{l=1}^{n}(|a_{jl}|+|b_{jl}|)|x_l|\right],
$$

则U为正定二次型(若b_{ij}不全为零的话).

由于$V(x_1,\cdots,x_n)$正定，$W(x_1,\cdots,x_n)$负定，故存在一正数

$$
m_1=\min_{V=1}|W(x_1,\cdots,x_n)|>0,
$$

亦即

$$
W\leqslant -m_1V.
$$

因为U正定，故亦存在另一正数m_2，

$$
m_2=\max_{V=1}|U|>0.
$$

倘若b_{ij}不全为零的话，此时有

$$
U\leqslant m_2V.
$$

取$\Delta_0=\Delta$为

$$
\Delta=\frac{m_1}{4m_2}>0. \qquad (1.18)
$$

在(1.13)中取 $K=\frac{1}{2}$，则当 $0\leqslant\tau_{ij}(t)\leqslant\Delta$，$t\geqslant t_0+2\Delta$，且 $\xi\in[t-2\Delta,t]$时，我们设

$$V(x_1(\xi),\cdots,x_n(\xi))\leqslant 2V(x_1(t),\cdots,x_n(t)),\tag{1.19}$$

故有

$$\begin{aligned}\frac{dV}{dt}&=W(x_1(t),\cdots,x_n(t))+\sum_{i=1}^{n}\frac{\partial V}{\partial x_i}\psi_i\\&\leqslant -m_1V(x_1(t),\cdots,x_n(t))+\Delta U\\&\leqslant -m_1V(x_1(t),\cdots,x_n(t))+\Delta 2m_2V(x_1(t),\cdots,x_n(t))\\&=-\frac{m_1}{2}V(x_1(t),\cdots,x_n(t)).\end{aligned}\tag{1.20}$$

对任意给定的 $\varepsilon>0$，若在 $t_0-2\Delta\leqslant t\leqslant t_0$ 中给定初始函数 $\varphi_1(t),\cdots,\varphi_n(t)$满足不等式

$$V(\varphi_1(t),\cdots,\varphi_n(t))\leqslant\delta\leqslant\varepsilon,$$

则当 $t\geqslant t_0$ 时恒成立

$$V(x_1(t),\cdots,x_n(t))\leqslant\varepsilon.\tag{1.21}$$

因为由(1.20)推知在任何 $t'\geqslant t_0+2\Delta$ 处若(1.21)中等号成立，则在此处 $\dot{V}<0$. 即$(x_1(t),\cdots,x_n(t))$不能穿出 $V=\varepsilon$ 之外. 这表明了(1.2)零解的稳定性.

现在进一步证明渐近稳定性. 分两种情况：

(1)若存在 $T>t_0+2\Delta$，使得当 $t\geqslant T$ 时(1.19)恒成立，则由(1.20)得 $V(x_1(t),\cdots,x_n(t))\leqslant V(x_1(t_0),\cdots,x_n(t_0))e^{-\frac{m_1}{2}t}$，故 $t\to\infty$ 时 $V(x_1(t),\cdots,x_n(t))\to 0$.

(2)若(1)中 T 不存在，则有一列 $t_i\to\infty\,(i\to\infty)$，使得当 $\xi\in I_i=[t_i-2\Delta,t_i]$时

$$\frac{1}{2}\max_{\xi\in I_i}V(x_1(\xi),\cdots,x_n(\xi))>V(x_1(t_i),\cdots,x_n(t_i))\tag{1.22}$$

$$i=1,2,\cdots,\quad t_1<t_2<t_3<\cdots$$

由(1.19)及(1.20)得出

$$\frac{1}{2}\max_{\xi\in I_{i-1}} V(x_1(\xi),\cdots,x_n(\xi))\geqslant \max_{\xi\in I_i} V(x_1(\xi),\cdots,x_n(\xi)),$$

或者

$$\left(\frac{1}{2}\right)^{i-1}\max_{\xi\in I_1} V(x_1(\xi),\cdots,x_n(\xi))\geqslant \max_{\xi\in I_i} V(x_1(\xi),\cdots,x_n(\xi)). \tag{1.23}$$

又当 $t\in I_i$ 时有

$$\max_{\xi\in I_i} V(x_1(\xi),\cdots,x_n(\xi))\geqslant V(x_1(t),\cdots,x_n(t)). \tag{1.24}$$

令 $i\to\infty$，由(1.23)，(1.24)，取上极限即得 $V(x_1(t),\cdots,x_n(t))\to 0$。定理 2 证毕．

这两个定理均为［114］中定理的推广，而且使用了不同的方法，免除了原证明中的困难．

§2. 线性系统的不稳定情形

引理2. 设(1.3)至少有一个根具有正实部，则存在一正数

$$\Delta=\Delta(a_{ij},b_{ij})>0,$$

使得当

$$0\leqslant\tau_{ij}\leqslant\Delta,\quad i,j=1,2,\cdots,n$$

时(1.4)至少有一个根具有正实部．

证．任取(1.3)的一个具有正实部之根 λ_0；

$$\mathrm{Re}(\lambda_0)=\eta>0,$$

以 λ_0 为心，$\dfrac{\eta}{m}$ 为半径作一个圆 Γ，m 为正整数，m 取如此之大，使得在 Γ 边上(1.4) 不存在零点．又取 Δ 如此地小，使得当 $0\leqslant\tau_{ij}\leqslant\Delta(i,j=1,2,\cdots,n)$时

$$\max_{\lambda\in\Gamma}|D(\lambda;\tau_{ij})|<\min_{\lambda\in\Gamma}|D(\lambda)|$$

成立．故由 Rouche 定理推知 (1.4) 在 Γ 内之根的个数与 (1.3) 在 Γ 内之根的个数是相同的，即(1.4)在 Γ 内至少有一个具正实

部的根，证毕．

由引理 2 立即得到

定理3．如果(1.3)至少有一个具正实部的根，(1.1)的零解是不稳定的，则必存在一个正数

$$\Delta=\Delta(a_{ij},b_{ij})>0,$$

使得当 $0\leqslant\tau_{ij}\leqslant\Delta(i,j=1,2,\cdots,n)$时，(1.2)的零解是不稳定的．

定理4．在定理 3 中，若省去 $\tau_{ij}(t)$ 为常数的假定，而定理仍成立，只要 $0\leqslant\tau_{ij}(t)\leqslant\Delta$ 即可．

证．设(1.3)至少有一个具正实部的根，我们分两种情形讨论之，

(1)所有特征根之实部皆相等．

(2)至少有两个特征根之实部不相等．

第一种情形．

设共同的实部为 $\lambda>0$，把方程组(1.2)写成(1.2)′，经过非异线性变换

$$\begin{pmatrix}x_1\\x_2\\\vdots\\x_n\end{pmatrix}=\begin{pmatrix}c_{11}&\cdots&c_{1n}\\&\cdots&\\c_{n1}&\cdots&c_{nn}\end{pmatrix}\begin{pmatrix}\xi_1\\\xi_2\\\vdots\\\xi_n\end{pmatrix},\qquad \text{这里}\ |c_{ij}|\neq0.$$

可以把(1.2)′化为 Jordan 型

$$\frac{d}{dt}\begin{pmatrix}\xi(t)\\\vdots\\\xi_n(t)\end{pmatrix}=\begin{pmatrix}M_1&&\\&M_2&\\&&\ddots\\&&&M_K\end{pmatrix}\begin{pmatrix}\xi_1(t)\\\cdots\\\xi_n(t)\end{pmatrix}+\begin{pmatrix}\tilde{\psi}_1(t)\\\vdots\\\tilde{\psi}_n(t)\end{pmatrix},\tag{2.1}$$

此地 M_i 是形如

$$\begin{pmatrix}\lambda&&\cdots&0\\\varepsilon\lambda&0&\cdots&0\\0&\varepsilon\lambda&\cdots&0\\&&\cdots&\\0&&\cdots&\varepsilon\lambda\end{pmatrix}\quad\text{或}\quad\begin{pmatrix}\lambda&\mu&0&&&\cdots0\\-\mu&\lambda&0&&&\cdots0\\1&0&\lambda&\mu&0&\cdots0\\0&1&-\mu&\lambda&0&\cdots0\\0&0&&&&\cdots\lambda\end{pmatrix}$$

的方阵，其中常数 $\varepsilon\leqslant\lambda$．为方便计，只就左边的矩阵进行证明．

现在引入函数 $V(\xi_1,\cdots,\xi_n)=\xi_1^2+\xi_2^2+\cdots+\xi_n^2$，则对 (2.1) 作 $\dot{V}$ 有

$$\dot{V}=\sum_{i=1}^{n}\frac{\partial V}{\partial\xi_i}\frac{d\xi_i}{dt}=\sum_{i=1}^{n}2\xi_i\frac{d\xi_i}{dt}\geqslant\lambda V+2\sum_{i=1}^{n}\xi_i\tilde{\psi}_i(t).$$

注意上式尾项 $\sum_{i=1}^{n}\xi_i\tilde{\psi}_i(t)$，这里 $\tilde{\psi}_i(t)$ 是 $\psi_i(t)$ 的线性组合，故 $\sum_{i=1}^{n}\xi_i\tilde{\psi}_i$ 有类似于定理 2 的估式，因此可采用类似的证法．对于 $0\leqslant\tau_{ij}(t)\leqslant\Delta$，设在 $\eta\in[t_1-2\Delta,t_1]$．$t_1\geqslant t_0+2\Delta$ 时有

$$V(\xi_1(\eta),\cdots,\xi_n(\eta))\leqslant m_1V(\xi_1(t_1),\cdots,\xi_n(t_1)).\tag{2.2}$$

对指定的 t_1，常数 $m_1>1$ 必定存在．仿定理 2 有

$$\left|\sum_{i=1}^{n}\xi_i\tilde{\psi}_i(t)\right|\leqslant\Delta KV(\xi_1(t_1),\cdots,\xi_n(t_1)),$$

其中常数 K 与 a_{ij}，b_{ij} 有关 $(K>0)$．取 $0<\Delta\leqslant\frac{\lambda}{2m_1K}$，则在条件 (2.2) 之下，有

$$\dot{V}|_{t=t_1}\geqslant\lambda V(t_1)-\Delta m_1KV(t_1)=\frac{\lambda}{2}V(t_1).\tag{2.3}$$

若自 t_1 以后 (2.2) 恒成立，则 (2.3) 恒成立．V 单调增加且由 $V(t)\geqslant V(t_0)e^{\lambda/2(t-t_0)}$ 知当 $t\to\infty$ 时，$V(t)\to\infty$．

若自 t_1 以后**第一个**使 (2.3) 破坏的时刻为 $t_2(>t_1)$，则在 t_2 处 (2.2) 必不成立，即 $V(t_1)>V(t_2)$．这表示在 (t_1,t_2) 中 $V(t)$ 非单调增加，因而 t_2 不是第一个破坏 (2.2) 的时刻，与所设不合．

综上所述情形（1）证毕．

第二种情形．

设 $\xi_1,\cdots,\xi_m$ 为 (2.1) 中对应于特征根有实部为 λ_1 的变量，$\xi_{m+1},\cdots,\xi_n$ 为对应于特征根实部不大于 $\lambda_2(<\lambda_1)$ 的变量，由假设必有 $\lambda_1>0$．

引进两个新变量

$$X=\frac{1}{2}\left(\xi_1^2+\cdots+\xi_m^2\right),$$

$$Y=\frac{1}{2}\left(\xi_{m+1}^2+\cdots+\xi_n^2\right).$$

则仿定理 2 及第一种情形有估式

$$\frac{dX}{dt}\geqslant\lambda_1X-\varepsilon\sum_{\substack{i\neq j\\1\leqslant i,j\leqslant m}}|\xi_i||\xi_j|-\sum_{i=1}^{m}|\xi_i||\tilde{\varphi}_i(t)|,$$

$$\frac{dY}{dt}\leqslant\lambda_2Y+\varepsilon\sum_{\substack{i\neq j\\m+1\leqslant i,j\leqslant n}}|\xi_i||\xi_j|+\sum_{i=m+1}^{n}|\xi_i||\tilde{\varphi}_i(t)|.$$

设 L 为某一正数，在 $0\leqslant Y\leqslant X\leqslant L$ 中对 $\varepsilon>0$ 可有 $\Delta>0$，使得当 $\eta\in[t_1-2\Delta,t_1]$时，若

$$0\leqslant Y(\eta)\leqslant X(\eta)\leqslant mX(t_1),\quad m>1, \qquad (*)_1$$

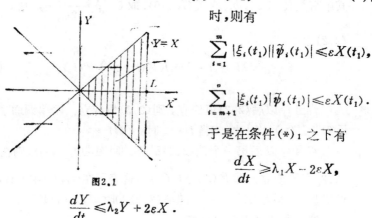

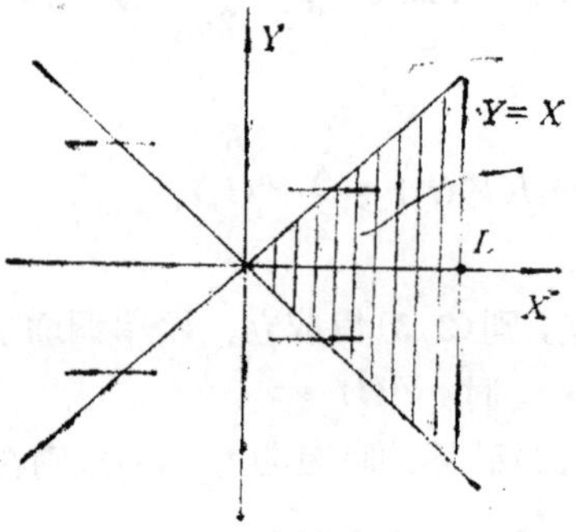

图2.1

时，则有

$$\sum_{i=1}^{m}|\xi_i(t_1)||\tilde{\varphi}_i(t_1)|\leqslant\varepsilon X(t_1),$$

$$\sum_{i=m+1}^{n}|\xi_i(t_1)||\tilde{\varphi}_i(t_1)|\leqslant\varepsilon X(t_1).$$

于是在条件$(*)_1$之下有

$$\frac{dX}{dt}\geqslant\lambda_1X-2\varepsilon X,$$

$$\frac{dY}{dt}\leqslant\lambda_2Y+2\varepsilon X.$$

现在研究在 $X=\pm Y>0$ 的边上，只要$\left|\frac{\lambda_2+2\varepsilon}{\lambda_1-2\varepsilon}\right|<1$，就有

$$-1<\frac{dY}{dX}<+1.$$

这是可能的，因为若 $\lambda_2 \leqslant 0$，则取 $\varepsilon < \frac{\lambda_1}{4}$，若 $\lambda_2 > 0$，便取 $\varepsilon < \frac{\lambda_1 - \lambda_2}{4}$ 即可. 于是在边 $X = \pm Y$ 上有

$$\frac{dX}{dt} \geqslant (\lambda_1 - 2\varepsilon) X > 0, \quad \left|\frac{dY}{dX}\right| < 1,$$

即 t 增加时指向 $X > Y$ 区域内部. 而在 $0 \leqslant Y \leqslant X \leqslant L$ 中则有

$$\frac{dX}{dt} \geqslant (\lambda_1 - 2\varepsilon) X > 0,$$

所以在 $0 \leqslant Y \leqslant X \leqslant L$ 及 $(*)_1$ 之下有 $\frac{dX}{dt} > 0$.

现在在 $[t_0 - 2\Delta, t_0]$ 上给出初始数据

$$Y(t) = 0,$$
$$X(t) = \chi(t) > 0.$$

χ 可以任意小. 对指定的 $t_1 \geqslant t_0 + 2\Delta$，在 $[t_1 - 2\Delta, t_1]$ 上存在 m 使 $(*)_1$ 成立，则在 t_1 以后一段时间内 $X(t)$ 单调增加，并且 $(*)_1$ 对一切 $t \geqslant t_1$ 成立. 若不然，有某一 $t_2 > t_1$ 使 $X(\eta^*) = mX(t_2)$，$\eta^* \in [t^2 - 2\Delta, t_2]$ 成立. 可设 t_2 为第一个这样的值，则由于 X 在 $[t_1, t_2]$ 内单调增加以及 $m > 1$ 得出矛盾. 可见对一切 $t \geqslant t_1$，$(*)_1$ 成立，故由 $X(t) \geqslant X(t_1) e^{(\lambda_1 - 2\varepsilon)(t - t_1)}$ 及 $\left|\frac{dY}{dX}\right| < 1$，推知只能在 $X = L$ 处破坏 $0 \leqslant Y \leqslant X \leqslant L$，此即为不稳定情形.

注1. 我们的初始函数应定义在 $[t_0 - \Delta, t_0]$ 上. 若在 $[t_0 - 2\Delta, t_0]$ 上给出初始函数，则在 $[t_0 - 2\Delta, t_0 - \Delta)$ 上可以任意指定，只要保持初始函数的连续性即可. 这是差分微分方程基本初值问题最本质的特点.

引理3. 设 $D(0)$ 与 $(-1)^n$ 异号，亦即(1.3)有奇数个具正实部的根，但 $\lambda = 0$ 不是(1.3)的根. 则对任何实数组 $\tau_{ij} \geqslant 0 (i, j = 1, 2, \cdots, n)$，方程(1.4)至少有一个根具正实部.

证. 由于 $D(0, \tau_{ij}) = D(0)$，$D(0, \tau_{ij})$ 与 $(-1)^n$ 反号，$D(+\infty;$

$\tau_{ij})\sim\lim\limits_{\lambda\to\infty}(-1)^n\lambda^n$，故 $D(0,\tau_{ij})$ 与 $D(+\infty;\tau_{ij})(i,j=1,2,\cdots,n')$ 反号，因而至少有一个正实根.

定理5. 设 $D(0)$ 与 $(-1)^n$ 异号，此时知(1.1)之零解是不稳定的，则不论 τ_{ij} 为何非负实数，(1.2)的零解也不稳定.

这由引理3立即可得出(1.4)有一正实根λ，于是当 $t\to+\infty$ 时有解趋于 $+\infty$，故得不稳定性.

在 $n=1$ 时，对不稳定的情形 $\Delta=+\infty$，即对任何 $\tau_{ij}\geqslant 0$ 仍得到不稳定. 现在定理5只对有奇数个具正实部的根的情形，$\Delta=+\infty$. 至于有偶数个具正实部根的情形，则 Δ 不一定为 $+\infty$. 下面举出反例，即 $\tau_{ij}=0$ 时为不稳定的，而当 $\tau_{ij}>0$ 足够大时反而变为稳定的例子：

对二阶方程组

$$\frac{dx(t)}{dt}=y(t)+K(y(t)-y(t-\tau))+\varepsilon x(t),$$

$$\frac{dy(t)}{dt}=-x(t)-K(x(t)-x(t-\tau))+\varepsilon y(t),$$

其中 ε 为常数，相应的特征方程为

$$\begin{vmatrix}-\lambda+\varepsilon & 1+K(1-e^{-\tau\lambda})\\ -1-K(1-e^{-\tau\lambda}) & -\lambda+\varepsilon\end{vmatrix}=0 \tag{$(*)_2$}$$

或者

$$(-\lambda+\varepsilon)^2+[1+K(1-e^{-\tau\lambda})]^2=0,$$

$$\lambda=\varepsilon\pm i[1+K(1-e^{-\tau\lambda})^2]^{1/2}.$$

当 $\tau=0$ 时有 $\lambda=\varepsilon\pm i$，故当 $\varepsilon>0$ 时是不稳定的，$\varepsilon<0$ 是稳定的. 今对 $(*)_2$ 微分，有

$$2(-\lambda+\varepsilon)\left(-\frac{d\lambda}{d\tau}\right)+2[1+K(1-e^{-\tau\lambda})]$$

$$\cdot(Ke^{-\lambda\tau})\left(\lambda+\tau\frac{d\lambda}{d\tau}\right)=0.$$

故有

$$\frac{d\lambda}{d\tau}=\frac{-[1+K(1-e^{-\tau\lambda})]Ke^{-\lambda\tau}\lambda}{(\lambda-\varepsilon)+\tau[1+K(1-e^{-\tau\lambda})]Ke^{-\tau\lambda}}.$$

可以确定常数 $A>0$ 及 $\chi>0$，使得在区域 $\mathrm{Re}(\lambda)\geqslant A$ 中及区域 $\mathrm{Im}(\lambda)\geqslant A$, $\mathrm{Re}(\lambda)\geqslant-\chi$ 中对任何 $\tau\geqslant0$, $(*)_2$ 之 λ 无根. 现当 $\tau=\varepsilon=0$ 时，$\frac{d\lambda}{d\tau}=-K$，由连续性有 $\varepsilon_1>0$ 及 $\tau_1>0$，使得当 $|\varepsilon|<\varepsilon_1$, $|\tau|<\tau_1$ 时在区域 $|\mathrm{Im}(\lambda)|\leqslant A$, $|\mathrm{Re}(\lambda)|\leqslant\varepsilon_1$ 中有

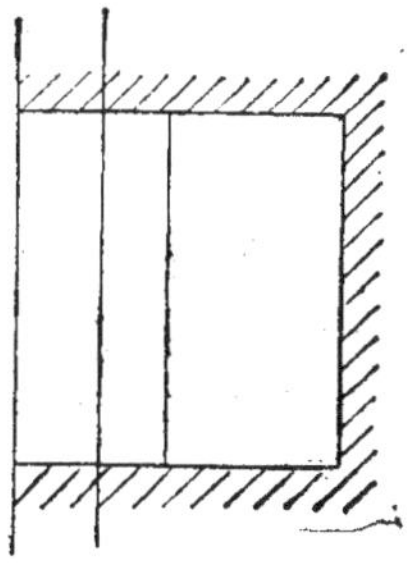

图2.2

$$\mathrm{Re}\left(\frac{d\lambda}{d\tau}\right)<-\frac{K}{2},\quad 当\ K>0\ 时,$$

$$\mathrm{Re}\left(\frac{d\lambda}{d\tau}\right)>-\frac{K}{2},\quad 当\ K<0\ 时.$$

故有一有限时间，例如 $\frac{\tau_1}{2}$，速度不超过 $-\frac{K}{2}$ $(K>0)$，则 $\mathrm{Re}(\lambda)$ 要向左跑过多于 $\frac{\tau_1}{2}\left(\frac{K}{2}\right)>\frac{\varepsilon_1}{m}$ 的距离，m 为一足够大的正整数. 故可取

$$\varepsilon=\frac{\varepsilon_1}{m},$$

即由不稳定性变成了稳定，此时不稳定性的时滞有限制.

关于 $n=1$ 时不稳定的情形，还可以推广到下面的变时滞的情形.

定理6. 已给一微分差分方程

$$\frac{dx(t)}{dt}=ax(t)+bx(t-\tau(t)) \tag{2.4}$$

满足条件：(i) $a+b>0$, (ii) $\tau(t)$ 是非负有界实连续函数 $0\leqslant\tau(t)\leqslant\Delta$，则方程(2.4)的零解是不稳定的.

证. $b=0$ 时结论显然成立. 今设 $b\neq0$. 我们分 $a=0$ 与 $a\neq0$ 两种情况讨论.

(1) $a=0$，方程化为

$$\frac{dx(t)}{dt}=bx(t-\tau(t)),\quad b>0.$$

取初值 $x(t)=\varphi(t)>0(t\in[t_0-\Delta,t_0])$，$\varphi$可以任意小，则$x(t)$显然是单调增加的，只要证其无界即可．为此用反证法；若$x(t)$有界，则当 $t\to\infty$ 时，有极限 $x(t)\to x(\infty)>0$．由$|\tau(t)|\leqslant\Delta$，故也有 $t\to\infty$ 时 $x(t-\tau(t))\to x(\infty)>0$．从而 $bx((t-\tau(t))\to bx(\infty)>0$，亦即当 $t\to\infty$ 时，$\dot{x}(t)\to bx(\infty)$．这便得出 $x(t)$无界，即 $a=0$ 的情形，证毕．

(2) $a\neq0$．由于 $a+b>0$，可能有三种情形：

(甲) $a>0,b>0$，则方程

$$\dot{x}(t)=ax(t)+bx(t-\tau(t))$$

可与方程

$$\dot{z}(t)=bz(t-\tau(t))$$

比较．取同样的初值 $x(t)=z(t)=\chi>0(t\in[t_0-\Delta,t_0])$，则有

$$x(t)\geqslant z(t)>0.$$

由(1)知 $z(t)\to+\infty$，故 $x(t)\to+\infty$．

(乙) $a>0$，$b<0$，$a+b>0$，故 $a>-b>0$．

取 $x(t)$的初值为正的，连续的和严格单调增加的，但小于某一给定的正数 χ 的函数．例如在 $t_0-\Delta\leqslant t\leqslant t_0$ 中取

$$x(t)=\frac{\chi}{2}+\frac{\chi}{2}\left(\frac{-\Delta-t}{-\Delta}\right),$$

则因

$$ax(t)+bx(t-\tau(t))=ax(t)\left[1+\frac{b}{a}\frac{x(t-\tau(t))}{x(t)}\right]$$

而且

$$\left|\frac{b}{a}\right|<1,\quad x(t_0)>x(t_0-\tau(t_0)),$$

故在 t_0 及以后一段时间内 $\dot{x}(t)>0$，即 $x(t)$在这段时间内是严格单调增加的．可以进一步断言，对所有的 $t\geqslant t_0$，$\dot{x}(t)>0$．若不

然，有某一 $t_1>0$，$\dot{x}(t_1)=0$（设 t_1 为使 $\dot{x}(t)=0$ 之第一个点），故在$t_1-\Delta\leqslant t\leqslant t_1$ 中 $x(t)$严格单调增加，而在 t_1 处有

$$0=\left.\frac{dx(t)}{dt}\right|_{t=t_1}=ax(t_1)+bx(t_1-\tau(t_1))$$

$$>ax(t_1)-|b|x(t_1)$$

$$=x(t_1)[a-|b|]=x(t_1)(a+b)>0,$$

导出矛盾．因此 $\dot{x}(t)$对一切 $t\geqslant t_0$ 取正值．

于是 $x(t)$当 $t\geqslant t_0$ 时严格单调增加．若 $x(t)$有界，仿（1）的情形可推出矛盾，即得到不稳定性．

（丙）$a<0$，$b>0$，$a+b>0$，故 $b>-a>0$．

取初值为 $x(t)=\chi>0$，$t_0-\Delta\leqslant t\leqslant t_0$，则首先可以断言它恒为正的．若不然，设 t_1 为第一个零点；$x(t_1)=0$，则或者当 $t\to t_{1-0}$ 时$x(t)$单调趋于零，或者振动地趋于零．

在单调趋于零的情形，对充分接近于 t_1 的 $t<t_1$，我们有

$$0<x(t)<x(t-\tau(t)).$$

故有

$$\frac{dx(t)}{dt}=ax(t)+bx(t-\tau(t))$$

$$=bx(t-\tau(t))\left[1+\frac{a}{b}\frac{x(t)}{x(t-\tau(t))}\right]>0$$

（因为 $b>0$，$x(t-\tau(t))>0$，$|a/b|<1$，$|x(t)/x(t-\tau(t))|\leqslant 1$），即 $\dot{x}(t)>0$．当 t 接近于 t_1，在 t_1 附近 $x(t)$不能单调减少并接近于零，与所设不合．

现在设 $x(t)$振动地接近于零．我们以 $m_1,m_2,\cdots,m_n\cdots$记 $\tau(t)$的第 1,2,…,n,… 个相对极小值，对应的时刻为 $t^{(1)}$，$t^{(2)}$，…，$t^{(n)}$，…，则在 $t^{(n)}$ 有

$$O=\frac{dx(t^{(n)})}{dt}=ax(t^{(n)})+bx(t^{(n)}-\tau(t^{(n)})),$$

而$x(t^{(n)})>0,b>-a>0$，故 $\tau(t^{(n)})\neq 0$（否则$0=ax(t^{(n)})+bx(t^{(n)})=(a+b)x(t^{(n)})>0$，矛盾）．由此可见

$$m_n = x(t^{(n)}) = -\frac{b}{a} x(t^{(n)} - \tau(t^{(n)})) \geqslant -\frac{b}{a} \min_{t \in [t^{(n)} - \Delta, t^{(n)}]} x(t).$$

注意到 $-b/a > 1$,故对 m_1 而言,在 $t < t^{(1)}$ 时还有 $x(t) > x(t^{(1)})$,这表示

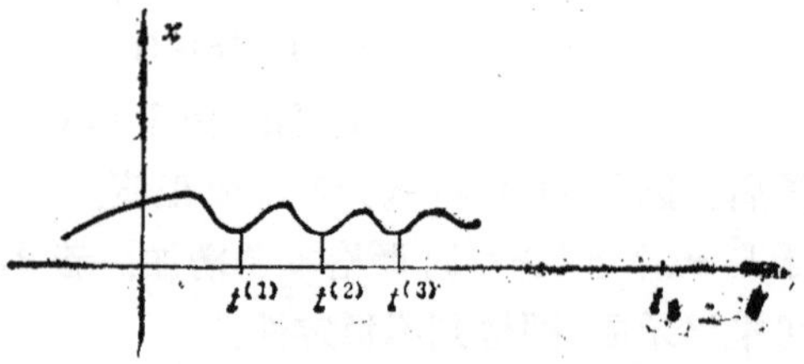

图2.3

$$m_1 \geqslant \frac{-b}{a} \chi,$$

$$m_2 \geqslant -\frac{b}{a} \min[\chi, m_1]$$

$$= -\frac{b}{a} \chi,$$

$$m_3 \geqslant -\frac{b}{a} \min[m_1, m_2, \chi] = -\frac{b}{a} \chi,$$

$$\cdots$$

$$m_n \geqslant -\frac{b}{a} \chi > 0.$$

故 $x(t)$ 不能趋于零,由此亦知 $x(t)$ 也不能振动地趋于零,与所设不合.

综上所述,不存在 t_1 使 $x(t_1) = 0$,即 $x(t)$ 恒为正的函数.不仅如此,上述推理对 $t_1 = +\infty$ 也适用,亦即当 $t \to +\infty$ 时 $x(t)$ 不能单调减少趋于零,也不能振动趋于零,且当 $x(t)$ 振动时 $x(t)$ 有正下界.

现在分三种情况阐述不稳定性:

(a) $x(t)$ 当 $t \to +\infty$ 时单调减少.这是不可能的,因为此时

$x(t)$有正下界，故

$$0=\lim_{t\to\infty}\frac{dx(t)}{dt}=\lim_{t\to\infty}[ax(t)+bx(t-\tau(t))]$$

$$=(a+b)x(\infty)>0.$$

(b) $x(t)$当 $t\to\infty$ 时单调增加，则它必无界，否则也有正的极限，由(a)得出矛盾，这时得到不稳定性.

(c) $x(t)$ 当 $t\to\infty$ 时振动. 此时只要证 $m_n\to+\infty$ 即得不稳定性.

由 $\{m_n\}$ 中取定一个 n_1，我们有

$$m_{n_1}\geqslant\left(-\frac{b}{a}\right)\min_{t\in[t^{(n_1)}-\Delta,t^{(n_1)}]}x(t)\Rightarrow m_{n_1}\geqslant\left(\frac{-b}{a}\right)\chi,$$

故有

$$x(t)\geqslant\left(-\frac{b}{a}\right)\chi,\ 当\ t\geqslant t'\geqslant t^{(n_1)}\ 时,$$

以 $[t',t'+\Delta]$ 为初始集，$-\frac{b}{a}\chi$ 代替 χ，则对大于 $t'+\Delta$ 之 $t^{(n)}$ 有相应的 m_{n_2} 使

$$m_{n_2}\geqslant\left(-\frac{b}{a}\right)\left[-\frac{b}{a}\chi\right]=\left(\frac{-b}{a}\right)^2\chi.$$

依此类推，得

$$m_{n_k}\geqslant\left(\frac{-b}{a}\right)^k\chi.$$

由于 $-b/a>1$，故当 $k\to\infty$ 时，$m_{n_k}\to\infty$，m_{n_k} 是 $m_n=x(t^{(n)})$之子序列，故得不稳定性.

注2. 定理6的条件 (ii) 不能减弱为：$\tau(t)$ 是非负实连续函数，即 $\tau(t)$的有界性决不能略去. 反例如下：

取 $\tau(t)=t$，方程化为

$$\frac{dx(t)}{dt}=ax(t)+bx(0).$$

这时若 $a<0$，$b>0$，$a+b>0$，则得到零解是稳定的，这可以用直

接积分法验证之.

§3. 非线性系统

定理7. 设方程组(1.1)的零解是渐近稳定的. 给出一个非线性系统

$$\dot{x}_i(t)=\sum_{j=1}^{n}(a_{ij}x_j(t)+b_{ij}x_j(t-\tau_{ij}(t)))+F_2^{(i)}(x(t),x(t-\tau(t))),\tag{3.1}$$

这里 $i=1,2,\cdots,n$,

$$F_2^{(i)}=\sum_{\Sigma(l_j+m_j)\geq 2}P_i^{(l_1,\cdots,l_n,m_1,\cdots,m_n)}(x_1^{l_1}(t),\cdots x_n^{l_n}(t)x_1^{m_1}(t-\tau_{i_1}(t)),\cdots,x_n^{m_n}(t-\tau_{i_n}(t)),$$

并且有正数 $\varepsilon>0$ 使

$$\sum_{\sum_{j=1}^{n}(l_j+m_j)\geq 2}|P_i^{(l_1,\cdots,l_n,m_1\cdots,m_n)}|\cdot\varepsilon^{l_1+\cdots+l_n+m_1+\cdots+m_n}<+\infty,$$

则必存在一正数 $\Delta=\Delta(a_{ij},b_{ij},F_2^{(i)})>0$, 使得当 $0\leq\tau_{ij}(t)\leq\Delta$ 时(3.1)的零解是渐近稳定的.

证明与定理2的类似. 这时只要取

$$\frac{dV}{dt}=\sum_{i=1}^{n}\frac{\partial V}{\partial x_i}\frac{dx_i}{dt}=W(x_1,\cdots,x_n)+\sum_{i=1}^{n}\frac{\partial V}{\partial x_i}\psi_i+\sum_{i=1}^{n}\frac{\partial V}{\partial x_i}F_2^{(i)}.$$

事实上只要仔细估计最后一项即可. 我们有

$$\sum_{i=1}^{n}\frac{\partial V}{\partial x_i}F_2^{(i)}(x(t),x(t-\tau(t)))$$

$$=\sum_{i=1}^{n}\frac{\partial V}{\partial x_i}F_2^{(i)}(x(t),x(t))+\sum_{i=1}^{n}\frac{\partial V}{\partial x_i}[F_2^{(i)}(x(t),x(t-\tau(t)))-F_2^{(i)}(x(t),x(t))]=W_1+W_2.$$

在 $|x_i(t)|$ 足够小时可使 $|W_1|\leqslant\frac{m_1}{8}V$，当 $|\tau_{ij}(t)|<\Delta$ 且 Δ 足够小时可使 $|W_2|\leqslant\frac{m_2}{2}V(x_1(t),\cdots,x_n(t))$，在区间 $t-2\Delta\leqslant\xi\leqslant t$ 中成立．由此可知

$$\frac{dV}{dt}\leqslant-m_1V(x_1(t),\cdots,x_n(t))$$

$$+\frac{m_1}{8}V(x_1(t),\cdots,x_n(t))+\Delta\left(2m_2+\frac{m_2}{2}\right)V(x_1(t),\cdots,x_n(t))$$

$$=\left(-m_1+\frac{m_1}{8}+\frac{m_1}{2}+\frac{m_1}{8}\right)V(x_1(t),\cdots,x_n(t))$$

$$=-\frac{m_1}{4}V(x_1(t),\cdots,x_n(t)).$$

其他叙述与定理 2 同．

定理8．方程

$$\frac{dx(t)}{dt}=ax(t)+bx(t-\tau(t))+\sum_{i+j\geqslant2}c_{ij}x^i(t)x^j(t-\tau(t)) \tag{3.2}$$

若满足条件

(i) $a+b>0$，a,b 为常数，

(ii) $0\leqslant\tau(t)\leqslant\Delta$，$\Delta$ 为常数，

(iii) $\sum|c_{ij}|\varepsilon^{i+j}<+\infty$，$\varepsilon$ 为足够小的常数，则(3.2)之零解不稳定．

证．将原方程写成

$$\frac{dx(t)}{dt}=\left(a-\frac{a+b}{4}\right)x(t)+\left(b-\frac{a+b}{4}\right)x(t-\tau(t)$$

$$+\frac{a+b}{4}(x(t)+x(t-\tau(t)))+\sum_{i+j\geqslant2}c_{ij}x^i(t)x^j(t-\tau(t)),$$

则存在 $\varepsilon_1>0$，使得当 $0\leqslant x(t)\leqslant\varepsilon_1$，$0\leqslant x(t-\tau(t))\leqslant\varepsilon_1$ 时有

$$\frac{a+b}{4}[x(t)+x(t-\tau(t))]+\sum_{2\leqslant j+i}c_{ij}x^i(t)x^j(t-\tau(t))\geqslant 0.$$

作一个比较方程

$$\frac{dX(t)}{dt}=\left(a-\frac{a+b}{4}\right)X(t)+\left(b-\frac{a+b}{4}\right)X(t-\tau(t)),$$

其系数之和为

$$a-\frac{a+b}{4}+b-\frac{a+b}{4}=\frac{a+b}{2}>0.$$

故以 $X(t)=\chi\geqslant 0(t_0-\Delta\leqslant t\leqslant t_0)$ 为初值之解无界(不稳定)并且有 $dX/dt>0$ 及 $X(t)\to+\infty$. 由此用 $X(t)$ 作比较函数，则在 $|x(t)|<\min(\varepsilon_1,\varepsilon)$ 中有 $\frac{dx(t)}{dt}>\frac{dX(t)}{dt}$.

取同样的初值 $x(t)\equiv X(t)=\chi>0$，$t\in[t_0-\Delta,t_0]$，则恒有 $x(t)\geqslant X(t)$. 这不等式一直被保持到 $x(t)$ 超出 $\min(\varepsilon_1,\varepsilon)$ 为止. 而 $\min(\varepsilon_1,\varepsilon)$ 是一个正的定数，但 χ 可以是任意小的正数，而 $x(t)$ 一定会超过 $\min(\varepsilon_1,\varepsilon)$ 这一定数，由此即得不稳定性，定理证毕.

定理9. 设(1.3)至少有一个具正实部的根，则(1.1)之零解为不稳定的. 其它假定仍如定理 7，则存在一正数

$$\Delta=\Delta(a_{ij},b_{ij},F_2^{(i)})>0,$$

使得当

$$0\leqslant\tau_{ij}(t)\leqslant\Delta$$

时(3.1)之零解不稳定.

证明重复了定理 4 的两种情形，只要注意到当 $|x_i(t)|$, $|x_i(t-\tau_{ij}(t))|$ 足够小时，$F_2^{(i)}$ 的高次项不影响图 2.1 中向量场的指向，具体证明从略.

§4. 二维情形时滞界限的具体计算

在上两节中已证明了一般的稳定性定理并给出了具体求时滞界限的方法. 对 $n=1$ 的情形已在第五章里给出了具体的界限.

本节对 $n=2$ 的情形分别用特征根法与 Ляпунов 函数法给出具体的充分条件的时滞界限.

1. 首先利用特征根法对稳定情形的时滞界限进行估计:

$$
\begin{aligned}
\frac{dx_1(t)}{dt} &= a_{11}x_1(t) + b_{11}x_1(t-\tau_{11}) + a_{12}x_2(t) + b_{12}x_2(t-\tau_{12}),\\
\frac{dx_2(t)}{dt} &= a_{21}x_1(t) + b_{21}x_1(t-\tau_{21}) + a_{22}x_2(t) + b_{22}x_2(t-\tau_{22}).
\end{aligned}
\tag{4.1}
$$

其特征方程是

$$
\begin{aligned}
&D(\lambda,\tau_{ij})\\
&\equiv \begin{vmatrix} a_{11}+b_{11}e^{-\lambda\tau_{11}}-\lambda & a_{12}+b_{12}e^{-\lambda\tau_{12}} \\ a_{21}+b_{21}e^{-\lambda\tau_{21}} & a_{22}+b_{22}e^{-\lambda\tau_{22}}-\lambda \end{vmatrix}\\
&= \begin{vmatrix} a_{11}+b_{11}-\lambda+b_{11}(e^{-\lambda\tau_{11}}-1) & a_{12}+b_{12}+b_{12}(e^{-\lambda\tau_{12}}-1) \\ a_{21}+b_{21}+b_{21}(e^{-\lambda\tau_{21}}-1) & a_{22}+b_{22}-\lambda+b_{22}(e^{-\lambda\tau_{22}}-1) \end{vmatrix}\\
&= \begin{vmatrix} a_{11}+b_{11}-\lambda & a_{12}+b_{12} \\ a_{21}+b_{21} & a_{22}+b_{22}-\lambda \end{vmatrix} + H(\lambda,\tau_{ij})\\
&= D(\lambda)+H(\lambda,\tau_{ij}).
\end{aligned}
$$

这样就把含 τ_{ij} 的项集中到 $H(\lambda,\tau_{ij})$ 中,这里

$$
\begin{aligned}
D(\lambda) &= \lambda^2+a\lambda+b\\
&= \lambda^2-(a_{11}+b_{11}+a_{22}+b_{12})\lambda+[(a_{11}+b_{11})(a_{22}+b_{22})\\
&\qquad -(a_{12}+b_{12})(a_{21}+b_{21})],
\end{aligned}
$$

$$
\begin{aligned}
H(\lambda,\tau_{ij}) &= b_{11}(e^{-\lambda\tau_{11}}-1)(a_{22}+b_{22}-\lambda)+b_{22}(e^{-\lambda\tau_{22}}-1)(a_{11}\\
&\quad +b_{11}-\lambda)+b_{11}b_{22}(e^{-\lambda\tau_{11}}-1)(e^{-\lambda\tau_{22}}-1)\\
&\quad -b_{12}b_{21}(e^{-\lambda\tau_{12}}-1)(e^{-\lambda\tau_{21}}-1)-(a_{12}\\
&\quad +b_{12})b_{21}(e^{-\lambda\tau_{21}}-1)-(a_{21}+b_{21})b_{12}(e^{-\lambda\tau_{12}}-1).
\end{aligned}
$$

由 $a>0$ 和 $b>0 \Longleftrightarrow$ 当 $\tau_{ij}=0$ 时零解为渐近稳定的.

我们取

$$A=\max_{i,j=1,2}[|a_{ij}|,|b_{ij}|],$$

则可证明当

$$|\tau_{ij}|\leqslant\Delta=\frac{\min(b,a^2/2)}{120A^3}$$

时所有的λ有 $\mathrm{Re}(\lambda)<0$，即系统(4.1)是渐近稳定的，具体验证如下，

先作三个估值：

(i) 当 $\tau_{ij}\geqslant0$ 时，$\mathrm{Re}(\lambda)\geqslant0$，则 $D(\lambda,\tau_{ij})=0$ 的根λ有上界：$|\lambda|<5A$.

(ii) 在λ平面的虚轴上有

$$|D(\lambda)|\geqslant\min(b,a^2/2).$$

(iii) 当 $|\lambda|<5A$，$|\tau_{ij}\lambda|<\dfrac{1}{3}$ 时有

$$|H(\lambda,\tau_{ij})|<120A^3\max|\tau_{ij}|.$$

再由

$$120A^3\max|\tau_{ij}|\leqslant\min(b,a^2/2)$$

得到在λ平面的虚轴上有

$$|H(\lambda,\tau_{ij})|<|D(\lambda)|.$$

故在虚轴上 $D(\lambda,\tau_{ij})\neq0$. 因此当 $|\tau_{ij}|\leqslant\Delta$ 时特征根不能穿过虚轴. 从而保证 $\mathrm{Re}(\lambda)<0$.

下面分别验证(i)，(ii)及(iii).

(i) 当 $\tau_{ij}\geqslant0$ 时，$\mathrm{Re}(\lambda)\geqslant0$，则 $|e^{-\lambda\tau_{ij}}|\leqslant1$. 由

$$\begin{aligned}D(\lambda,\tau_{ij})&=\lambda^2-\lambda[a_{11}+b_{11}e^{-\lambda\tau_{11}}+a_{22}+b_{22}e^{-\lambda\tau_{22}}]\\&+[(a_{11}+b_{11}e^{-\lambda\tau_{11}})(a_{22}+b_{22}e^{-\lambda\tau_{22}})-(a_{12}+b_{12}e^{-\lambda\tau_{12}})(a_{21}\\&\quad+b_{21}e^{-\lambda\tau_{21}})]=0,\end{aligned}$$

我们有

$$\begin{aligned}\lambda=\frac{1}{2}\{&(a_{11}+b_{11}e^{-\lambda\tau_{11}}+a_{22}+b_{22}e^{-\lambda\tau_{22}})\\&\pm[(a_{11}+b_{11}e^{-\lambda\tau_{11}}+a_{22}+b_{22}e^{-\lambda\tau_{22}})^2\\&-4(a_{11}+b_{11}e^{-\lambda\tau_{11}})(a_{22}+b_{22}e^{-\lambda\tau_{22}})\\&+4(a_{12}+b_{12}e^{-\lambda\tau_{12}})(a_{21}+b_{21}e^{-\lambda\tau_{21}})]^{1/2}\}.\end{aligned}$$

由此利用 $|e^{-\lambda\tau_{ij}}|\leqslant1$，$|a_{ij}|\leqslant A$ 和 $|b_{ij}|\leqslant A$，有

$$|\lambda|\leqslant\frac{1}{2}\left[4A+\sqrt{(4A)^2+(4A)^2}\right]=A(2+2\sqrt{2})<5A,$$

(ii) 在 $\lambda=iy$ 虚轴上

$$|D(\lambda)|^2=|D(iy)|^2=|(iy)^2+a(iy)+b|^2=(ay)^2+(b-y^2)^2.$$

由 $\frac{d}{dy}|D(\lambda)|^2=0$ 得 $y=0$ 及 $y^2=b-\frac{a^2}{2}$,代入上式分别得到

$$|D|^2=b^2 \text{ 及 } |D|^2=a^2\left|b-\frac{a^2}{2}\right|+\left(\frac{a^2}{2}\right)^2\geqslant\left(\frac{a^2}{2}\right)^2,$$

故有

$$|D|\geqslant\min\left(|b|,\ \frac{a^2}{2}\right).$$

(iii) 当 $|\lambda\tau|<\frac{1}{3}$ 时

$$|e^{-\lambda\tau}-1|\leqslant\left|\sum_{n=0}^{\infty}\frac{(-\lambda\tau)^n}{n!}-1\right|\leqslant|\lambda\tau|\sum_{n=1}^{\infty}\frac{1}{n!}\left(\frac{1}{3}\right)^{n-1}$$

$$=|\lambda\tau|\left\{1+\frac{1}{6}+\frac{1}{54}+\frac{1}{648}+\cdots\right\}\leqslant1.2|\lambda\tau|$$

$$\begin{aligned}|H(\lambda,\tau_{ij})|\leqslant&A1.2|\lambda\tau_{11}|7A+A1.2|\lambda\tau_{22}|7A\\&+A^2(1.2)^2|\lambda\tau_{11}||\lambda\tau_{22}|\\&+2A^2(1.2)|\lambda\tau_{21}|+2A^2(1.2)|\lambda\tau_{12}|\\\leqslant&(\max|\tau_{ij}|)A^3\{1.2\times5\times7+1.2\times5\times7\\&+(1.2)^2\times5\times\frac{1}{3}+2\times1.2\times5+2\times1.2\times5\}\\=&110.4(\max|\tau_{ij}|)A^3\\<&120(\max|\tau_{ij}|)A^3.\end{aligned}$$

当 $\max|\tau_{ij}|\neq0$ 时,取 $\Delta>0$ 使

$$120\Delta A^3=\min\left(b,\ \frac{a^2}{2}\right),$$

亦即

$$\Delta = \frac{\min(b, a^2/2)}{120A^3},$$

则当 $|\tau_{ij}| \leqslant \Delta$ 时，即在虚轴 y 上有

$$|H| < |D|.$$

在这种 Δ 之下，还要验证当 $|\lambda\tau_{ij}| < \frac{1}{3}$ 时实际上

$$|\lambda\tau_{ij}| < 5A\Delta = \frac{\min(b, a^2/2)}{24A^2} \leqslant \frac{b}{24A^2} \leqslant \frac{8A^2}{24A^2} = \frac{1}{3}$$

成立．故估值

$$\Delta = \frac{\min(b, a^2/2)}{120A^3}.$$

这就保证了 $\mathrm{Re}(\lambda) < 0$.

2．用 Ляпунов 函数方法对稳定情形的时滞界限进行估计：

方程

$$\begin{aligned} \dot{x}(t) &= a_1 x(t) + a_2 x(t-\tau_1) + b_1 y(t) + b_2 y(t-\tau_2), \\ \dot{y}(t) &= c_1 x(t) + c_2 x(t-\tau_3) + d_1 y(t) + d_2 y(t-\tau_4), \end{aligned} \tag{4.2}$$

可以改写成

$$\begin{aligned} \dot{x}(t) &= (a_1+a_2)x(t) + a_2[x(t-\tau_1) - x(t)] \\ &\quad + (b_1+b_2)y(t) + b_2[y(t-\tau_2) - y(t)], \\ \dot{y}(t) &= (c_1+c_2)x(t) + c_2[x(t-\tau_3) - x(t)] \\ &\quad + (d_1+d_2)y(t) + d_2[y(t-\tau_4) - y(t)]. \end{aligned}$$

作 $v(x(t), y(t)) = b(x^2(t) + y^2(t))$

$$+ [(c_1+c_2)x(t) - (a_1+a_2)y(t)]^2$$
$$+ [(d_1+d_2)x(t) - (b_1+b_2)y(t)]^2.$$

$$\begin{aligned} \dot{v}(t) &= \frac{\partial v}{\partial x(t)} \frac{dx(t)}{dt} + \frac{\partial v}{\partial y(t)} \frac{dy(t)}{dt} \\ &= -ab(x^2(t) + y^2(t)) + \{2bx(t) + 2[(c_1+c_2)x(t) \\ &\quad - (a_1+a_2)y(t)][c_1+c_2] + 2[(d_1-d_2)x(t) \\ &\quad - (b_1+b_2)y(t)](d_1+d_2)\}\{a_2[x(t-\tau_1) - x(t)] \\ &\quad + b_2[y(t-\tau_2) - y(t)]\} + \{2by(t) \end{aligned}$$

$$-2[(c_1+c_2)x(t)-(a_1+a_2)y(t)](a_1+a_2)$$
$$-2[(d_1+d_2)x(t)-(b_1+b_2)y(t)](b_1+b_2)\}$$
$$\cdot\{c_2[x(t-\tau_3)-x(t)]+d_2[y(t-\tau_4)-y(t)]\}.$$

记 $A=\max\limits_{i=1,2}[|a_i|,|b_i|,|c_i|,|d_i|]$.

$$\dot{v}\leqslant -2ab(x^2(t)+y^2(t))+2[(8A^2+8A^2)x(t)$$
$$+(4A^2+4A^2)|y(t)|]\cdot A[|x(t-\tau_1)-x(t)|$$
$$+|y(t-\tau_2)-y(t)|]+2[(8A^2+8A^2)|y(t)|$$
$$+(4A^2+4A^2)|x(t)|]\cdot A[|x(t-\tau_3)-x(t)|$$
$$+|y(t-\tau_4)-y(t)|].$$

现在来仔细估值：

$$|x(t-\tau_i)-x(t)|=\left|\int_{t-\tau_i}^{t}\dot{x}(t)dt\right|$$
$$\leqslant|\tau_i||\dot{x}(t')|\leqslant|\tau_i|A[|x(t')|$$
$$+|y(t')|+|x(t'-\tau_i)|+y(t'-\tau_i)|].$$

同理有

$$|y(t-\tau_j)-y(t)|\leqslant|\tau_j|A[|x(t'')|+|x(t''-\tau_j)|$$
$$+|y(t'')|+|y|(t''-\tau_j)|].$$

取

$$\tau=\max(\tau_1,\tau_2,\tau_3\tau_4),$$

则

$$\dot{v}(t)\leqslant -2ab(x^2(t)+y^2(t))+32A^4$$
$$\cdot\tau[8+4\times4\times24A^2](|x(t)|^2+|y(t)|^2).$$

由于

$$[(c_1+c_2)x(t)-(a_1+a_2)y(t)]^2\leqslant 8A^2[x^2(t)+y^2(t)],$$

所以

$$v(x(t),y(t))\leqslant 24A^2(x^2(t)+y^2(t)).$$

但另一方面

$$24A^2(x^2(t)+y^2(t))\geqslant v(x(t),y(t))$$
$$\geqslant b(x^2(t)+y^2(t)), \tag{*}$$

若 $x(t'-\tau_i)$， $y(t'-\tau_j)$在 $4v(x(t),y(t))$中，则由(*)有

$$x^2(t'-\tau_i)+y^2(t'-\tau_j)\leqslant\frac{4\times 24A^2(x^2(t)+y^2(t))}{b}.$$

因此 $v(x(t),\ y(t))$ 正定，要使 $\dot{v}$ 负定，必须取

$$\tau\leqslant\frac{ab}{4\times 16A^4\left[8+16\dfrac{24A^2}{b}\right]}=\frac{ab}{256A^4\left[1+\dfrac{48A^2}{b}\right]}.$$

这个估计对于变时滞也是可用的.

注3. 在上面的估计中出现常数 a,b. 它是矩阵 $\begin{pmatrix}a_1+a_2 & b_1+b_2\\ c_1+c_2 & d_1+d_2\end{pmatrix}$ 的特征方程的系数：

$$-a=a_1+a_2+d_1+d_2,\ \ b=\begin{vmatrix}a_1+a_2 & b_1+b_2\\ c_1+c_2 & d_1+d_2\end{vmatrix}.$$

§5. n维情形时滞界限的一般公式[2]

在§4中已就 $n=2$ 时的常系数线性微分差分方程组

$$\dot{x}_i(t)=\sum_{j=1}^{n}c_{ij}x_j(t)+\sum_{j=1}^{n}b_{ij}x_j(t-\tau_{ij}),\tag{5.1}$$

$$i=1,2,\cdots,n$$

的时滞 τ_{ij} 的界限作出某种估计. 现在对一般 n 的稳定情形的时滞界限给予估计.

我们设 $a_{ij}=c_{ij}+b_{ij}$，那末(5.1)可以写成

$$\dot{x}_i(t)=\sum_{j=1}^{n}a_{ij}x_j(t)+\sum_{j=1}^{n}b_{ij}[x_j(t-\tau_{ij})-x_j(t)],\tag{5.2}$$

$$i=1,2,\cdots,n.$$

取方程组

$$\dot{x}_i(t)=\sum_{j=1}^{n}a_{ij}x_j(t),\qquad i=1,2,\cdots,n\tag{5.3}$$

的 Ляпунов 函数(第三章 § 4 式(4.12)). 沿(5.2)的积分曲线求微商,有

$$\frac{dV}{dt} = -2\Delta_1\cdots\Delta_n \sum_{j=1}^{n} x_j^2(t) + 2\Delta_2\cdots$$

$$\Delta_n \sum_{j=1}^{n} \sum_{i=1}^{n} b_{ij} x_i(t) [x_j(t-\tau_{ij}) - x_j(t)]$$

$$+2 \sum_{\sigma=1}^{n-1} \sum_{j=1}^{n} \prod_{\substack{s=1 \\ \sigma \neq \sigma+1}}^{n} \Delta_s \Delta_{\sigma j}(x_1(t), \cdots, x_n(t)) \Delta_{\sigma j} \cdot$$

$$\cdot \left(\sum_{k=1}^{n} b_{1k}(x_k(t-\tau_{1k}) - x_k(t)), \cdots, \sum_{k=1}^{n} b_{nk}(x_k(t-\tau_{nk}) - x_k(t)) \right)$$

我们要对 $\Delta_{\sigma,j}(x_1(t), \cdots, x_n(t))$ 进行估计. 于是有下述引理.

引理4. 命 $A = \max(c_{ij}, b_{ij})$ $(i, j = 1, 2, \cdots, n)$, 则有

$$|\Delta_{\sigma,j}(x_1(t), \cdots, x_n(t))| < (\sigma-1)!(n!)^{\sigma-1}(2A)^{\frac{\sigma(\sigma+1)}{2}} K_\sigma \sum_{q=1}^{n} |x_q(t)|. \tag{5.4}$$

$\sigma = 1, 2, \cdots, n-1$, $j = 1, 2, \cdots, n$;

$$K_\sigma = \begin{cases} C_1^{n-1} + C_3^{n-1} \cdot 3! + \cdots + C_\sigma^{n-1} \cdot \sigma! \\ \quad = (n-1) + (n-1)(n-2)(n-3) + \cdots \\ \quad\quad + (n-1)\cdots(n-\sigma), & \sigma \text{ 为奇数}, \\ 1 + C_2^{n-1} \cdot 2! + \cdots + C_\sigma^{n-1} \cdot \sigma! \\ \quad = 1 + (n-1)(n-2) + \cdots + \\ \quad\quad + (n-1)\cdots(n-\sigma), & \sigma \text{ 为偶数}. \end{cases} \tag{5.4$'$}$$

证. 由 $A = \max(c_{ij}, b_{ij})$ 知 $|a_{ij}| \leqslant 2A$. 今先估计 P_σ, P_σ 是 $|a_{ij}|$ 的诸 σ 阶主子行列式的和(相差一个因子 $(-1)^\sigma$), 这个子行列式共有 C_n^σ 个, 每个有 $\sigma!$ 项, 每项为 σ 个因子的乘积. 故有

$$|P_\sigma| \leqslant C_n^\sigma (2A)^\sigma \sigma! = n(n-1)\cdots(n-\sigma+1)(2A)^\sigma \leqslant n!(2A)^n, \tag{5.5}$$

$\sigma=1,2,\cdots,n.$

再估计 $\sum M^{(j)}_{\nu_1\cdots\nu_\sigma}(x_1(t),\cdots,x_n(t))$，它是 $C^{n-1}_{\sigma-1}$ 个σ阶行列式的和，每个行列式中 $x_i(t)$ 对应的子式为$(\sigma-1)$阶，此 $\sigma-1$ 阶子式的绝对值不超过$(\sigma-1)!(2A)^{\sigma}$，故

$$|\sum M^{(j)}_{\nu_1\cdots\nu_\sigma}(x_1(t),\cdots,x_n(t))|$$

$$\leqslant C^{n-1}_{\sigma-1}(2A)^{\sigma}[(\sigma-1)!]\sum_{q=1}^{n}|x_q(t)|, \tag{5.6}$$

$$\sigma=1,2,\cdots,n.$$

最后估计

$$\Delta_{\sigma,j}(x_1(t),\cdots,x_n(t))=\begin{vmatrix} P_1 & \cdots & P_{2\sigma-3} & P_{2\sigma-1} \\ P_0 & \cdots & P_{2\sigma-4} & P_{2\sigma-2} \\ & & \cdots & \\ 0 & \cdots & P_{\sigma-1} & P_{\sigma+1} \\ 0 & \cdots & \Sigma_{\sigma-1} & \Sigma_{\sigma+1} \end{vmatrix},$$

它是 a_{ij} 的 $1+2+\cdots+\sigma-1+\sigma=\dfrac{\sigma(\sigma+1)}{2}$ 次齐次式. 所以在估计时，可以暂时不管因次，我们将上式按最后一行展开成子式，分别估计它们. 但事实上可以用同一上界来估计这些子式(注意：我们已不管它们的因次了)，例如可以考虑 $\Sigma_{\sigma+1}$ 对应的子式

$$\begin{vmatrix} P_1 & \cdots & P_{2\sigma-3} \\ P_0 & \cdots & P_{2\sigma-4} \\ & \cdots & \\ 0 & \cdots & P_{\sigma-1} \end{vmatrix},$$

它是 $\sigma-1$ 阶行列式，共有$(\sigma-1)!$项，每项为 $\sigma-1$ 个因子相乘，利用对 P_i 的不等式 (5.5)，知道上述行列式之值不大于 $(n!)^{\sigma-1}[(\sigma-1)!]$再由不等式(5.4)有

$$|\Delta_{\sigma,j}(x_1(t),\cdots,x_n(t))|$$

$$\leqslant(n!)^{\sigma-1}[(\sigma-1)!](2A)^{\frac{\sigma(\sigma+1)}{2}}K_\sigma\sum_{q=1}^{n}|x_q(t)|,$$

其中 K_σ 如(5.4)′所示，引理2证毕。

另外，我们命 $\tau=\max(\tau_{ik})\ (i,k=1,2,\cdots,n)$，有

$$
\begin{aligned}
&|x_k(t-\tau_{ik})-x_k(t)|\\
&=\left|\int_{t-\tau_{ik}}^{t}\frac{d}{dt}x_k(t)\,dt\right|\leqslant|\tau_{ik}||\dot{x}_k(t_k')|\\
&\leqslant\tau A\sum_{m=1}^{n}[|x_m(t_k')|+|x_m(t_k'-\tau_{km})|].
\end{aligned}
\tag{5.7}
$$

因此，根据引理2及不等式(5.7)我们有

定理5. 我有如下估式

$$
\begin{aligned}
&|\Delta_{\sigma,i,j}(\sum_{k=1}^{n}b_{1k}(x_k(t-\tau_{1k})-x_k(t)),\cdots,\\
&\sum_{k=1}^{n}b_{nk}(x_k(t-\tau_{nk})-x_k(t)))|\\
&\qquad\leqslant(\sigma-1)!(n!))^{\sigma-1}(2A)^{\sigma(\sigma+1)/2}K_\sigma\tau A^2 n\\
&\qquad\cdot\sum_{k=1}^{n}\sum_{m=1}^{n}[|x_m(t_k')|+|x_m(t_k'-\tau_{km})|].
\end{aligned}
$$

现在可以给出如下的定理

定理10. 给定实常系数线性差分微分方程组(5.2)，如果略去时滞的常微分方程(5.3)的平凡解是渐近稳定的，并且假定

$$
\tau<\frac{1}{2}\frac{\Delta_1\Delta_2\cdots\Delta_n}{A^2n^2L\left[1+\dfrac{4L}{\Delta_2\cdots\Delta_n}\right]},
\tag{5.8}
$$

其中

$$
\begin{aligned}
&\tau=\max(\tau_{ij}),\quad i,j=1,2,\cdots,n,\\
&L=\Delta_2\cdots\Delta_n+n^2\sum_{\sigma=1}^{n-1}\left(\prod_{\substack{s=1\\ s\neq\sigma+1}}^{n}\Delta_s\right)[(\sigma-1)!]^2\\
&\quad\cdot(n)^{2(\sigma-1)}(2A)^{\sigma(\sigma+1)}K_\sigma^2.
\end{aligned}
\tag{5.9}
$$

K_σ 如(5.4)′所示，那末差分微分方程(5.2)的平凡解也是渐近稳定的。

证. 应用引理 2、引理 3、不等式(5.7)及不等式 $2|\alpha\beta|\leqslant\alpha^2+\beta^2$，有

$$\frac{dV}{dt}\leqslant-2\Delta_1\cdots\Delta_n\sum_{j=1}^{n}x_j^2(t)+\tau\Delta_2\cdots\Delta_nA^2$$

$$\cdot\sum_{j=1}^{n}\sum_{i=1}^{n}\sum_{m=1}^{n}\left[2x_i^2(t)+x_m^2(t'_j)+x_m^2(t'_j-\tau_{jm})\right]$$

$$+\tau n^2A^2\sum_{\sigma=1}^{n-1}\sum_{q=1}^{n}\sum_{k=1}^{n}\sum_{m=1}^{n}\left(\prod_{\substack{s=1\\ s\neq\sigma\pm1}}^{n}\Delta_s\right)$$

$$\cdot\left[(\sigma-1)!\right]^2(n!)^{2(\sigma-1)}(2A)^{\sigma(\sigma+1)}K_\sigma^2\left[2x_q^2(t)\right.$$

$$\left.+x_m^2(t'_k)+x_m^2(t'_k-\tau_{km})\right].$$

但是对 $V(x_1(t),\cdots,x_n(t))$ 利用引理 2，我们有下面的估值：

$$\Delta_2\cdots\Delta_n\sum_{j=1}^{n}x_j^2(t)\leqslant V(x_1(t),\cdots,x_n(t))\leqslant L\sum_{j=1}^{n}x_j^2(t),\tag{5.10}$$

其中 L 如(5.9)所示. 因此若 $(x_1(t'_k-\tau_{k1}),\cdots,x_n(t'_k-\tau_{kn}))$ 在 $4V(x_1(t),\cdots,x_n(t))$ 中，即

$$V(x_1(t'_k-\tau_{k1}),\cdots,x_n(t'_k-\tau_{kn}))$$

$$\leqslant4V(x_1(t),\cdots,x_n(t)),$$

$$k=1,2,\cdots,n,$$

则由(5.10)，有

$$\sum_{m=1}^{n}x_m^2(t'_k-\tau_{km})\leqslant\frac{V(x_1(t'_k-\tau_{k1}),\cdots,x_n(t'_k-\tau_{kn}))}{\Delta_2\cdots\Delta_n}$$

$$\leqslant\frac{4V(x_1(t),\cdots,x_n(t))}{\Delta_2\cdots\Delta_n}\leqslant\frac{4L}{\Delta_2\cdots\Delta_n}\sum_{m=1}^{n}x_m^2(t).$$

同样有

$$\sum_{m=1}^{n}x_m^2(t'_k)\leqslant\frac{4L}{\Delta_2\cdots\Delta_n}\sum_{m=1}^{n}x_m^2(t),$$

$$k=1,2,\cdots,n.$$

因而

$$\frac{dV}{dt}\leqslant -2\Delta_1\cdots\Delta_n\sum_{j=1}^{n}x_j^2(t)+2\tau A^2n^2\Delta_2\cdots\Delta_n$$

$$\cdot\sum_{m=1}^{n}\left(1+\frac{4L}{\Delta_2\cdots\Delta_n}\right)x_m^2(t)+2\tau A^2n^4\sum_{\sigma=1}^{n-1}\left(\prod_{\substack{s=1\\ s\neq\sigma+1}}^{n}\Delta_s\right)$$

$$\cdot[(\sigma-1)!]^2(n!)^{2(\sigma-1)}(2A)^{\sigma(\sigma+1)}K_\sigma^2$$

$$\cdot\sum_{m=1}^{n}\left(1+\frac{4L}{\Delta_2\cdots\Delta_n}\right)x_m^2(t)$$

$$=-2\Delta_1\cdots\Delta_n\sum_{j=1}^{n}x_j^2(t)+2\tau A^2n^2L$$

$$\cdot\left(1+\frac{4L}{\Delta_2\cdots\Delta_n}\right)\sum_{m=1}^{n}x_m^2(t).$$

因为V是正定的，当τ满足不等式(5.8)时，保证3 $\dot V$负定. 因而方程组(5.2)确定的平凡解是渐近稳定的. 即在渐近稳定的意义上讲，当τ满足不等式(5.8)时，可用常微分方程(5.3)来代替微分差分方程(5.2)，定理证毕.

对于具体的n;估值(5.8)中的L，即(5.9)可以精确得多. 例如，经过具体计算，对$n=3$，我们可以取

$$L=[P_3(P_1P_2-P_3)+96P_1P_3A^2+3(P_3+24A^2P_1)$$
$$\cdot(P_3+8A^2P_1)](P_1P_2-P_3).$$

第七章　小时滞系统的运动稳定性
——临界情形

§1. 第一临界情形，线性系统[10]

在这一节中考虑常系数的线性系统

$$\dot{x}_i(t)=\sum_{j=1}^{n}(a_{ij}+b_{ij})x_j(t),\qquad(1.1)$$

$$i=1,2,\cdots,n$$

与具有时滞的系统

$$\dot{x}_i(t)=\sum_{j=1}^{n}(a_{ij}x_j(t)+b_{ij}x_j(t-\tau_{ij}))\qquad(1.2)$$

在第一临界情形时稳定性的等价问题，其中系数 $a_{ij},b_{ij}(i,j=1,2,\cdots,n)$ 均为实数．方程组(1.1)及(1.2)的特征方程分别为

$$D(\lambda,1)=|a_{ij}+b_{ij}-\delta_{ij}\lambda|=0\qquad(1.3)$$

和

$$D(\lambda,e^{-\lambda\tau_{ij}})=|a_{ij}+b_{ij}e^{-\lambda\tau_{ij}}-\delta_{ij}\lambda|=0.\qquad(1.4)$$

引理1． 若方程(1.3)有一个等于零的根(单根)．其余一切根都具有负实部，则存在 $\Delta>0$，使得当

$$0\leqslant\tau_{ij}\leqslant\Delta,\quad i,j=1,2,\cdots,n$$

时方程(1.4)亦仅有一个为零的单根，其余一切根都具有负实部．

证．方程(1.4)可以写成

$$D(\lambda,e^{-\lambda\tau_{ij}})=|a_{ij}+b_{ij}e^{-\tau_{ij}\lambda}-\delta_{ij}\lambda|$$
$$=\lambda^n+A_1\lambda^{n-1}+\cdots+A_{n-1}\lambda+A_n=0,$$

其中系数 A_i 为 a_{ij},b_{ij} 及 $e^{-\lambda\tau_{ij}}$ $(i,j=1,2,\cdots,n)$ 的多项式．

由于 $\tau_{ij}\geqslant0$ $(i,j=1,2,\cdots,n)$，在 $\mathrm{Re}(\lambda)\geqslant0$ 之下，

$$|e^{-\lambda\tau_{ij}}|\leqslant1.$$

记

$$A=\max[|A_1|,|A_2|,\cdots,|A_n|,1],$$

则得估式

$$|D(\lambda,e^{-\lambda\tau_{ij}})|\geqslant|\lambda|^n-|A_1||\lambda|^{n-1}-\cdots-|A_{n-1}||\lambda|-|A_n|$$
$$\geqslant|\lambda|^n-|A|[|\lambda|^{n-1}+|\lambda|^{n-2}+\cdots+|\lambda|+1].$$

因为

$$|\lambda|^{n-1}+|\lambda|^{n-2}+\cdots+|\lambda|+1$$
$$=\frac{|\lambda|[|\lambda|^{n-1}-1]}{|\lambda|-1}<\frac{|\lambda|^n}{|\lambda|-1},$$

$$|D(\lambda,e^{-\lambda\tau_{ij}})|>\frac{|\lambda|^n}{|\lambda|-1}[|\lambda|-1-A]\geqslant0,$$

所以只要 $|\lambda|\geqslant1+A$, $D(\lambda,e^{-\lambda\tau_{ij}})=0$ 无根.

同理可证，当 $0\leqslant\mathrm{Re}(\lambda)\leqslant1+A$, $1+A\leqslant|\mathrm{Im}(\lambda)|$ 时

$$|D(\lambda,e^{-\lambda\tau_{ij}})|>0$$

也成立，即 $D(\lambda,e^{-\lambda\tau_{ij}})=0$ 无根.

下面转而考虑矩形

$$0\leqslant\mathrm{Re}(\lambda)\leqslant1+A,\quad |\mathrm{Im}(\lambda)|\leqslant1+A$$

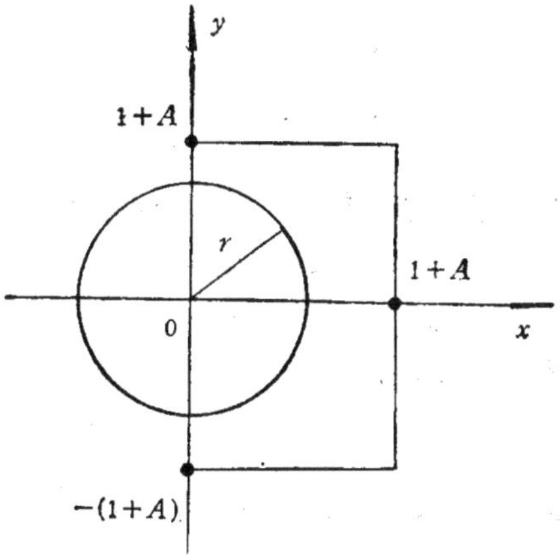

图1.1

的内部情形. 设 $D(\lambda,1)=0$ 除零根以外，其余所有具负实部根的

实部绝对值之最小者为 λ_0. 记

$$|\mathrm{Re}(\lambda_0)|=R>0.$$

围绕原点做一个半径为 $r\left(r\leqslant\frac{R}{2}\right)$ 的半圆.

令 P 表示图 1.1 中矩形挖去了一个半径为 r 的半圆后所围成的闭区域.

在闭域 P 上 $D(\lambda,1)=0$ 没有根, 故存在下界 m 使得在 P 的边界 Γ 上有

$$\min_{\lambda\in\Gamma}|D(\lambda,1)|=m$$

成立. 由

$$D(\lambda,e^{-\lambda\tau_{ij}})=|a_{ij}+b_{ij}e^{-\lambda\tau_{ij}}-\delta_{ij}\lambda|$$
$$=D(\lambda,1)+g(\lambda,e^{-\lambda\tau_{ij}}),$$

还有 $g(\lambda,1)\equiv0$ 对任何 λ 成立. 由 $g(\lambda,e^{-\lambda\tau_{ij}})$ 对 τ_{ij} $(i,j=1,2,\cdots,n)$ 的连续性, 一定存在 $\Delta_1>0$, 使得对 $i,j=1,2,\cdots,n$, 当 $0\leqslant\tau_{ij}\leqslant\triangle1$ 时有

$$\max_{\lambda\in\Gamma}|g(\lambda,e^{-\lambda\tau_{ij}})|<m.$$

故由 Rouche 定理知, 当 $0\leqslant\tau_{ij}\leqslant\Delta_1$ 时

$$D(\lambda,e^{-\lambda\tau_{ij}})=D(\lambda,1)+g(\lambda,e^{-\lambda\tau_{ij}})=0$$

和

$$D(\lambda,1)=0$$

在区域 P 上根的个数相同, 而 $D(\lambda,1)=0$ 在 P 上无根, 故 $D(\lambda,e^{-\lambda\tau_{ij}})=0$ 在区域 P 上亦无根.

现在考虑剩下的半径为 r 的右半圆内的情形. 设半径为 r 的圆的边界 γ, 则在 γ 上有

$$\min_{\lambda\in\gamma}|D(\lambda,1)|=M>0.$$

由于 $g(\lambda,1)\equiv0$, 一定存在 $\Delta_2>0$, 使得当 $0\leqslant\tau_{ij}\leqslant\Delta_2$ $(i,j=1,2,\cdots,n)$ 时有

$$\max_{\lambda\in\gamma}|g(\lambda,e^{-\lambda\tau_{ij}})|<M$$

成立．由 Rouche 定理知 $D(\lambda, e^{-\lambda\tau_{ij}})=0$ 与 $D(\lambda, 1)=0$ 在半径为 r 的圆内根的个数相同．由于 $D(\lambda,1)=0$ 在圆内只有单重零根 $\lambda_0=0$，故 $D(\lambda, e^{-\lambda\tau_{ij}})=0$ 在圆内也只有一个单根．由于对任何 $\tau_{ij}(i,j=1,2,\cdots,n)$，$\lambda=0$为$D(\lambda,e^{-\lambda\tau_{ij}})=0$ 之根，即知 $\lambda=0$ 为 $D(\lambda,e^{-\lambda\tau_{ij}})=0$ 之单重零根．

如上所述，当 $0\leqslant\tau_{ij}\leqslant\Delta$ 时，$\Delta=\min(\Delta_1,\Delta_2)$，$D(\lambda,e^{-\lambda\tau_{ij}})=0$ 只有一个为零的单根，而其余一切根都具有负实部．

定理1．若引理 1 的条件满足，即方程(1.1)的零解是稳定的，则存在 $\Delta>0$，使得当 $0\leqslant\tau_{ij}\leqslant\Delta$ $(i,j=1,2,\cdots,n)$ 时方程组(1.2)之零解是稳定的．

证．由引理 1 知，当 $0\leqslant\tau_{ij}\leqslant\Delta$ 时，(1.2) 之特征方程除一个等于零的单重根以外，其余一切根都具有负实部．再应用 Фрид 定理推知，当 $0\leqslant\tau_{ij}\leqslant\Delta$ $(i,j=1,2,\cdots,n)$ 时方程 (1.2) 的零解是稳定的．证毕．

对于(1.3)有 $k(>1)$ 个零根——零根 $\lambda=0$ 为 k 重的．那末(1.1)的零解是不稳定的．此时能否推出：对(1.2)存在一个 $\Delta>0$．使得当 $0\leqslant\tau_{ij}\leqslant\Delta$ 时，(1.2)的零解也是不稳定的？一般地说，这个问题的回答是否定的．反例如下：

考虑方程

$$\dot{x}(t)=Ax(t)+Bx(t-\tau),\quad \tau=\text{const}>0, \tag{1.5}$$

其中

$$A=\begin{pmatrix}0 & 1 & 0\\ -1 & 1 & 0\\ 0 & 0 & -1\end{pmatrix},\qquad B=\begin{pmatrix}0 & 0 & 0\\ 1 & -1 & 0\\ 0 & 0 & 0\end{pmatrix}.$$

则相应的特征方程分别为

$$D(\lambda,\ 1)=\lambda^2(\lambda+1)=0 \tag{1.6}$$

及

$$D(\lambda,e^{-\lambda\tau})=(\lambda+1)[\lambda^2-\lambda+\lambda e^{-\lambda\tau}+1-e^{-\lambda\tau}]=0. \tag{1.7}$$

不难看出，$\lambda=0$为$D(\lambda,\ 1)=0$ 之二重零根，即 $\tau=0$ 时的常微分方程 (1.5)的，零解是不稳定的．而 $\lambda=0$仅为(1.7)之单重零根，所有其他的根皆具负实部，所以它是稳定的.

这一反例表明，τ 不等于零时可能改变零根的重数——由二重变为单重. 但对于单重零根则由定理 1 知道并不改变重数.

§2. 第一临界情形，非线性系统，一般情形

1. 问题与方法

我们已经反复强调等价性问题的重要性，并且在上一章对一般的 n 阶系统作了系统的研究，同时给出保持等价性的时滞界限的一些估计. 本节将处理在第一临界情形下的差分微分方程与时滞为零时的相应的常微分方程之间关于稳定性的等价性，这里并无混淆的可能，一如上文习惯，统称之为"等价性问题".

考虑常微分方程组

$$\begin{aligned}
&\dot{x} = X(x_1(t), \cdots x_n(t)) + Y(x_1(t), \cdots, x_n(t), x(t)),\\
&\dot{x}_s = \sum_{\sigma=1}^{n} (p_{s\sigma} + q_{s\sigma}) x_\sigma(t) + (p_s + q_s) x(t)\\
&\qquad + X_s(x_1(t), \cdots, x_n(t), x(t)) + Y_s(x_1(t), \cdots,\\
&\qquad x_n(t), x(t)), \qquad\qquad (2.1)\\
&\qquad s = 1, 2, \cdots, n
\end{aligned}$$

与差分微分方程组

$$\begin{aligned}
&\dot{x} = X(x_1(t), \cdots, x_n(t), x(t)) + Y(x_1(t-\tau(t)), \cdots,\\
&\qquad x_n(t-\tau(t)), x(t-\tau(t))),\\
&\dot{x}_s = \sum_{\sigma=1}^{n} p_{s\sigma} x_\sigma(t) + \sum_{\sigma=1}^{n} q_{s\sigma} x_\sigma(t-\tau(t)) + p_s x(t) + q_s x(t-\tau(t)))\\
&\qquad + X_s(x_1(t), \cdots, x_n(t), x(t)) + Y_s(x_1(t-\tau(t)), \cdots,\\
&\qquad x_n(t-\tau(t)), x(t-\tau(t))), \qquad\qquad (2.2)\\
&\qquad s = 1, 2, \cdots, n
\end{aligned}$$

之间的等价性问题. 其中 $p_{s\sigma}, q_{s\sigma}, p_s, q_s$ 均为已给的常数，$\tau(t)$ 或为非负的实常数，或为非负的实连续函数，当然，总假定 $\tau(t)$ 是有

界的.

为了解决上述问题,我们首先考虑 $p_s=0$, $q_s=0$ $(s=1,2,\cdots,n)$ 的情形. 即研究方程组:

$$\dot{x}=X(x_1(t),\cdots,x_n(t),x(t))+Y(x_1(t),\cdots,x_n(t),x(t)), \tag{2.3}$$

$$\dot{x}_s=\sum_{\sigma=1}^{n}(p_{s\sigma}+q_{s\sigma})x_\sigma(t)+X_s(x_1(t),\cdots,x_n(t),x(t))$$
$$+Y_s(x_1(t),\cdots,x_n(t),x(t)),$$
$$s=1,2,\cdots,n,$$

与差分微分方程组

$$\dot{x}=X(x_1(t),\cdots,x_n(t),x(t))+Y(x_1(t-\tau(t)),\cdots,x_n(t-\tau(t)),x(t-\tau(t))),$$

$$\dot{x}_s=\sum_{\sigma=1}^{n}p_{s\sigma}x_\sigma(t)+\sum_{\sigma=1}^{n}q_{s\sigma}x_\sigma(t-\tau(t))$$
$$+X_s(x_1(t),\cdots,x_n(t),x(t)) \tag{2.4}$$
$$+Y_s(x_1(t-\tau(t)),\cdots,x_n(t-\tau(t)),x(t-\tau(t))),$$
$$s=1,2,\cdots,n$$

的等价性.

设下列条件满足:

(1) $|p_{s\sigma}+q_{s\sigma}-\delta_{s\sigma}\rho|=0$ $(s,\sigma=1,2,\cdots n,)$ 的所有根 ρ_i 有

$$\mathrm{Re}(\rho_i)<0,\quad i=1,2,\cdots,n.$$

(2) $X(x_1,\cdots,x_n,x)$, $Y(x_1,\cdots,x_n,x)$,
$X_s(x_1,\cdots,x_n,x)$, $Y_s(x_1,\cdots,x_n,x)$

是变量 $x_1,x_2,\cdots,x_n,x$ 确定在坐标原点邻域内的解析函数,且展式的首项次数不低于 2.

(3) $X^{(0)}(0,\cdots,0,x)=gx^m+g_{m+1}x^{m+1}+\cdots$

$$g\neq 0,\quad m\geqslant 2,$$

$Y^{(0)}(0,\cdots,0,x)=lx^m+l_{m+1}x^{m+1}+\cdots$

$l\neq 0, m\geqslant 2,$

$X_s^{(0)}(0,\cdots,0,x)=g_sx^{m_s}+g_s^{(m_s+1)}x^{m_s+1}+\cdots$

$g_s \neq 0,$

$Y_s^{(0)}(0,\cdots,0,x) = l_s x^{m_s} + l_s^{(m_s+1)} x^{m_s+1} + \cdots$

$l_s \neq 0.$

(4) $m_s \geqslant m.$

本节仍用 V 函数法处理.

2. 稳定性的等价性定理

定理2. 设 m 是奇数, $g+l<0$, 则存在一个正数 $\Delta=\Delta(X,Y,p_{s\sigma},q_{s\sigma},X_s,Y_s)>0$, 使得当 τ 满足不等式 $0\leqslant\tau\leqslant\Delta$, 则(2.4)的零解是渐近稳定的.

证. 当 $\tau=0$ 时, m 是奇数, $g+l<0$, 则(2.3)之零解为渐近稳定的. 可取负定的Ляпунов 函数为[10]

$$\bar{V}(x_1,\cdots,x_n,x)=\frac{1}{2}(g+l)x^2+W(x_1,\cdots,x_n)$$

$$+x^2Q_2(x_1,\cdots,x_n)+\cdots+x^mQ_m(x_1,\cdots,x_n). \qquad (2.5)$$

这里 $W(x_1,\cdots,x_n)$ 是负定的二次型且满足方程

$$\sum_{s=1}^{n}\frac{\partial W}{\partial x_s}[(p_{s1}+q_{s1})x_1+\cdots+(p_{sn}+q_{sn})x_n]=\sum_{s=1}^{n}x_s^2.$$

$$Q_i(x_1,\cdots,x_n)=\sum_{j=1}^{n}A_{ij}x_j\ (i=2,\cdots,m)\ A_{ij}\text{ 都是实常量.}$$

$$\frac{dV}{dt}=\frac{\partial V}{\partial x}\frac{dx}{dt}+\sum_{s=1}^{n}\frac{\partial V}{\partial x_s}\frac{dx_s}{dt}$$

$$=[(l+g)x+2xQ_2+\cdots+mx^{m-1}Q_m]\frac{dx}{dt}$$

$$+\sum_{s=1}^{n}\left[\frac{\partial W}{\partial x_s}+x^2\frac{\partial Q_2}{\partial x_s}+\cdots+x^m\frac{\partial Q_m}{\partial x_s}\right]\frac{dx_s}{dt}$$

$$=[(l+g)x+2xQ_2+\cdots+mx^{m-1}Q_m]\cdot[X(x_1(t),\cdots,x_n(t),x(t))$$
$$+Y(x_1(t-\tau),\cdots,x_n(t-\tau),x(t-\tau))]$$

$$+\sum_{s=1}^{n}\left[\frac{\partial W}{\partial x_s}+x^2\frac{\partial Q_2}{\partial x_s}+\cdots+x^m\frac{\partial Q_m}{\partial x_s}\right]$$

$$\times\left[\sum_{\sigma=1}^{n}(p_{s\sigma}x_\sigma(t)+q_{s\sigma}x_\sigma(t-\tau))+X_s(x_1\cdots,x_n,x)\right.$$

$$\left.+Y_s(x_1(t-\tau)),\cdots,x_n(t-\tau),x(t-\tau)\right]$$

$$=[(l+g)x+2xQ_2+\cdots+mx^{m-1}Q_m]\cdot[X(x_1,\cdots,x_n,x)$$

$$+Y(x_1,\cdots,x_n,x)]+\sum_{s=1}^{n}\left[\frac{\partial W}{\partial x_s}+x^2\frac{\partial Q_2}{\partial x_s}+\cdots+x^m\frac{\partial Q_m}{\partial x_s}\right]$$

$$\times\left[\sum_{\sigma=1}^{n}(p_{s\sigma}+q_{s\sigma})x_\sigma(t)+X_s(x_1,\cdots,x_n,x)+Y_s(x_1,\cdots,x_n,\right.$$

$$\left.x)\right]-[(l+g)x+2xQ_2+\cdots+mx^{m-1}Q_m]$$

$$\times[Y(x_1(t),\cdots,x_n(t),x(t))-Y(x_1(t-\tau),\cdots,x_n(t-\tau),$$

$$x(t-\tau))]-\sum_{s=1}^{n}\left(\frac{\partial W}{\partial x_s}+x^2\frac{\partial Q_2}{\partial x_s}+\cdots+x^m\frac{\partial Q_m}{\partial x_s}\right)$$

$$\times\left[\sum_{\sigma=1}^{n}q_{s\sigma}(x_\sigma(t)-x_\sigma(t-\tau))+(Y_s(x_1(t),\cdots,x_n(t),x(t))\right.$$

$$\left.-Y_s(x_1(t-\tau),\cdots,x_n(t-\tau),x(t-\tau))\right],$$

$$\dot{V}=[(l+g)^2+F(x,x_1,\cdots,x_n)]x^{m+1}$$

$$+\sum_{s=1}^{n}x_s^2+\sum_{\alpha,\beta=1}^{n}F_{\alpha\beta}(x,x_1,\cdots,x_n)x_\alpha x_\beta$$

$$-[(l+g)x+2xQ_2+\cdots+mx^{m-1}Q_m]$$

$$\times\left[\int_{t-\tau}^{t}\frac{d}{dt}Y(x_1(t),\cdots,x_n(t),x(t))dt\right]$$

$$-\sum_{s=1}^{n}\left(\frac{\partial W}{\partial x_s}+x^2\frac{\partial Q_2}{\partial x_s}+\cdots+x^m\frac{\partial Q_m}{\partial x_s}\right) \tag{2.6}$$

$$\times\left(\sum_{\sigma=1}^{n}q_{s\sigma}\int_{t-\tau}^{t}\frac{dx_\sigma(t)}{dt}dt+\int_{t-\tau}^{t}\frac{d}{dt}Y(x_1(t),\cdots,x_n(t),\right.$$

$$\left.x(t))dt\right).$$

下面来估计 τ 的值，使得它能保证 $\dot{V}>0$.

由于函数 $F(x,x_1,\cdots,x_n)$ 与 $F_{\alpha\beta}(x,x_1,\cdots,x_n)$ 是定义在一个充分小的原点邻域

$$|x|<\beta,\ |x_i|<\beta_i,\ i=1,2,\cdots,n \tag{2.7}$$

内的解析函数，这里 $\beta>0,\beta_i>0$ 充分地小. 又由条件（2）知，在(2.7)的任何一个闭域

$$|x|\leqslant\gamma<\beta,\ |x_i|\leqslant\gamma_i<\beta_i,\ i=1,2,\cdots,n \tag{2.8}$$

上，$Y(x_1,\cdots,x_n,x)$，$Y_s(x_1,\cdots,x_n,x)$ 及其对于各个自变量的偏导数都是有界的，同理有

$$\frac{dY}{dt}=\sum_{s=1}^{n}\frac{\partial Y}{\partial x_s}\frac{dx_s}{dt}+\frac{\partial Y}{\partial x}\frac{dx}{dt},$$

$$\frac{dY_s}{dt}=\sum_{\sigma=1}^{n}\frac{\partial Y_s}{\partial x_\sigma}\frac{dx_\sigma}{dt}+\frac{\partial Y_s}{\partial x}\frac{dx}{dt}.$$

由条件（3）知

$$\frac{\partial Y}{\partial x_s}=(x_1,\cdots,x_n,x)_1$$

（其中记号 $(x_1,\cdots,x_n,x)_i$ 表示其展式的首项次数不低于 i 次）.

$$\frac{\partial Y}{\partial X}=(x_1,\cdots,x_n,x)_1+mlx^{m-1}+(m+1)l_{m+1}x^m+\cdots,$$

$$\frac{\partial Y_s}{\partial x_\sigma}=(x_1,\cdots,x_n,x)_1,$$

$$\frac{\partial Y_s}{\partial x}=(x_1,\cdots,x_n,x)_1+m_sl_sx^{m_s-1}+(m_s+1)l_s^{(m_s+1)}x^{m_s}+\cdots,$$

记

$$a=\max_{1\leqslant s,\sigma\leqslant n}\{|p_{s\sigma}|,|q_{s\sigma}|\}.$$

选取一个函数 H，ε_1 为任意给定的，则

$$H(x_1,\cdots,x_n,x)=(l+g)^2x^{m+1}+\sum_{s=1}^{n}x_s^2=\varepsilon_1>0,$$

ε_1 无论怎样小，在此曲面上均有

$$|x_s(t)|\leqslant\sqrt{\varepsilon_1}\,,\quad |x(t)|\leqslant\left[\frac{\varepsilon_1}{(l+g)^2}\right]^{\frac{1}{m+1}}.$$

同时，为了保证稳定性只要考虑

$$|x_s(t-\tau)|\leqslant|x_s(t)|\text{ 及 }|x(t-\tau)|\leqslant|x(t)|,$$

故在闭曲面 $H=\varepsilon_1$ 上我们有估值

$$\left|\frac{dx_s}{dt}\right|\leqslant 2n\,a\sqrt{\varepsilon_1}+M_s\sqrt{\varepsilon_1}\left(\frac{\varepsilon_1}{(l+g)^2}\right)^{\frac{1}{m+1}},\tag{2.9}$$

$$\left|\frac{dx}{dt}\right|\leqslant M\left(\frac{\varepsilon_1}{(l+g)^2}\right)^{\frac{1}{m+1}}\sqrt{\varepsilon_1}\,,\tag{2.10}$$

其中 $M_s>0$，$M>0$ 都是常数，式中用到

$$X_s(x_1,\cdots,x_n,x)=(x_1,\cdots,x_n,x)_2,$$

$$X(x_1,\cdots,x_n,x)+Y(x_1,\cdots,x_n,x)=(x_1,\cdots,x_n,x)_2.$$

我们取

$$\sqrt{\varepsilon}=\max\left(\sqrt{\varepsilon_1}\,,\ \left(\frac{\varepsilon_1}{(l+g)^2}\right)^{\frac{1}{m+1}}\right),\tag{2.11}$$

那末应用(2.9)，(2.10)，在闭曲面 $H=\varepsilon_1$ 上我们有

$$\begin{aligned}\left|\frac{dY}{dt}\right|&\leqslant\sum_{s=1}^{n}\left|\frac{\partial Y}{\partial x_s}\right|\left|\frac{dx_s}{dt}\right|+\left|\frac{\partial Y}{\partial x}\right|\left|\frac{dx}{dt}\right|\\&\leqslant\sum_{s=1}^{n}L_s\left[\left(\frac{\varepsilon_1}{(g+l)^2}\right)^{\frac{1}{m+1}}M_s\sqrt{\varepsilon_1}+2n\,a\sqrt{\varepsilon_1}\right]\sqrt{\varepsilon}\\&\quad+L\sqrt{\varepsilon}\,M\left(\frac{\varepsilon_1}{(l+g)^2}\right)^{\frac{1}{m+1}}\sqrt{\varepsilon_1}\\&\leqslant\varepsilon\left[\sum_{s=1}^{n}(2L_sna+L_sM_s\varepsilon^{1/2})+LM\varepsilon^{1/2}\right]\\&\leqslant L_0\varepsilon,\end{aligned}$$

其中 L_0 是与 ε 无关的常量．同理有

$$\left|\frac{dY_s}{dt}\right|\leqslant L_0\varepsilon,\quad L_0=\text{const}>0.$$

由此可以得出如下一系列估式，

$$\left|\int_{t-\tau}^{t}\left|\frac{d}{dt}Y(x_1(t),\cdots,x_n(t),x(t))\right|dt\right|$$

$$\leqslant L_0\varepsilon\tau,$$

$$\left|\int_{t-\tau}^{t}\frac{d}{dt}Y_s(x_1(t),\cdots,x_n(t),x(t))dt\right|\leqslant L_0\varepsilon\tau,$$

$$\left|\int_{t-\tau}^{t}\frac{dx_s(t)}{dt}dt\right|\leqslant[2na+M\sqrt{\varepsilon}]\sqrt{\varepsilon}\,\tau.$$

又由

$$Q_i(x_1,\cdots,x_n)=\sum_{j=1}^{n}A_{ij}x_j,$$

记 $A=\max\limits_{2\leqslant i\leqslant m}\{|A_{i1}|,\cdots,|A_{in}|\}$ $(i=2,\cdots,m)$，有

$$\left|\frac{\partial Q_i}{\partial x_s}\right|\leqslant A,\quad |Q_i(x_1,\cdots,x_n)|\leqslant A\sum_{j=1}^{n}|x_i|.$$

故在闭曲面 $H=\varepsilon_1$ 上我们也有

$$|[(l+g)x+2xQ_2+\cdots+mx^{m-1}Q_m]|\leqslant M_0\sqrt{\varepsilon},$$
$$M_0=\text{const}>0.$$

又 $W(x_1,\cdots,x_n)=\sum\limits_{i,j=1}^{n}B_{ij}x_ix_j$ 是负定二次型，记

$$B=\max_{1\leqslant i,j\leqslant n}\{|B_{ij}|\},$$

所以有

$$\left|\frac{\partial w}{\partial x_s}\right|_{H=\varepsilon_1}\leqslant nB\sqrt{\varepsilon}.$$

综上所述，在 $H=\varepsilon_1$ 上我们有

(1) $$\left|\sum_{s=1}^{n}\left(\frac{\partial W}{\partial x_s}+x^2\frac{\partial Q_2}{\partial x_s}+\cdots+x^m\frac{\partial Q_m}{\partial x_s}\right)\right.$$

$$\left.\times\left(\sum_{\sigma=1}^{n}q_{s\sigma}\int_{t-\tau}^{t}\frac{dx_\sigma(t)}{dt}dt+\int_{t-\tau}^{t}\frac{d}{dt}Y_s(x_1,\cdots,x_n,x)dt\right)\right|$$

$$\leqslant \sum_{s=1}^{n} (nB\sqrt{\varepsilon} + A\varepsilon(1+\sqrt{\varepsilon}+\cdots+(\sqrt{\varepsilon})^{m-2})\cdot a[2na$$

$$+M\sqrt{\varepsilon}\ \tau+\tau_0\varepsilon\tau].$$

$$\leqslant \tau\varepsilon G_0.$$

注意到 $G_0=\text{const}>0$ 与 ε 无关. 同理有

$$(2)\quad \Big|[(l+g)x+2xQ_2+\cdots+mx^{m-1}Q_m]$$

$$\times\left(\int_{t-\tau}^{t}\frac{d}{dt}Y(x,(t),\cdots,x(t),x(t))dt\right)\Big|$$

$$\leqslant K_0L_0\tau\varepsilon^{3/2}.$$

合并(1)和(2)有

$$\Big|[(l+g)x+2xQ_2+\cdots+mx^{m-1}Q_m]\left(\int_{t-\tau}^{t}\frac{dY}{dt}dt\right)$$

$$+\sum_{s=1}^{n}\left(\frac{\partial W}{\partial x_s}+x^2\frac{\partial Q_2}{\partial x_s}+\cdots+x^m\frac{\partial Q_m}{\partial x_s}\right)$$

$$\times\left(\sum_{\sigma=1}^{n}q_{s\sigma}\int_{t-\tau}^{t}\frac{dx_\sigma}{dt}dt+\int_{t-\tau}^{t}\frac{dY_s}{dt}\right)\Big|$$

$$\leqslant \tau\varepsilon G_0+K_0L_0\tau\varepsilon^{3/2}=\tau\varepsilon(G_0+K_0L_0\varepsilon^{1/2})$$

$$\leqslant \varepsilon\tau G,$$

这里,$G=\text{const}>0$ 与 ε 无关.

为了使 $G\tau\varepsilon\leqslant\frac{1}{2}\varepsilon$,可取 $\tau\leqslant\frac{1}{2G}$,即取 $\Delta=\frac{1}{2G}>0$.

另一方面,由于

$$[(g+l)^2+F(t,x_1,\cdots,x_n)]x^{m+1}+\sum_{s=1}^{n}x_s^2$$

$$+\sum_{\alpha,\beta=1}^{n}F_{\alpha\beta}(x,x_1\cdots,x_n)x_\alpha x_\beta$$

在原点的充分小邻域内是正定的，所以我们只要把坐标原点的邻域取得这样地小,使得

$$[(g+l)^2+F(x,x_1\cdots,x_n)]x^{m+1}+\sum_{s=1}^{n}x_s^2$$

$$+\sum_{\alpha,\beta=1}^{n}F_{\alpha\beta}(x,x_1,\cdots,x_n)x_\alpha x_\beta$$

$$\geqslant\frac{1}{2}\left[(g+l)^2x^{m+1}+\sum_{s=1}^{n}x_s^2\right].$$

若取$\varepsilon_1\leqslant(l+g)^{4(m+1)/(2m+1)}$,则(2.11)中$\sqrt{\varepsilon}=\sqrt{\varepsilon_1}$. 所以对任意给定的$\varepsilon_1$,在$H=\varepsilon_1$上,当$|x(t)|\geqslant|x(t-\tau)|$, $|x_s(t)|\geqslant|x_s(t-\tau)|$时,$\dot{V}>0$,当$0\leqslant\tau\leqslant\Delta$时成立. 即确立了零解的稳定性.

现在证渐近稳定性.

我们所取的负定函数V形如(2.5),沿着积分曲线记为$V(t)=V(x_1(t),\cdots,x_n(t),x(t))$. 由滞后型系统解的平展性可以推知$V(t)$的光滑性. 又由与第六章定理4类似的推理,存在$t_1\geqslant t_0+\Delta$(此时不用中值定理,不必放宽为$2\Delta$),使得当$t\geqslant t_1$时

$$\max_{t_1-\tau\leqslant t\leqslant t_1}V(t)\leqslant V(t)\leqslant 0. \tag{2.12}$$

这时我们分三类可能的情形予以阐明.

(1) $V(t)$不能从某一个$t>t_1$以后单调减少.

若不然,由(2.12)知$V(t)$必有极限,即

$$\lim_{t\to\infty}V(t)=-\bar{\varepsilon}<0.$$

这就说明了

$$\lim_{t\to\infty}\dot{V}=\lim_{t\to\infty}\Big\{[(l+g)^2+F(x,x_1,\cdots,x_n)]x^{m+1}+\sum_{s=1}^{n}x_s^2$$

$$+\sum_{\alpha,\beta=1}^{n}F_{\alpha\beta}(x_1,\cdots,x_n,x)x_\alpha x_\beta-[(l+g)x+2xQ_2$$

$$+\cdots+mx^{m-1}Q_m]\left(\int_{t-\tau}^{t}\frac{d}{dt}Y(x_1(t),\cdots,x_n(t),x(t))dt\right)$$

$$
-\sum_{s=1}^{n}\left(\frac{\partial W}{\partial x_s}+x^2\frac{\partial Q_2}{\partial x_s}+\cdots+x^m\frac{\partial Q_m}{\partial x_s}\right)\left(\sum_{\sigma=1}^{n} q_{s\sigma}\right.
$$

$$
\left.\times\int_{t-\tau}^{t}\frac{dx_\sigma(t)}{dt}dt+\int_{t-\tau}^{t}\frac{d}{dt}Y_s(x_1(t),\cdots,x_n(t),x(t))dt\right\}
$$

$$
\geqslant\frac{1}{2}\tilde{\varepsilon}-G\tau\tilde{\varepsilon}=\left(\frac{1}{2}-G\tau\right)\tilde{\varepsilon}>0.
$$

故当 t 充分大时有 $\dot{V}>0$，亦即当 t 充分大时，函数 $V(t)$ 不是单调减少的，这与假设矛盾，故函数 $V(t)$ 不能从某个时刻 t 以后单调减少.

（2）函数 $V(t)$ 如果从某个 $t>t_1$ 以后是单调增加的，则 $\lim\limits_{t\to\infty}V(t)=0$.

若不然，从某个 $t>t_1$ 之后 $V(t)$ 是单调增加的，但 $\lim\limits_{t\to\infty}V(t)\neq 0$，即 $\lim\limits_{t\to\infty}V(t)=-\varepsilon^*<0$，则我们就应有

$$
\lim_{t\to\infty}\frac{dV}{dt}=0.
$$

但另一方面，按照前面的讨论我们又有

$$
\lim_{t\to\infty}\frac{dV}{dt}\geqslant\left(\frac{1}{2}-G\tau\right)\varepsilon^*>0,
$$

由此即导出矛盾. 故当 $V(t)$ 是单调增加时，则 $\lim\limits_{t\to\infty}V(t)=0$. 这就说明(2.4)之零解渐近稳定.

（3）最后要研究的是：当 $t\to+\infty$，函数 $V(t)$ 既不是单调地增加，亦不是单调地减少，即函数 $|V(t)|$ 随着时间的增大出现无限个相对极大值(因为 $V(t)$ 是光滑的). 下面要证的是当 $t\to+\infty$ 时，这些相对的极大值趋于零. 证明了这一点也就证明了(2.4)的零解是渐近稳定的.

设在 $t_0-\Delta\leqslant t\leqslant t_0$ 上函数 $V(t)$ 的最大值为 $M<0$，则由性质(2.12)知

$$
M=\max_{t\in[t_0-\Delta,t_0]}V(t)\leqslant V(t)\leqslant 0,\quad t\geqslant 0.
$$

为方便起见，我们不妨取 $\Delta=\frac{1}{2}\left(\frac{1}{2G}\right)$，设 $0\leqslant\tau\leqslant\Delta$，在$t>t_0$之后，函数 $V(t)$ 之第一个极大值设在 $t_1>0$ 处，则

$$\left.\frac{dV}{dt}\right|_{t=t_1}=0=\{[(l+g)^2+F(x(t),x_1(t),\cdots,x_n(t))]x^{m+1}$$

$$+\sum_{s=1}^{n}x_s^2(t)+\sum_{\alpha,\beta=1}^{n}F_{\alpha\beta}(x(t),x_1(t),\cdots,x_n(t))x_\alpha(t)x_\beta(t)$$

$$-[(l+g)x(t)+2xQ_2+\cdots+mx^{m-1}Q_m]$$

$$\times\left(\int_{t-\tau}^{t}\frac{d}{dt}Y(x_1(t),\cdots,x_n(t),x(t))dt\right)$$

$$-\sum_{s=1}^{n}\left(\frac{\partial W}{\partial x_s}+x^2\frac{\partial Q_2}{\partial x_s}+,\cdots,+x^m\frac{\partial Q_m}{\partial x_s}\right)\cdot\left(\sum_{\sigma=1}^{n}q_{s\sigma}\right.$$

$$\times\int_{t-\tau}^{t}\frac{dx_\sigma(t)}{dt}dt+\int_{t-\tau}^{t}\frac{d}{dt}Y_s\left(x_1(t),\cdots,x_n(t),x(t)\right)$$

$$\left.\times dt\right)\}_{t=t_1}$$

$$\geqslant\frac{1}{2}[(l+g)^2x^{m+1}+\Sigma x_s^2]_{t=t_1}-G\Delta M$$

$$\geqslant\frac{1}{2}\left[(l+g)^2x^{m+1}(t)+\sum_{s=1}^{n}x_s^2(t)\right]_{t=t_1}-G\Delta|M|,$$

所以
$$\frac{1}{2}H(x_1(t_1),\cdots,x_n(t_1),x(t_1))\leqslant G\Delta|M|,$$

即

$$H(x_1(t_1),\cdots,x_n(t_1),x(t_1))$$
$$\leqslant\frac{|M|}{2}G\Delta=\frac{1}{2}\left(\frac{|M|}{4}\right)=\frac{|M|}{2\cdot4},$$

这样，在 $t\geqslant t_1+\Delta$ 后之第一个相对的极大值总 t_2 处我们有

$$H(x_1(t_2),\cdots,x_n(t_2),x(t_2))\leqslant\frac{1}{2^2}\left(\frac{|M|}{4}\right).$$

因为当 $t\to+\infty$ 时出现无限多个相对的极大值，因此象上面

这样继续地作下去，即得

$$\lim_{t\to\infty}\frac{1}{2^{n+2}}|M|=0,$$

即 $\lim\limits_{t\to\infty} H(t)=0$. 因为

$$H(t)=\frac{1}{2}\left[(l+g)^2x^{m+1}(t)+\sum_{s=1}^{n}x_s^2(t)\right]$$

是正定的，故

$$\lim_{t\to\infty}x(t)=0,\quad \lim_{t\to\infty}x_s(t)=0.$$

定理证毕.

3. 不稳定性的等价定理

由 2 的讨论知，当 $\tau=0$ 时，如果 m 是奇数，而 $g+l>0$，则(2.4)的零解是不稳定的，这是因为

$$V=\frac{1}{2}(g+l)x^2+W(x_1,\cdots,x_n)+x^2Q_2(x_1,\cdots,x_n)$$
$$+\cdots+x^mQ_m(x_1,\cdots,x_n)$$

是变号的，而 $\dot{V}|_{(2.3)}$ 是正定的. 象前面一样，我们得到：任给 $H=\varepsilon>0$, ε 无论怎样小，一定存在 $\Delta=\dfrac{1}{2G}>0$ 与 ε 无关，使得当 $0\leqslant\tau\leqslant\Delta$ 时，(2.4)的零解也是不稳定的. 综上所述得到下列定理.

定理 3. 设 m 是奇数，$g+l>0$，则存在一个正数 $\Delta=\Delta(X,Y,p_{ss},q_{ss},X_s,Y_s)>0$，使得当 τ 满足不等式 $0\leqslant\tau\leqslant\Delta$ 时，(2.4)的零解也是不稳定的.

定理 4. 设 m 是偶数，$g+l\neq0$，则存在一正数 $\Delta=\Delta(X,Y,p_{ss},q_{ss},X_s,Y_s)>0$，使得当 τ 满足不等式 $0\leqslant\tau\leqslant\Delta$ 时，(2.4)的零解不稳定.

证. 当 $\tau=0$ 时，如果 m 是偶数且 $g+l\neq0$，则(2.3)的零解是

不稳定的．因此存在 Ляпунов 函数

$$V(x_1,\cdots,x_n,x)=\alpha^2(g+l)x+W(x_1,\cdots,x_n)$$
$$+xQ_1(x_1,\cdots,x_n)+\cdots+x^{m-1}Q_{m-1}(x_1,\cdots,x_n),$$

这里 $Q_i(x_1,\cdots,x_n)=\sum_{j=1}^{n}A_{ij}x_j\ (i=1,2,\cdots,m-1)$，而函数 $W(x_1,\cdots,x_n)$ 与定理 2 中的一样，α 是这样小的实常数，它使得函数

$$\mathscr{F}(x_1,\cdots,x_n,x)=[\alpha^2(l+g)^2+F(x_1,\cdots,x_n,x)]x^m$$
$$+\alpha^2g(X^{(2)}(x_1,\cdots,x_n)+Y^{(2)}(x_1,\cdots,x_n))$$
$$+\sum_{s=1}^{n}x_s^2+\sum_{\alpha,\beta=1}^{n}F_{\alpha\beta}(x,x_1,\cdots,x_n)x_\alpha x_\beta$$

是正定的．其中 $X^{(2)}(x_1,\cdots,x_n)$，$Y^{(2)}(x_1,\cdots,x_n)$ 分别是函数 $X(0,x_1,\cdots,x_n)$，$Y(0,x_1,\cdots,x_n)$ 中所有包含自变数 $x_1,\cdots,x_n$ 的二次项的全体．

V 对 t 的微商为

$$\frac{dV}{dt}=\frac{\partial V}{\partial x}\frac{dx}{dt}+\sum_{s=1}^{n}\frac{\partial V}{\partial x_s}\frac{dx_s}{dt}=[\alpha^2(g+l)+Q_1(x_1,\cdots,x_n)$$
$$+2xQ_2(x_1,\cdots,x_n)+\cdots+(m-1)x^{m-2}Q_{m-1}(x_1,\cdots,x_n)]$$
$$\times\frac{dx}{dt}+\sum_{s=1}^{n}\left(\frac{\partial W}{\partial x_s}+x\frac{\partial Q_1}{\partial x_s}+\cdots+x^{m-1}\frac{\partial Q_{m-1}}{\partial x_s}\right)\frac{dx_s}{dt}$$
$$=[\alpha^2(l+g)^2+F(x,x_1,\cdots,x_n)]x^m$$
$$+\alpha^2g[X^{(2)}(x_1,\cdots,x_n)+Y^{(2)}(x_1,\cdots,x_n)]$$
$$+\sum_{s=1}^{n}x_s^2+\sum_{\alpha,\beta=1}^{n}F_{\alpha\beta}(x,x_1,\cdots,x_n)x_\alpha x_\beta$$
$$-\{[\alpha^2(g+l)+Q_1+2xQ_2+\cdots+(m-1)x^{m-2}Q_{m-2}]$$
$$\times\int_{t-\tau}^{t}\frac{dY}{dt}dt+\left[\sum_{s=1}^{n}\left(\frac{\partial W}{\partial x_s}+x\frac{\partial Q_1}{\partial x_s}+\cdots+x^{m-1}\frac{\partial Q_{m-1}}{\partial x_s}\right)\right]$$

$$\times\left[\sum_{\sigma=1}^{n} q_{s\sigma}\int_{t-\tau}^{t}\frac{dx_\sigma}{dt}dt+\int_{t-\tau}^{t}\frac{dy_s}{dt}dt\right]\Bigg\}.$$

象前面一样地来估计 τ，使得它能保证 $\dot{V}$ 的正定性．任给闭曲面

$$H(x,x_1,\cdots,x_n)=\alpha^2(g+l)^2x^m+\alpha^2g[X^{(2)}(x_1,\cdots,x_n)$$

$$+Y^{(2)}(x_1,\cdots,x_n)]+\sum_{s=1}^{n}x_s^2=\varepsilon.$$

无论 $\varepsilon>0$ 怎样小，在此闭曲面上总有下列估值

$$|\alpha^2(g+l)+Q_1+2xQ_2+3x^2Q_3+\cdots+(m-1)x^{m-2}Q_{m-1}|$$

$$\leqslant|\alpha^2(g+l)|+nA\sqrt{\varepsilon}\,(1+2|x|+\cdots+(m-1)|x|^{m-2})$$

$$\leqslant\alpha^2|g+l|+nA(m-1)\sqrt{\varepsilon}$$

$$\times\left(1+\sqrt[m]{\frac{\varepsilon}{\alpha^2(g+l)^2}}+\cdots+\left(\frac{\varepsilon}{\alpha^2(g+l)^2}\right)^{\frac{m-2}{m}}\right)$$

$$=\alpha^2|g+l|+nA(m-1)\sqrt{\varepsilon}$$

$$\times\frac{1-\left(\sqrt[m]{\frac{\varepsilon}{\alpha^2(g+l)^2}}\right)^{m-1}}{1-\sqrt[m]{\frac{\varepsilon}{\alpha^2(g+l)^2}}}\leqslant L_1,$$

常量 L_1 与 ε 无关.

$$\left|\frac{dV}{dt}\right|\leqslant L_0\sqrt{\varepsilon}\left(\frac{\varepsilon}{\alpha^2(l+g)^2}\right)^{1/m},$$

$$\left|\frac{dV_s}{dt}\right|\leqslant L_0\sqrt{\varepsilon}\left(\frac{\varepsilon}{\alpha^2(l+g)^2}\right)^{1/m},$$

$$\left|\frac{dx_s}{dt}\right|\leqslant 2na\sqrt{\varepsilon}+M_s\sqrt{\varepsilon}\left(\frac{\varepsilon}{\alpha^2(g+l)^2}\right)^{1/m},$$

$$\left|\frac{dx}{dt}\right|\leqslant M\left(\frac{\varepsilon}{(l+g)^2\alpha^2}\right)^{1/m}\sqrt{\varepsilon},$$

$$\left|\sum_{s=1}^{n}\left(\frac{\partial W}{\partial x_s}+x\frac{\partial Q_1}{\partial x_s}+\cdots+x^{m-1}\frac{\partial Q_{m-1}}{\partial x_s}\right)\right|$$

$$\leqslant\sum_{s=1}^{n}\left[\left|\frac{\partial W}{\partial x_s}\right|+|x|\left|\frac{\partial Q_1}{\partial x_s}\right|+\cdots+\left|x^{m-1}\frac{\partial Q_{m-1}}{\partial x_s}\right|\right]$$

$$\leqslant\sum_{s=1}^{n}\left[n\beta\sqrt{\varepsilon}+A\cdot\left(\frac{\varepsilon}{a^2(g+l)^2}\right)^{1/m}\right.$$

$$\left.\times\left(\frac{1-\left(\frac{\varepsilon}{a^2(g+l)^2}\right)^{\frac{m-1}{m}}}{1-\left(\frac{\varepsilon}{a^2(g+l)}\right)^{1/m}}\right)\right]\leqslant E_1\left(\frac{\varepsilon}{a^2(g+l)^2}\right)^{1/m},$$

其中 $E_1>0$ 是与 ε 无关的常量，再注意 $m\geqslant 2$.

总结上述讨论，即得

$$\{[a^2(g+l)+Q_1+2xQ_2+\cdots+(m-1)x^{m-2}Q_{m-2}]$$

$$\times\int_{t-\tau}^{t}\frac{dY}{dt}dt+\left[\sum_{s=1}^{n}\left(\frac{\partial W}{\partial x_s}+x\frac{\partial Q_1}{\partial x_s}+\cdots+x^{m-1}\frac{\partial Q_{m-1}}{\partial x_s}\right)\right]$$

$$\times\left[\sum_{s=1}^{n}q_{s\sigma}\int_{t-\tau}^{t}\frac{dx_s}{dt}dt+\int_{t-\tau}^{t}\frac{dY_s}{dt}dt\right]\Bigg\}_{x=z}$$

$$\leqslant L_1L_0\sqrt{\varepsilon}\left(\frac{\varepsilon}{a^2(l+g)^2}\right)^{1/m}\cdot\tau+E_1\left(\frac{\varepsilon}{a^2(l+g)^2}\right)^{1/m}$$

$$\times\left[2n^2a^2\sqrt{\varepsilon}\,\tau+naM_s\sqrt{\varepsilon}\left(\frac{\varepsilon}{a^2(g+l)^2}\right)^{1/m}\tau\right.$$

$$\left.+M\sqrt{\varepsilon}\left(\frac{\varepsilon}{a^2(g+l)^2}\right)^{1/m}\tau\right]\leqslant[L_1L_0+2n^2a^2E_1+K]$$

$$\times\sqrt{\varepsilon}\left(\frac{\varepsilon}{a(l+g)^2}\right)^{1/m}\tau\leqslant G\tau\varepsilon,$$

其中常数 $K>0,G>0$ 与 ε 无关.

同样地，我们只要把坐标原点的邻域取得如此地小，使得

$$
\begin{aligned}
&[a^2(g+l)^2+F(x,x_1,\cdots,x_n)]x^m \\
&\quad + a^2 g[X^{(2)}(x_1,\cdots,x_n)+Y^{(2)}(x_1,\cdots,x_n)] \\
&\quad + \sum_{s=1}^{n} x_s^2 + \sum_{\alpha,\beta=1}^{n} F_{\alpha\beta}(x,x_1,\cdots,x_n)x_\alpha x_\beta \\
&\geqslant \frac{1}{2}[a^2(g+l)^2+F(x,x_1,\cdots,x_n)]x^m \\
&\quad + a^2 g(X^{(2)}(x_1,\cdots,x_n)+Y^{(2)}(x_1,\cdots,x_n)) + \sum_{s=1}^{n} x_s^2.
\end{aligned}
$$

故任给 $H(x,x_1,\cdots,x_n)=\varepsilon>0$，都可找到 $\Delta=\frac{1}{2G}$（因为只要作 $G\tau\varepsilon\leqslant\frac{1}{2}\varepsilon$ 即可），使得当 $0\leqslant\tau\leqslant\Delta$ 时，(2.4)的零解不稳定．定理证毕．

4．一般情形

所谓一般情形是指

$$p_s\neq 0,\quad q_s\neq 0,\quad s=1,2,\cdots,n.$$

我们让

$$
\begin{aligned}
f_s(x,x_1,\cdots,x_n) &= \sum_{\sigma=1}^{n}(p_{s\sigma}+q_{s\sigma})x_\sigma(t)+(p_s+q_s)x(t) \\
&\quad + X_s(x_1(t),\cdots,x_n(t),x(t))+Y_s(x_1(t),\cdots,x_n(t)x(t))=0, \\
&\qquad s=1,2,\cdots,n.
\end{aligned}
\tag{2.13}
$$

由 $f_s(0,0,\cdots,0)=0$，$s=1,2,\cdots,n$，且

$$\left\{\frac{\partial(f_1,\cdots,f_n)}{\partial(x_1,\cdots,x_n)}\right\}_{\substack{x=x_j=0\\ j=1,2,\cdots,n}}=|p_{ik}+q_{ik}|\neq 0.$$

根据隐函数存在定理，由方程组(2.13)我们可解得 x_s 为

$$x_s=u_s(x)=A_s^{(1)}x+A_s^{(2)}x^2+\cdots\qquad s=1,2,\cdots,n,\tag{2.14}$$

这里 $A_s^{(i)}$ 是常量．当 $|x|$ 充分小时，$u_s(x)$ 是 x 的全纯函数．对方程组(2.1)作变换

$$x_s = \xi_s + u_s(x), \quad s = 1, 2, \cdots, n, \tag{2.15}$$

即得

$$\frac{dx}{dt} = X(x, \xi_1, \cdots, \xi_n) + Y(x, \xi_1, \cdots, \xi_n),$$

$$\frac{d\xi_s}{dt} = \sum_{\sigma=1}^{n} (p_{s\sigma} + q_{s\sigma})\xi_\sigma + X_s(x, \xi_1, \cdots, \xi_n)$$

$$+ Y_s(x, \xi_1, \cdots, \xi_n), \quad s = 1, 2, \cdots, n. \tag{2.16}$$

对(2.16)而言：

(1) 当 $g + l < 0$, m 为奇数时，存在负定的 Ляпунов 函数

$$V(x, \xi_1 \cdots, \xi_n) = \frac{1}{2}(g + l)x^2 + W(\xi_1, \cdots, \xi_n)$$

$$+ x^2 Q_2(\xi_1, \cdots, \xi_n) + \cdots + x^m Q_m(\xi_1, \cdots, \xi_n),$$

所以对方程组(2.1)而言,在同样的假定下,存在 Ляпунов 函数

$$V(x, x_1 - u_1(x), \cdots, x_n - u_n(x)) = \frac{1}{2}(g + l)x^2$$

$$+ W(x_1 - u_1(x), \cdots, x_n - u_n(x)) + x^2 Q_2(x_1 - u_1(x),$$

$$\cdots x_n - u_n(x)) + \cdots + x^m Q_m(x_1 - u_1(x)) \cdots x_n - u_n(x)). \tag{2.17}$$

因为 $W(\xi_1, \cdots, \xi_n) = \sum_{i,j=1}^{n} c_{ij}\xi_i\xi_j$ 是负定的二次型：

$$Q_i(\xi_1, \cdots, \xi_n) = \sum_{j=1}^{n} A_{ij}\xi_j = \sum_{j=1}^{n} A_{ij}x_j - \sum_{j=1}^{n} A_{ij}u_j(x),$$

$$i = 1, 2, \cdots, n,$$

所以有

$$x^k Q_k(x_1 - u_1(x), \cdots, x_n - u_n(x))$$

$$= \left[\sum_{j=1}^{n} A_{kj}(x_j - u_j(x))\right] x^k,$$

$$W(x_1-u_1(x),\cdots,x_n-u_n(x))=\sum_{i,j=1}^{n}c_{ij}x_ix_j$$

$$+\sum_{i,j=1}^{n}c_{ij}u_iu_j-\sum_{i,j=1}^{n}c_{ij}(x_iu_j+x_ju_i).$$

我们记

$$G(x)=-x^2Q_2(u_1(x),\cdots,u_n(x))-x^3Q_3(u_1(x),\cdots,u_n(x))$$
$$\cdots-x^mQ_m(u_1(x),\cdots,u_n(x)).$$

显见 $G(x)$ 的首项次数不低于 3，因此(2.17)可改写为

$$V^*(x,x_1,\cdots,x_n)=V(x,x_1-u_1(x),\cdots,x_n-u_n(x))$$

$$=\frac{1}{2}(g+l)x^2+W(x,\cdots,x_n)+W(u_1(x),\cdots,u_n(x)),$$

$$-\sum_{i,j=1}^{n}C_{ij}(x_iu_j(x)+x_ju_i(x))+x^2Q_2(x_1,\cdots,x_n).$$

$$+x^3Q_3(x_1,\cdots,x_n)+\cdots+x^mQ_m(x_1,\cdots,x_n)+G(x).\quad(2.18)$$

由于我们所做的变换(2.15)是拓扑变换，它把定号函数仍旧变到定号函数，所以 $V^*(x,x_1,\cdots,x_n)$ 亦是确定在坐标原点的充分小的邻域内的负定函数．为了简便起见，我们记

$$W(u_1(x),\cdots,u_n(x))+G(x)=G_0(x).$$

显见 $G_0(x)$ 的首项次数不低于 2．再令

$$U(x,x_1,\cdots,x_n)=-\sum_{i,j=1}^{n}c_{ij}(x_iu_j(x)+x_ju_i(x)),$$

$U(x,x_1,\cdots,x_n)$ 的展式的首项次数(对 x, x_1, $\cdots$, x_n 而言)不低于 2，但 U 有这样的一个特性，即 $\dfrac{\partial^2U}{\partial x_i\partial x_j}=0$. 因此(2.18)可简写成下列形式.

$$V^*(x,x_1,\cdots,x_n)=\frac{1}{2}(g+l)x^2+W(x_1,\cdots,x_n)$$

$$+G_0(x)+U(x,x_1,\cdots,x_n)+\sum_{k=2}^{m}x^kQ_k(x_1,\cdots,x_n).$$

对方程组(2.2)而言，我们作 V^* 关于 t 的全导数

$$\frac{dV^*}{dt}=\sum_{s=1}^{n}\frac{\partial V^*}{\partial x_s}\frac{dx_s}{dt}+\frac{\partial V^*}{\partial x}\frac{dx}{dt}$$

$$=\sum_{s=1}^{n}\left[\frac{\partial W}{\partial x_s}+\frac{\partial U}{\partial x_s}+\sum_{k=2}^{m}x^kA_{ks}\right]\cdot\left[\sum_{\sigma=1}^{n}(p_{s\sigma}x_\sigma(t)\right.$$

$$+q_{s\sigma}x_\sigma(t-\tau))+p_sx(t)+q_sx(t-\tau)$$

$$+X_s(x(t),x_1(t),\cdots,x_n(t))$$

$$\left.+Y_s(x(t-\tau),x_1(t-\tau),\cdots,x_n(t-\tau))\right]$$

$$+\left[(g+l)x+\frac{\partial U}{\partial x}+\frac{dG_0}{dx}+\sum_{k=2}^{m}kx^{k-1}Q_k(x_1,\cdots,x_n)\right]$$

$$\times[X(x(t),x_1(t),\cdots,x_n(t))+Y(x(t-\tau),x_1(t-$$

$$\tau),\cdots,x_n(t-\tau))]$$

$$=\sum_{s=1}^{n}\left[\frac{\partial W}{\partial x_s}+\frac{\partial U}{\partial x_s}+\sum_{k=2}^{m}A_{ks}x^k\right]\left[\sum_{\sigma=1}^{n}(p_{s\sigma}+q_{s\sigma})x_\sigma(t)\right.$$

$$+(p_s+q_s)x(t)+X_s(x(t),x_1(t),\cdots,x_n(t))$$

$$\left.+Y_s(x(t),x_1(t),\cdots,x_n(t))\right]+\left[(g+l)x\right.$$

$$\left.+\sum_{k=2}^{m}kx^{k-1}Q_k(x_1,\cdots,x_n)+\frac{\partial U}{\partial x}+\frac{dG_0}{dx}\right]$$

$$\times[X(x(t),x_1(t),\cdots,x_n(t))+Y(x(t),x_1(t),\cdots,$$

$$x_n(t))]-\left\{\sum_{s=1}^{n}\left[\frac{\partial W}{\partial x_s}+\frac{\partial U}{\partial x_s}+\sum_{k=2}^{m}A_{ks}x^k\right]\right.$$

$$\times\left[\sum_{\sigma=1}^{n}q_{s\sigma}(x_\sigma(t)-x_\sigma(t-\tau))\right.$$

$$+q_s(x(t)-x(t-\tau))+Y_s(x(t),x_1(t),\cdots,x_n(t))$$

$$\left.-Y_s(x(t-\tau),x_1(t-\tau),\cdots,x_n(t-\tau))\right]$$

$$+\left[(l+g)x+\sum_{k=2}^{m}kx^{k-1}Q_k(x_1,\cdots,x_n)\right.$$

$$\left.+\frac{\partial U}{\partial x}+\frac{dG_0}{dx}\right]\cdot[Y(x(t),x_1(t),\cdots,x_n(t))$$

$$-Y(x(t-\tau),x_1(t-\tau),\cdots,x_n(t-\tau))]\}$$

$$=\mathrm{I}(x,x_1,\cdots,x_n)-\mathrm{II}(x,x_1,\cdots,x_n).$$

我们知道，当满足条件；m 为奇数与 $g+l<0$，则(2.16)存在负定的 Ляпунов 函数

$$V(x,\xi_1,\cdots,\xi_n)=\frac{1}{2}(g+l)x^2+W(\xi_1,\cdots,\xi_n)$$

$$+x^2Q_2(\xi_1,\cdots,\xi_n)+\cdots+x^mQ_m(\xi_1,\cdots,\xi_n),$$

它对 t 的导数由(2.16)构成，即

$$\left.\frac{dV}{dt}\right|_{(2.16)}=[(g+l)^2+F(x,\xi_1,\cdots,\xi_n)]x^{m+1}$$

$$+\sum_{s=1}^{n}\xi_s^2+\sum_{\alpha,\beta=1}^{n}F_{\alpha\beta}(x,\xi_1,\cdots,\xi_n)\xi_\alpha\xi_\beta$$

为正定的. 然后用 $x_s-u_s(x)$ 来代换 ξ_s, 即得 dV^*/dt 的第一部分，即

$$\mathrm{I}(x,x_1,\cdots,x_n)=\sum_{s=1}^{n}\left[\frac{\partial W}{\partial x_s}+\sum_{k=2}^{m}A_{ks}x^k+\frac{\partial U}{\partial x_s}\right]$$

$$\times\left[\sum_{\sigma=1}^{n}(p_{s\sigma}+q_{s\sigma})x_\sigma(t)+(p_s+q_s)x(t)\right.$$

$$+X_s(x(t),x_1(t),\cdots,x_n(x))+Y_s(x(t),$$

$$\left.x_1(t),\cdots,x_n(t))\right]$$

$$+\left[(g+l)x+\sum_{k=2}^{m}kx^{k-1}Q_k(x_1,\cdots,x_n)+\frac{\partial U}{\partial x}\right.$$

$$\left.+\frac{dG_0(x)}{dx}\right]\cdot[X(x(t),x_1(t),\cdots,x_n(t))$$

$$+Y(x(t),x_1(t),\cdots,x_n(x))],$$

因为(2.15)是拓扑变换，因此在 $x=x_1=\cdots=x_n=0$ 的充分小邻域内 $\mathrm{I}(x,x_1,\cdots,x_n)$ 亦为正定的. 这样一来，我们只要选取充分小的 τ，使 dV^*/dt 的第二部分不超过 $|\mathrm{I}(x,x_1,\cdots,x_n)|$，亦即选择充分小的 τ，使下列不等式成立：

$$
\begin{aligned}
|\mathrm{II}(x,x_1,\cdots,x_n)| = \Bigg| \Bigg\{ & \sum_{s=1}^{n}\left[\frac{\partial W}{\partial x_s}+\frac{\partial U}{\partial x_s}+\sum_{k=2}^{m} Aksx^k\right] \\
& \times\left[\sum_{\sigma=1}^{n} q_{s\sigma}\int_{t-\tau}^{t}\frac{dx_\sigma(t)}{dt}dt+q_s\int_{t-\tau}^{t}\frac{dx(t)}{dt}dt\right. \\
& \left.+\int_{t-\tau}^{t}\frac{dY_s(x(t),x_1(t),\cdots,x_n(t))}{dt}dt\right] \\
& +\left[(g+l)x+\sum_{k=1}^{n}kx^{k-1}Q_k(x_1,\cdots,x_n)+\frac{\partial U}{\partial x}+\frac{dG_0}{dx}\right] \\
& \times\left[\int_{t-\tau}^{t}\frac{dY(x(t),x_1(t),\cdots,x_n(t))}{dt}dt\right]\Bigg\}\Bigg| \\
& <|\mathrm{I}(x,x_1,\cdots,x_n)|.
\end{aligned}
$$

这样一来，我们就可以建立类似于定理 2 的，方程组(2.1)与(2.2)的等价性定理. 而对剩下的两种情形：

(2) $g+l>0$，m 是奇数，

(3) $g+l\neq 0$，m 是偶数.

我们亦可建立类似于定理 3 的方程组(2.1)与(2.2)之间的不稳定性的等价性定理. 这里从略.

§3. 第一临界情形，非线性系统，奇异情形

当(2.3)满足条件

$$
X(0,\cdots,0,x)\equiv X_s(0,\cdots,0,x)\equiv Y_s(0,\cdots,0,x)
$$
$$
\equiv Y(0,\cdots,0,x)\equiv 0,\quad s=1,2,\cdots,n
$$

时，我们就称(2.3)为奇异情形. 根据 Ляпунов 定理知，(2.3)的零解在奇异情形永远稳定，但不是渐近稳定. 显见

$$x=c,\quad x_1=\cdots=x_n=0 \tag{3.1}$$

是(2.3)的一个解，c是一个常量. 如果让$c=0$即得(2.3)的零解，这说明(2.3)的零解是属于一个参数的驻定运动族(2.1)中的对应于$c=0$的一个驻定运动. 对(2.1)中之任一个驻定运动(例如$x=c_0, x_1=\cdots=x_n=0$)，如果我们把它当作未被扰动运动时，它也具有(2.3)之零解的性质. 现在我们要问，即当$0\leqslant\tau\leqslant\Delta$($\Delta$为正常数)时，(2.4)之零解是否亦具有上述(2.3)之零解的性质呢？回答是肯定的. 也就是说，在奇异情形下的微分方程与差分微分方程之间存在稳定性方面的等价性关系. 下面我们就来论证这一点.

定理5. 设(2.3)的平凡解是稳定的. 则存在一正数

$$\Delta=\Delta(X,Y,p_{s\sigma},q_{s\sigma},X_s,Y_s)>0,$$

使得当τ满足不等式$0\leqslant\tau\leqslant\Delta$时，(2.4)的平凡解亦是稳定的.

证. 将(2.4)改写成下列形式

$$\begin{aligned}\frac{dx(t)}{dt}=&X(x,x_1,\cdots,x_n)+Y(x,x_1,\cdots,x_n)\\&+[Y(x(t-\tau(t)),x_1(t-\tau(t)),\cdots,\\&x_n(t-\tau(t)))-Y(x(t),x_1(t),\cdots,x_n(t))],\end{aligned}\tag{3.2}$$

$$\begin{aligned}\frac{dx_s(t)}{dt}=&\sum_{\sigma=1}^{n}(p_{s\sigma}+q_{s\sigma})x_\sigma(t)+X_s(x(t),x_1(t),\cdots,\\&x_n(t))+Y_s(x(t),x_1(t),\cdots,x_n(t))\\&+\left[\sum_{\sigma=1}^{n}q_{s\sigma}(x_\sigma(t-\tau(t))-x_\sigma(t))\right.\\&+Y_s(x(t-\tau(t)),x_1(t-\tau(t)),\cdots,\\&x_n(t-\tau(t)))-Y_s(x(t),x_1(t),\cdots,x_n(t))\Big],\\&s=1,2,\cdots,n.\end{aligned}$$

由条件(1)知$|p_{s\sigma}+q_{s\sigma}-\delta_{s\sigma}\chi|=0$ $(s,\sigma=1,2,\cdots,n)$的所有根$\chi_i(i=1,2,\cdots,n)$都具有负实部，即$\mathrm{Re}(\chi_i)<0(i=1,\cdots,n)$. 因此任意给定负定的二次型

$$W(x_1,\cdots,x_n)=-\sum_{s=1}^{n}x_s^2.$$

都存在正定的二次型 $V(x_1,\cdots,x_n)$ 使

$$\sum_{s=1}^{n}\frac{\partial V}{\partial x_s}\left[\sum_{\sigma=1}^{n}(p_{s\sigma}+q_{s\sigma})x_\sigma\right]=-\sum_{s=1}^{n}x_s^2. \tag{3.3}$$

所以

$$\sum_{s=1}^{n}\frac{\partial V}{\partial x_s}\left[\sum_{\sigma=1}^{n}(p_{s\sigma}+q_{s\sigma})x_\sigma+X_s(x,x_1,\cdots,x_n)\right.$$

$$\left.+Y_s(x,x_1,\cdots,x_n)\right]=-\sum_{s=1}^{n}x_s^2+\sum_{s=1}^{n}\frac{\partial V}{\partial x_s}$$

$$\cdot(X_s(x,x_1,\cdots,x_n)+Y_s(x,x_1,\cdots,x_n)). \tag{3.4}$$

根据条件 $X_s(x,0,\cdots,0)\equiv Y_s(x,0,\cdots,0)\equiv 0$ 知

$$\sum_{s=1}^{n}\frac{\partial V}{\partial x_s}(X_s(x,x_1,\cdots,x_n)+Y_s(x,x_1,\cdots,x_n))$$

$$=\sum_{\alpha,\beta=1}^{n}f_{\alpha\beta}(x,x_1,\cdots,x_n)x_\alpha x_\beta,$$

其中 $f_{\alpha\beta}(x,x_1,\cdots,x_n)$ 是 $x,x_s(s=1,2,\cdots,n)$ 的解析函数,其展式的首项次数不低于1,即 $f_{\alpha\beta}(0,\cdots,0)=0(\alpha,\beta=1,2,\cdots,n)$. 因此,在原点的充分小邻域内,(3.4)是负定的.

我们借助于代换

$\xi_s(t)=e^{\alpha t}x_s(t)$, $s=1,2,\cdots,n$, $\alpha>0$ 待定,来变换方程(3.2)的后 n 个方程,即得

$$\frac{d\xi_s}{dt}=\alpha e^{\alpha t}x_s+e^{\alpha t}\frac{dx_s}{dt}$$

$$=\alpha\xi_s+e^{\alpha t}\left\{\sum_{\sigma=1}^{n}(p_{s\sigma}+q_{s\sigma})x_\sigma+X_s(x,x_1,\cdots,x_n)\right.$$

$$+Y_s(x,x_1,\cdots,x_n)+\sum_{\sigma=1}^{n} q_{s\sigma}(x_\sigma(t-\tau(t))-x_\sigma(t))$$

$$+Y_s(x(t-\tau(t)),x_1(t-\tau(t)),\cdots,x_n(t-\tau(t)))$$

$$-Y_s(x(t),x_1(t),\cdots,x_n(t))\}.$$

注意 $e^{-\alpha t}\xi_s(t)=x_s(t)$，所以

$$x_s(t-\tau)=\xi_s(t-\tau)e^{-\alpha(t-\tau)}=e^{\alpha\tau}e^{-\alpha t}\xi_s(t-\tau).$$

因此，将上述方程整理一下即得

$$\begin{aligned}\frac{d\xi_s(t)}{dt}=&\sum_{\sigma=1}^{n}(p_{s\sigma}+q_{s\sigma}+\delta_{s\sigma}\alpha)\xi_\sigma\\&+e^{\alpha t}(X_s(e^{-\alpha t}\xi_1,\cdots,e^{-\alpha t}\xi_n,x)\\&+Y_s(e^{-\alpha t}\xi_1,\cdots,e^{-\alpha t}\xi_n,x))\\&+\sum_{\sigma=1}^{n}q_{s\sigma}(e^{\alpha\tau}\xi_\sigma(t-\tau(t))-\xi_\sigma(t))\\&+e^{\alpha t}[Y_s(e^{-\alpha t}e^{\alpha\tau}\xi_1(t-\tau(t)),\cdots,e^{-\alpha t}e^{\alpha\tau}\xi_n(t-\tau(t)),\\&\quad x(t-\tau(t)))-Y_s(e^{\alpha t}\xi_1(t),\cdots,\\&\quad e^{-\alpha t}\xi_n(t),x(t))],\quad s=1,2,\cdots,n.\end{aligned}\tag{3.5}$$

根据(3.5)我们作 $V(\xi_1,\cdots,\xi_n)$ 的全导数

$$\begin{aligned}\frac{dV}{dt}=&\sum_{s=1}^{n}\frac{\partial V}{\partial\xi_s}\frac{d\xi_s}{dt}=\sum_{s=1}^{n}\frac{\partial V}{\partial\xi_s}\Big\{\sum_{\sigma=1}^{n}(p_{s\sigma}+q_{s\sigma}+\delta_{s\sigma}\alpha)\xi_\sigma\\&+e^{\alpha t}(X_s(e^{-\alpha t}\xi_1,\cdots,e^{-\alpha t}\xi_n,x)\\&+Y_s(e^{-\alpha t}\xi_1,\cdots,e^{-\alpha t}\xi_n,x))\\&+\sum_{\sigma=1}^{n}q_{s\sigma}(e^{\alpha\tau}\xi_s(t-\tau)-\xi_s(t))\\&+e^{\alpha t}[Y_s(e^{-\alpha t}e^{\alpha\tau}\xi_1(t-\tau),\cdots,e^{-\alpha t}e^{\alpha\tau}\xi_n(t-\tau),\\&\quad x(t-\tau))-Y_s(e^{-\alpha t}\xi_1(t),\cdots,e^{-\alpha t}\xi_n(t),x(t))]\Big\}\\=&-\sum_{s=1}^{n}\xi_s^2+2\alpha V(\xi_1,\cdots,\xi_n)\end{aligned}$$

$$+e^{\alpha t}\sum_{s=1}^{n}\frac{\partial V}{\partial \xi_s}[X_s(e^{-\alpha t}\xi_1,\cdots,e^{-\alpha t}\xi_n,x)$$

$$+Y_s(e^{-\alpha t}\xi_1,\cdots,e^{-\alpha t}\xi_n,x)]$$

$$+\sum_{s=1}^{n}\frac{\partial V}{\partial \xi_s}\left[\sum_{\sigma=1}^{n}q_{s\sigma}(e^{\alpha\tau}\xi_s(t-\tau)-\xi_s(t))\right]$$

$$+e^{\alpha t}\sum_{s=1}^{n}\frac{\partial V}{\partial \xi_s}[Y_s(e^{-\alpha t}e^{\alpha\tau}\xi_1(t-\tau),\cdots e^{-\alpha t}e^{\alpha\tau}\xi_n(t$$

$$-\tau),x(t-\tau))-Y_s(e^{-\alpha t}\xi_1(t),\cdots,e^{-\alpha t}\xi_n(t),x(t))]$$

$$=H(\xi_1(t),\cdots,\xi_n(t),x(t);\xi_1(t-\tau(t)),\cdots,\xi_n(t$$

$$-\tau(t)),x(t-\tau(t))).$$

现在我们可以选择 α 如此地小，使得

$$-\sum_{s=1}^{n}\xi_s^2+2\alpha V(\xi_1,\cdots,\xi_n)$$

为负定的二次型，另一方面，因为 $X_s(x,0,\cdots,0)\equiv 0, Y_s(x,0,\cdots,0)\equiv 0\ (s=1,2,\cdots,n)$. 因此在区域

$$t\geqslant 0,\ |\xi_s|\leqslant\beta^*,\ |x|\leqslant\beta^*,\ s=1,2,\cdots,n,$$

内，当 β^* 充分小时，我们有下列的估值

$$\left|e^{\alpha t}\sum_{s=1}^{n}\frac{\partial V}{\partial \xi_s}[X_s(e^{-\alpha t}\xi_1,\cdots,e^{-\alpha t}\xi_n,x)\right.$$

$$\left.+Y_s(e^{-\alpha t}\xi_1,\cdots,e^{-\alpha t}\xi_n,x)]\right|$$

$$\leqslant B\{|\xi_1|+\cdots+|\xi_n|\}^2.$$

再由 X_s, Y_s 展式的首项次数不低于 2，我们有

$$\sum_{s=1}^{n}\frac{\partial V}{\partial \xi_s}[X_s(e^{-\alpha t}\xi_1,\cdots,e^{-\alpha t}\xi_n,x)$$

$$+Y_s(e^{-\alpha t}\xi_1,\cdots,e^{-\alpha t}\xi_n,x)]$$

$$=\sum_{\alpha,\beta=1}^{n}f_{\alpha\beta}(e^{-\alpha t}\xi_1,\cdots,e^{-\alpha t}\xi_n,x)\xi_\alpha\xi_\beta,$$

且

$$f_{\alpha\beta}(0,\cdots,0)=0,\quad \alpha,\beta=1,2,\cdots,n,$$

故只要将 β^* 选取得适当小，即可使得正数 B 任意地小（注意 B 的大小依赖于 β^* 的选取）.

因此，由 Малкин [1]的引理知，我们可以选取 β^* 如此地小，使得函数

$$-\sum_{s=1}^{n}\xi_s^2+2\alpha V(\xi_1,\cdots,\xi_n)$$

$$+e^{\alpha t}\sum_{s=1}^{n}\frac{\partial V}{\partial \xi_s}[X_s(e^{-\alpha t}\xi_1,\cdots,e^{-\alpha t}\xi_n,x)$$

$$+Y_s(e^{-\alpha t}\xi_1,\cdots,e^{-\alpha t}\xi_n,x)]$$

是负定的. 我们现在假定正数 β^* 就是按照上述的要求选取的. 由于函数 $H(\xi_1(t),\cdots,\xi_n(t),x(t),\xi_1(t-\tau(t)),\cdots,\xi_n(t-\tau(t)),x(t-\tau(t)))$ 当 $\tau=0$ 时是负定的，根据连续性知：存在正数 $\Delta>0$，使得当 $0\leqslant\tau\leqslant\Delta$ 时，函数 $H(\xi_1(t),\cdots,\xi_n(t),x(t),\xi_1(t-\tau(t)),\cdots,\xi_n(t-\tau(t)),x(t-\tau(t)))$ 仍是负定的. 至于 Δ 的估值仍如前面所说的同样方法去估计，在这个估值中应注意的就是

$$e^{\alpha\tau}\xi_s(t-\tau)-\xi_s(t)=e^{\alpha\tau}\xi_s(t-\tau)-e^{\alpha\tau}\xi_s(t)+(e^{\alpha\tau}-1)\xi_s(t)$$

$$=\tau\left[\alpha\left(1+\frac{\alpha\tau}{2!}+\frac{\alpha^2\tau^2}{3!}+\cdots\right)\xi_s(t)-e^{\alpha t}\dot{\xi}_s(t-(1-\theta)\tau)\right],$$

$$0<\theta<1.$$

其它估值类似，即可算得

$$\Delta=\frac{1}{2nc_0[nM_2(\alpha+(3n+2)c_1+2M_1(1+e^{\alpha})+2M_2^2+e^{\alpha}\alpha)]},$$

其中 c_0,c_1,M_1,M_2 都是一些常数，即由

$$V(\xi_1,\cdots,\xi_n)=\sum_{\alpha,\beta=1}^{n}c_{\alpha\beta}\xi_\alpha\xi_\beta,$$

可得

$$c_0 = \max_{\alpha,\beta=1,\cdots,n} |c_{\alpha\beta}|, c_1 = \max_{s,\sigma=1,\cdots,n} [|p_{s\sigma}|, |q_{s\sigma}|],$$

$$M_1 = \max_{\substack{|\xi_s| \leqslant \beta^* \\ |x| \leqslant \beta^*}} (|X_s|, |Y_s|, |X|, |Y|), \quad s = 1, \cdots, n,$$

$$M_2 = \max_{\substack{|x| \leqslant \beta^* \\ |\xi_s| \leqslant \beta^*}} \left(\left| \frac{\partial Y_s}{\partial x_\sigma} \right|, \left| \frac{\partial Y_s}{\partial x} \right| \right), \quad s = 1, \cdots, n,$$

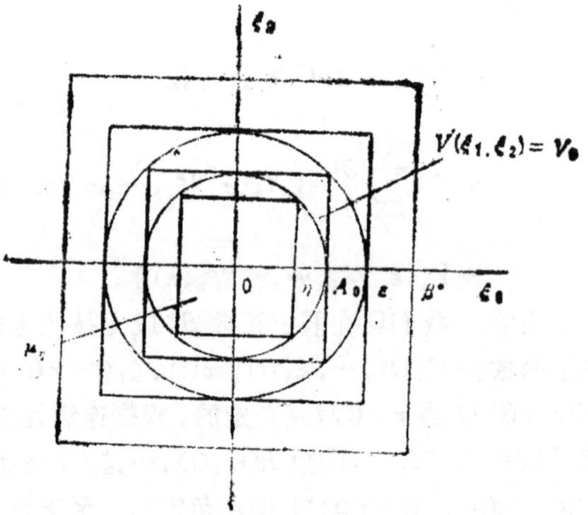

图3.1

下面我们就来证明方程组(3.5)的平凡解当 $0 \leqslant \tau \leqslant \Delta$ 时是稳定的.

考虑在初始集 $-\Delta \leqslant t \leqslant 0$ 上,我们取初始函数 $\varphi(t)$,$\varphi_s(t)$ $(s = 1, 2, \cdots, n)$ 满足不等式

$$|\varphi(t)| \leqslant \eta, |\varphi_s(t)| \leqslant \eta,$$
$$s = 1, 2, \cdots, n,$$

其中 $0 < \eta < \beta^*$. 而由此初始函数所确定的方程组(3.5)的解 $x(t)$,$\xi_s(t)$ $(s = 1, 2, \cdots, n)$,至少在 $0 \leqslant t \leqslant T$ 上满足不等式

$$|\xi_s(t)| \leqslant \beta^*, |x(t)| \leqslant \beta^*, s = 1, 2, \cdots, n.$$

在这段时间区间 $0 \leqslant t \leqslant T$ 上当 $0 \leqslant \tau \leqslant \Delta$ 时,我们有

$$\frac{dV}{dt} < 0.$$

所以

$$V(\xi_1(T),\cdots,\xi_n(T))=V(\xi_1^0,\cdots,\xi_n^0)$$

$$+\int_0^T \frac{dV}{dt}dt<V(\xi_1^0,\cdots,\xi_n^0), \tag{3.6}$$

其中

$$\varphi_s(0)=\xi_s^0, s=1,2,\cdots,n, \varphi(0)=x_0.$$

因为 $V(\xi_1,\cdots,\xi_n)$ 是正定的，所以我们只要把初始函数 $\varphi_s(t)$，$\varphi(t)$ 取得适当地小，则由(3.6)可推得：当 $0\leqslant t\leqslant T$ 时，有

$$|\xi_s(t)|<A_0, \quad s=1,2,\cdots,n, \tag{3.7}$$

且常数 A_0 可以作得任意小，只要初始函数 $\varphi(t)$，$\varphi_s(t)$ 取得适当地小即可.

另外，我们再由(3.7)可推出：当 $0\leqslant t\leqslant T$ 时，对应于方程组(3.5)在 $0\leqslant\tau\leqslant\Delta$ 时的解 $x_s(t)$ 满足不等式

$$|x_s(t)|<A_0e^{-\alpha t}. \tag{3.8}$$

由此即知

$$|x_s(t-\tau)|<A_0e^{\alpha\tau}e^{-\alpha t}. \tag{3.9}$$

由(3.8)，(3.9)，对函数 $X(x(t),x_1(t),\cdots,x_n(t))$ 及 $Y(x(t-\tau),x_1(t-\tau),\cdots,x_n(t-\tau))$ 在 $0\leqslant t\leqslant T$ 时作如下的正确估值：

$$\begin{aligned}&|X(x(t),x_1(t),\cdots,x_n(t))+Y(x_1(t-\tau),\cdots,\\&x_n(t-\tau),x(t-\tau))|\leqslant|X(x(t),x_1(x),\cdots,x_n(t))|\\&+|Y(x_1(t-\tau),\cdots,x_n(t-\tau),x(t-\tau))|\\&\leqslant M_0A_0e^{-\alpha t}+M_1A_0e^{-\alpha t}e^{\alpha\tau}=(M_0+M_1e^{\alpha\tau})A_0e^{-\alpha t},\end{aligned}$$

其中 M_0M_1 是正的常数．因为由条件

$$X(x(t),0,\cdots,0)\equiv 0, \quad Y(x(t-\tau),0,\cdots,0)\equiv 0$$

与方程组(2.2)的第一个方程知

$$\begin{aligned}x(t)=\varphi(0)+\int_0^t&(X(x(t),x_1(t),\cdots,x_n(t))\\&+Y(x(t-\tau),x_1(t-\tau),\cdots,x_n(t-\tau)))dt,\end{aligned}$$

所以

$$|x(t)|<\varphi(0)+(M_0+M_1e^{a\Delta})A_0\int_0^t e^{-at}dt$$

$$=\varphi(0)+(M_0+M_1e^{a\Delta})A_0\frac{1}{a}(1-e^{-at})$$

$$<\varphi(0)+(M_0+M_1e^{a\Delta})A_0\frac{1}{a}. \tag{3.10}$$

现在设 ε 是任意小的正数，在任何情况下，我们都假定它比 β^* 还要小. 这样一来，我们只要适当地选取 η，也即是把初始函数的变化区域取得适当地小，就可使得 A_0 比 ε 小，且还可以使得不等式(3.10)的右端比 ε 还小. 这件事也是完全可以办到的，因为初始函数的变动区域取得适当小，就可使得 $\varphi(0)$ 与 A_0 任意地小. 而 $\frac{1}{a}(M_0+M_1e^{a\Delta})$ 都是常数，因此就可使

$$\varphi(0)+\frac{1}{a}(M_0+M_1e^{a\Delta})A_0<\varepsilon,$$

则从不等式(3.7)与(3.10)推出，对所有的 $t\geqslant 0$ 的 t 来说，不等式

$$|\xi_s(t)|\leqslant\beta^*,\ |x(t)|\leqslant\beta^*,\ s=1,2,\cdots,n, \tag{3.11}$$

被满足，不等式

$$|\xi_s(t)|<\varepsilon,\ |x(t)|<\varepsilon,\ s=1,2,\cdots,n, \tag{3.12}$$

也被满足；但因为 $\varepsilon<\beta^*$，因此不等式(3.11)与(3.12)是同时被满足. 实际上，如果条件(3.11)在 $0\leqslant t\leqslant T$ 时被满足，而在以后的时间，若要破坏这不等式，必定存在瞬时 $t_1=t^*>T_0$，则此瞬时 $|x(t)|$ 与 $|\xi_s(t)|$ $(s=1,2,\cdots,n)$ 中至少有一个达到 β^* 值，然而这是不可能的. 因为在这个瞬时. 条件(3.12)还是要被保持的，因此所有的 $|\xi_s(t)|$，$|x(t)|$ 将小于 ε.

总之，如果在初始集 $-\Delta\leqslant t\leqslant 0$ 上，初始函数 $\varphi(t)$，$\varphi_s(t)$ $(s=1,2,\cdots,n)$ 满足条件

$$|\varphi(t)|<\eta,\ |\varphi_s(t)|<\eta,\ s=1,2,\cdots,n,$$

则在以后的所有时间，即 $t\geqslant 0$ 的 t 将满足不等式(3.12)，又由于 $\xi_s=e^{at}x_s$，故 $x_s(t)=e^{-at}\xi_s(t)$，所以

$$|x_s(t)| < e^{-\alpha t}\varepsilon \leqslant \varepsilon, \text{ 对 } t \geqslant 0,$$

此乃方程组 (2.2) 的平凡解当 $0 \leqslant \tau(t) \leqslant \Delta$ 时是稳定的，定理证毕.

§4. 第二临界情形的反例

对第二临界情形，举一个不存在等价关系的反例：

$$\frac{dx(t)}{dt} = y(t) + K(y(t) - y(t-\tau)),$$

$$\frac{dy(t)}{dt} = -x(t) - K(x(t) - x(t-\tau)).$$

当 $\tau = 0$ 时原点是中心，当 $K < 0$, $\tau > 0$ 足够小时得到不稳定性.

其特征方程为

$$\begin{vmatrix} -\lambda & 1 + K(1 - e^{-\tau\lambda}) \\ -1 - K(1 - e^{-\tau\lambda}) & -\lambda \end{vmatrix} = 0,$$

即

$$\lambda^2 + [1 + K(1 - e^{-\tau\lambda})]^2 = 0.$$

令 $\lambda = \xi(\tau) + i\eta(\tau)$, $\xi(0) = 0$, $\eta(0) = \pm i$，即 $\lambda(0) = \pm i$，我们有

$$2\lambda\frac{d\lambda}{d\tau} + 2[1 + K(1 - e^{-\tau\lambda})]\left[Ke^{-\tau\lambda}\left(\lambda + \tau\frac{d\lambda}{d\tau}\right)\right] = 0.$$

以 $\tau = 0$, $\lambda = \pm i$ 代入之有

$$2(\pm i)\frac{d\lambda}{d\tau} + 2K(\pm i) = 0$$

或

$$\frac{d\lambda}{d\tau} = -K, \text{ 或 } \left.\frac{d\xi(\tau)}{d\tau}\right|_{\tau=0} = -K,$$

或
$$\left.\frac{d\eta(\tau)}{d\tau}\right|_{\tau=0} = 0.$$

由此，当 $K < 0$ 时，$\tau > 0$ 又足够小，则

$$\xi(\tau)>0,$$

由此得到不稳定.

另一方面,也可以证明,当 $K>0$ 时,τ ($\tau>0$)足够地小,则

$$\xi(\tau)<0,$$

因 $\tau=0$ 时有

$$2\lambda\frac{d\lambda}{d\tau}+2K\lambda=0,$$

故有

$$\left.\frac{d\lambda}{d\tau}\right|_{\tau=0}=-K$$

对所有虚轴上之点都成立.

第八章　全时滞系统的无条件稳定性

§1．概　　述

在第五章里，对一维定常线性系统的稳定性问题进行了系统的研究，其中提到系统

$$\dot{x}(t)=ax(t)+bx(t-\tau) \tag{1.1}$$

有一个"绝对稳定"区域，$a+b<0, b-a\geqslant 0$．显然，这时所谓"绝对稳定"是完全不同于调节系统中同一术语的含义的．它是指(1.1)的零解之渐近稳定性对一切$\tau\in\mathbb{R}_+=[0,\infty)$都成立．本章将对这类问题给以详细的讨论．

先给出确切的定义．

定义　对常系数线性时滞系统

$$\dot{x}_s(t)=\sum_{j=1}^{n}(a_{sj}x_j(t)+b_{sj}x_j(t-\tau)), \tag{1.2}$$

$$s=1,2,\cdots,n,$$

若对任何$\tau\in\mathbb{R}_+$，(1.2)之零解都是渐近稳定的，则称系统(1.2)为无条件稳定，或绝对稳定，或全时滞稳定．

这一定义可以运用于多个滞量的情形．

记$\tau=(\tau_1,\tau_2,\cdots,\tau_m)$，$\tau_j\in\mathbb{R}_+$，$\tau\in\mathbb{R}_+^m$．$\gamma_{kj}\geqslant 0$为整数，$\gamma_k=(\gamma_{k1},\cdots\gamma_{km})$．$\gamma_k\neq 0$．我们有

$$\gamma_k\cdot\tau=\sum_{j=1}^{m}\gamma_{kj}\tau_j, k=1,2,\cdots,N,$$

则比(1.2)更为普遍的系统为

$$\dot{x}(t)=A_0x(t)+\sum_{k=1}^{N}A_kx(t-\gamma_k\cdot\tau), \tag{1.3}$$

其中$x\in\mathbb{R}^n$，A_k，$k=0,1,\cdots,N$均为$n\times n$常数阵．此时无条件稳定说成：对给定的γ_k，若对任意的$\tau\in\mathbb{R}_+^m$．(1.3)的零解总是渐近

稳定的，则称(1.3)为无条件稳定的或全时滞稳定的.

现在给出研究无条件稳定性的一种途径. 为明确起见，集中讨论系统(1.2).

引入(1.2)之特征方程和记号 $\Delta(\lambda;\tau)$,

$$\Delta(\lambda;\tau)=|a_{sj}+b_{sj}e^{-\tau\lambda}-\delta_{sj}\lambda|=0. \tag{1.4}$$

按照第四章§1中叙述的 Понтрягин 定理，可以确立一个基本思想；(1.4)中令 $\tau=0$，它便是相应于(1.2)中 $\tau=0$ 的常微分方程组的特征方程

$$\Delta(\lambda;0)=|a_{sj}+b_{sj}-\delta_{sj}\lambda|=0, \tag{1.5}$$

系统(1.2)无条件稳定意味着 τ 从 0 增加到 $+\infty$ 的整个过程中，(1.4)的零点不能达到虚轴. 下面的做法，实际上是这一基本思想的定量表示过程.

我们有如下结果

定理1. 系统(1.2)为无条件稳定的充分必要条件是

(i) (1.5)之根的实部均为负的.

(ii) 对于任何实数 y 及任何实数 $\tau\in\mathbb{R}_+$ 均有

$$\Delta(iy;\tau)\neq 0. \tag{1.6}$$

证. 条件是必要的，因为如果条件(i)不成立，则 $\tau=0$ 时系统(1.2)便不是渐近稳定的. 又如果有实数 y 及 $\tau\geqslant 0$ 使

$$\Delta(iy;\tau)=0,$$

则对这个 τ，系统(1.2)有虚的特征根，因此不是渐近稳定的，必要性证毕.

充分性的证明是利用这样的事实，即只需证明对 $\tau\in\mathbb{R}_+$ (1.4)之特征根的实部都是负的便可以.

为此将 $\Delta(\lambda;\tau)$ 展开为 λ 的多项式

$$\Delta(\lambda;\tau)=(-1)^n\lambda^n+A_1\lambda^{n-1}+\cdots+A_n=0,$$

其中 A_i 是 a_{sj}, b_{sj} 及 $e^{-\tau\lambda}$ 之多项式.

注意到 a_{sj}, b_{sj} 均为已给的常数，且当 $\tau\in\mathbb{R}_+$ 及 $\mathrm{Re}(\lambda)\geqslant 0$ 时有

$$|e^{-\tau\lambda}|\leqslant 1,$$

由此，在 $\tau\in\mathbb{R}_+$，$\mathrm{Re}(\lambda)\geqslant 0$ 时 $|A_k|$ 为有界的. 用 K_1 记此界，

$$K_1=\max_{1\leqslant i\leqslant n}|A_i|，\text{当 } \tau\in\mathbb{R}_+,\ \mathrm{Re}(\lambda)\geqslant 0 \text{ 时，}$$

取

$$R=\max(1,(n+1)K_1)>0,$$

则当 $|\lambda|\geqslant R$ 及 $\mathrm{Re}(\lambda)\geqslant 0$，便有

$$\begin{aligned}&|(-1)^n\lambda^n+A_1\lambda^{n-1}+\cdots+A_n|\\ &\geqslant|\lambda|^n[1-|A_1|/|\lambda|-\cdots-|A_n|/|\lambda|^n]\\ &\geqslant R^n\left[1-\frac{nK_1}{(n+1)K_1}\right]>0.\end{aligned}$$

由此可见，在 $|\lambda|\geqslant R$ 及 $\mathrm{Re}(\lambda)\geqslant 0$ 中，对任何的 $\tau\in\mathbb{R}_+$，(1.4) 均无根. 故可不考虑这个区域.

由条件(i)知，当 $\tau=0$ 时，(1.4) 之根都在 $\mathrm{Re}(\lambda)<0$ 这半平面上. 现在当 $\tau\neq 0$ 时，特征根要在 $\mathrm{Re}(\lambda)>0$ 的可能性只有当某一 τ 时，λ 在 $-R$ 到 R 之间穿过 λ 平面上之虚轴(图1.1)，但是条件(ii)不容许(1.4)之根达到 λ 平面的虚轴之上，所以这些特征根必然留在 $\mathrm{Re}(\lambda)<0$ 这半平面内. 充分性证毕.

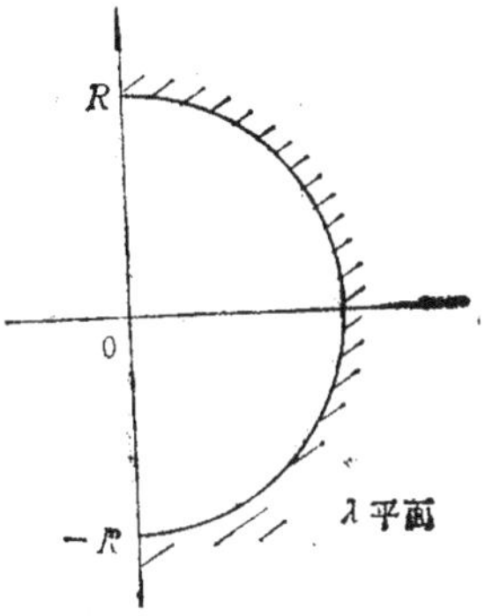

图 1.1

注 1. 由证明可见，条件(ii)可以减弱到

$$-R<y<R$$

而不必要 $y\in\mathbb{R}=(-\infty,\infty)$，这里实际上是没有区别的.

§2. 无条件稳定性的代数判定

在第一节中由定理 1 给出了一种判别准则，但是，条件(ii) 是超越的. 一般地说，对指定的系统(1.2)，要具体验证(ii)满足与否是不可能的. 从实际应用的角度出发，希望能找到某种代数准则. 换言之，希望有某种明确的代数式供验证时使用，通过有限次的代

数运算(在 a_{sj}, b_{sj}. $\tau>0$ 之间)便能达到目的.

我们注意到条件(i)有传统的 Hurwitz 方法可以检验, 所以全部问题归结到(ii)的研究. 对(ii)的分析可以分为两个方面:

(1) $y=0$,此时条件(ii)等于

$$\Delta(0,\tau)=|a_{sj}+b_{sj}|\neq 0. \tag{2.1}$$

(2.1)成立与否对任何 $\tau\in\mathbb{R}_+$ 都一样,故不必讨论,并且这一条件已包含于条件(i)之中.

(2) $y\neq 0$, 此时我们引入解决问题的关键想法: 由于 $\tau\in\mathbb{R}_+$ 是任意的,$y\neq 0$, 故当 τ 由0变到 $\left|\frac{2\pi}{y}\right|$ 时, $-\tau y$ 由 0 变到 $\pm 2\pi$, 因此 $e^{-i\tau y}$ 在单位圆上绕了一周,这便说明对 $y\neq 0$, $e^{-i\tau y}$ 可作为与 y 无关的值. 更确地说,引入

$$\omega=-\tau y,$$

则条件(ii)变成要求条件(2.1)及下述条件同时成立.

对任何非零的实的 y 及任何实的 ω,

$$F(y,\omega)=|a_{sj}+b_{sj}e^{i\omega}-\delta_{sj}(iy)|\neq 0. \tag{2.2}$$

形式上看来,这里没有消去超越函数 $e^{i\omega}$ 所引起的困难, 但这里由于ω与 y 为独立变量,故可以由(2.2)将实部与虚部分开:

$$F(y,\omega)=U(y,\omega)+iV(y,\omega). \tag{2.3}$$

再命

$$U(y,\omega)=0,\ V(y,\omega)=0. \tag{2.4}$$

由(2.4)消去 ω (或 y)便得到 y(或 $\cos\omega,\sin\omega$)之多项式

$$H(y)=0(\text{或}H(\cos\omega,\sin\omega)=0). \tag{2.5}$$

这时只要判定两点: 或者(2.5)之 y 无非零的实根,这时 (2.2) 显然成立,或者(2.5)之 y 虽有非零实根,但这种实根代入(2.4)时所得之方程组没有实的公根 ω, 则(2.2)也显然成立. 并且,要(2.2)成立,只要判定这两点就行了.

值得特别提出的是: 判定这两点都是代数方程的问题,这里已经没有超越方程的求根问题.

总结上述过程如下:

定理2. 系统(1.2)为无条件稳定的充分必要条件是

(i) (1.5)的根之实部均为负的.

(ii) (2.5)中或者 y 无非零实根，或者 y 有非零实根，但对此实的 y 值，(2.4)无公共实根 ω.

我们也可以用下面的条件代替(ii).

(ii)′ (2.5)中 ω 无实根，或 ω 虽有实根，但对此实的 ω 值，(2.4)无非零的公共根 y.

现在把定理2具体应用于一维系统，以说明运算过程和运算结果.

例1. 考虑当 $n=1$ 时，系统(1.2)的无条件稳定性

$$\dot{x}(t) = ax(t) + bx(t-\tau),$$

$$\Delta(\lambda;\tau) \equiv a + be^{-\lambda\tau} - \lambda = 0.$$

条件(i)即

$$\Delta(\lambda;0) \equiv a + b - \lambda = 0$$

之根 $\lambda = +(a+b)$ 有负实部，亦即

$$a+b<0.$$

条件(ii)便是

$$F(y,\omega) = (a+b\ \cos\omega) + i(-y+b\ \sin\omega)$$
$$= U(y,\omega) + iV(y,\omega).$$

由

$$U = (a+b\ \cos\omega) = 0$$

及

$$V = (-y+b\ \sin\omega) = 0,$$

消去 ω 便有

$$H(y) = y^2 + a^2 - b^2 = 0.$$

要 $H(y)$ 无非零实根之充要条件是

$$b^2 - a^2 \leqslant 0.$$

其次，当 $H(y)$ 有非零实根时，

$$y^2 = b^2 - a^2 > 0.$$

故 $b \neq 0$. 由此可由 $U=0$ 及 $V=0$ 得

$$\mathrm{tg}\omega = -y/a.$$

对任何实的 y，ω 均有实解，故 $U=0$ 及 $V=0$ 均有实的 ω 公根．

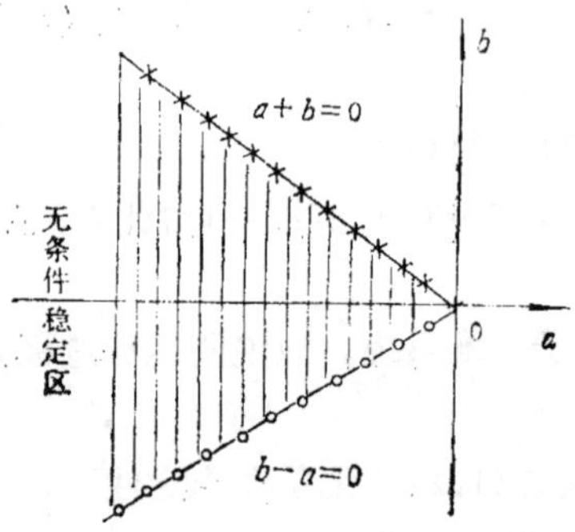

图 2.1

总结之，可得无条件稳定性之充要条件是

(i) $a+b<0$,

(ii) $b^2-a^2\leqslant 0$.

也可以写成

$$a+b<0,\ b-a\geqslant 0.$$

其无条件稳定区如图 2.1 中有直纹之部分所示．

在边界 $a+b=0$ 上标上"×"，表示不是无条件稳定区中的点，原点也属这一类．

在边界 $b-a=0$ 上，标上"0"，表示它们是无条件稳定区中之点．

其他之点均不属于无条件稳定区．

例2. 考虑具有时滞反馈的一个线性振动系统的二阶方程

$$\ddot{x}(t)+a\dot{x}(t)+bx(t)+cx(t-\tau)=0,$$

$$\Delta(\lambda;\tau)=\lambda^2+a\lambda+b+ce^{-\tau\lambda}=0.$$

条件(i)为

$$\Delta(\lambda;0)=\lambda^2+a\lambda+(b+c)=0$$

之根之实部为负，亦即要求

$$a>0,\quad b+c>0.$$

条件(ii)即

$$\begin{aligned}F(y,\omega)&=U(y,\omega)+iV(y,\omega)\\&=(-y^2+b+c\ \cos\omega)+i(ay-c\ \sin\omega)).\end{aligned}$$

由

$$U=-y^2+b+c\ \cos\omega=0$$

及

$$V=ay-c\ \sin\omega=0,$$

消去ω得到

$$H(y)=y^4+y^2A+B=0.$$

这里

$$A=a^2-2b, B=b^2-c^2.$$

要 $H(y)=0$ 无非零实根，则因

$$y=\pm\sqrt{\frac{-A\pm\sqrt{A^2-4B}}{2}},$$

故其充要条件是：

或者 $A^2-4B<0$,

或者 $A^2-4B=0$ 及 $A\geqslant 0$,

或者 $A^2-4B>0, B>0, A>0$,

或者 $A^2-4B>0$, $B=0, A\geqslant 0$.

也可简化为：

或者 $A\geqslant 0, B\geqslant 0$,

或者 $A<0, A^2-4B<0$.

至于 $H(y)=0$ 有非零之实根，则由 $V=0$ 可得出实的 ω，这个ω也将满足 $U=0$，故不讨论.

总结之，得到无条件稳定之充要条件是

(i) $a>0$, $b+c>0$;

(ii) 命 $A=a^2-2b$,

$B=b^2-c^2$,

则下面两者之一成立：

或者 $A\geqslant 0$及 $B\geqslant 0$,

或者 $A<0, A^2-4B<0$.

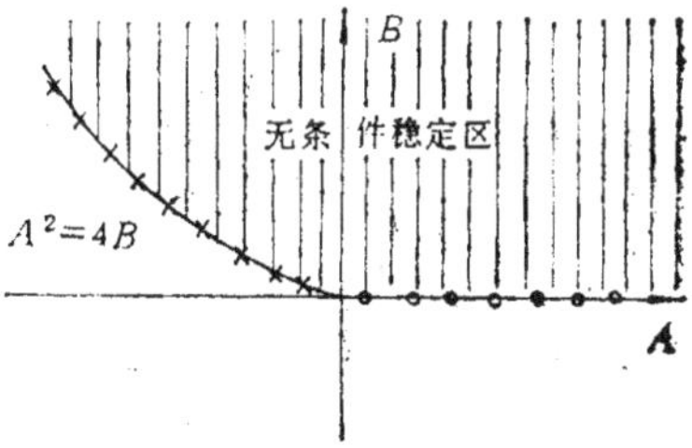

图 2.2

A及B所满足的条件如图2.2所示.

§3. 二维系统的代数判定[55]

为了解决 $n=2$ 时(1.2)的无条件稳定性. 我们需要得到四次

代数方程在一个区间内无实根的充要条件.

这是通过一系列引理来求得的.

引理1. 四次代数方程

$$f(x)=a_4x^4+a_3x^3+a_2x^2+a_1x+a_0=0,\ a_4\neq 0,$$

可以化为下面三种典型形式之一：

$$E(z)=z^4+C_1z+C_0=0, \tag{3.1$_1$}$$

$$F(z)=z^4+z^2+C_1z+C_0=0, \tag{3.1$_2$}$$

$$F(z)=z^4-z^2+C_1z+C_0=0. \tag{3.1$_3$}$$

证. 通过变换

$$x=y-\frac{a_3}{4a_4},$$

消去三次项可以得到

$$y^4+B_2y^2+B_1y+B_0=0,$$

这里

$$B_2=\frac{8a_2a_4-3a_3^2}{8a_4^2},$$

$$B_1=\frac{8a_1a_4^2-4a_2a_3a_4+a_3^3}{8a_4^3},$$

$$B_0=\frac{256a_0a_4^3-64a_1a_3a_4^2+16a_2a_3^2a_4-3a_3^4}{256a_4^4}.$$

当 $B_2=0$时，四次代数方程化为(3.1)$_1$型，且 $B_1=C_1, B_0=C_0$，

当 $B_2>0$ 时，利用 $z=y\frac{1}{\sqrt{B_2}}$，四次代数方程可以化为(3.1)$_2$型，且 $C_1=B_1/(B_2)^{3/2}, C_0=B_0/B_2^2$.

当 $B_2<0$ 时，利用 $z=y\frac{1}{\sqrt{-B_2}}$，四次代数方程可以化为(3.1)$_3$型，且 $C_1=B_1/(-B_2)^{3/2}, C_0=B_0/B_2^2$. 引理证毕.

由此可见，(3.1)$_1$，(3.1)$_2$，(3.1)$_3$由判定量

$$\Delta=3a_3^2-8a_2a_4$$

等于零，小于零，大于零而定，亦即由二次导函数

$$f''(x)=0$$

有等实根，无实根，有二不等实根而定，这一点下面将利用到.

引理2. $F(z)=0$ 有重根的充要条件为系数 (C_0,C_1) 满足关系

$$H(C_0,C_1)=0,$$

这里

$$H(C_0,C_1)=C_1^4-4^4\left(\frac{C_0}{3}\right)^3, \quad 对(3.1)_1;$$

$$H(C_0,C_1)=C_1^4+C_1^2\frac{4}{27}(1-36C_0)-\frac{16}{27}C_0(1-4C_0)^2$$

对 $(3.1)_2$；

$$H(C_0,C_1)=C_1^4+C_1^2\frac{4}{27}(36C_0-1)-\frac{16}{27}C_0(1-4C_0)^2$$

对 $(3.1)_3$.

证明. 由 $F(z)=0$ 及 $F'(z)=0$ 消去 z，即得

$$H(C_0,C_1)=0.$$

引理3. $(3.1)_1$ 及 $(3.1)_2$ 在 $a\leqslant z\leqslant b$ 中无实根的充要条件为下面三者之一成立.

$$H(C_0,C_1)<0.$$

$$H(C_0,C_1)\geqslant 0, F(a)<0, F(b)<0.$$

$$H(C_0,C_1)\geqslant 0, F(a)>0, F(b)>0,$$

$$F'(a)F'(b)>0.$$

证. 对于 $(3.1)_1$ 及 $(3.1)_2$，$H(C_0,C_1)=0$ 将 (C_0,C_1) 参数平面划分为两部分，如图3.1所示. 在 $H<0$ 中，$F(z)=0$ 无实根. 在 $H\geqslant 0$ 中，$F(z)=0$ 有两个实根，且因 $F''(z)\geqslant 0$，故 $W=F(z)$ 的曲线为上凹型，如图3.2所示. 引理得证.

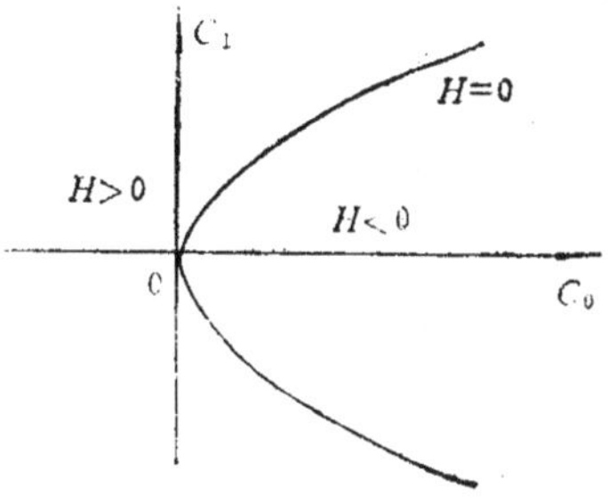

图 3.1

引理4. 对于 $(3.1)_3$，$H(C_0,C_1)=0$，将 (C_0,C_1) 参数平面划分为三个部分，如图3.3

所示。

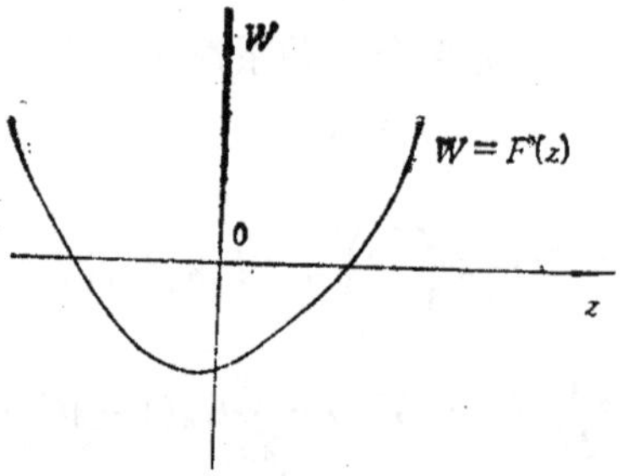

图 3.2

I. $H(C_0,C_1)<0$, $C_0>\frac{1}{4}$, $F(z)=0$ 无实根.

II. $H(C_0,C_1)=0$, $C_0>\frac{1}{4}$. 及 $H(C_0,C_1)>0$ $F(z)=0$有两个实根.

III. $H(C_0,C_1)\leqslant 0$, $C_0\leqslant\frac{1}{4}$, $F(z)=0$ 有四个实根.

证. $H(C_0,C_1)=0$ 之曲线有两种解法.

其一，对 C_1^2 求解一个二次方程，再开方，这时可见，当 $C_0>0$ 时，C_1有且只有两个实根.

当 $-\frac{1}{12}\leqslant C_0\leqslant 0$ 时，C_1有四个实根.

当 $C_0<-\frac{1}{12}$时，C_1无实根.

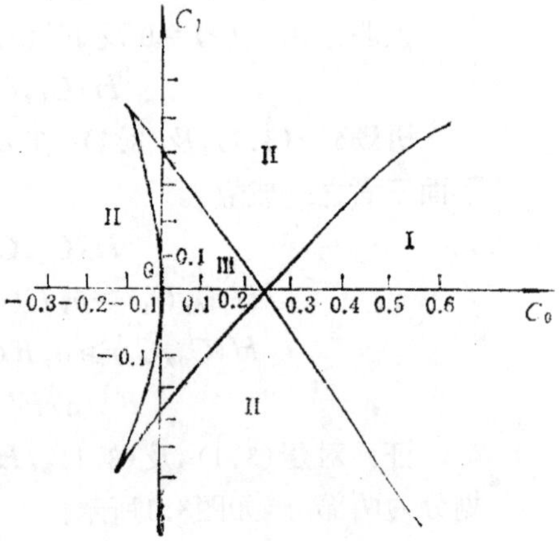

图 3.3

其二，由 $F(z)=0$ 及 $F'(z)=0$，将C_0，C_1用z之参数形式表示出来，则有

$$C_0=3z^4-z^2,$$
$$C_1=2z-4z^3.$$

对于$|z|\geqslant\sqrt{\frac{1}{2}}$，则得到 I 区的边界.

对于$|z|\leqslant\sqrt{\frac{1}{2}}$，则得到 III 区的边界.

每区取一个点即可知其实根之数目. 证毕.

由此可见, I 区不合条件, 只要研究 II 区及 III 区便可以了.

引理5. 对于$(3.1)_3$的 III 区, 在 $a\leqslant z\leqslant b$ 中无实根的充要条件为下面四组条件之一成立.

$$F(a)>0, F(b)>0, F'(a)\geqslant 0, F'(b)\leqslant 0.$$

$$F(a)<0, F(b)<0, F'(a)\leqslant 0, F'(b)\geqslant 0,$$
$$(a-z_1'')(b-z_2'')>0.$$

$$F(a)F(b)>0, F'(a)<0, F'(b)<0,$$
$$(a-z_1'')(b-z_1'')>0.$$

$$F(a)F(b)>0, F'(a)>0, F'(b)>0,$$
$$(a-z_2'')(b-z_2'')>0.$$

这里 $z_1''\leqslant z_2''$, 为 $F''(z)=0$ 之两实根.

证. 对于$(3.1)_3$ 的 III 区的参数 (C_0, C_1), 对应的 $F(z)=0$ 有四个实根, $W=F(z)$ 的示意图如图3.4所示. 这时曲线 $W=F(z)$有两次下降两次上升. 对两次下降部分, 利用 z_1'' 点加以区分; 对于两次上升部分, 利用 z_2'' 点加以区分.

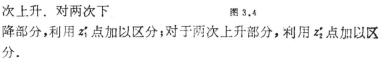

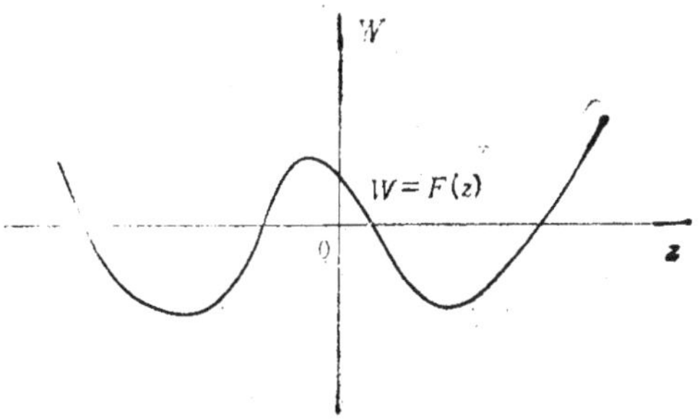

图 3.4

其他部分均为显然的, 证毕.

引理6. 对于$(3.1)_3$的 II 区, 只要

$$F(a)<0, F(b)<0,$$

即可保证 $a\leqslant z\leqslant b$ 中 $F(z)=0$ 无实根.

证. II 区的(C_0, C_1) 对应的 $F(z)=0$ 只有两实根, $F(+\infty)=F(-\infty)=+\infty$. 证毕.

由此, 对$(3.1)_3$之 II 区, 只需研究$F(a)>0, F(b)>0$的情形.

引理7. 对于$(3.1)_3$的Ⅱ区，在$F(z)>0$中的定性图形中可分为三区；即用两直线段

$$-\frac{1}{12}\leqslant C_0\leqslant\frac{2}{3},\ C_1=\left(\frac{2}{3}\right)^{3/2}$$

和

$$-\frac{1}{12}\leqslant C_0\leqslant\frac{2}{3},\ C_1=-\left(\frac{2}{3}\right)^{3/2}$$

将Ⅱ区切为三块：

Ⅱ_1: $C_0>\frac{2}{3}$,

$$-\frac{1}{12}\leqslant C_0\leqslant\frac{2}{3},\ C_1^2\geqslant\left(\frac{2}{3}\right)^3,$$

$$C_0<-\frac{1}{12},$$

$$-\frac{1}{12}\leqslant C_0<0,\quad C_1^2-\frac{2}{27}(1-36C_0)<0.$$

Ⅱ_2: $-\frac{1}{12}\leqslant C_0\leqslant 2/3,\quad 0<C_1<\left(\frac{2}{3}\right)^{3/2},$

$$C_1^2-\frac{2}{27}(1-36C_0)>0.$$

Ⅱ_3: $-\frac{1}{12}\leqslant C_0\leqslant 2/3, 0>C_1>-\left(\frac{2}{3}\right)^{3/2},$

$$C_1^2-\frac{2}{27}(1-36C_0)>0.$$

在Ⅱ_1区中，$F(z)>0$，分为一段单调上升，一段单调下降.

在Ⅱ_2区中，$F(z)>0$分为一段单调下降，另一段则由上升，下降，再上升的“S”形曲线构成.

在Ⅱ_3区中，$F(z)>0$分为一段单调上升，另一段由下降，上升，再下降的“S”形曲线构成.

证．在$C_1^2=\left(\frac{2}{3}\right)^3$处，$F'(z)=0$有重根，因此，这一条线是一分界线，在$C_1^2>\left(\frac{2}{3}\right)^3$区中，$W=F(z)$在$F>0$中为两段单调曲线，而在区域$C_1^2<\left(\frac{2}{3}\right)^3$中，$F'(z)=0$有三个实根，故在$\mathrm{II}_2$及$\mathrm{II}_3$中，对于$F>0$有一个"S"形曲线．

在II_2中，$-\frac{1}{12}\leqslant C_0\leqslant 0, C_1^2-\frac{2}{27}(1-36C_0)<0$处，"S"形曲线在$F<0$之中．

II_1，II_2及II_3中参数(C_0, C_1)对应的$W=F(z)$曲线的示意图分别如下：

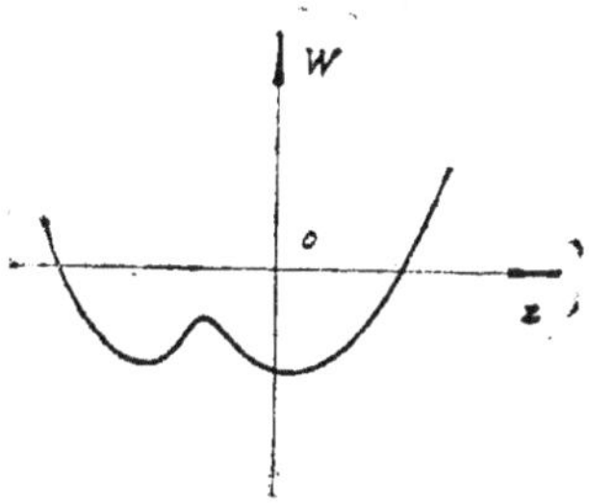

图 3.5

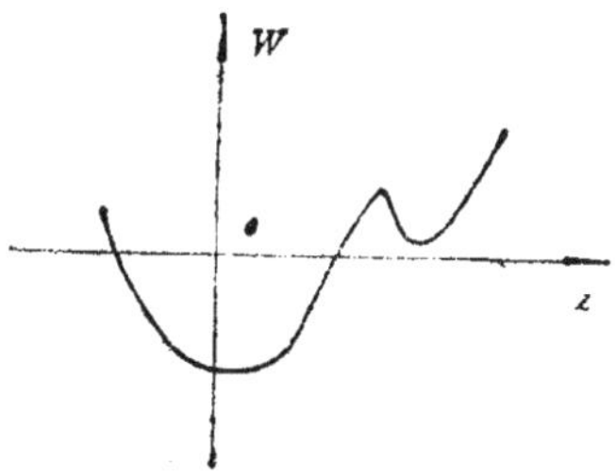

图 3.6

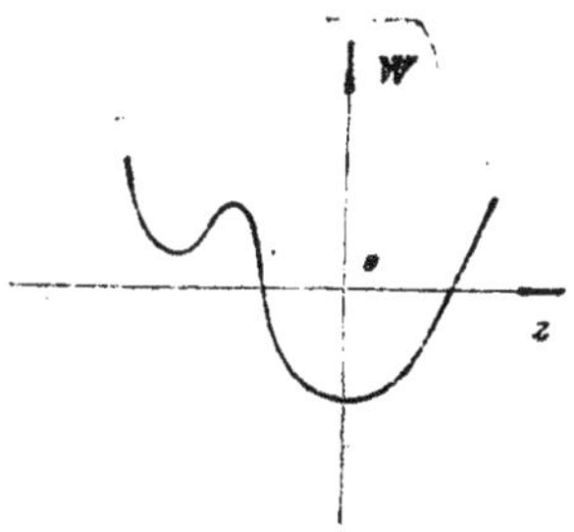

图 3.7

引理7证毕．

引理8．对于$(3.1)_3$的II区，在$a\leqslant z\leqslant b$中$F(z)=0$无实根的

充要条件为下面8组条件之一成立.

$$\text{II}_1\begin{cases}F(a)<0,F(b)<0,\\F(a)>0,F(b)>0,F'(a)F'(b)>0.\end{cases}$$

$$\text{II}_2\begin{cases}F(a)<0,F(b)<0,\\F(a)>0,F(b)>0,F'(a)\geqslant 0,\\F(a)>0,F(b)>0,F'(a)<0,\\\quad(a-z_1'')(b-z_1'')>0.\end{cases}$$

$$\text{II}_3\begin{cases}F(a)<0,F(b)<0,\\F(a)>0,F(b)>0,F'(b)\leqslant 0,\\F(a)>0,F(b)>0,F'(b)>0,\\\quad(a-z_2'')(b-z_2'')>0.\end{cases}$$

证. 对"S"形曲线用 z_1'' 及 z_2'' 来加以区分即可.

综上所述可得

定理3. 四次方程

$$f(x)=a_4x^4+a_3x^3+a_2x^2+a_1x+a_0=0,a_4\neq 0,$$

在 $x_1\leqslant x\leqslant x_2$ 中无实根的充要条件,可以化为三种典型方程

$$F(z)=z^4+C_1z+C_0=0,\text{即 }B_2=0; \tag{3.1$_1$}$$

$$F(z)=z^4+z^2+C_1z+C_0=0,\text{即 }B_2>0; \tag{3.1$_2$}$$

$$F(z)=z^4-z^2+C_1z+C_0=0,\text{即 }B_2<0 \tag{3.1$_3$}$$

在 $a\leqslant z\leqslant b$ 中无实根的充要条件.

引入 $H(C_0,C_1)$

$$H(C_0,C_1)=C_1^4-\frac{256}{27}C_0^3,\quad \text{对}(3.1)_1;$$

$$H(C_0,C_1)=C_1^4+\frac{4}{27}(1-36C_0)C_1^2-\frac{16}{27}C_0(1-4C_0)^2,\text{对 }(3.1)_2;$$

$$H(C_0,C_1)=C_1^4-\frac{4}{27}(1-36C_0)C_1^2-\frac{16}{27}C_0(1-4C_0)^2,\text{对 }(3.1)_3.$$

则 $F(z)=0$ 在 $a\leqslant z\leqslant b$ 中无实根的充要条件为下面14组条件之一成立.

$$
\text{对}(3.1)_1\text{ 及 }(3.1)_2\text{（即 }B_2\geqslant 0\text{）}
\begin{cases}
H(C_0,C_1)<0, \\
H(C_0,C_1)\geqslant 0
\begin{cases}
F(a)<0, F(b)<0, \\
F(a)>0, F(b)>0, \\
F'(a)F'(b)>0.
\end{cases}
\end{cases}
$$

$$
\text{对}(3.1)_3\text{（即 }B_2<0\text{）}
\begin{cases}
(C_0,C_1)\in \text{Ⅰ区}\left(\text{即 }H<0, C_0>\dfrac{1}{4}\right); \\[2ex]
(C_0,C_1)\in \text{Ⅱ区（即 }H=0\text{，}C_0>\dfrac{1}{4}\text{ 与 }H>0\text{）}
\begin{cases}
F(a)<0, F(b)<0, \\
F(a)>0,\ F(b)>0
\begin{cases}
\text{对Ⅱ}_1\text{区 } F'(a)F'(b)>0, \\
\text{对Ⅱ}_2\text{区}
\begin{cases}
F'(a)\geqslant 0, \\
F'(a)<0, \\
\quad (a-z_1'')(b-z_1'')>0,
\end{cases} \\
\text{对Ⅱ}_3\text{区}
\begin{cases}
F'(b)\leqslant 0, \\
F'(b)>0, \\
\quad (a-z_2'')(b-z_2'')>0;
\end{cases}
\end{cases}
\end{cases} \\[2ex]
(C_0,C_1)\in \text{Ⅲ区}\left(\text{即 }H\leqslant 0\text{，}C_0\leqslant\dfrac{1}{4}\right)
\begin{cases}
F'(a)\cdot F'(b)>0
\begin{cases}
F(a)F(b)>0, \\
F'(a)>0, F'(b)>0, \\
(a-z_2'')(b-z_2'')>0, \\
F(a)F(b)>0, F'(a)<0, F'(b)<0, \\
(a-z_1')(b-z_1')>0,
\end{cases} \\
F'(a)\cdot F'(b)\leqslant 0
\begin{cases}
F(a)>0, F(b)>0, F'(a)\geqslant 0, \\
F'(b)\leqslant 0, \\
F(a)<0, F(b)<0, F'(a)\leqslant 0, \\
F'(b)\geqslant 0, \\
(a-z_1'')(b-z_2'')>0.
\end{cases}
\end{cases}
\end{cases}
$$

对于一般的四次代数方程

$$
f(x)=a_4x^4+a_3x^3+a_2x^2+a_1x+a_0=0, a_4\neq 0 \qquad (3.2)
$$

定义：

$$\Delta = 3a_3^2 - 8a_2a_4$$

$$H(a)=\frac{1}{(-3a_4)^3}\begin{vmatrix} a_4 & a_3 & a_2 & a_1 & a_0 & 0 & 0\\ 0 & a_4 & a_3 & a_2 & a_1 & a_0 & 0\\ 0 & 0 & a_4 & a_3 & a_2 & a_1 & a_0\\ 4a_4 & 3a_3 & 2a_2 & a_1 & 0 & 0 & 0\\ 0 & 4a_4 & 3a_3 & 2a_2 & a_1 & 0 & 0\\ 0 & 0 & 4a_4 & 3a_3 & 2a_2 & a_1 & 0\\ 0 & 0 & 0 & 4a_4 & 3a_3 & 2a_2 & a_1 \end{vmatrix}.$$

不难验证

$$B_2 \gtreqless 0 \text{ 相当于 } \Delta 0 \gtreqless,$$

以及在 $(3.1)_1$，$(3.1)_2$，$(3.1)_3$ 这三种典型的情形中，$H(a)=H(C_0, C_1)$.

定义 $f''(x)=0$ 的两根为

$$x_1''=-\frac{a_3}{4a_4}-\sqrt{\frac{\Delta}{48a_4^2}},\qquad x_2''=-\frac{a_3}{4a_4}+\sqrt{\frac{\Delta}{48a_1^2}}.$$

则我们可以得到下面的定理.

定理4. 实系数四次代数方程(3.2)在 $-1\leqslant x\leqslant 1$ 中无实根的充要条件为下面的14组条件之一成立.

$$\Delta\left\{\begin{array}{l} \Delta\leqslant 0\begin{cases} H(a)<0,\\ H(a)\geqslant 0\begin{cases} a_4f(-1)<0, a_4f(1)<0,\\ a_4f(-1)>0, a_4f(1)>0, f'(-1)f'(1)>0,\end{cases}\end{cases}\\ \Delta>0\left\{\begin{array}{l} H(a)<0, C_0>\dfrac{1}{4},\\ H(a)=0\ C_0>\dfrac{1}{4}\text{及 } H>0\begin{cases} a_4f(-1)<0, a_4f(1)<0,\\ a_4f(-1)>0, a_4f(1)>0\begin{cases} \text{对 II}_1\text{区 } f'(-1)f'(1)>0,\\ \text{对 II}_2\text{区}\begin{cases} f'(-1)\geqslant 0,\\ f'(-1)<0, (x_1'')^2>1,\end{cases}\\ \text{对 II}_3\text{区}\begin{cases} f'(1)\leqslant 0,\\ f'(1)>0, (x_2'')^2>1,\end{cases}\end{cases}\end{cases}\end{array}\right.\end{array}\right.$$

$$
\left\{
\begin{array}{l}
H(a)\leqslant 0 \\
C_0\leqslant\dfrac{1}{4}
\end{array}
\left\{
\begin{array}{l}
f'(-1)f'(1)>0\left\{
\begin{array}{l}
\left[\begin{array}{l} f(-1)f(1)>0, a_4f'(-1)>0, \\ a_4f'(1)>0, (x''_2)^2>1, \end{array}\right] \\
\left[\begin{array}{l} f(-1)f(1)>0, a_4f'(-1)<0, \\ a_4f'(1)<0, (x''_1)^2>1, \end{array}\right]
\end{array}\right. \\
f'(-1)f'(1)\leqslant 0\left\{
\begin{array}{l}
\left[\begin{array}{l} a_4f(-1)>0, a_4f(1)>0, \\ a_4f'(-1)\geqslant 0, a_4f'(1)\leqslant 0, \end{array}\right] \\
\left[\begin{array}{l} a_4f(-1)<0, a_4f(1)<0, \\ a_4f'(-1)\leqslant 0, a_4f'(1)\geqslant 0 \\ (x''_1+1)(x''_2-1)>0, \end{array}\right]
\end{array}\right.
\end{array}
\right.
\right.
$$

或按条件分类，合并上述 14 组为下述 11 组：

$$
\left\{
\begin{array}{l}
\begin{array}{l} H(a)<0 \\ (\text{无实根}) \end{array}
\left\{\begin{array}{l} \Delta\leqslant 0 \\ \Delta>0, C_0>\dfrac{1}{4} \end{array}\right\} \text{不再加条件} \qquad (3.3)_1 \\
\begin{array}{l} H(a)\leqslant \\ 0, \Delta>0, \\ C_0\leqslant\dfrac{1}{4} \\ (\text{四实根}) \end{array}
\left\{
\begin{array}{l}
\begin{array}{l} f'(-1) \\ \cdot f'(1)>0 \end{array}\left\{
\begin{array}{ll}
\left[\begin{array}{l} f(-1)f(1)>0, a_4f'(-1)>0, \\ a_4f'(1)>0, (x''_2)^2>0, \end{array}\right] & (3.3)_2 \\
\left[\begin{array}{l} f(-1)f(1)>0, a_4f'(-1)<0, \\ a_4f'(1)<0, (x''_1)^2>1, \end{array}\right] & (3.3)_3
\end{array}\right. \\
\begin{array}{l} f'(-1) \\ \cdot f'(1)\leqslant 0 \end{array}\left\{
\begin{array}{ll}
\left[\begin{array}{l} a_4f(-1)>0, a_4f(1)>0, \\ a_4f'(-1)\geqslant 0, a_4f'(1)\leqslant 0, \end{array}\right] & (3.3)_4 \\
\left[\begin{array}{l} a_4f(-1)<0, a_4f(1)<0, \\ a_4f'(-1)\leqslant 0, a_4f'(1)\geqslant 0, \\ (x''_1+1)(x''_2-1)>0, \end{array}\right] & (3.3)_5
\end{array}\right.
\end{array}
\right. \\
\left\{
\begin{array}{l}
H(a)\geqslant 0, \Delta\leqslant 0 \\
\left[\begin{array}{l} H(a)=0 \quad \Delta>0 \\ \qquad C_0>\dfrac{1}{4} \end{array}\right] \\
H(a)>0, \Delta>0 \\
\quad (\text{二实根})
\end{array}
\right\}
a_4f(-1)<0, a_4f(1)<0, \qquad (3.3)_6
\end{array}
\right.
$$

$$
\left.\begin{array}{l}
a_4\cdot f(-1)>0 \\
a_4\cdot f(1)>0
\end{array}\right|
\begin{cases}
\left.\begin{cases}
H(a)\geqslant 0,\Delta\leqslant 0, \\
\left.\begin{array}{l} H(a)=0,\Delta>0,\ C_0>\dfrac{1}{4}, \end{array}\right\} \\
H(a)>0,\Delta>0,
\end{cases}\right\} \text{对 II}_1\text{区} \begin{cases} f'(-1)\cdot \\ f'(1)>0; \end{cases} & (3.3)_7 \\[2ex]
\left.\begin{cases}
H(a)=0,\Delta>0,\ C_0>\dfrac{1}{4}, \\
H(a)>0,\Delta>0,
\end{cases}\right\} \text{对 II}_2\text{区} \begin{cases} f'(-1)\geqslant 0. & (3.3)_8 \\ f'(-1)<0, \\ (x_1'')^2>1, & (3.3)_9 \end{cases} \\[2ex]
\left.\begin{cases}
H(a)=0,\Delta>0,\ C_0>\dfrac{1}{4}, \\
H(a)>0,\Delta>0,
\end{cases}\right\} \text{对 II}_3\text{区} \begin{cases} f'(1)\leqslant 0, & (3.3)_{10} \\ f'(1)>0, \\ (x_2'')^2>1, & (3.3)_{11} \end{cases}
\end{cases}
$$

这里当 $\Delta>0$ 时

$$C_1=B_1/(-B_2)^{3/2},C_0=B_0/B_2^2,$$

$$B_2=-\Delta/8a_4^2,$$

$$B_1=\frac{8a_1a_4^2-4a_2a_3a_4+a_3^3}{8a_4^3},$$

$$B_0=\frac{256a_0a_4^3-64a_1a_3a_4^2+16a_2a_3^2a_4-3a_3^4}{256a_4^4}.$$

II 区分为三块

II_1: $C_0>\dfrac{2}{3}$,

$$-\frac{1}{12}\leqslant C_0\leqslant\frac{2}{3},\ C_1^2\geqslant\left(\frac{2}{3}\right)^3.$$

$$C_0<-\frac{1}{12}.$$

$$-\frac{1}{12}\leqslant C_0<0,C_1^2-\frac{2}{27}(1-36C_0)<0.$$

II_2: $-\dfrac{1}{12}\leqslant C_0\leqslant\dfrac{2}{3},\ 0<C_1<\left(\dfrac{2}{3}\right)^{3/2}$

$$C_1^2-\frac{2}{27}(1-36C_0)>0.$$

$$\text{Ⅱ}_8:\quad -\frac{1}{12}\leqslant C_0\leqslant\frac{2}{3},\ 0>C_1>-\left(\frac{2}{3}\right)^{3/2},$$

$$C_1^2-\frac{2}{27}(1-36C_0)>0.$$

注意，这个定理的第一种形式逻辑完整，便于编程序。第二种形式几何直观明确，便于具体验证.

对于三次方程可以作同样的研究，但更简单. 对方程

$$f(x)=a_3x^3+a_2x^2+a_1x+a_0=0,a_3\neq0, \tag{3.4}$$

引入变换

$$x=y-a_2/3a_3,$$

方程化为

$$F(y)=y^3+py+q=0,$$

其中

$$p=\frac{3a_1a_3-a_2^2}{3a_3^2},\quad q=\frac{27a_0a_3^2-9a_1a_2a_3+2a_2^3}{27a_3^3}.$$

由方程组

$$F(y)=y^3+py+q=0,$$
$$F'(y)=3y^2+p=0,$$

解出 $F(y)=0$ 有重根之条件为

$$H(p,q)=\left(\frac{p}{3}\right)^3+\left(\frac{q}{2}\right)^2=0.$$

在 $H>0$ 时，方程只有一个实根.

在 $H=0$ 时，方程有两个实根，$y=\sqrt[3]{-4q}$, $y=\sqrt[3]{q/2}$, 其中有一个为单根，另一个为重根.

在 $H<0$ 时，方程有三个实根，记 $F'(y)=0$ 之两根为

$$y_1'=-\sqrt{-p/3}\ ,\ y_2'=\sqrt{-p/3}\ .$$

引理9. 方程 $F(y)=0$ 在 $a\leqslant y\leqslant b$ 中无实根的充要条件为下列四组条件之一成立.

$$H>0,F(a)F(b)>0, \tag{3.5}$$

$$H=0,\ (\sqrt[3]{-4q}-a)\ (\sqrt[3]{-4q}-b)>0,\quad (\sqrt[3]{q/2}-a)\ (\sqrt[3]{q/2}-b)>0. \tag{3.5$_2$}$$

$$H<0, F(a)>0, F(b)>0, (y_2'-a)(y_2'-b)>0. \tag{3.5$_3$}$$

$$H<0, F(a)<0, F(b)<0, (y_1'-a)(y_1'-b)>0. \tag{3.5$_4$}$$

由此回到 $f(x)=0$ 有

定理5. 三次方程(3.4)在 $-1\leqslant x\leqslant 1$ 中无实根之充要条件为下列四组条件之一成立

$$H>0, f(1)f(-1)>0. \tag{3.6$_1$}$$

$$H=0, \left(\sqrt[3]{-4q}-\frac{a_2}{3a_3}\right)^2>1, \left(\sqrt[3]{q/2}-\frac{a_2}{3a_3}\right)^2>1. \tag{3.6$_2$}$$

$$H<0, a_3f(1)>0, a_3f(-1)>0, (x_2')^2>1. \tag{3.6$_3$}$$

$$H<0, a_3f(1)<0, a_3f(-1)<0, (x_1')^2>1. \tag{3.6$_4$}$$

其中

$$H=a_1^2a_2^2-4a_1^3a_3-4a_0a_2^3+18a_0a_1a_2a_3-27a_0^2a_3^2,$$

$$q=\frac{27a_0a_3^2-9a_1a_2a_3+2a_2^3}{27a_3^3},$$

$$p=\frac{3a_1a_3-a_2^2}{3a_3^2}.$$

x_1' 及 x_2' 为 $f'(x)=0$ 之两根：

$$x_1'=\frac{-a_2-\sqrt{a_2^2-3a_1a_3}}{3a_3}, x_2'=\frac{-a_2+\sqrt{a_2^2-3a_1a_3}}{3a_3}.$$

至于二次方程及一次方程之判定，则属显然，不烦再述.

下面研究 $n=2$ 时无条件稳定的充要条件，即研究系统

$$\begin{aligned} \dot{x}(t)&=a_1x(t)+a_2x(t-\tau)+b_1y(t)+b_2y(t-\tau),\\ \dot{y}(t)&=c_1x(t)+c_2x(t-\tau)+d_1y(t)+d_2y(t-\tau). \end{aligned} \tag{3.7}$$

特征方程为

$$\Delta(\lambda,\tau)=\begin{vmatrix} a_1+a_2e^{-\lambda\tau}-\lambda & b+b_2e^{-\lambda\tau} \\ c_1+c_2e^{-\lambda\tau} & d+d_2e^{-\lambda\tau}-\lambda \end{vmatrix}$$
$$=A_1+A_2e^{-\lambda\tau}+A_3e^{-2\lambda\tau}+A_4\lambda+A_5\lambda e^{-\lambda\tau}+\lambda^2=0,$$

这里

$$A_1=a_1d_1-b_1c_1,A_2=a_1d_2-b_2c_1+a_2d_1-c_2b_1,$$

$$A_3=a_2d_2-b_2c_2,A_4=-a_1-d_1,A_5=-a_2-d_2.$$

将 $\lambda=iy$ 和 $-\lambda\tau=i\omega$ 代入 $\Delta(\lambda;\tau)$，则有

$$D(y,\omega)=\begin{vmatrix}a_1+a_2e^{i\omega}-iy & b_1+b_2e^{i\omega}\\ c_1+c_2e^{i\omega} & d_1+d_2e^{i\omega}-iy\end{vmatrix}$$

$$=U(y,\omega)+iV(y,\omega),$$

$$U(y,\omega)=[A_1+A_2\cos\omega+A_3\cos 2\omega]+[-A_5\sin\omega]y-y^2,$$

$$V(y,\omega)=[A_2\sin\omega+A_3\sin 2\omega]+[A_4+A_5\cos\omega]y.$$

由§1定理1知(3.7)为无条件稳定的充要条件为下列两条件同时成立.

(i) $\Delta(\lambda;0)=(A_1+A_2+A_3)+(A_4+A_5)\lambda+\lambda^2=0$ 之根 λ 皆具负实部. 亦即

$$A_1+A_2+A_3>0,A_4+A_5>0.$$

(ii)′ 对任何 $\tau\in\mathbb{R}_+$，($\tau=0$ 已在(i)中考虑过) 及任何实数 y 均有

$$\Delta(iy;\tau)=|a_{sj}+b_{sj}e^{-iy\tau}-\delta_{sj}(iy)|\neq 0.$$

注意到 $y=0$ 时，

$$\Delta(0;\tau)=|a_{sj}+b_{sj}|=A_1+A_2+A_3>0.$$

故知(3.7)为无条件稳定之充要条件是同时有

(i) $A_1+A_2+A_3>0,A_4+A_5>0$;

(ii) 对任何实的 $\tau>0$ 及实的 $y\neq0$ 均有

$$\Delta(iy;\tau)=|a_{sj}+b_{sj}e^{-iy\tau}-\delta_{sj}(iy)|\neq 0.$$

注意到 $a_{sj},b_{sj},\delta_{sj}$ 都是实的，故 y 正负成对出现，因此 $\omega=-\tau y$，对任何 $\omega\neq0$ 均可取得 $\tau>0$.

最后化为下述条件，

(Ⅰ) $A_1+A_2+A_3>0,A_4+A_5>0$;

(Ⅱ) 对任何实的 $\omega\neq0$，及实的 $y\neq0$，$D(y,\omega)\neq0$，同时成立，亦即

$$[U(y,\omega)]^2+[V(y,\omega)]^2\neq0.$$

现在研究联立方程

$$U(y,\omega)=(A_1+A_2\cos\omega+A_3\cos2\omega)-A_5\sin\omega\, y-y^2=0,$$

$$V(y,\omega)=(A_2\sin\omega+A_3\sin2\omega)+(A_4+A_5\cos\omega)y=0.$$

如果 $A_4+A_5\cos\omega\neq0$，则可消去 y，即由 $V=0$ 解出 y，代入 $U=0$ 并利用

$$\cos2\omega=2\cos^2\omega-1,\sin2\omega=2\sin\omega\cos\omega$$

及

$$\sin^2\omega=1-\cos^2\omega,$$

得到 $\cos\omega$ 的四次方程

$$f(\cos\omega)=a_4\cos^4\omega+a_3\cos^3\omega+a_2\cos^2\omega+a_1\cos\omega+a_0=0,$$

这里

$$a_4=2A_3A_5^2+4A_3^2-2A_2A_3A_4,$$

$$a_3=4A_3A_4A_5+4A_2A_3-2A_2A_3A_4,$$

$$a_2=2A_3A_4^2+2A_2A_4A_5+A_1A_5^2-A_3A_5^2,$$

$$a_1=A_2A_4^2+2A_1A_4A_5-2A_3A_4A_5+A_2A_5^2+A_2A_3A_4-A_2A_3,$$

$$a_0=A_1A_4^2-A_3A_4^2+A_2A_4A_5-A_2^2.$$

当 $f(x)=a_4x^4+a_3x^3+a_2x^2+a_1x+a_0=0$ 在 $-1\leqslant x\leqslant1$ 中无实根时 $U^2+V^2\neq0$，对所有实的 ω,y 成立.

当它在 $-1\leqslant x\leqslant1$ 中有实根时，则有实的 ω 及 y 使 $U=V=0$.

对于 $A_4+A_5\cos\omega=0$ 的 ω，则必须 $\left|\dfrac{A_4}{A_5}\right|=|\cos\omega|\leqslant1$，即 $A_5^2\geqslant A_4^2$.

当 $A_5^2\geqslant A_4^2$ 时，又分为 $A_5^2=A_4^2$ 及 $A_5^2>A_4^2$，而 $A_5^2=A_4^2$ 又分 $A_5=A_4$ 及 $A_5=-A_4$.

$A_5=A_4$，即 $\cos\omega=-1,\sin\omega=0,V=0$，对所有 y，$U=A_1-A_2+A_3-y^2=0$，要 y 无非零实根，其充要条件为 $A_1-A_2+A_3\leqslant0$.

$A_5=-A_4$，即 $\cos\omega=1,\sin\omega=0$，$V=0$，对所有的 y，$U=A_1+A_2+A_3-y^2=0$，要 y 无非零实根，其充要条件为 $A_1+A_2+A_3\leqslant0$.

当 $A_5^2>A_4^2$ 时，则 $A_5\neq0,\omega=\cos^{-1}(-A_4/A_5)$. 故有

$$\omega\neq k\pi,k=0,\pm1,\pm2,\cdots\quad \sin\omega\neq0.$$

由此可见，对 $A_4+A_5\cos\omega=0$ 之 ω

$$
\begin{aligned}
V(y,\omega) &= \sin\omega(A_2+2A_3\cos\omega) + (A_4+A_5\cos\omega)y \\
&= \sin\omega(A_2+2A_3\cos\omega)
\end{aligned}
$$

对所有 y 成立.

当 $A_2+2A_3\cos\omega \neq 0$,即

$$
\begin{vmatrix} A_2 & 2A_3 \\ A_4 & A_5 \end{vmatrix} \neq 0
$$

时 $V\neq 0$,而当 $A_2+2A_3\cos\omega = 0$,即

$$
\begin{vmatrix} A_2 & 2A_3 \\ A_4 & A_5 \end{vmatrix} = 0
$$

时 $V=0$,此时

$$
\begin{aligned}
U &= -y^2 - A_5\sin\omega y + (A_1 + A_2\cos\omega + A_3\cos 2\omega) \\
&= -y^2 - A_5\sin\omega y + [A_1 + \cos\omega(A_2+2A_3\cos\omega) - A_3] \\
&= -y^2 - A_5\sin\omega y + (A_1 - A_3),
\end{aligned}
$$

必须要 $U=0$ 无非零实根,即必须 $A_1-A_3\neq 0$ 以及

$$(A_5\sin\omega)^2 + 4(A_1-A_3) = (A_5^2-A_4^2) + 4(A_1-A_3) < 0.$$

归纳可得 $n=2$ 时的判据.

定理6. 方程组

$$
\begin{aligned}
\dot{x}(t) &= a_1x(t) + a_2x(t-\tau) + b_1y(t) + b_2y(t-\tau), \\
\dot{y}(t) &= c_1x(t) + c_2x(t-\tau) + d_1y(t) + d_2y(t-\tau)
\end{aligned}
$$

对所有的 $\tau\in\mathbb{R}_+$ 无条件稳定的充要条件为下面五组条件之一成立.

$$
\begin{array}{l}
A_1+A_2+ \\
A_3>0 \\
A_4+A_5 \\
>0
\end{array}
\left\{
\begin{array}{ll}
A_4^2>A_5^2,\ f(x)=0,\text{在 } |x|\leqslant 1 \text{ 中无实根.} & (3.8)_1 \\
A_4^2=A_5^2 \left\{
\begin{array}{l}
A_4=A_5,\ A_1-A_2+A_3\leqslant 0,\ f(x)=0 \\
\quad \text{在 } |x|\leqslant 1 \text{ 中} \\
\quad \text{除 } x=-1 \text{ 外无实根.} \qquad (3.8)_2 \\
A_4=-A_5,\ A_1-A_2+A_3\leqslant 0,\ f(x) \\
\quad =0 \text{ 在 } |x|\leqslant 1 \text{ 中} \\
\quad \text{除 } x=1 \text{ 外无实根.} \qquad (3.8)_3
\end{array}
\right.
\end{array}
\right.
$$

$$
A_4^2 < A_5^2 \left\{
\begin{array}{l}
\begin{vmatrix} A_2 & 2A_3 \\ A_4 & A_5 \end{vmatrix} \neq 0, f(x)=0 \text{ 在 } |x| \leqslant 1 \\
\qquad \text{中除 } x = \dfrac{-A_4}{A_5} \text{ 外无实根.} \qquad\qquad (3.8)_4 \\
\begin{vmatrix} A_2 & 2A_3 \\ A_4 & A_5 \end{vmatrix} = 0, A_5^2 - A_4^2 + 4(A_1 - A_3) < 0, \qquad (3.8)_5 \\
f(x) \text{ 在 } |x| \leqslant 1 \text{ 中除 } x = -A_4/A_5 \text{ 外无实根.}
\end{array}
\right.
$$

这里$f(x) = \sum\limits_{j=0}^{4} a_j x^j = 0$，$a_j$ 由 A_k 定义. $f(x)$除 $x = x_0$ 这一点，即或者 $f(x_0) \neq 0$，或者$f(x_0) = 0$时可用方程 $f(x) = (x - x_0)^k g(x)$ $(1 \leqslant k \leqslant 4)$来判定 $g(x)$ 在$|x| \leqslant 1$ 中无实根.

注. 这个定理完整地回答了 A.A.Андронов 在 1946 年所提出的问题. 这方面的近期文献有[6,8,49,55].

第九章　周期方程与周期解

§1. 周期解的若干性质与存在定理

考虑具有偏差变元的方程组

$$\dot{x}(t)=F(t,x(t),x(t-\tau),\dot{x}(t-\tau)) \tag{1.1}$$

或者

$$\dot{x}(t)=G(t,x(t),x(t-\tau)), \tag{1.2}$$

这里 $x\in\mathbb{R}^n$; $F\in\mathbb{R}^n$, $\tau=\text{const}>0$. 按照第一章§2的分型法则,(1.1)为中立型的方程组,而(1.2)为滞后型的. 本节直接考虑(1.1), 所有结果均适用于(1.2).

假定(1.1)存在周期为T的周期解 $x_1(t)$,那末把它代入(1.1)便得恒等式

$$\dot{x}_1(t)\equiv F(t,x_1(t),x_1(t-\tau),\dot{x}_1(t-\tau)) \tag{1.3}$$

及

$$\dot{x}_1(t+T)\equiv F(t+T,x_1(t+T),x_1(t+T-\tau),\dot{x}_1(t+T-\tau)). \tag{1.4}$$

由所设, $x_1(t+T)\equiv x_1(t)$, $\dot{x}_1(t+T)\equiv\dot{x}_1(t)$, 合并 (1.3) 及(1.4)得到

$$F(t+T,x_1(t),x_1(t-\tau),\dot{x}_1(t-\tau))$$
$$\equiv F(t,x_1(t),x_1(t-\tau),\dot{x}_1(t-\tau)).$$

这说明当(1.1)存在周期为T的周期解 $x_1(t)$ 时, 向量函数F沿着这个解是周期为T的向量周期函数.

根据这个性质,我们有下列推论.

方程

$$\dot{x}(t)=F_1(x(t),x(t-\tau),\dot{x}(t-\tau))+f(t) \tag{1.5}$$

只有当向量函数 $f(t)$ 为周期函数时, 才能有周期解, 而且解的周

期只能等于函数 $f(t)$ 的周期或它的周期的倍数.

这个推论并未断定：只有当(1.1)中的向量函数F关于第一个变元是周期的情形，方程组(1.1)才可能有周期解，而仅仅是说明了函数F只有沿着周期解是 t 的周期函数.

例如系统

$$\begin{aligned}\dot{x}(t) &= \cos t + [x^2(t) + y^2(t) - 1]H(t, x(t),\\ &\quad y(t), x(t-\tau), y(t-\tau)),\\ \dot{y}(t) &= -\sin t + [x^2(t) + y^2(t) - 1]G(t, x(t),\\ &\quad y(t), x(t-\tau), y(t-\tau)),\end{aligned} \tag{1.6}$$

对任意选定的连续函数H和G，(1.6)总是有周期解

$$x = \cos t, y = \sin t$$

而不管 H, G 是否关于 t 为周期的.

考虑变滞量方程组

$$\dot{x}(t) = F_2(t, x(t), x(t-\tau(t)), \dot{x}(t-\tau(t))), \tag{1.7}$$

其中 $x, F_2 \in \mathbb{R}^n$，F_2 是关于 t 的周期为T的周期函数. 我们有如下结论：

定理1. 如果 $\psi(t)$ 是(1.7)的周期为T的周期解，且滞量$\tau(t)$也是周期为T的周期函数，($\tau(t)$ 连续有界，故 $E_{t_0} = [t_0 - \tau, t_0]$，$\tau = \max\limits_{t \in [t_0, t_0+T]} \tau(t)$) 则初始向量函数可以是解$\psi(t)$在初始集上的周期延拓.

证. 我们选取整数 n，使得

$$\max_{t_0 \leqslant t \leqslant t_0+T} \tau(t) < nT.$$

当 $t \geqslant t_0 + nT$ 时，解 $x(t, \psi)$ 由初始集 E_{t_0+nT} 上给定的初始向量函数$\psi(t)$决定，而E_{t_0+nT}中的一切点均满足不等式$t \geqslant t_0$，所以当 $t > t_0 + nT$ 时

$$\dot{\psi}(t) = F_2(t, \psi(t), \psi(t-\tau(t)), \dot{\psi}(t-\tau(t))). \tag{1.8}$$

若认为(1.8)右端中之 $\psi(t-\tau(t))$ 为向量函数 $\psi(t)$ 在 E_{t_0+nT} 上的周期延拓，则此恒等式(1.8)由左右两边之周期性，当 t 代之以$t - nT$ 时仍成立.

注1. 这个定理并未断言，解仅由在初始集上的周期性延拓来

确定．完全可能，解可由另外的初始函数决定，例如方程

$$\dot{x}(t)=\cos t+(x(t)-\sin t)f(x(t-\tau))$$

的周期解 $x(t)=\sin t$ 不仅由 $t_0-\tau\leqslant t\leqslant t_0$ 时的初始函数 $x(t)=\psi(t)=\sin t$ 来决定，而且可以由任何满足条件 $\varphi(t_0)=\sin t_0$ 的连续初始函数 $\varphi(t)$ 来决定．

对相应于(1.7)的滞后型系统

$$\dot{x}(t)=F_2(t,x(t),x(t-\tau(t)))\qquad(1.7)'$$

有关周期解的可微性，我们有

定理2．若方程(1.7)′的滞量 $\tau(t)$ 是连续有界的，即 $0\leqslant\tau(t)\leqslant M$．且(1.7)′的右端函数 F_2 是关于它的变元 m 次可微，则(1.7)′的周期解是 $m+1$ 次可微的．

证．由于具有滞后变元的方程的解是可平展的，所以对充分大的 t，周期解是 $m+1$ 次可微的，而由周期性推知此解对任意的 t 也是 $m+1$ 次可微的．

对普遍形式的 RFDE

$$\dot{x}(t)=F(t,x_t),\qquad(1.9)$$

叙述一个周期解存在定理．(1.9)的含义参看第一章§4．现在假定 $F(t,\phi)$ 在 $I\times C$ 上连续($I\subseteq\mathbb{R},C=C([-r,0],\mathbb{R})$)，对任意的$\alpha>0$，存在 $L(t,\alpha)>0$，使得如果$\phi\in C_\alpha=\{\phi:\phi\in c,\|\phi\|<\alpha\}$，则

$$|F(t,\phi)|<L(t,\alpha),$$

其中 $L(t,\alpha)$ 关于 t 连续．

定义．如果当 $\phi\in\tilde{C},\psi\in\tilde{C}$ 时存在常数 $L(\tilde{C})$ 使得下式($\tilde{C}$ 为 c 中的任意紧集)成立．

$$|F(t,\phi)-F(t-\psi)|\leqslant L(\tilde{C})\|\phi-\psi\|,$$

那末我们就把具有这种性质的F记为

$$F(t,\phi)\in\bar{C}_0(\phi).$$

定理3．设 $F(t,\phi)\in\bar{C}_0(\phi)$，且 $F(t,\phi)$ 关于 t 是周期的，周期为 $\omega,\omega\geqslant1$，即

$$F(t+\omega,\phi)=F(t,\phi).$$

若(1.9)的解一致有界且对于界 B 一致最终有界，则(1.9)至少存

在一个周期为 ω 的周期解，它以 B 为界.

证明用到[139]中的一个不动点原理，从略.

注 2. 定理 3 对 $F\in\mathbb{R}^n$ 仍成立.

§2. 定常线性齐次方程的周期解

先考虑定常线性齐次方程组

$$\dot{x}(t)=Ax(t)+Bx(t-\tau),\tag{2.1}$$

这里 A,B 为 $n\times n$ 常数阵，$\tau=\text{const}\geqslant 0$，其特征方程为

$$\Delta(\lambda,\tau)=|\lambda I-A-Be^{-\lambda\tau}|=0.\tag{2.2}$$

我们有如下定理

定理4. 方程组 (2.1) 有周期解(非常数)的充要条件为(2.2)有纯虚根(非零根).

证. 充分性是显然的，这里证必要性.

设 $x(t)\in\mathbb{R}^n$ 是(2.1)的一个非常数周期解，不妨记其周期为 $2l$. 因为 $\tau=\text{const}$ 故不妨取 $t_0=0$. 由 $x(t)$ 之周期性，知其在 $[-\tau,\infty)$ 上连续可微，于是在其上可展为 Fourier 级数

$$x(t)=\sum_{k=-\infty}^{\infty}C_k e^{i\frac{k\pi}{l}t},\tag{2.3}$$

其中

$$C_k=\frac{1}{2l}\int_{-l}^{l}x(t)e^{-i\frac{k\pi}{l}t}dt.\tag{2.4}$$

由 $x(t)$ 之可微性有

$$\dot{x}(t)=\sum_{k=-\infty}^{\infty}i\frac{k\pi}{l}C_k e^{i\frac{k\pi}{l}t}.\tag{2.5}$$

将(2.3)和(2.5)代入(2.1)得

$$\sum_{k=-\infty}^{\infty}\left[i\frac{k\pi}{l}I-A-Be^{-i\frac{k\pi}{l}\tau}\right]C_k e^{i\frac{k\pi}{l}t}=0,\tag{2.6}$$

故有

$$\left[i\frac{k\pi}{l}I - A - Be^{-i\frac{k\pi}{l}\tau} \right] C_k = 0,$$

$$k = 0, \pm 1, \pm 2, \cdots \cdots \tag{2.7}$$

若(2.2)没有纯虚根，则对一切 k 有 $C_k = 0$，与所设不合．证毕．

注 3．在定理 4 的证明中可设 $\tau>0$，$\tau = 0$ 的情况是显然的．

对 n 阶定常线性齐次方程

$$x^{(n)}(t) + \sum_{k=0}^{n-1} a_k x^{(k)}(t-\tau) = 0, \tag{2.8}$$

其中 a_k 及 $\tau \in \mathbb{R}_+$ 均为常数，其特征方程为

$$\lambda^n + (a_{n-1}\lambda^{n-1} + \cdots + a_1\lambda + a_0)e^{-\lambda\tau} = 0, \tag{2.9}$$

定理 4 的结论仍然成立．

如第一章所述，(2.2)或(2.9)一般地说有无穷多个根．

1．假定(2.9)有 s 对纯虚根

$$\lambda = \pm p_1 i, \pm p_2 i, \cdots, \pm p_s i,$$

那末(2.8)就有如下形式的解

$$e^{ip_1t}, e^{ip_2t}, \cdots, e^{ip_st}.$$

取其实部与虚部，得(2.8)的解为

$$\begin{pmatrix} \cos p_1 t \\ \sin p_1 t \end{pmatrix}, \begin{pmatrix} \cos p_2 t \\ \sin p_2 t \end{pmatrix}, \cdots, \begin{pmatrix} \cos p_s t \\ \sin p_s t \end{pmatrix},$$

这些实周期解的线性组合便给出了(2.8)的一切可能的周期解．

可证(2.9)不同的特征频率不超过 n 个．

事实上，我们把(2.9)改写为

$$P_n(\lambda) + e^{-\lambda\tau}Q_{n-1}(\lambda) = 0, \tag{2.10}$$

其中 $P_n(\lambda) = \lambda^n$ 为 λ 的 n 次多项式，而 $Q_{n-1}(\lambda) = a_{n-1}\lambda^{n-1} + \cdots + a_1\lambda + a_0$ 是 λ 的 $n-1$ 次多项式．设(2.10)有纯虚根 $\lambda = iy$，代入之得

$$P_n(iy) + e^{-i\tau y}Q_{n-1}(iy) = 0,$$

由此推出 y 是 $2n$ 次代数方程

$$|P_n(iy)|^2 = |Q_{n-1}(iy)|^2 \tag{2.11}$$

之根．由于(2.10)的纯虚根只能成对地出现，即 $\lambda = \pm iy_k$（除了零

根$y=0$以外). 所以方程(2.11)有不多于n对根$\pm iy_k$，故(2.10)的特征频率不多于n个.

2. n阶定常线性齐次的中立型方程

$$\sum_{k=0}^{n}[a_k x^{(k)}(t)+b_k x^{(k)}(t-\tau)]=0, \tag{2.12}$$

$$a_n\neq 0, \qquad b_n\neq 0,$$

一般地说，其特征频率的数目也不超过n，因为(2.12)所对应的特征方程为

$$\sum_{k=0}^{n}(a_k\lambda^k+b_k\lambda^k e^{-\lambda\tau})=0. \tag{2.13}$$

若(2.13)有纯虚根$\lambda=iy$，代入(2.13)得

$$\sum_{k=0}^{n}[a_k(iy)^k+b_k(iy)^k e^{-iy\tau}]=0.$$

类似地，可以记为

$$P_n(iy)+e^{-iy\tau}Q_n(iy)=0, \tag{2.14}$$

这里P_n，Q_n都是n次多项式. 同理，由于方程

$$|P_n(iy)|^2=|Q_n(iy)|^2 \tag{2.15}$$

之根不超过$2n$个且纯虚根(除了零根以外)总是成对地出现，故其特征频率不超过n个.

注 4. 上述结论对中立型方程(2.12)与滞后型方程(2.8)有些不同，即特征方程(2.14)(或者(2.15))有可能变为恒等式. 对于这种例外情形，特征方程(2.14)可能有无穷多个纯虚根.

事实上，在方程(2.14)中解出$e^{i\tau y}$

$$e^{i\tau y}=-\frac{Q_n(iy)}{P_n(iy)}, \tag{2.16}$$

当y沿着实轴趋于∞时，点$z=e^{iy\tau}$沿着单位圆$|z|=1$转动，而点$-Q_n(iy)/P_n(iy)$由于

$$|P_n(iy)|\equiv|Q_n(iy)|$$

也落在单位圆上，并趋近于点$z=1$或$z=-1$. 这样一来，由(2.14)

的多项式 $P_n(iy)$ 和 $Q_n(iy)$ 最高次项的系数或者相等，或者只差一个正负号．不排除这样的可能性：即对一切 y 均有

$$\frac{-Q_n(iy)}{P_n(iy)}=\pm 1.$$

所以(2.16)有无穷多个实根 y_k，而且当 $k\to\infty$ 时 $y_k\to\infty$．这些根对应于单位圆 $|z|=1$ 上的点 $e^{-iy_k\tau}$，它们落在点 $z=1$ 或 $z=-1$的邻域内，而且当 $k\to\infty$ 时趋于点 $z=1$ 或点 $z=-1$，所以对相应于根的充分大的 k，我们有

$$y_{k+1}-y_k\approx\frac{2\pi}{\tau}.$$

3．最后，我们注意到方程(2.8)或(2.12)有常数解 $x=C$(不排除上述例外情形)时，有不多于 $n-1$ 个非零的特征频率．

例1．考虑方程

$$\ddot{x}(t)+\ddot{x}(t-\tau)+a^2(x(t)+x(t-\tau))=0, \qquad (2.17)$$

相应的特征方程为

$$\lambda^2+e^{-\lambda\tau}\lambda^2+a^2(1+e^{-\lambda\tau})=0, \qquad (2.18)$$

即

$$(\lambda^2+a^2)(1+e^{-\lambda\tau})=0,$$

$\lambda=\pm ai$．此外，$1+e^{-\lambda\tau}=0$ 只有当 λ 为纯虚根 iy 时，才有可能使其满足，即

$$e^{i\tau y}+1=0 \text{ 或 } \cos\tau y-i\sin\tau y+1=0.$$

由

$$\cos\tau y+1=0, \sin\tau y=0$$

解得

$$\tau y=(2k+1)\pi, k=0,\pm 1,\pm 2,\cdots$$

τ 是给定的，所以 $1+e^{\lambda\tau}=0$ 有无穷多个零点为 $y_k=\frac{1}{\tau}(2k+1)\pi$ $(k=0,1,\cdots)$．这就是说，当

$$|a|\neq\frac{1}{\tau}(2k+1)\pi, k=0,1,2,\cdots,$$

时(2.18)的根都是单重的．当然，这时有无穷多个特征频率．

例2．考虑方程

$$\dot{x}(t)+ax(t)+\dot{x}(t-\tau)+ax(t-\tau)=0, \tag{2.19}$$

对应的特征方程为

$$\lambda+a+\lambda e^{-\lambda\tau}+ae^{-\lambda\tau}=0, \tag{2.20}$$

即

$$(\lambda+a)(1+e^{-\lambda\tau})=0,$$

由此解得 $\lambda=-a$ 及 $1+e^{-\lambda\tau}=0$．与例 1 类似，可得 $y_k=\frac{1}{\tau}(2k+1)\pi, k=0,\pm1,\pm2,\cdots$．这说明它有无穷多个特征频率．由于 a 为实的，故诸特征根都是单重的．

例3．对方程

$$\dot{x}(t)+\dot{x}(t-\tau)=0,$$

不难看出，它的特征方程的一切根都分布在虚轴上，而且有一个零根，无穷多个纯虚根．

§3．定常线性滞后型非齐次方程的周期解

考虑方程

$$\sum_{s=0}^{n}a_s x^{(s)}(t-\tau)=f(t), a_n\neq0. \tag{3.1}$$

其中 $a_s, \tau>0$ 均为常数．由 § 1 知，(3.1)仅当函数 $f(t)$ 为周期的情形才可能有周期解．而且此周期解的周期只可能等于 $f(t)$ 的周期或它的倍数．

不妨设，当 $t\geq t_0$ 时 $f(t)$ 是周期为 2π 的周期函数，且连续可微，于是可展为 Fourier 级数

$$f(t)=\sum_{k=-\infty}^{\infty}\alpha_k e^{ikt}, \tag{3.2}$$

或者写成

$$f(t)=\sum_{k=0}^{\infty}(\beta_k\cos kt+\gamma_k\sin kt)$$

(不过此时方程解的富里埃级数的计算要作适当的限制).

若 $f(t)$ 的周期为 T，只要作代换 $t=\frac{T}{2\pi}t_1$，便可化为变量为 t_1，周期为 2π 的函数. 考虑(3.1)对应的齐次方程之特征方程为

$$F(\lambda)=e^{-\lambda\tau}(a_n\lambda^n+a_{n-1}\lambda^{n-1}+\cdots+a_0)=0. \tag{3.3}$$

1．若这个特征方程(3.3)没有整数纯虚根，即不出现共振的情形，那末将叠加原理用于方程

$$\sum_{s=0}^{n}a_s x^{(s)}(t-\tau)=f(t)=\sum_{k=-\infty}^{\infty}\alpha_k e^{ikt}$$

右方的每一被加项. 其解的形式为

$$A_k e^{ikt},$$

即假定方程

$$\sum_{s=0}^{n}a_s x^{(s)}(t-\tau)=\alpha_k e^{ikt} \tag{3.4}$$

$(k=0,\pm1,\pm2,\cdots)$ 的解为 $x(t)=A_k e^{ikt}$，则得

$$A_k\sum_{s=0}^{n}a_s(ik)^s e^{-ik\tau}=\alpha_k.$$

此即 $A_kF(ik)=\alpha_k$，故

$$A_k=\alpha_k/F(ik).$$

由(3.4)的这种解求和，便得周期解

$$x(t)=\sum_{k=-\infty}^{\infty}\frac{\alpha_k}{F(ik)}e^{ikt}. \tag{3.5}$$

(3.5)收敛且 n 次可微. 因为它的系数 $\alpha_k/F(ik)$ 与级数(3.2)的系数 α_k 比较，当 k 足够大时有

$$F(ik)=O(k^n)，当\ k\to\infty\ 时$$

故此时有

$$\left|\frac{\alpha_k}{F(ik)}\right|<|\alpha_k|.$$

而(3.2)是一致收敛的，故(3.5)一致收敛，而且是 n 次逐项可微的.

2．如果特征拟多项式 $F(\lambda)$ 至少有一个零点接近于 im，这里 m 是整数．那末当 $\alpha_m\neq0$ 或 $\alpha_{-m}\neq0$ 时，就出现共振现象．比起它在 im 附近没有根的情形，系数 $\alpha_m/F(im)$ 依模急剧上升.

3．若拟多项式的根之一等于 im，且 $\alpha_m\neq0$ 或 $\alpha_{-m}\neq0$，则周期解不存在.

4．若拟多项式的根中之一等于 im，且 $\alpha_m=\alpha_{-m}=0$，而且拟多项式又无其它的整数纯虚根，则存在形如(3.5)的双参数周期解族．但只有(3.5)右端之 e^{imt} 和 e^{-imt} 的系数保持其任意性.

例1．考虑方程

$$\dot{x}(t)+ax(t)+bx(t-\tau)=f(t),\tag{3.6}$$

其中

$$f(t)=\frac{\alpha_0}{2}+\sum_{n=1}^{\infty}(\alpha_n\text{cont}+\beta_n\sin nt).\tag{3.7}$$

如上所述，将(3.6)对应的齐次方程

$$\dot{x}(t)+ax(t)+bx(t-\tau)=0\tag{3.8}$$

的特征方程

$$F(\lambda)=\lambda+a+be^{-\lambda\tau}=0\tag{3.9}$$

的根的情形分为：

(1)若(3.9)无整数纯虚根 $\lambda=im(m=1,2,\cdots)$，即 $F(im)\neq0$，此时不出现共振．则(3.6)只有一个周期解.

事实上，根据叠加原理，由

$$\dot{x}(t)+ax(t)+bx(t-\tau)=\frac{\alpha_0}{2},\tag{3.10$_1$}$$

可以确定此方程的常数解 $x(t)=C_0$．C_0 为待定的，把它代入 $(3.10)_1$ 得

$$aC_0+bC_0=\frac{\alpha_0}{2},C_0=\alpha_0/2(a+b),$$

即(3.10)的常数解为

$$x(t)=\frac{\alpha_0}{2(a+b)}.$$

再考虑

$$\dot{x}(t)+ax(t)+bx(t-\tau)=\alpha_n\cos nt+\beta_n\sin nt. \qquad (3.10)_2$$

设它有形如下式的解

$$x_n(t)=C_{n_1}\cos nt+C_{n_2}\sin nt, \qquad (3.11)$$

其中 C_{n_1},C_{n_2} 是待定的常数.

将(3.11)代入$(3.10)_2$得

$$\begin{aligned}&[(b\sin n\tau-n)C_{n_1}+(b\cos n\tau+a)C_{n_2}]\sin nt\\&\quad+[(b\cos n\tau+a)C_{n_1}+(n-b\sin n\tau)Cn_2]\cos nt\\&=\alpha_n\cos nt+\beta_n\sin nt.\end{aligned}$$

比较上式两端 cosnt 与 sinnt 的系数,即得到下列确定 C_{n_1},C_{n_2} 的线性代数方程组

$$\begin{aligned}&(a+b\cos n\tau)C_{n_1}-(b\sin n\tau-n)C_{n_2}=\alpha_n,\\&(b\sin n\tau-n)C_{n_1}+(a+b\cos n\tau)C_{n_2}=\beta_n,\end{aligned}$$

其系数行列式 $\Delta=(a+b\cos n\tau)^2+(b\sin n\tau-n)^2$,

$$Cn_1=\frac{1}{\Delta}[\alpha_n(a+b\cos n\tau)+\beta_n(b\sin n\tau-n)],$$

$$C_{n_2}=\frac{1}{\Delta}[\beta_n(a+b\cos n\tau)-\alpha_n(b\sin n\tau-n)].$$

从而$(3.10)_2$的解为

$$\begin{aligned}X_n(t)=&\frac{1}{(a+b\cos n\tau)^2+(b\sin n\tau-n)^2}[(\alpha_n(a\\&+b\cos n\tau)+\beta_n(b\sin n\tau-n))\cos nt+(\beta_n(a\\&+b\mathrm{conn}\tau-\alpha_n(b\sin n\tau-n))\sin nt].\end{aligned}$$

所以由叠加原理推知其唯一的周期解为

$$x(t)=\frac{\alpha_0}{2(a+b)}$$

$$+\sum_{n=1}^{\infty}\left\{\frac{[\alpha_n(a+b\cos n\tau)+\beta_n(b\sin n\tau-n)]\cos nt}{(a+b\cos n\tau)^2+(b\sin n\tau-n)^2}\right.$$

$$\left.+\frac{[\beta_n(a+b\cos n\tau)-\alpha_n(b\sin n\tau-n)]\sin nt}{(a+b\cos n\tau)^2+(b\sin n\tau-n)^2}\right\}.$$

(2)若特征方程 $\lambda+a+be^{-\lambda\tau}=0$ 有整数纯虚根 $\pm mi$，则出现共振．方程(3.6)的周期解仅当

$$\alpha_m=\int_0^{\pi}f(t)\cos mt\,dt=0,$$

$$\beta_m=\int_0^{\pi}f(t)\sin mt\,dt=0$$

时才可能存在．而且方程(3.6)之解具有与情形(1)相同的形式，只不过此时 $\cos mt$ 与 $\sin mt$ 前的系数是任意常数罢了．

例2．考虑方程

$$\ddot{x}(t)+a_1\dot{x}(t)+a_2x(t)+b_1\dot{x}(t-\tau)+b_2x(t-\tau)=f(t),\quad(3.12)$$

其中

$$f(t)=\frac{\alpha_0}{2}+\sum_{n=1}^{\infty}\alpha_n\cos nt+\beta_n\sin nt,$$

在非共振的情形，方程只有一个周期解．

事实上，先考虑(3.12)的齐次线性部分

$$\ddot{x}(t)+a_1\dot{x}(t)+a_2x(t)+b_1\dot{x}(t-\tau)+b_2x(t-\tau)=0,\quad(3.13)$$

其特征方程为

$$F(\lambda)=\lambda^2+a_1\lambda+a_2+b_1\lambda e^{-\lambda\tau}+b_2e^{-\lambda\tau}=0.$$

若 $F(\lambda)=0$ 不存在整数纯虚根 $\lambda=im,m=1,2,\cdots$，即 $F(im)\neq0$，则由叠加原理，首先求

$$\ddot{x}(t)+a_1\dot{x}(t)+a_2x(t)+b_1\dot{x}(t-\tau)+b_2x(t-\tau)=\frac{\alpha_0}{2},\quad(3.14)$$

显见 $x_0(t)=C_0/2$（C_0 是待定常数）是它的解．与例1类似，用代

入法验证知 $C_0=\alpha_0/(a_2+b_2)$. 故

$$x_0(t)=\alpha_0/2(a_2+b_2).$$

其次再求

$$\ddot{x}(t)+a_1\dot{x}(t)+a_2x(t)+b_1\dot{x}(t-\tau)+b_2x(t-\tau)$$
$$=\alpha_n\cos nt+\beta_n\sin nt. \tag{3.15}$$

也设它有如下的形式解

$$x_n(t)=C_n\cos nt+D_n\sin nt,$$

其中 C_n,D_n 是待定常数. 把它代入(3.15)得

$$\begin{aligned}&(-C_nn^2+na_1D_n+a_2C_n+b_1nD_n\mathrm{conn}\tau+b_1nC_n\sin n\tau\\&+b_2C_n\cos n\tau-b_2D_n\sin n\tau)\cos nt+(-D_nn^2-na_1C_n\\&+a_2D_n+b_1nD_n\sin n\tau-b_1nC_n\cos n\tau+b_2C_n\sin n\tau\\&+b_2D_n\mathrm{conn}\tau)\sin nt\\&=\alpha_n\cos nt+\beta_n\sin nt.\end{aligned}$$

比较上式两端 $\cos nt$ 和 $\sin nt$ 的系数,即得确定系数 C_n,D_n 的线性代数方程组

$$\begin{aligned}&(-n^2+a_2+b_1n\sin n\tau+b_2\cos n\tau)C_n\\&\quad+(na_1+nb_1\cos n\tau-b_2\sin n\tau)D_n=\alpha_n,\\&(-na_1-b_1n\cos n\tau+b_2\sin n\tau)C_n\\&\quad+(-n^2+a_2+b_1n\sin n\tau+b_2\cos n\tau)D_n=\beta_n,\end{aligned}$$

其系数行列式为

$$\begin{aligned}\Delta&=(a_2+b_1n\sin n\tau+b_2\cos n\tau-n^2)^2+(b_1n\cos n\tau\\&\quad+na_1-b_2\sin n\tau)^2\\&=P_n^2+Q_n^2,\end{aligned}$$

这里

$$\begin{aligned}P_n&=a_2+b_1n\sin n\tau+b_2\cos n\tau-n^2,\\Q_n&=na_1+b_1n\cos n\tau-b_2\sin n\tau.\end{aligned}$$

故

$$C_n=\frac{\alpha_nP_n-\beta_nQ_n}{P_n^2+Q_n^2},\quad D_n=\frac{1}{P_n^2+Q_n^2}[\beta_nP_n+\alpha_nQ_n].$$

因此最终得到方程(3.12)在非共振情形下的唯一的周期解

$$x(t)=\frac{C_0}{2}+\sum_{n=1}^{\infty}(C_n\cos nt+D_n\sin nt).$$

注 5. 不论是例 1 的方程(3.6)或者例 2 的方程(3.12)，它们的周期解都可简单地表示为下列复数形式

$$x(t)=\sum_{p=-\infty}^{\infty}\frac{\alpha_p}{F(ip)}e^{ipt}.$$

但在实际应用中，通常都是把周期解用实级数形式表示之

$$x(t)=\frac{C_0}{2}+\sum_{n=1}^{\infty}(C_n\cos nt+D_n\sin nt).$$

例3. 考虑方程

$$\dot{x}(t)-x(t)-\dot{x}(t-2\pi)+x(t-2\pi)=f(t),\qquad (3.16)$$

这里 $f(t)$ 是周期为 2π 的周期函数

$$f(t)=\frac{\alpha_0}{2}+\sum_{n=1}^{\infty}(\alpha_n\cos nt+\beta_n\sin nt).$$

首先求出(3.16)的齐次方程的特征方程

$$F(\lambda)=\lambda-1-\lambda e^{-2\pi\lambda}+e^{-2\pi\lambda}=0.$$

显然由 $F(\lambda)=(\lambda-1)(1-e^{-2\pi\lambda})=0$ 得出 $\lambda=1,\lambda=0$ 是它的两个实根. 此外，由 $e^{i2k\pi}=1$ 可得

$$\lambda=ik,k=0,\pm1,\pm2,\cdots,$$

也是它的零点. 故虚轴上的所有整数点(包括原点)都是特征拟多项式的零点，从而 $f(t)$ 的频率 n 与特征拟多项式的所有零点的特征频率 n 完全一致. 亦即共振现象出现在有整数频率处. 因此对任何选定的周期为 2π 的周期函数 $f(t)$ ($f(t)\equiv0$ 除外)，都出现了共振现象. 故(3.16)不出现周期解.

众所周知，在常微分方程理论中，有关寻求周期解的方法是多种多样的. 诸如：

(i) 小参数展开法.

(ii) Крылов 和 Боголюбов 方法.

(iii) 逐次逼近法.

(iv)调和平衡法，

等等．所有这些方法，若要把它推广到带有偏差变元的方程中去，以寻求周期解时，都会受到种种限制和约束．例如可参看[79,64,118,130,128]．这里要对拟线性方程的周期解存在性问题应用小参数法作一分析，主要是介绍 Н.Н.Красовский 的一个有意义的结果．

考虑方程

$$\dot{x}(t)+ax(t)+bx(t-\tau)=f(t)+\mu F(t,x(t),x(t-\tau),\mu). \tag{3.17}$$

假定

(1)连续函数 $f(t)$ 与 F 是 t 的周期为 2π 的周期函数．

(2)特征方程

$$\lambda+a+be^{-\lambda\tau}=0$$

的一切根具有负实部．

(3)对充分小的 $|\mu|$，在导出方程

$$\dot{x}(t)+ax(t)+bx(t-\tau)=f(t)$$

的周期解 $x=\Phi(t)$ 的近傍，函数 $F(t,x(t),x(t-\tau),\mu)$ 是后三个变元 $x(t),x(t-\tau),\mu$ 的解析函数．

(4)a,b 及 $\tau>0$ 皆为常数．

在这些条件之下，对每一个充分小的 $|\mu|$，方程(3.17)都存在周期解 $x(t,\mu)$，使得

$$\lim_{\mu\to 0}x(t,\mu)=x(t).$$

此解可表示为

$$x(t,\mu)=x_0(t)+\mu x_1(t)+\cdots+\mu^n x_n(t)+R(t,\mu),$$

其中

$$R(t,\mu)=O(\mu^n).$$

用 Schauder 不动点原理讨论周期解的存在性方面的工作，可参看[26,130,128,79,78]．

§4. Ляпунов泛函与周期解的存在性

在常微分方程中，有许多应用 Ляпунов 第二方法研究周期解存在性的结果，在把这些结果推广到泛函微分方程时，V 函数通常须换为泛函. 本节仅列出一个典型的结果，并给出一个例子的详尽推导.

考虑 RFDE(f)

$$\dot{x}(t)=f(t,x_t), \tag{4.1}$$

这里记号的含义，解与初始问题的提法等等，都按第一章§4的提法. 此外，我们给出

定义. 设 $V(t,\phi)$ 是 $\mathbb{R}\times C\to\mathbb{R}$ 的连续泛函，方程(4.1)过 (σ,ϕ) 的解，称

$$\dot{V}(t,\phi)=\overline{\lim_{h\to0^+}}\frac{1}{h}[V(t+h,x_{t+h}(t,\phi))-V(t,\phi)]$$

为 $V(t,\phi)$ 沿方程(4.1)解的导数. 确切地说，是上右导数. 为了强调 $\dot{V}$ 对(4.1)解的依赖关系，记之为

$$\dot{V}_{(4.1)}(t,\phi).$$

在定义中 $\mathbb{R}\times C$ 有时换成 $\Omega\subseteq\mathbb{R}\times C$，$\Omega$ 为开集，$C=C([-r,0],\mathbb{R}^n)$.

可以证明[79]，若 f 连续，则过 $(\sigma,\phi)\in\Omega$ 有解存在. 若加上 $f(t,\phi)$ 在 Ω 中的每一个紧集上关于 ϕ 满足 Lipschitz 条件

$$|f(t,\phi)-f(t,\psi)|<L\|\phi-\psi\|,$$

则解是唯一的. 这里 $\|\cdot\|$ 为 Banach 空间 C 中的范数.

有两个与常微分方程平行的定理，这里作为引理予以列出而不给出证明.

引理1. 设存在一连续的泛函 $V(t,\phi):\Omega\to\mathbb{R}$ 满足

(i) $a(\|\phi\|)\leqslant V(t,\phi)\leqslant b(\|\phi\|)$，($a(s)$，$b(s)$ 是连续增函数，$S>H$ 时为正，当 $S\to\infty$ 时 $a(s)\to\infty$).

(ii) $\dot{V}_{(4.1)}(t,\phi)\leqslant -C(\|\phi\|)$，($c(s)$ 当 $s>H$ 时连续且为正)，

则(4.1)的解是一致有界的，而且是一致最终有界的.

引理2. 设存在一个连续的泛函 $V(t,\phi)$：$\Omega\to\mathbb{R}$，满足条件

(i) $a(|\phi(0)|)\leqslant V(t,\phi)\leqslant b(\|\phi\|)$.（当 $s\geqslant 0$ 时，$a(s)$ 是连续增函数，$s>H$ 时 $a(s)$ 为正，$b(s)$ 是连续增函数，当 $s\to\infty$ 时 $a(s)\to\infty$）.

(ii) $\dot{V}_{(4.1)}(t,\phi)\leqslant -C(\|\phi\|_{(h_2,h_1)})$（其中 $s\geqslant 0$ 时 $C(s)\geqslant 0$ 是连续的，$0\leqslant h_1\leqslant h_2\leqslant r$，$\|\phi\|_{(h_2,h_1)}=\sup\limits_{-h_2\leqslant\theta\leqslant -h_1}|\phi(\theta)|$）.

则(4.1)的解是一致有界的. 此外，如果对任意的 $\alpha>0$，存在 $L(\alpha)>0$，使得对一切 $t\geqslant 0$，$\phi\in C_\alpha$ 有

$$|f(t,\phi)|<L(t,\alpha).$$

又如果 $s>H$，$C(s)$ 是正的，则(4.1)的解是一致最终有界的.

这样，我们可以给出两个定理.

定理5. 设 $f(t,\phi)\in\bar{C}_0(\phi)$，且 $f(t,\phi)$ 关于 t 是周期的，周期 $\omega\geqslant r$，又对(4.1)而言，若存在一个 Ляпунов 泛函 $V(t,\phi)$，它满足引理1或引理2的条件，则(4.1)至少存在一个周期为 ω 的周期解.

这只要由引理1（或2）及定理3立即推得.

定理6. 设 $f(t,\phi)\in\bar{C}_0(\phi)$，且 $f(t,\phi)$ 关于 t 是周期的，周期 $\omega\geqslant r$，又对方程(4.1)而言，对 $\forall\alpha>0$，存在 $L(\alpha)>0$，使得由 $\phi\in C_\alpha$ 得 $|f(t,\phi)|\leqslant L(\|\phi\|)$. 此外，又设存在连续泛函 $V(t,\phi)$：$I\times S\to\mathbb{R}$，其中 $I\subseteq\mathbb{R}$，$S=\{\phi:\phi\in C,|\phi(0)|\geqslant H$，$H=\text{const}$ 适当大$\}$，$V(t,\phi)$ 满足条件：

(i) $a(|\phi(0)|)\leqslant V(t,\phi)\leqslant b(\|\phi\|)$，其中 $a(s)$，$b(s)$ 是连续递增，对 $s\geqslant H$ 是正的，当 $s\to\infty$ 时 $a(s)\to\infty$.

(ii) $\dot{V}_{(4.1)}(t,\phi)\leqslant -C(|\phi(0)|)$ 其中 $C(s)$ 连续且对 $s\geqslant H$ 是正的.

(iii) 存在 $H_1>0$，$H_1>H$ 使 $rL(r^*)<H_1-H$，$r^*=\text{const}>0$（由 $V(t,\phi)$ 的条件(i)，(ii)，$\exists\alpha>0,\beta>0,r>0$ 使 $b(H_1)\leqslant a(\alpha)$，$b(\alpha)\leqslant a(\beta)$，$b(\beta)\leqslant a(\gamma)$，$b(\gamma)\leqslant a(\gamma^*)$，作为确定 γ^* 的方式）.

在上述条件之下，(4.1)至少存在一个周期为 ω 的周期解. 特

别是 r 适当小时，$rL(\gamma^*)<H_1-H$ 总是成立的.

这一定理的详尽证明可参看[118]，但我们可以用一个例子对定理的条件与结论给出解释.

例1. 考虑方程

$$\dot{x}=y, \tag{4.2}$$

$$\dot{y}=-\Phi(t,y)-f(x)+p(t)+\int_{-r}^{0}g(x(t+\theta))\,y(t+\theta)d\theta.$$

如果 $g(x)=\dfrac{df}{dx}$，那末(4.2)等价于方程

$$\ddot{x}+\Phi(t,\dot{x})+f(x(t-r))=p(t).$$

对(4.2)作如下假定：

(i) 在 $t\in\mathbb{R}_+$，$|y|<\infty$ 上 $\Phi(t,y)$ 关于 t,y 连续，$\Phi(t,y)\in\overline{C}_0(y)$，$\Phi(t,y)$ 关于 t 是周期的，周期为 ω，而且对某两个正数 a,A 当 $|y|\geqslant A$ 时有

$$\Phi(t,y)/y>a>0.$$

(ii) $f(x)$ 在 $|x|<\infty$ 上连续，$f(x)\in C_0(x)$，且当 $|x|\to\infty$ 时有 $f(x)\,\mathrm{Sgn}\,x\to\infty$.

(iii) $p(t)$ 是周期为 ω 的周期函数，且 $|p(t)|\leqslant K$.

(iv) $g(x)$ 在 $|x|<\infty$ 上连续，$g(x)\in C_0(x)$ 及 $|g(x)|\leqslant L$. 则存在一个 r_0，使得对于 $r\in[0,r_0]$ 方程组(4.2)存在周期为 ω 的周期解 ($g\in C_0(x)$ 表示 g 关于 x 为局部 Lipschitz 型).

$r=0$ 时，便是通常的非线性振荡中的二阶带有强迫项的常微分方程. 对它的研究已有很多的工作，这里只考虑 $r>0$ 的情形.

引入连续泛函 $W(\phi,\psi)$，

$$W(\phi,\psi)=2F(\phi(0))+\psi^2(0)+\frac{a}{2r}\int_{-r}^{0}\left(\int_{s}^{0}\psi^2(\theta)\,d\theta\right)ds$$

$$+L\int_{-r}^{0}\left(\int_{s}^{0}|\psi(\theta)|\,d\theta\right)ds,$$

其中

$$F(x)=\int_0^x f(u)\,du,\quad 0<r\leqslant r_0<\frac{a}{2L}.$$

因此我们有

$$\dot W_{(4.2)}(x_t,y_t)\leqslant -2y\Phi(t,y)+2K|y|+2\int_{-r}^{0}L|y(t)y(t+\theta)|\,d\theta+\frac{a}{2r}\int_{-r}^{0}[y^2(t)-y^2(t+\theta)]d\theta+Lr|y|-L\int_{-r}^{0}|y(t+\theta)|\,d\theta.$$

如果

$$|y|\geqslant C_*=\max\left(A,\frac{4k}{a}+1\right),$$

那末

$$\dot W_{(4.2)}(x_t,y_t)\leqslant -\frac{1}{2}ay^2-\int_{-r}^{0}\left[\frac{a}{2r}y^2(t)-2L|y(t)y(t+\theta)|+\frac{a}{2r}y^2(t+\theta)\right]d\theta-L\int_{-r}^{0}|y(t+\theta)|\,d\theta.$$

因为 $r<a/2L$,所以由上式得

$$\dot W_{(4.2)}(x_t,y_t)\leqslant -\frac{1}{2}ay^2(t).$$

因此,若 $|\psi(0)|\geqslant c_*$,则

$$\dot W_{(4.2)}(\phi,\psi)\leqslant -\frac{1}{2}a\psi^2(0).$$

其次,我们考虑 $|\psi(0)|\leqslant c_*$ 的情形.

设 B 是这样的常数,它使得当 $|y|\leqslant c_*$ 时有

$$2|y||\Phi(t,y)|+|\Phi(t,y)|\leqslant B.$$

由(ii)可知,存在常数 $d>0$,使得$\frac{4}{a}\leqslant d$且

$$B+2c_*K+\frac{1}{2}ac_*+ac_*^2+K-f(x)\leqslant -1,\ x\geqslant d,$$

$$B+2c_*K+\frac{1}{2}ac_*+ac_*^2+K+f(x)\leqslant -1, x\leqslant -d.$$

当 $\phi(0)\geqslant d$ 时，若我们考虑

$$V(\phi,\psi)=W(\phi,\psi)+\psi(0),$$

$$\begin{aligned}\dot{V}_{(4.2)}(x_t,y_t)&=\dot{W}_{(4.2)}(x_t,y_t)-\Phi(t,y)-f(x)+p(t)\\&\quad+\int_{-r}^{0}g(x(t+\theta))y(t+\theta)d\theta\\&\leqslant -2y\Phi(t,y)+2c_*K+Lrc_*-\Phi(t,y)+K-f(x)\\&\quad+ay^2-\int_{-r}^{0}\left\{\frac{a}{2r}y^2(t)-2L|y(t)y(t+\theta)|\right.\\&\quad\left.+\frac{a}{2r}y^2(t+\theta)\right\}d\theta\leqslant -1.\end{aligned}$$

如果对于 $\phi(0)\leqslant -d$，我们置

$$V(\phi,\psi)=W(\phi,\psi)-\psi(0).$$

同样的论证给出

$$\dot{V}_{(4.2)}\leqslant -1.$$

在 $|\phi(0)|\leqslant d,\psi(0)\geqslant c_*$ 的情形，若我们令

$$V(\phi,\psi)=W(\phi,\psi)+\frac{c_*}{d}\phi(0),$$

那末

$$\dot{V}_{(4.2)}(x_t,y_t)\leqslant -\frac{1}{2}ay^2+\frac{c_*}{d}y\leqslant -\frac{1}{4}ay^2.$$

在 $|\phi(0)|\leqslant d,\psi(0)\leqslant -c_*$ 的情形，

$$V(\phi,\psi)=W(\phi,\psi)-\frac{c_*}{d}\phi(0)$$

满足

$$\dot{V}_{(4.2)}(x_t,y_t)\leqslant -\frac{1}{4}ay^2.$$

如果 $\phi(0)\geqslant d,\psi(0)\geqslant c_*$ 或 $\phi(0)\leqslant -d,\psi(0)\leqslant -c_*$，那末我们取

$$V(\phi,\psi)=W(\phi,\psi)+c_*.$$

又如果$\phi(0)\geqslant d,\psi(0)\leqslant -c_*$,或$\Phi(0)\leqslant -d,\psi(0)\geqslant c_*$,我们取

$$V(\phi,\psi)=W(\phi,\psi)-c_*.$$

因此我们得到一个 Ляпунов 泛函 $V(\phi,\psi)$,它满足定理6的条件(ii),因为我们有

$$2F(\phi(0))+\psi^2(0)-c_*\leqslant V(\phi,\psi)\leqslant 2F(\phi(0))$$
$$+\psi^2(0)+c_*+\frac{a^2}{8L}(n^2+n),$$

其中F为(4.2)右端,n为向量(ϕ,ψ)的范数,$V(\phi,\psi)$满足定理6的条件(i). 如果必要,用加一个正数的办法使$V>0$. 容易看出,若r_0充分小,则满足条件$rL(r^*)<H_1-H$,故由定理6 (4.2)对足够小的r,存在一个周期为ω的周期解.

§5. 周期系数方程组的稳定性

对于具有周期系数的线性方程组

$$\dot{x}_i(t)=\sum_{j=1}^{n}(a_{ij}(t)+b_{ij}(t))x_j(t),i=1,2,\cdots,n \tag{5.1}$$

与具有时滞的周期系数方程组

$$\dot{x}_i(t)=\sum_{j=1}^{n}(a_{ij}(t)x_j(t)+b_{ij}(t)x_j(t-\tau_{ij})), \tag{5.2}$$
$$i=1,2,\cdots,n,$$

我们将在这一节里讨论它们在稳定性问题上的等价性. 其中系数$a_{ij}(t),b_{ij}(t)$ $(i,j=1,2,\cdots,n)$ 都是t的有界连续周期函数.

定理7. 设(5.1)之示性根之模数都小于1,即(5,1)之零解是渐近稳定的,则存在$\Delta>0$,使得当

$$0\leqslant\tau_{ij}\leqslant\Delta,i,j=1,2,\cdots,n,$$

时,具有时滞的方程组(5,2)的零解也是渐近稳定的.

证. 对具周期系数的方程组(5.1)，一定存在实的周期系数的变换[23,1]，

$$z_s = \sum_{j=1}^{n} q_{sj}(t) x_j. \tag{5.3}$$

把(5.1)化为具常系数的方程组

$$\dot{z}_i = \sum_{j=1}^{n} c_{ij} z_j, i = 1, 2, \cdots, n. \tag{5.4}$$

由于假定 (5.1) 之示性根之模数都小于 1，故知方程组(5.4)之特征方程之特征根

$$\chi_1, \chi_2, \cdots, \chi_n$$

都具有负实部. 因此，对方程组(5.4)一定存在正定二次型

$$V(x_1, x_2, \cdots, x_n) = \sum_{i,j=1}^{n} \beta_{ij} x_i x_j,$$

使得对方程组(5.4)有

$$\dot{V} = \sum_{s=1}^{n} \frac{\partial V}{\partial x_s} \dot{x}_s = W(x_1(t), x_2(t), \cdots, x_n(t)),$$

而 $W(x_1(t), x_2(t), \cdots, x_n(t))$ 是负定的.

把方程组(5.2)写成下面形式

$$\dot{x}_i(t) = \sum_{j=1}^{n} [(a_{ij}(t) + b_{ij}(t)) x_j(t) + b_{ij}(t)(x_j(t - \tau_{ij}) - x_j(t))]$$

$$= \sum_{j=1}^{n} [(a_{ij}(t) + b_{ij}(t)) x_j(t)] + \psi_i(t) \tag{5.5}$$

而

$$\psi_i(t) = \sum_{j=1}^{n} b_{ij}(t)(x_j(t - \tau_{ij}) - x_j(t)),$$

$$i = 1, 2, \cdots, n.$$

将方程(5.5)施行变换(5.3)后得到

$$\dot{z}_s(t) = \sum_{j=1}^{n} c_{sj} z_j(t) + \Psi_s(t), \tag{5.6}$$

$$\Psi_s(t) = \sum_{j=1}^{n} \alpha_{sj}(t)\,(z_j(t-\tau_{sj}) - z_j(t)),$$

其中 $\alpha_{sj}(t)$ 是 $q_{sj}(t)$, $\dot{q}_{sj}(t)$ 及 $b_{sj}(t)$ 的多项式,也是 t 的有界连续函数,c_{ij} 为常数.

由方程(5.4),存在正定的 Ляпунов 函数 $V(z_1, z_2, \cdots, z_n)$,对(5.6)有

$$\begin{aligned}\dot{V} &= \sum_{i=1}^{n} \frac{\partial V}{\partial z_i}\dot{z}_i \\ &= \sum_{i=1}^{n} \frac{\partial v}{\partial z_i}\left(\sum_{j=1}^{n} c_{ij} z_j + \Psi_i(t)\right) \\ &= W(z_1(t), z_2(t), \cdots, z_n(t)) + \sum_{i=1}^{n} \frac{\partial V}{\partial z_i}\Psi_i(t),\end{aligned}$$

$W(z_1(t), z_2(t), \cdots, z_n(t))$ 为负定的函数. 以下主要是来估计最后一项:

$$\begin{aligned}\sum_{i=1}^{n} \frac{\partial V}{\partial z_i}\Psi_i(t) = \sum_{i=1}^{n} \Bigg[&\left(\sum_{j=1}^{n} (\beta_{ij} + \beta_{ji}) x_j(t)\right) \\ &\times \left(\sum_{j=1}^{n} \alpha_{ij}(t)(-\tau_{ij}) z_j(\xi_{ij})\right)\Bigg],\end{aligned}$$

$$t - \tau_{ij} \leqslant \xi_{ij} \leqslant t.$$

余下部分与第六章定理 2 同,略之.

定理8. 在定理 1 的条件下,若把常数时滞 τ_{ij} 换为 t 的连续有界实函数,定理 1 的结论仍然成立.

叙述与证明过程与第六章同.

定理9. 设方程组(5.1)的示性根至少有一个模数大于 1,即(5.1)之零解是不稳定的. 则存在 $\Delta > 0$,使得当

$$0 \leqslant \tau_{ij} \leqslant \Delta, i, j = 1, 2, \cdots, n$$

时，方程组(5.2)之零解也是不稳定的.

这一定理证明的基本思想仍然是：将方程组(5.1)施行周期变换(5.3)，把它化为方程组(5.6)，而(5.6)的特征方程为

$$D(\lambda, 1) = |c_{ij} - \delta_{ij}\lambda|. \tag{5.7}$$

由假定，方程(5.1)之示性根的模数至少有一个大于1. 从而得出对应于(5.6)的特征方程(5.7)至少有一个具正实部的特征根.

具体论证过程与第六章定理3同.

此外，用同一思想可以去处理第七章中提到的若干相应问题.

第十章 时滞定常大系统的稳定性

§1. 大型动力系统稳定性分解概念与方法

1. 问题的提出

随着近代技术的迅速发展，人们越来越多地面临着维数很高而又复杂的动力系统. 这种新的问题,从理论和应用两个方面看，都对处理动力系统的传统方法提出严重的挑战.

人们最初对“大系统”概念的认识，仅仅是把一个系统分解为相互联接的子系统. 若能由子系统的性质综合得出整体系统的性质时,便把原系统称之为大系统. 当然,这不是严格的定义，而且严格的定义迄今还没有. 我们只能给它一种描述:一个动力系统，若规模甚大(维数较高),结构复杂,功能综合,因素众多,则称之为一个大系统.

对于大系统的发展过程及其丰富的应用背景,处理方法,读者可以参看专著[141]. 这里仅仅把后文中用到的有关概念作简单介绍.

1959年,秦元勋对飞机自动驾驶仪的设计问题,提出把有6个自由度的运动稳定性，分解为纵向与横向各有三个自由度的子系统的运动稳定性问题[15,23]. 这种从物理分解原则上升到数学分解原则的做法，首次在国内外提出了大型动力系统的稳定性分解概念. 此后 Baily[60]于1966年提出了类似的稳定性分解概念，并首先使用了比较原理与向量 Ляпунов 函数. 另一方面，王慕秋于1959年首次从一般线性定常系统的特征根具有负实部的判定条件入手,给出了线性微分方程组的稳定性分解[15,23]. 在第十，十一两章中,主要阐述秦元勋,刘永清，王联等的一系列工作. 国内外的相应工作也将给以充分注意,并给出有关的文献,使有兴趣的读者可以沿着文献得知更详尽的情况.

为了说明这种分解概念的含义，先看一个例子：

例1. 考虑二阶线性系统

$$\dot{x}_1 = a_{11}x_1 + a_{12}x_2,\quad \dot{x}_2 = a_{21}x_1 + a_{22}x_2. \tag{1.1}$$

它的两个孤立子系统为

$$\dot{x}_1 = a_{11}x_1 \text{ 及 } \dot{x}_2 = a_{22}x_2, \tag{1.2}$$

其中 $a_{ij}(i,j=1,2)$为常数．(1.1)之特征方程为

$$D(\lambda) = \begin{vmatrix} a_{11}-\lambda & a_{12} \\ a_{21} & a_{22}-\lambda \end{vmatrix} = \lambda^2 + a\lambda + b = 0. \tag{1.3}$$

我们来讨论子系统(1.2)与复合系统(1.1)的稳定性之间的关系．

（1）设 $a_{11}<0, a_{22}<0$，则(1.2)的零解皆渐近稳定．记 $E_1 = \max[|a_{12}|, |a_{21}|]$，当 $E_1 < \nabla_1 = \sqrt{a_{11}a_{22}}$ 时，$b>0$，又已知 $a = -(a_{11}+a_{22})>0 \Rightarrow$ (1.3)两特征根具负实部，(1.1)的零解渐近稳定．

（2）设 $a_{11}<0, a_{22}<0$，则(1.2)的零解皆渐近稳定，记 $E_2 = \min[|a_{12}|, |a_{21}|]$，且 $a_{12}a_{21}>0$．当 $E_2 > \nabla_1$ 时 $b<0$，又已知 $a = -(a_{11}+a_{22})>0$，故(1.3)有一个正实根．此时(1.1)的零解是不稳定的．

（3）若 $a_{11}<0, a_{22}>0$（或 $a_{11}>0, a_{22}<0$）．则(1.2)的零解不稳定．若 $a_{11}+a_{22}<0, a_{12}a_{21}<0$，且当 $E_2 > \nabla_1 = \sqrt{|a_{11}a_{22}|}$ 时，有 $b>0, a = -(a_{11}+a_{22})>0 \Rightarrow$ (1.3)的根皆具有负实部，即(1.1)零解渐近稳定．

（4）若 $a_{11}>0, a_{22}<0$（或 $a_{11}<0, a_{22}>0$），子系统(1.2)的零解是不稳定的．若 $a_{11}+a_{22}>0$，则 $a = -(a_{11}+a_{22})<0$，不论 a_{12}, a_{22} 取何值(1.3)至少有一根具正实部 $\Rightarrow$ (1.1)的零解不稳定．

四种情形表明，子系统(1.2)的稳定性只有在一定条件之下才能表述复合系统(1.1)的稳定性．从这一角度说，大系统的问题是如何划分子系统并寻求这些条件的问题．

2. Ляпунов 函数分解法

我们用一个最简单的例子予以说明．对二维（复合）线性定常系统

$$\dot{x}_1 = -a_{11}x_1 + a_{12}x_2,\quad \dot{x}_2 = a_{21}x_1 - a_{22}x_2 \tag{1.4}$$

相应的两个孤立子系统

$$\dot{x}_1 = -a_{11}x_1 \text{ 及 } \dot{x}_2 = -a_{22}x_2. \tag{1.5}$$

（1）若 $a_{11}>0, a_{22}>0$. 作子系统(1.5)的Ляпунов函数 $V_i = x_i^2\ (i=1,2)$，由 V_i 沿(1.5)两方程的轨线求导数，分别有

$$\dot{V}_i = 2x_i\dot{x}_i = -2a_{ii}x_i^2 < 0,\quad i=1,2,$$

即两子系统(1.5)的零解是渐近稳定的. 取

$$E_1 = \max[|a_{12}|, |a_{21}|].$$

上述两子系统(1.5)之 V 函数之和

$$V = V_1 + V_2 = x_1^2 + x_2^2 \tag{1.6}$$

作为复合系统(1.4)之 V 函数. 则

$$\begin{aligned}\dot{V}_{(1,4)} &= 2x_1\dot{x}_1 + 2x_2\dot{x}_2 = 2x_1(-a_{11}x_1 + a_{12}x_2) + 2x_2(a_{21}x_1 - a_{22}x_2)\\ &\leqslant -2(a_{11}x_1^2 + a_{22}x_2^2) + 2|a_{12}||x_1||x_2| + 2|a_{21}||x_1||x_2|\\ &\leqslant -2(a_{11}x_1^2 + a_{22}x_2^2) + 2E_1(x_1^2 + x_2^2).\end{aligned}$$

当 $E_1 < \min[|a_{11}|, |a_{22}|]$ 时有 $\dot{V}_{(1.4)} < 0$. 从而得到复合系统(1.4)的零解也是渐近稳定的.

（2）若 $a_{11}<0, a_{22}<0$，子系统(1.5)的零解是不稳定的. 由 $V = x_1^2 + x_2^2$，类似地得到

$$\dot{V}_{(1.4)} \geqslant 2(-a_{11}x_1^2 - a_{22}x_2^2) - 2E_1(x_1^2 + x_2^2).$$

当 $E_1 < \min[|a_{11}|, |a_{22}|]$ 时有 $\dot{V}_{(1.4)} > 0$，故得复合系统(1.4)的零解也是不稳定的.

从这一简单的例子出发，我们可以归纳处理大系统的 V 函数法之大致步骤如下：

（Ⅰ）分析，选择孤立子系统，作出各子系统之 V_i 函数. 并求得 dV_i/dt.

（Ⅱ）分析子系统相互联接项，求 $V = \Sigma V_i$ 的导数 $\dot{V}_{(\text{大系统})}$ 的表达式中对联接项的估计界限. 如上例中的这种界限为

$$2|a_{12}||x_1||x_2| + 2|a_{21}||x_1||x_2| \leqslant 2E_1(x_1^2 + x_2^2).$$

（Ⅲ）由限制子系统之间的联接项的界限. 应用稳定性定理，由子系统之零解稳定性推得大系统的零解的稳定性.

3. 线性 DDE 的分解问题

仍以二维的情形为例，考虑方程

$$\begin{cases}\dot{x}_1(t)=c_{11}x_1(t)+b_{11}x_1(t-\tau_{11})+c_{12}x_2(t)+b_{12}x_2(t-\tau_{12}),\\ \dot{x}_2(t)=c_{21}x_1(t)+b_{21}x_1(t-\tau_{21})+c_{22}x_2(t)+b_{22}x_2(t-\tau_{22}).\end{cases}\tag{1.7}$$

与诸 $\tau_{ij}=0$ 时相应的常微分方程组

$$\begin{aligned}\dot{x}_1(t)&=(c_{11}+b_{11})x_1(t)+(c_{12}+b_{12})x_2(t)=a_{11}x_1+a_{12}x_2,\\ \dot{x}_2(t)&=(c_{21}+b_{21})x_1(t)+(c_{22}+b_{22})x_2(t)=a_{21}x_1+a_{22}x_2,\end{aligned}\tag{1.8}$$

其中 c_{ij},b_{ij} 及 $\tau_{ij}\geqslant 0$ 均为常数. 我们视(1.7)及 (1.8) 的两个孤立子系统均为

$$\dot{x}_1(t)=(c_{11}+b_{11})x_1(t)=a_{11}x_1(t),\qquad (1.9)_1$$

$$\dot{x}_2(t)=(c_{22}+b_{22})x_2(t)=a_{22}x_2(t),\qquad (1.9)_2$$

且(1.7)的特征方程为

$$D(\lambda,\tau_{ij})=|c_{ij}+b_{ij}e^{-\lambda\tau_{ij}}-\delta_{ij}\lambda|=0,\tag{1.10}$$

而1.8)的特征方程为

$$D(\lambda,0)=|c_{ij}+b_{ij}-\delta_{ij}\lambda|=\lambda^2+a\lambda+b=0,\tag{1.11}$$

$$a=-(c_{11}+b_{11}+c_{22}+b_{22})=-(a_{11}+a_{22}),$$

$$b=\begin{vmatrix}c_{11}+b_{11} & c_{12}+b_{12}\\ c_{21}+b_{21} & c_{22}+b_{22}\end{vmatrix}=\begin{vmatrix}a_{11} & a_{12}\\ a_{21} & a_{22}\end{vmatrix},$$

进而记 $A=\max[|c_{ij}|,|b_{ij}|,i,j=1,2]$，$\tau=\max[\tau_{ij}\geqslant 0,\ i,j=1\ 2]$. 我们行将讨论的问题是小时滞 τ 之下的稳定性的等价问题. 这一点已在第六、七、八章中详尽地讨论过. 不过，现在的研究途径是大系统的 V 函数法与前几章方法的结合. 明确地说，我们要找到子系统之间的联接项的界限与时滞界限，使得$(1.9)_1$，$(1.9)_2$ 所示的子系统零解的稳定性与复合系统(1.7)零解的稳定性相同. 即

(1) 若 $a_{11}<0,a_{22}<0$，线性定常子系统 $(1,9)_1$、$(1,9)_2$ 的零解是渐近稳定的. 由例 1，存在 $\nabla_1=\sqrt{a_{11}a_{22}}$ ，$E_1<\nabla_1$ 时 (1.8) 的零解也是渐近稳定的. 由第六章的结果推知存在 Δ_1，使得当 τ

$\in[0,\Delta_1]$时，(1.7)的零解也是渐近稳定的.

（2）若$a_{11}<0, a_{22}<0$，子系统$(1.9)_1$，$(1.9)_2$的零解是渐近稳定的. 由例1，记$E_2=\min[|a_{12}|,|a_{21}|]$，且$a_{12}a_{21}>0$，当$E_2>\nabla_1$时(1.8)至少有一个特征根的实部为正. 再由第六章的结果推知存在Δ_2，当$\tau\in[0,\Delta_2]$时，(1.7)的零解也是不稳定的.

还有两种情形都可以作类似讨论. (1)，(2)已经清楚地表示出我们即将讨论的方式.

除了上述的，小时滞的定常大系统问题之外，当然还可能出现：

（1）大时滞大系统的分解问题.

（2）全时滞大系统的分解问题.

（3）变时滞的相应问题.

4. Ляпунов 函数分解法的参数稳定域

在这节中，我们叙述 Ляпунов函数分解法中分解参数的稳定域的几何解释[15,23].

仅就二维系统来说，$E=\max[|a_{12}|,|a_{21}|]$，$\Delta=\sqrt{a_{11}a_{22}}>0$. 当$E<\Delta$时，由线性定常子系统(1.2)的零解的渐近稳定性得到线性复合系统(1.1)零解的渐近稳定性.

上述条件指出，在参数a_{12}, a_{21}的平面上，作出以原点为中心，

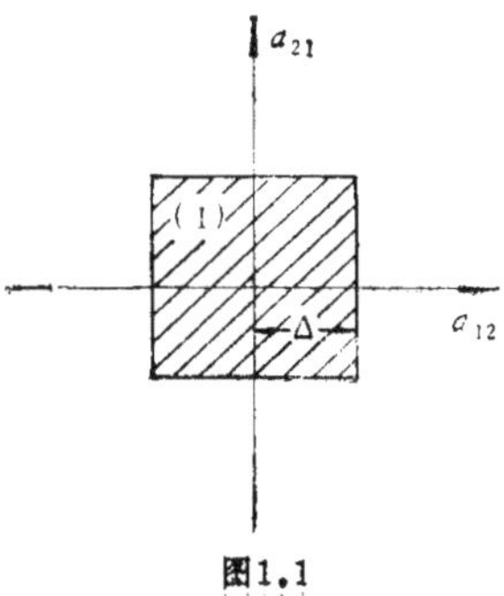

图1.1

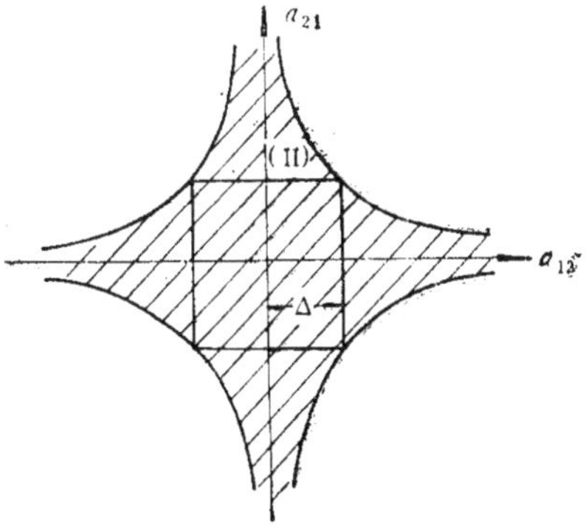

图1.2

边长为 $2\Delta=\sqrt{a_{11}a_{22}}$ 的正方形，如图1.1.

只要线性定常复合系统(1.1)的参数 a_{12}, a_{21} 取在正方形中，可由线性定常孤立子系统(1.2)的零解的渐近稳定性得到线性定常复合系统(1.1)零解的渐近稳定性. 我们称由 Δ 定出的区域(I)为复合系统分解系数的参数稳定域.

利用向量 Ляпунов 函数法可进一步扩大大系统分解系数的参数稳定域，王慕秋[15,23]给出了精辟的分析.

就 $n=2$ 来说，应用向量 Ляпунов 函数法给出线性定常复合系统(1.1)的分解系数的参数稳定域之扩大过程是这样的：首先做出它的两个孤立子系统(1.2)的 Ляпунов 函数，然后通过对孤立子系统(1.2)相互之间联接项的估计，得出 Ляпунов 函数分量 V_i 的二阶线性常系数辅助方程组，最后由辅助方程组零解的渐近稳定性，可以推出线性定常复合系统(1.1)零解的渐近稳定性. 由确定辅助方程组零解渐近稳定性的条件，也就给出了保证原线性定常复合系统(1.1)的渐近稳定时，复合系统(1.1)分解系数的参数稳定域. 由[15,23]中知，只要满足

$$a_{12}^2\ a_{21}^2<a_{11}^2\ a_{22}^2,$$

可由线性定常子系统(1.2)的零解的渐近稳定性，得到线性定常复合系统(1.1)的零解的渐近稳定性.

在 a_{12}, a_{21} 参数平面上，不等式 $a_{12}^2a_{21}^2<a_{11}^2a_{22}^2$ 表示由双曲线 $a_{12}a_{21}=\Delta$ $(\Delta=\sqrt{a_{11}a_{22}}$，当 $a_{12}a_{21}>0$ 时)及 $a_{12}a_{21}=-\Delta$(当 $a_{12}a_{21}<0$ 时)所限定的区域(II)(如图 1.2 所示)为复合系统(1.1)分解系数的参数稳定域. 如果复合系统(1.1)的参数 a_{12}, a_{21} 在域(II)中取值，则可由子系统(1.2)的零解的渐近稳定性，得到复合系统零解的渐近稳定性. 显然区域(II)包含了区域(I). 这说明向量 Ляпунов 函数法比标量 Ляпунов 法(Ляпунов 函数分解法)扩大了分解系统的参数稳定域.

对线性系统而言，零解的渐近稳定性就是全局的渐近稳定性. 这样，对线性系统，只要大系统的分解系数取值在它的参数稳定域

内，就可由于系统的零解的渐近稳定性，得到大系统零解的渐近稳定性．但对非线性系统而言，由于系统本身有多个奇点，这样非线性系统零解的渐近稳定性往往是具有局部性质的．因此，对非线性大系统的稳定性分解，不仅具有分解系数的参数稳定域，而且还有大系统本身的 Ляпунов 函数稳定域．

关于大系统理论的近期发展，有兴趣的读者可参看[141,38,39,30,31].

§2．具有小滞量的定常大系统[14,22]

考虑定常线性 DDE

$$\dot{x}_i(t)=\sum_{j=1}^{n} c_{ij}x_j(t)+\sum_{j=1}^{n} b_{ij}x_j(t-\tau_{ij}),\qquad (2.1)$$
$$i=1,2,\cdots,n,$$

其中 $c_{ij},b_{ij}(i,j=1,2,\cdots,n)$ 为实的常数，τ_{ij} 或者是非负常数，或者是 t 的连续函数．

如§1例子的处理方法一样，我们设

$$a_{ij}=c_{ij}+b_{ij}.$$

于是(2.1)可以改写成

$$\dot{x}_i=\sum_{j=1}^{n} a_{ij}x_j(t)+\sum_{j=1}^{n} b_{ij}[x_j(t-\tau_{ij})-x_j(t)],\qquad (2.2)$$
$$i=1,2,\cdots,n,$$

(2.2)中不含滞量的部分为

$$\dot{x}_i(t)=\sum_{j=1}^{n} a_{ij}x_j(t),\qquad (2.3)$$
$$i=1,2,\cdots,n.$$

我们将(2.3)按主对角线分成 n_l 块相互无关的部分，对应的微分方程记为

$$\frac{dx(t)}{dt}=Jx(t),\qquad (2.4)$$

其中

$$x(t)=\begin{bmatrix}x_1(t)\\ \vdots\\ x_l(t)\end{bmatrix},\qquad J=\begin{bmatrix}J_{n_1} & & & 0\\ & J_{n_2} & & \\ & & \ddots & \\ 0 & & & J_{n_l}\end{bmatrix},$$

$$J_{n_r}=\begin{bmatrix}a_{n_1+\cdots+n_{r-1}+1\ n_1+\cdots+n_{r-1}+1} & \cdots & a_{n_1+\cdots+n_{r-1}+1\ n_1+\cdots+n_r}\\ \vdots & & \vdots\\ a_{n_1+\cdots+n_r\ n_1+\cdots+n_{r-1}+1} & \cdots & a_{n_1+\cdots+n_r\ n_1+\cdots+n_r}\end{bmatrix}. \tag{2.5}$$

$$r=1,2,\cdots,l;n_1+\cdots+n_l=n$$

记 $A=\max\limits_{i,j=1,\cdots,n}[|c_{ij}|,|b_{ij}|],|a_{ij}|\leqslant 2A,\tau=\max\limits_{i,j=1,\cdots,n}[\tau_{ij}]$. (2.6)

E 为(2.3)的系数矩阵中,除掉(2.4)的系数矩阵 J 后,矩阵元素的绝对值的最大值,即

$$E=\max\left[|a_{ij}|,\ \begin{matrix}i=1,2,\cdots,n_1\\ j=n_1+1,\cdots,n\end{matrix};\ \begin{matrix}i=n_1+1,\cdots,n_1+n_2\\ j=1,2,\cdots,n_1\\ j=n_1+n_2+1,\cdots,n\end{matrix};\cdots;\ \begin{matrix}i=n-n_l+1,\cdots,n\\ j=1,\cdots,n-n_l\end{matrix}\right]. \tag{2.7}$$

显然 $E\leqslant 2A,|b_{ij}|\leqslant A$;并令

$$E_\tau=\max[E,\tau] \tag{2.8}$$

对(2.4)中每一块微分方程组为

$$\begin{bmatrix}\dot{x}_{n_1+\cdots+n_{r-1}+1}\\ \vdots\\ \dot{x}_{n_1+\cdots+n_r}\end{bmatrix}=\begin{bmatrix}a_{n_1+\cdots+n_{r-1}+1\ n_1+\cdots+n_{r-1}+1} & \cdots & a_{n_1+\cdots+n_{r-1}+1\ n_1+\cdots+n_r}\\ \vdots & & \vdots\\ a_{n_1+\cdots+n_r\ n_1+\cdots+n_{r-1}+1} & \cdots & a_{n_1+\cdots+n_r\ n_1+\cdots+n_r}\end{bmatrix}\times\begin{bmatrix}x_{n_1+\cdots+n_{r-1}+1}\\ \vdots\\ x_{n_1+\cdots+n_r}\end{bmatrix}, \tag{2.9}$$

$$r=1,2,\cdots,l.$$

(2.9)的特征方程为

$$D^{(r)}(\lambda)=\det|J_{n_r}-I\lambda|$$

$$=(-1)^{n_r}[\lambda^{n_r}+P_1^{(r)}\lambda^{n_r-1}+\cdots+P_{n_r-1}^{(r)}\lambda+P_{n_r}^{(r)}]=0, \quad (2.10)$$

I 为 n_r 维单位矩阵，J_{n_r} 为由(2.5)所表示的矩阵. (2.10)的 Routh-Hurwitz. 子行列式为

$$\Delta_1^{(r)}=P_1^{(r)},\Delta_2^{(r)}=\begin{vmatrix}P_1^{(r)} & P_3^{(r)}\\ P_0^{(r)} & P_2^{(r)}\end{vmatrix},\quad \Delta_3^{(r)}=\begin{vmatrix}P_1^{(r)} & P_3^{(r)} & P_5^{(r)}\\ P_0^{(r)} & P_2^{(r)} & P_4^{(r)}\\ 0 & P_1^{(r)} & P_3^{(r)}\end{vmatrix},\cdots,$$

$$\Delta_{n_r}^{(r)}=\begin{vmatrix}P_1^{(r)} & P_3^{(r)} & \cdots & P_{2n_r-1}\\ P_0^{(r)} & P_2^{(r)} & \cdots & P_{2n_r-2}\\ & \cdots\cdots & & \\ 0 & 0 & \cdots & P_{n_r}^{(r)}\end{vmatrix},\quad r=1,2,\cdots l, \qquad (2.11)$$

其中 $P_0^{(r)}=1, P_k^{(r)}=0\,(k>n_r)$.

设子系统(2.4)的特征方程(2.10)的特征根都具有负实部，由 Routh-Hurwitz 定理知

$$\Delta_1^{(r)}>0,\Delta_2^{(r)}>0,\cdots,\Delta_{n_r}^{(r)}>0, r=1,\cdots,l, n_1+\cdots+n_l=n.$$

为了下面研究问题方便，将应用到的一些定理[4, 9]写成引理如下：

引理1. 若 $\sum\limits_{i=1}^{n} a_{ii}>0$，则定常大系统(2.3)的零解不稳定[2].

引理2. 如果子系统(2.4)的零解是渐近稳定的，一定可以选取(2.3)中的系数(在(2.4)中不出现的)，使得(2.3)的零解是不稳定的

引理3. 由[4,13]，设子系统(2.4)的特征方程(2.10)的特征根具有负实部，则对线性定常子系统(2.4)存在正定函数

$$V_{n_r}=\Delta_2^{(r)}\cdots\Delta_{n_r}^{(r)}\sum_{i=n_1+\cdots+n_{r-1}+1}^{n_1+\cdots+n_r}x_i^2$$

$$+\sum_{\sigma=n_1+\cdots+n_{r-1}+1}^{n_1+\cdots+n_{r-1}}\ \sum_{j=n_1+\cdots+n_{r-1}+1}^{n_1+\cdots+n_r}\ \prod_{\substack{s=n_1+\cdots+n_{r-1}+1\\ s\neq\sigma,j\,(n_1+\cdots+n_{r-1}+1)}}^{n_1+\cdots+n_r}\Delta_s^{(r)}$$

$$\times[\Delta_{\sigma j}^{(r)}(x_{n_1+\cdots+n_{r-1}+1},\cdots,x_{n_1+\cdots+n_r})]^2, \qquad (2.12)$$

$$r=1,\cdots,l, n_1+\cdots+n_l=n.$$

沿子系统(2.4)的积分曲线求导数有

$$\left.\frac{dV_{n_r}}{dt}\right|_{(2.4)} = -2\Delta_1^{(r)}\cdots\Delta_{n_r}^{(r)}\sum_{i=n_1+\cdots+n_{r-1}+1}^{n_1+\cdots+n_r} x_i^2. \tag{2.13}$$

引理4. $|\Delta_{\sigma j}^{(r)}(x_{n_1+\cdots+n_{r-1}+1},\cdots,x_{n_1+\cdots+n_r})|$

$$\leqslant(\sigma-1)!(n_r!)^{\sigma-1}(2A)^{\frac{\sigma(\sigma+1)}{2}}K_\sigma^{(r)}\sum_{q=n_1+\cdots+n_{r-1}+1}^{n_1+\cdots+n_r}|x_q|, \tag{2.14}$$

其中 $$K_\sigma^{(r)}=\begin{cases}c_1^{n_r-1}+c_3^{n_r-1}3!+\cdots+c_\sigma^{n_r-1}\sigma!, & \sigma \text{ 为奇数},\\ 1+c_2^{n_r-1}2!+\cdots+c_\sigma^{n_r-1}\sigma!, & \sigma \text{ 为偶数}.\end{cases} \tag{2.15}$$

引理5. 由(2.12)中的 V_{n_r} 得到

$$\Delta_2^{(r)}\cdots\Delta_{n_r}^{(r)}\sum_{i=n_1+\cdots+n_{r-1}+1}^{n_1+\cdots+n_r}x_i^2\leqslant V_{n_r}(x_{n_1+\cdots+n_{r-1}+1},\cdots,x_{n_1+\cdots+n_r})$$

$$\leqslant L_{n_r}^{(r)}\sum_{i=n_1+\cdots+n_{r-1}+1}^{n_1+\cdots+n_r}x_i^2, \tag{2.16}$$

$$L_{n_r}^{(r)}=\Delta_2^{(r)}\cdots\Delta_{n_r}^{(r)}+n_r^2\sum_{\sigma=n_1+\cdots+n_{r-1}+1}^{n_1+\cdots+n_{r-1}}\left(\prod_{\substack{s=n_1+\cdots+n_{r-1}+1\\ s\neq\sigma\pm(n_1+\cdots+n_{r-1}+1)}}^{n_1+\cdots+n_r}\Delta_s^{(r)}\right)$$

$$\times[(\sigma-1)!]^2(n_r!)^{2(\sigma-1)}(2A)^{\sigma(\sigma+1)}(K_\sigma^{(r)})^2, \tag{2.17}$$

$$r=1,\cdots,l,n_1+\cdots+n_l=n$$

及 $$h_3\sum_{i=1}^n x_i^2\leqslant\sum_{r=1}^l V_{n_r}(x_{n_1+\cdots+n_{r-1}+1},\cdots,x_{n_1+\cdots+n_r})\leqslant L\sum_{i=1}^n x_i^2, \tag{2.18}$$

其中 $h_3=\min[\Delta_2^{(r)},\cdots,\Delta_{n_r}^{(r)},r=1,\cdots,l]$, (2.19)

$L=\max[L_{n_r}^{(r)},r=1,\cdots,l]$.

引理6. 如果 $x_m(t'-\tau_{km})$ $(m=1,\cdots,n;k=1,\cdots,n)$ 在 $4V(x_1(t),\cdots,x_n(t))$ 中,则有

$$\sum_{m=1}^n x_m^2(t_k'-\tau_{km})\leqslant\frac{V(x_1(t_k'-\tau_{k1}),\cdots,x_n(t_k'-\tau_{kn}))}{h_3}$$

$$\leqslant \frac{4V(x_1(t),\cdots,x_n(t))}{h_3} \leqslant \frac{4L}{h_3}\sum_{m=1}^{n} x_m^2(t) \tag{2.20}$$

及

$$\sum_{m=1}^{n} x_m^2(t'_k) \leqslant \frac{4L}{h_3}\sum_{m=1}^{n} x_m^2(t), \tag{2.21}$$

其中 t'_k 在区间 $(t-\tau_{km},t)$ 中.

引理7. 对系统(2.3)有 $|x_k(t-\tau_{ik})-x_k(t)| = \left|\int_{t-\tau_{ik}}^{t} \frac{dx_k(t)}{dt}dt\right|$

$$\leqslant \tau_{ik}|\dot{x}_k(t'_k)| \leqslant A\tau\sum_{m=1}^{n}[|x_m(t'_k)|+|x_m(t'_k-\tau_{km})|]. \tag{2.22}$$

定理1. 如果子系统(2.4)的零解是渐近稳定的,存在$\nabla_1>0$,使得当

$$E_\tau < \nabla_1 = \frac{h_4}{2n^2(h_2+H)\left[1+\frac{4L}{h_3}+\frac{1}{2A^2}\left(1+\frac{1}{n}\right)\right]} \tag{2.23}$$

或

$$E < \nabla_1^{(1)} = \frac{h_4}{\frac{2n^2}{A^2}(h_2+H)\left(1+\frac{1}{n}\right)},$$

$$0 \leqslant \tau \leqslant \nabla_1^{(2)} = \frac{h_4}{4n^2(h_2+H)\left(1+\frac{4L}{h_3}\right)} \tag{2.23$'$}$$

时,则具有滞后的线性定常大系统(2.2)的零解也是渐近稳定的[22],这里

$$h_2 = \max[A^2\Delta_2^{(r)}\cdots\Delta_{n_r}^{(r)}, r=1,\cdots,l],$$
$$h_4 = \min[\Delta_1^{(r)}\cdots\Delta_{n_r}^{(r)}, r=1,\cdots,l], \tag{2.24}$$

$$H = \max[L_{n_r}^{(r)} - \Delta_2^{(r)}\cdots\Delta_{n_r}^{(r)}, r=1,\cdots,l]. \tag{2.25}$$

证. 由(2.12)做 Ляпунов 函数和式:

$$V = V_{n_1} + V_{n_2} + \cdots + V_{n_r} + \cdots + V_{n_l}, \tag{2.26}$$

对(2.26)沿着具有滞后的微分方程组(2.2)的积分曲线求导数，由引理3有

$$
\left.\frac{dV}{dt}\right|_{(2.2)} = \left(\frac{dV_{n_1}}{dt} + \cdots + \frac{dV_{n_l}}{dt}\right)_{(2.2)} = -2\Delta_1^{(1)}\cdots\Delta_{n_1}^{(1)}\sum_{j=1}^{n_1} x_j^2(t)
$$

$$
+2\Delta_2^{(1)}\cdots\Delta_{n}^{(1)}\sum_{i=1}^{n_1} x_i(t)\left[\sum_{j=1}^{n} b_{ij}(x_j(t-\tau_{ij}) - x_j(t)) + \sum_{j=n_1+1}^{n} a_{ij}\right.
$$

$$
\left.\times x_j(t)\right] + 2\sum_{\sigma=1}^{n_1-1}\sum_{j=1}^{n_1}\prod_{\substack{s=1\\ s\neq\sigma+1}}^{n_1} \Delta_s^{(1)}\Delta_{\sigma j}^{(1)}(x_1(t),\cdots,x_{n_1}(t))\Delta_{\sigma j}^{(1)}\left(\sum_{k=1}^{n} b_{1k}\right.
$$

$$
\left.\times(x_k(t-\tau_{1k}) - x_k(t))\right) + \sum_{k=n_1+1}^{n} a_{1k}x_k(t),\cdots,\sum_{k=1}^{n} b_{n_1k}(x_k(t-\tau_{n_1k})
$$

$$
-x_k(t)) + \sum_{k=n_1+1}^{n} a_{n_1k}x_k(t)) + \cdots - 2\Delta_1^{(r)}\cdots\Delta_{n_r}^{(r)}\sum_{j=n_1+\cdots+n_{r-1}+1}^{n_1+\cdots+n_r} x_j^2(t)
$$

$$
+2\Delta_2^{(r)}\cdots\Delta_{n_r}^{(r)}\sum_{i=n_1+\cdots+n_{r-1}+1}^{n_1+\cdots+n_r} x_i(t)\left[\sum_{j=1}^{n} b_{ij}(x_j(t-\tau_{ij}) - x_j(t))\right.
$$

$$
\left.+\sum_{j=1}^{n_1+\cdots+n_{r-1}} a_{ij}x_j(t) + \sum_{j=n_1+\cdots+n_r+1}^{n} a_{ij}x_j(t)\right] + 2
$$

$$
\times\sum_{\sigma=n_1+\cdots+n_{r-1}+1}^{n_1+\cdots+n_r-1}\ \sum_{j=n_1+\cdots+n_{r-1}+1}^{n_1+\cdots+n_r}\ \prod_{\substack{s=n_1+\cdots+n_{r-1}+1\\ s\neq\sigma+1}}^{n_1+\cdots+n_r} \Delta_s^{(r)}\Delta_{\sigma j}^{(r)}(x_{n_1+\cdots+n_{r-1}+1}(t),\cdots,
$$

$$
x_{n_1+\cdots+n_r}(t))\Delta_{\sigma j}^{(r)}\left(\sum_{k=1}^{n} b_{n_1+\cdots+n_{r-1}+1,k}(x_k(t-\tau_{n_1+\cdots+n_{r-1}+1,k}) - x_k(t)\right)
$$

$$
+\sum_{k=1}^{n_1+\cdots+n_{r-1}} a_{n_1+\cdots+n_{r-1}+1,k}x_k(t) + \sum_{k=n_1+\cdots+n_r+1}^{n} a_{n_1+\cdots+n_{r-1}+1,k}x_k(t),\cdots,
$$

$$
\sum_{k=1}^{n} b_{n_1+\cdots+n_r,k}(x_k(t-\tau_{n_1+\cdots+n_r,k}) - x_k(t)) + \sum_{k=1}^{n_1+\cdots+n_{r-1}} a_{n_1+\cdots+n_r,k}x_k(t)
$$

$$
+\sum_{k=n_1+\cdots+n_r+1}^{n} a_{n_1+\cdots+n_r,k}x_k(t) + \cdots - 2\Delta_1^{(l)}\cdots\Delta_{n_l}^{(l)}\sum_{j=n-n_l+1}^{n} x_j^2(t)
$$

$$+2\Delta_2^{(l)}\cdots\Delta_n^{(l)}\sum_{j=n-n_l+1}^{n}x_j(t)\left[\sum_{j=1}^{n}b_{ij}(x_j(t-\tau_{ij})-x_j(t))\right.$$

$$\left.+\sum_{j=1}^{n-n_l}a_{ij}x_j(t)\right]+2\sum_{\sigma=n-n_l+1}^{n}\sum_{j=n-n_l+1}^{n}\prod_{\substack{s=n-n_l+1\\ s\neq\sigma-(n-n_l+1)}}^{n}\Delta_s^{(l)}$$

$$\times\Delta_{\sigma j}^{(l)}(x_{n-n_l+1}(t),\cdots,x_n(t))\cdot\Delta_{\sigma j}^{(l)}\left(\sum_{k=1}^{n}b_{n-n_l+1k}(x_k(t-\tau_{n-n_l+1k})\right.$$

$$\left.-x_k(t)\right)+\sum_{k=1}^{n-n_l}a_{n-n_l+1k}x_k(t),\cdots,\sum_{k=1}^{n}b_{nk}(x_k(t-\tau_{nk})-x_k(t))$$

$$+\sum_{k=1}^{n-n_l}a_{nk}x_k(t)).\tag{2.27}$$

应用引理7，类似于引理4中(2.14)的估计得到

$$\left|\Delta_{\sigma j}^{(r)}\left(\sum_{k=1}^{n}b_{n_1+\cdots+n_{r-1}+1k}(x_k(t-\tau_{n_1+\cdots+n_{r-1}+1k})-x_k(t))\right)\right.$$

$$+\sum_{k=1}^{n_1+\cdots+n_{r-1}}c_{n_1+\cdots+n_{r-1}+1k}x_k(t)+\sum_{k=n_1+\cdots+n_r+1}^{n}a_{n_1+\cdots+n_{r-1}}$$

$$_{+1k}x_k(t),\cdots,\sum_{k=1}^{n}b_{n_1+\cdots+n_rk}(x_k(t-\tau_{n_1+\cdots+n_rk})-x_k(t))$$

$$\left.+\sum_{k=1}^{n_1+\cdots+n_{r-1}}a_{n_1+\cdots n_rk}x_k(t)+\sum_{k=n_1+\cdots+n_r+1}^{n}c_{n_1+\cdots+n_rk}x_k(t)\right|$$

$$\leqslant(\sigma-1)!(n_r!)^{\sigma-1}(2A)^{\frac{\sigma(\sigma+1)}{2}}k_\sigma^{(r)}n_rE_rA^2$$

$$\times\left\{\sum_{k=1}^{n}\sum_{m=1}^{n}[|x_m(t_k')|+|x_m(t'-\tau_{km})|]+\frac{1}{A^2}\sum_{k=1}^{n_1+\cdots+n_{r-1}}|x_k(t)|\right.$$

$$\left.+\frac{1}{A^2}\sum_{k=n_1+\cdots+n_r+1}^{n}|x_k(t)|\right\},\tag{2.28}$$

$\sigma=n_1+\cdots+n_{r-1}+1,\cdots,n_1+\cdots+n_{r-1};j=n_1+\cdots+n_{r-1}+1,\cdots,$

$n_1+\cdots+n_r$,

$$r=1,2,\cdots,l.$$

由不等式(2.14)及(2.28)代入(2.27)中得到

$$\left.\frac{dV}{dt}\right|_{(2.2)} \leqslant -2\Delta_1^{(1)}\cdots\Delta_{n_1}^{(1)}\sum_{j=1}^{n_1} x_j^2(t) + E_\tau A^2 \Delta_1^{(1)}\cdots\Delta_{n_1}^{(1)}$$

$$\times\sum_{i=1}^{n_1}\left\{\sum_{j=1}^{n}\sum_{m=1}^{n}[2x_i^2(t)+x_m^2(t_j')+x_m^2(t_j'-\tau_{jm})]+\frac{1}{A^2}\right.$$

$$\left.\sum_{j=n_1+1}^{n}[x_i^2(t)+x_j^2(t)]\right\}+E_\tau n_1^2 A^2\sum_{\sigma=1}^{n_1-1}\left(\prod_{\substack{s=1\\ s\neq\sigma+1}}\Delta_s^{(1)}\right)[(\sigma-1)!]^2$$

$$\times(n_1!)^{2(\sigma-1)}(2A)^{\sigma(\sigma+1)}(k_\sigma^{(1)})^2\sum_{q=1}^{n_1}\left\{\sum_{k=1}^{n}\sum_{m=1}^{n}[2x_q^2(t)\right.$$

$$\left.+x_m^2(t_k')+x_m^2(t'-\tau_{km})]+\frac{1}{A^2}\sum_{k=n_1+1}^{n}(x_q^2(t)+x_k^2(t))\right\}$$

$$+\cdots-2\Delta_1^{(r)}\cdots\Delta_{n_r}^{(r)}\sum_{j=n_1+\cdots+n_{r-1}+1}^{n_1+\cdots+n_r}x_j^2(t)+E_\tau A^2\Delta_2^{(r)}\cdots$$

$$\Delta_{n_r}^{(r)}\sum_{i=n_1+\cdots+n_{r-1}+1}^{n_1+\cdots+n_r}\left\{\sum_{j=1}^{n}\sum_{m=1}^{n}[2x_i^2(t)+x_m^2(t_j')+x_m^2(t_j'-\tau_{jm})]\right.$$

$$+\frac{1}{A^2}\sum_{j=1}^{n_1+\cdots+n_{r-1}}(x_i^2(t)+x_j^2(t))+\frac{1}{A^2}\sum_{j=n_1+\cdots+n_r+1}^{n}(x_i^2(t)$$

$$\left.+x_j^2(t))\right\}+n_r^2E_\tau A^2\sum_{\sigma=n_1+\cdots+n_{r-1}+1}^{n_1+\cdots+n_r-1}\left(\prod_{\substack{s=n_1+\cdots+n_{r-1}+1\\ s\neq n_1+\cdots+n_{r-1}+1}}^{n_1+\cdots+n_r}\Delta_s^{(r)}\right)$$

$$\times[(\sigma-1)!]^2(n_r!)^{2(\sigma-1)}(2A)^{\sigma(\sigma+1)}(k_\sigma^{(r)})^2$$

$$\sum_{q=n_1+\cdots+n_{r-1}+1}^{n_1+\cdots+n_r}\left\{\sum_{k=1}^{n}\sum_{m=1}^{n}[2x_q^2(t)+x_m^2(t_k')+x_m^2(t_k'-\tau_{km})]+\frac{1}{A^2}\right.$$

$$\times \sum_{k=1}^{n_1+\cdots+n_{l-1}} (x_q^2(t) + x_k^2(t)) + \frac{1}{A^2} \sum_{k=n_1+\cdots+n_{l-1}+1}^{n} (x_q^2(t) + x_k^2(t))$$

$$+ \cdots - 2\Delta_1^{(l)} \cdots \Delta n_l^{(l)} \sum_{j=n-n_l+1}^{n} x_j^2(t) + E_\tau A^2 \Delta_2^{(l)} \cdots \Delta_{n_l}^{(l)}$$

$$\times \sum_{i=n-n_l+1}^{n} \left\{ \sum_{j=1}^{n} \sum_{m=1}^{n} [2x_i^2(t) + x_m^2(t'_j) + x_m^2(t'_j - \tau_{jm})] \right.$$

$$\left. + \frac{1}{A^2} \sum_{j=1}^{n-n_l} (x_i^2(t) + x_j^2(t)) \right\} + n_l^2 E_\tau A^2 \sum_{\sigma=n-n_l+1}^{n-1} \left(\prod_{\substack{s=n-n_l+1 \\ s\neq\sigma\pm(n-n_l+1)}}^{n} \Delta_s^{(l)} \right)$$

$$\times [(\sigma-1)!]^2 (n_l!)^{2(\sigma-1)} (2A)^{\sigma(\sigma+1)} (k_\sigma^{(l)})^2$$

$$\times \sum_{q=n-n_l+1}^{n} \left\{ \sum_{k=1}^{n} \sum_{m=1}^{n} [2x_q^2(t) + x_m^2(t'_k) + x_m^2(t'_k - \tau_{km})] \right.$$

$$\left. + \frac{1}{A^2} \sum_{k=1}^{n-n_l} (x_q^2(t) + x_k^2(t)) \right\}. \tag{2.29}$$

将(2.24),(2.25)代入(2.29)中,得到

$$\left.\frac{dV}{dt}\right|_{(2.2)} \leqslant -2h_4 \sum_{j=1}^{n} x_j^2(t) + E_\tau h_2 \sum_{i=1}^{n} \sum_{k=1}^{n} \sum_{m=1}^{n} [2x_i^2(t)$$

$$+ x_m^2(t'_k) + x_m^2(t'_k - \tau_{km})] + E_\tau H \sum_{q=1}^{n} \sum_{k=1}^{n} \sum_{m=1}^{n} [2x_q^2(t)$$

$$+ x_m^2(t'_k) + x_m^2(t'_k - \tau_{km})] + E_\tau \frac{h_2}{A^2} \sum_{i=1}^{n_1} \sum_{j=n_1+1}^{n} [x_i^2(t)$$

$$+ x_j^2(t)] + E_\tau \frac{H}{A^2} \sum_{q=1}^{n_1} \sum_{k=n_1+1}^{n} (x_q^2(t) + x_k^2(t)) + \cdots$$

$$+ E_\tau \frac{h_2}{A^2} \sum_{i=n_1+\cdots+n_{l-1}+1}^{n_1+\cdots+n_l} \left[\sum_{j=1}^{n_1+\cdots+n_{l-1}} (x_i^2(t) + x_j^2(t)) \right.$$

$$+\sum_{j=n_1+\cdots+n_r+1}^{n}(x_i^2(t)+x_j^2(t))\Bigg]+E_\tau\frac{H}{A^2}\sum_{q=n_1+\cdots+n_{r-1}+1}^{n_1+\cdots+n_r}\Bigg[\sum_{k=1}^{n_1+\cdots+n_{r-1}}(x_q^2(t)$$

$$+x_k^2(t))+\sum_{k=n_1+\cdots+n_r+1}^{n}(x_q^2(t)+x_k^2(t))\Bigg]+\cdots$$

$$+\frac{E_\tau h_2}{A^2}\sum_{i=n-n_l+1}^{n}\sum_{j=1}^{n-n_l}(x_i^2(t)+x_j^2(t))$$

$$+E_\tau\frac{H}{A^2}\sum_{q=n-n_l+1}^{n}\sum_{k=1}^{n-n_l}(x_q^2(t)+x_k^2(t)).\tag{2.30}$$

由$n=n_1+\cdots+n_l$,少于l个$n_1,n_2,\cdots,n_l$的任意线性组合皆小于n,及

$$E_\tau\frac{h_2}{A^2}\sum_{i=1}^{n_1}\sum_{j=n_1+1}^{n}(x_i^2(t)+x_j^2(t))+E_\tau\frac{H}{A^2}\sum_{q=1}^{n_1}\sum_{k=n_1+1}^{n}(x_q^2(t)$$

$$+x_k^2(t))$$

$$=E_\tau\frac{(h_2+H)}{A^2}\sum_{q=1}^{n_1}\sum_{k=n_1+1}^{n}(x_q^2(t)+x_k^2(t))$$

$$\leqslant E_\tau\frac{n(h_2+H)}{A^2}\left[\sum_{q=1}^{n}x_q^2(t)+\sum_{k=n_1+1}^{n}x_k^2(t)\right]$$

$$=E_\tau\frac{n(h_2+H)}{A^2}\sum_{q=1}^{n}x_q^2(t).\tag{2.31}$$

同理,对任意的$r(r=2,3,\cdots,l-1)$有

$$E_\tau\frac{h_2}{A^2}\sum_{i=n_1+\cdots+n_{r-1}+1}^{n_1+\cdots+n_r}\Bigg[\sum_{j=1}^{n_1+\cdots+n_{r-1}}(x_i^2(t)+x_j^2(t))+\sum_{j=n_1+\cdots+n_r+1}^{n}(x_i^2(t)$$

$$+x_j^2(t))\Bigg]+E_\tau\frac{H}{A^2}\sum_{q=n_1+\cdots+n_{r-1}+1}^{n_1+\cdots+n_r}\Bigg[\sum_{k=1}^{n_1+\cdots+n_{r-1}}(x_q^2(t)$$

$$+x_k^2(t))+\sum_{k=n_1+\cdots+n_r+1}^{n}(x_q^2(t)+x_k^2(t))\Bigg]$$

$$<E_\tau\frac{n(h_2+H)}{A^2}\left[\sum_{q=1}^{n}x_q^2(t)+\sum_{q=n_1+\cdots+n_{r-1}+1}^{n_1+\cdots+n_r}x_q^2(t)\right],\tag{2.32}$$

$$r=2,3,\cdots,l-1.$$

同理

$$E_\tau\frac{h_2}{A^2}\sum_{i=n-n_l+1}^{n}\sum_{j=1}^{n-n_l}(x_i^2(t)+x_j(t))+E_\tau\frac{H}{A^2}$$

$$\times\sum_{q=n-n_l+1}^{n}\sum_{k=1}^{n-n_l}(x_q^2(t)+x_k^2(t))<E_\tau\frac{n(h_2+H)}{A^2}\sum_{q=1}^{n}x_q^2(t). \quad (2.33)$$

由(2.31)—(2.33) l 个不等式两边各自相加，得到

$$E_\tau\frac{(h_2+H)}{A^2}\sum_{q=1}^{n_1}\sum_{k=n_1+1}^{n}(x_q^2(t)+x_k^2(t))+\cdots+E_\tau\frac{(h_2+H)}{A_2}$$

$$\times\sum_{q=n_1+\cdots+n_{r-1}+1}^{n_1+\cdots+n_r}\left[\sum_{k=1}^{n_1+\cdots+n_{r-1}}(x_q^2(t)+x_k^2(t))\right.$$

$$\left.+\sum_{k=n_1+\cdots+n_r+1}^{n}(x_q^2(t)+x_k^2(t))\right]+\cdots+E_\tau\frac{(h_2+H)}{A^2}$$

$$\times\sum_{q=n-n_l+1}^{n}\sum_{k=1}^{n-n_l}(x_q^2(t)+x_k^2(t))<\frac{n^2(h_2+H)E_\tau}{A^2}\sum_{q=1}^{n}x_q^2(t)$$

$$+E_\tau\frac{n(h_2+H)}{A^2}\sum_{q=n_1+1}^{n-n_l}x_q^2(t). \quad (2.34)$$

将(2.34)代入(2.30)中得到

$$\left.\frac{dV}{dt}\right|_{(2.2)}\leqslant-2h_4\sum_{j=1}^{n}x_j^2(t)+E_\tau(h_2+H)$$

$$\times\sum_{i=1}^{n}\sum_{k=1}^{n}\sum_{m=1}^{n}[2x_i^2(t)+x_m^2(t'_k)+x_m^2(t'_k-\tau_{km})]+E_\tau\frac{n^2(h_2+H)}{A^2}$$

$$\times\sum_{q=1}^{n}x_q^2(t)+E_\tau\frac{n(h_2+H)}{A^2}\sum_{q=n_1+1}^{n-n_l}x_q^2(t). \quad (2.35)$$

由引理5知，

$$h_3\sum_{j=1}^{n} x_j^2(t)\leqslant\sum_{r=1}^{l} V_{n_r}(x_{n_1+\cdots+n_{r-1}+1},\cdots,x_{n_1+\cdots+n_r})\leqslant L\sum_{j=1}^{n} x_j^2(t),\tag{2.18}$$

引用引理6，有

$$\sum_{m=1}^{n} x_m^2(t_k'-\tau_{km})\leqslant\frac{V(x_1(t_k'-\tau_{k1}),\cdots,x_n(t_k'-\tau_{kn}))}{h_3}$$

$$\leqslant\frac{4V(x_1(t),\cdots,x_n(t))}{h_3}$$

$$\leqslant\frac{4L}{h_3}\sum_{m=1}^{n} x_m^2(t)\tag{2.20}$$

及
$$\sum_{m=1}^{n} x_m^2(t_k')\leqslant\frac{4L}{h_3}\sum_{m=1}^{m} x_m^2(t),\quad k=1,2,\cdots,n.\tag{2.21}$$

将(2.20)，(2.21)代入(2.35)中，得到

$$\left.\frac{dV}{dt}\right|_{(2.2)}\leqslant-2h_4\sum_{j=1}^{n} x_j^2(t)+2E_\tau n^2(h_2+H)$$

$$\times\sum_{m=1}^{n}\left(1+\frac{4L}{h_3}\right)x_m^2(t)+E_\tau\frac{n^2(h_2+H)}{A^2}\sum_{q=1}^{n} x_q^2(t)$$

$$+E_\tau\frac{n(h_2+H)}{A^2}\sum_{q=n'+1}^{n-n_l} x_q^2(t)$$

$$=\left\{-2h_4+2E_\tau(h_2+H)n^2\left(1+\frac{4L}{h_3}+\frac{1}{2A^2}\right)\right\}$$

$$\times\sum_{m=1}^{n_1} x_m^2(t)+\left\{-2h_4+2E_\tau n^2(h_2+H)\left[\left(1+\frac{4L}{h_3}\right)\right.\right.$$

$$\left.\left.+\frac{1}{2A^2}\left(1+\frac{1}{n}\right)\right]\right\}\sum_{m=n_1+1}^{n_1+n_2} x_m^2(t)+\cdots+\left\{-2h_4\right.$$

$$\left.+2E_\tau n^2(h_2+H)\left[1+\frac{4L}{h_3}+\frac{1}{2A^2}\left(1+\frac{1}{n}\right)\right]\right\}$$

$$\times \sum_{m=n_1+\cdots+n_{r-1}+1}^{n_1+\cdots+n_r} x_m^2(t) + \cdots + \Big\{ -2h_4 + 2E_\tau n^2 (h_2$$

$$+ H) \left[1 + \frac{4L}{h_3} + \frac{1}{2A^2}\left(1 + \frac{1}{n}\right) \right] \Big\} \sum_{m=n-n_{l-1}+1}^{n-n_l} x_m^2(t)$$

$$+ \left\{ -2h_4 + 2E_\tau n^2 (h_2 + H) \left[1 + \frac{4L}{h_3} + \frac{1}{2A^2} \right] \right\}$$

$$\times \sum_{m=n-n_l+1}^{n} x_m^2(t) . \tag{2.36}$$

只要 $E_\tau < \nabla_1$（或 $E < \nabla_1^{(1)}, 0 \leqslant \tau < \nabla_1^{(2)}$）

由(2.36)知

$$\left.\frac{dV}{dt}\right|_{(2.2)} < 0$$

成立. 定理证毕.

当 $\tau \equiv 0$ 时，由(2.8) $E_\tau = E$，(2.23)中的 $\nabla_1 = \nabla_1^{(1)}$ 为

$$\nabla_1 = \frac{h_4}{n^2 \cdot (h_2 + H)\left(1 + \frac{1}{n}\right)\frac{1}{2A^2}}, \tag{2.37}$$

具有滞后的微分方程组(2.2)化为无滞后的微分方程组(2.3)，因此得到

定理2. 设子系统(2.4)的零解是渐近稳定的，存在 $\nabla_1^{(1)} > 0$，使得当

$$E < \nabla_1^{(1)}$$

时，则定常线性大系统(2.3)的零解也是渐近稳定的. 即[14]的结果.

以下为了研究具有滞后的大系统(2.1)的不稳定性[31]，记它的特征方程分别为

$$D(\lambda, \tau) = |c_{ij} + b_{ij} e^{-\lambda \tau_{ij}} - \delta_{ij} \lambda| = 0, \tag{2.38}$$

$$D(\lambda, 0) = |c_{ij} + b_{ij} - \delta_{ij}\lambda| = P_0 \lambda^n + P_1 \lambda^{n-1} + \cdots + P_{n-1}\lambda + P_n = 0 \tag{2.39}$$

定理3. 设子系统(2.4)存在正定函数$V_{n_r}(x_{n_1+\cdots+n_{r-1}+1},\cdots,x_{n_1+\cdots+n_r})$由它沿(2.4)的轨线对$t$求导数$\left.\frac{dV_{n_r}}{dt}\right|_{(2.4)}=W_{n_r}(x_{n_1+\cdots+n_{r-1}+1},\cdots,x_{n_1+\cdots+n_r})$ $(r=1,2,\cdots,l;n_1+\cdots+n_l=n)$也是正定的，则存在正数$\nabla_2>0$,使得当

$$E<\nabla_2$$

时,线性定常大系统(2.3)的零解也是不稳定的[31].

证. 令$V(x_1\cdots,x_n)=V_{n_1(x_1,\cdots,n_1)}+\cdots+V_{n_l}(x_{n-n_l+1},\cdots,x_n)$也是正定函数. 取适当的正数$M$,$V(x_1,\cdots x_n)=M$表示$n+1$维空间$(t,x_1\cdots,x_n)$中的超闭曲面。由它沿着(2.3)的轨线对$t$求导数有

$$\left.\frac{dV}{dt}\right|_{(2.3)}=\left(\frac{dV_{n_1}}{dt}+\cdots+\frac{dV_{nr}}{dt}+\cdots+\frac{dV_{nl}}{d}\right)_{(2.3)}=\frac{\partial V_{n_1}}{\partial x_1}$$

$$\times\frac{dx_1}{dt}+\cdots+\frac{\partial V_{n_1}}{\partial x_{n_1}}\frac{dx_{n_1}}{dt}+\cdots+\frac{\partial V_{n_r}}{\partial x_{n_1+\cdots+n_{r-1}+1}}$$

$$\times\frac{dx_{n_1+\cdots+n_{r-1}+1}}{dt}+\cdots+\frac{\partial V_{nr}}{\partial x_{n_1+\cdots+n_r}}\frac{dx_{n_1+\cdots+n_r}}{dt}+\cdots+\frac{\partial V_{nl}}{\partial x_{n-n_l+1}}$$

$$\times\frac{dx_{n-nl+1}}{dt}+\cdots+\frac{\partial V_{nl}}{\partial x_n}\frac{dx_n}{dt}=W_{n_1}(x_1,\cdots,x_{n_1})$$

$$+\sum_{i=1}^{n_1}\frac{\partial V_{n_1}}{\partial x_i}\sum_{j=n_1+1}^{n}a_{ij}x_j+\cdots+W_{nr}(x_{n_1+\cdots+n_{r-1}+1},\cdots,x_{n_1+\cdots+n_r})$$

$$+\sum_{i=n_1+\cdots+n_{r-1}+1}^{n_1+\cdots+n_r}\frac{\partial V_{nr}}{\partial x_i}\left[\sum_{j=1}^{n_1+\cdots+n_{r-1}}a_{ij}x_j+\sum_{j=n_1+\cdots+n_r+1}^{n}a_{ij}x_j\right]$$

$$+\cdots+W_{nl}(x_{n-nl+1},\cdots,x_n)+\sum_{i=n-nl+1}^{n}\frac{\partial V_{nl}}{\partial x_i}\sum_{j=1}^{n-nl}a_{ij}x_j$$

$$\geqslant W_{n_1}(x_1,\cdots,x_{n_1})+\cdots+W_{n_r}(x_{n_1+\cdots+n_{r-1}+1},\cdots,x_{n_1+\cdots+n_r})$$

$$+\cdots+W_{nl}(x_{n-nl+1},\cdots,x_n)-E\sum_{i=1}^{n_1}\left|\frac{\partial V_{n_1}}{\partial x_i}\right|\sum_{j=n_1+1}^{n}|x_j|-\cdots$$

$$-E\sum_{i=n_1+\cdots+n_{r-1}+1}^{n_1+\cdots+n_r}\left|\frac{\partial V_{n_r}}{\partial x_i}\right|\left[\sum_{j=1}^{n_1+\cdots+n_{r-1}}|x_j|+\sum_{j=n_1+\cdots+n_r+1}^{n}|x_j|\right]$$

$$-\cdots-E\sum_{i=n-n_l+1}^{n}\left|\frac{\partial V_{n_l}}{\partial x_i}\right|\sum_{j=1}^{n-n_l}|x_j|=W(x_1,\cdots,x_n)$$

$$-EU(x_1,\cdots,x_n),$$

其中 $W(x_1,\cdots,x_n)=W_{n_1}(x_1,\cdots,x_{n_1})+\cdots+W_{n_l}(x_{n-n_l+1},\cdots,x_n)$ 是正定函数而

$$U(x_1,\cdots,x_n)=\sum_{i=1}^{n_1}\left|\frac{\partial V_{n_1}}{\partial x_i}\right|\sum_{j=n_1+1}^{n}|x_j|+\cdots$$

$$+\sum_{i=n_1+\cdots+n_{r-1}+1}^{n_1+\cdots+n_r}\left|\frac{\partial V_{n_r}}{\partial x_i}\right|\left[\sum_{j=1}^{n_1+\cdots+n_r-1}|x_j|+\sum_{j=n_1+\cdots+n_r+1}^{n}|x_j|\right]+\cdots$$

$$+\sum_{i=n-n_l+1}^{n}\left|\frac{\partial V_{n_l}}{\partial x_i}\right|\sum_{j=1}^{n-n_l}|x_j|$$

也是正定函数,记

$$\beta_1=\min_{V=M}W(x_1,\cdots,x_n)>0,\quad L_1=\max_{V=M}U(x_1,\cdots,x_n)>0,\qquad(2.41)$$

只要E取得适当小,如

$$E<\nabla_2=\frac{\beta_1}{L_1},\qquad(2.42)$$

由(2.40)得到$\left.\frac{dV}{dt}\right|_{(2.3)}>0$,是正定的,从而证明了线性微分方程组(2.3)的零解是不稳定的.

定理4. 如果子系统(2.4)的系数满足条件

$$P_1^{(r)}=-\sum_{i=n_1+\cdots+n_{r-1}+1}^{n_1+\cdots+n_r}a_{ii}<0,r=1,\cdots,l;n_1+\cdots+n_l=n,\quad(2.43)$$

则不论(2.3)的系数矩阵: (a_{ij}) $(i\neq j)$ 中的其他元素如何选取,线性定常大系统(2.3)的零解是不稳定的.

证. 由引理1即知(2.3)的特征方程(2.39)中第二项的系数

$$P_1 = P_1^{(1)} + \cdots + P_1^{(r)} + \cdots + P_1^{(l)} = -\sum_{i=1}^{n} a_{ii} < 0.$$

知线性微分方程组(2.3)的零解是不稳定的.

定理5. 对微分差分方程组(2.1)满足下列条件:

(i) 定理3或定理4的条件成立,即子系统(2.4)的零解是不稳定的;

(ii) 下列两条件之一成立.

$$(\mathrm{ii})_1 \quad D(\lambda,0)\,|_{\lambda=yj} = |c_{sk} + b_{sk} - \delta_{sk} yj| \neq 0,$$

$$|y| < K\ (K>0),\quad j=\sqrt{-1};$$

$(\mathrm{ii})_2$ $D(\lambda,0)=0$ 可以存在单重零根, 但无纯虚根.

存在 $\nabla_2>0, \nabla_3>0$,使得当 $E<\nabla_2, 0\leqslant\tau<\nabla_3$ 时,具有滞后的大系统(2.1)的零解是不稳定的[14].

证. 条件(i)成立且 $E<\nabla_2$ 时,(2.3)的零解是不稳定的, 当条件$(\mathrm{ii})_1$同时成立时,则知(2.3)之特征方程(2.39)式至少具有一个实部为正的特征根.

不然,若(2.39)无具正实部之根,将导出矛盾. 因为$(\mathrm{ii})_1$成立时,说明(2.39)无实部为零的特征根,即(2.39)所有特征根都具有负实部,从而得到(2.3)之零解是渐近稳定的,这与条件(i)成立时(2.3)之零解是不稳定的相矛盾. 故知在条件(i)及$(\mathrm{ii})_1$成立时,(2.39)至少存在一个具有正实部之根.

若条件(i),$(\mathrm{ii})_2$成立时,(2.39)也至少存在一个具有正实部之根. 不然,若(2.39)不存在具正实部之根,由$(\mathrm{ii})_2$知只存在为零的单根及具负实部之根,因(2.3)是线性常系数微分方程组,故知此时(2.3)之零解是稳定的,这与条件(i)成立时,(2.3)之零解是不稳定的相矛盾. 矛盾的由来是因反设(2.39)不具正实部之根引起的.

若再引用[1]中第四章§2引理2及定理3,则存在 $\nabla_3>0$,使得当 $0\leqslant\tau<\nabla_3$ 时,超越方程(2.38)至少存在一个具有正实部之根,从而得到微分差分方程(2.1)之零解是不稳定的.

定理6. 如果子系统(2.4)之零解是渐近稳定的，一定可以选取系数矩阵：$(a_{ij}=c_{ij}+b_{ij})$中除去 l 个主子式矩阵：$J_{n_1}, J_{n_2}, \cdots, J_{n_l}$ 以外的其他元素，且当存在 $\nabla_4>0$，使

$$0\leqslant\tau<\nabla_4$$

成立时，微分差分方程(2.1)的零解是不稳定的.

证. 应用引理2，可以选取(a_{ij}) l个主子式矩阵 $J_{n1}, J_{n2}, \cdots, J_{nl}$ 以外的元素 a_{ij}，使特征方程(2.39)的第几项 P_n 为负的，从而得到(2.39)至少存在一个具有正实部的特征根. 再应用[1]中第四章§2引理2及定理3，知存在 $\nabla_4>0$，使当 $0\leqslant\tau<\nabla_4$ 时，超越方程(2.38)至少存在一个具有正实部之根，从而得到微分差分方程(2.1)之零解是不稳定的.

以下考虑具有滞后的非线性定常大系统[48]

$$\frac{dx_i(t)}{dt}=\sum_{j=1}^{n}[c_{ij}x_j(t)+b_{ij}x(t-\tau_{ij})]+f_i(x_1(t),\cdots,x_n(t),$$

$$\times x_1(t-\tau_{i1}),\cdots,x_n(t-\tau_{in})),$$

$$i=1,2,\cdots,n. \tag{2.44}$$

设 $a_{ij}=c_{ij}+b_{ij}$，或记(2.44)为

$$\frac{dx_i(t)}{dt}=\sum_{j=1}^{n}[a_{ij}x_j(t)+b_{ij}(x_j(t-\tau_{ij})-x_j(t))]$$

$$+f_i(x_1(t),\cdots,x_n(t),x_1(t-\tau_{i1}),\cdots,x_n(t-\tau_{in})),$$

$$i=1,2,\cdots,n. \tag{2.45}$$

假设在域 G：$|x_i|\leqslant H_1, |y_i|\leqslant H_1\ (i=1,2,\cdots,n)$中满足不等式

$$|f_i(x_1,\cdots,x_n,y_1,\cdots,y_n)|<\eta\left[\sum_{j=1}^{n}|x_j|+\sum_{j=1}^{n}|y_j|\right], \tag{2.46}$$

其中 η 是与 x_i, y_i 无关的正常数，并设

$f_i(x_1,\cdots,x_n,y_1,\cdots,y_n)\ (i=1,2,\cdots,n)$有保证系统(2.44)解存在唯一性条件。

定理7. 设线性定常子系统(2.4)的零解是渐近稳定的，并设(2.44)的非线性项满足条件(2.46)，存在 $\nabla_1^{(1)}>0$，$\nabla_1^{(2)}>0$，∇_5

>0 使得当

$$E<\nabla_1^{(1)}, 0\leqslant\tau<\nabla_1^{(2)}, \eta<\nabla_5 \tag{2.47}$$

时，具有滞后的非线性定常大系统(2.44)的零解也是渐近稳定的[48]，其中 $\nabla_1^{(1)}$，$\nabla_1^{(2)}$ 如(2.23)$_1$所示：

$$\nabla_5=\frac{h_4}{4n(h_2+H)\left(3+\dfrac{4L}{h_3}\right)\dfrac{1}{A^2}}. \tag{2.48}$$

证. 由(2.26)表示的 V 作为具有滞后的非线定常大系统(2.45)的正定函数，由 V 沿(2.45)的积分曲线对 t 求导数有

$$\left.\frac{dV}{dt}\right|_{(2.45)}=\left(\frac{dV_{n_1}}{dt}+\frac{dV_{n_2}}{dt}+\cdots+\frac{dV_{n_r}}{dt}\right)_{(2.45)}$$

$$\leqslant-2\Delta_1^{(1)}\cdots\Delta_{n_1}^{(1)}\sum_{i=1}^{n_1}x_i^2+2\Delta_2^{(1)}\cdots\Delta_{n_1}^{(1)}\left|\sum_{i=1}^{n_1}x_i\left[\sum_{j=1}^{n}b_{ij}(x_j(t\right.\right.$$

$$-\tau_{ij})-x_j(t))+\sum_{j=n_1+1}^{n}a_{ij}x_j+f_i(x_1,\cdots,x_n,x_1(t-\tau_{i1}),\cdots,$$

$$\left.\left.x_n(t-\tau_{in}))\right]\right|+2\sum_{\sigma=1}^{n_1-1}\sum_{j=1}^{n_1}\prod_{\substack{s=1\\s\neq\sigma+1}}^{n_1}\Delta_s^{(1)}|\Delta_{\sigma j}^{(1)}(x_1(t),\cdots,$$

$$x_{n_1}(t))|\Delta_{\sigma j}^{(1)}\left(\sum_{k=1}^{n}b_{1k}(x_k(t-\tau_{1k})-x_k(t))+\sum_{k=n_1+1}^{n}a_{1k}x_k(t)\right.$$

$$+f_1(x_1,\cdots,x_n,x_1(t-\tau_n),\cdots,x_n(t-\tau_{1n})),\cdots,\sum_{k=1}^{n}b_{n_1k}$$

$$\times(x_k(t-\tau_{n_1k})-x_k(t))+\sum_{k=n_1+1}^{n}a_{n_1k}x_k(t)+f_{n_1}(x_1,\cdots,x_n,x_1$$

$$\left.\left.\times(t-\tau_{n_11}),\cdots,x_n(t-\tau_{n_1n}))\right)\right|+\cdots-2\Delta_1^{(r)}\cdots\Delta_{nr}^{(r)}$$

$$\times\sum_{i=n_1+\cdots+n_{r-1}+1}^{n_1+\cdots+n_r}x_i^2+2\Delta_2^{(r)}\cdots\Delta_{nr}^{(r)}\left|\sum_{i=n_1+\cdots+n_{r-1}+1}^{n_1+\cdots+n_r}x_i\left[\sum_{j=1}^{n}b_{ij}\right.\right.$$

$$\times(x_j(t-\tau_{ij})-x_j(t))+\sum_{j=1}^{n_1+\cdots+n_{r-1}}a_{ij}x_j+\sum_{j=n_1+\cdots+n_r+1}^{n}a_{ij}x_j(t)$$

$$+ f_i(x_1,\cdots,x_n,x_1(t-\tau_{i1}),\cdots,x_n(t-\tau_{in}))]|$$

$$+2\sum_{6=n_1+\cdots+n_{r-1}}^{n_1+\cdots+n_r-1}\ \sum_{j=n_1+\cdots+n_{r-1}+1}^{n_1+\cdots+n_r}\ \prod_{\substack{s=n_1+\cdots+n_{r-1}+1\\ s\neq 6\pm(n_1+\cdots+n_{r-1}+1)}}^{n_1+\cdots+n_r}\Delta_s^{(r)}|\Delta_{6j}^{(r)}(x_{n_1+\cdots+n_{r-1}+1},\cdots,$$

$$x_{n_1+\cdots+n_r})\Delta_{6j}^{(r)}\left(\sum_{k=1}^{n} b_{n_1+\cdots+n_{r-1}+1k}\quad(x_k(t-\tau_{n_1+\cdots+n_{r-1}+1k})\right.$$

$$\left.-x_k(t))\right)+\sum_{k=1}^{n_1+\cdots+n_{r-1}} a_{n_1+\cdots+n_{r-1}+1k}\ x_k+\sum_{k=n_1+\cdots+n_r+1}^{n} a_{n_1+\cdots+n_{r-1}+1k}x_k$$

$$+f_{n_1+\cdots+n_{r-1}+1}(x_1,\cdots x_n,x(t-\tau_{n_1+\cdots+n_{r-1}+1\,1}),\cdots,x_n(t-\tau_{n_1+\cdots+n_{r-1}}$$

$$_{+1\ n})),\cdots,\sum_{k=1}^{n} b_{n_1+\cdots+n_rk}(x_k(t-\tau_{n_1+\cdots+n_rk})-x_k(t))$$

$$+\sum_{k=1}^{n_1+\cdots+n_{r-1}} a_{n_1+\cdots+n_rk}x_k+\sum_{k=n_1+\cdots+n_r+1}^{n} a_{n_1+\cdots+n_r,k}\ x_k+f_{n_1+\cdots+n_r}$$

$$\times(x_1,\cdots,x_n,x_1(t-\tau_{n_1+\cdots n_r\,1}),\cdots,x_n(t-\tau_{n_1+\cdots+n_r\,n}))|+\cdots$$

$$-2\Delta_1^{(l)}\cdots\Delta_{nl}^{(l)}\sum_{i=n-n_l+1}^{n} x_i^2+2\Delta_2^{(l)}\cdots\Delta_{n_l}^{(l)}\left|\sum_{i=n-n_l+1}^{n} x_i\left[\sum_{j=1}^{n} b_{ij}(x_j(t\right.\right.$$

$$-\tau_{ij})-x_j(t))+\sum_{j=1}^{n-nl} a_{ij}x_j+f_i(x_1,\cdots,x_{n},\ x_1(t-\tau_{i1}),$$

$$\left.\cdots,x_n(t-\tau_{in})\right]+2\sum_{6=n-n_l+1}^{n-1}\ \sum_{j=n-n_l+1}^{n}\ \prod_{\substack{s=n-n_l+1\\ s\neq 6\pm(n-n_l+1)}}^{n}\Delta_s^{(l)}$$

$$\times|\Delta_{6j}^{(l)}(x_{n-nl+1},\cdots,x_n)\Delta_{6j}^{(l)}\left(\sum_{k=1}^{n} b_{n-nl+1k}\ (x_k(t-\tau_{n-nl+1k})\right.$$

$$\left.-x_k(t)\right)+\sum_{k=1}^{n-nl} a_{n-n_l+1k}x_k+f_{n-nl+1}(x_1,\cdots,x_n,x_1(t-\tau_{n-n_l+1\,1}),$$

$$\cdots,x_n(t-\tau_{n-n_l+1\ n})),\cdots,\sum_{k=1}^{n} b_{nk}(x_k(t-\tau_{nk})-x_k(t))$$

$$+\sum_{k=1}^{n-n_l} a_{nk}x_k(t)+f_n(x_1,\cdots,x_n,x_1(t-\tau_{n1}),\cdots,x_n(t-\tau_{nn}))\Big|.$$

(2.49)

应用定理1,条件(2.46)及引理4,引理7得到

$$\frac{dV}{dt}\bigg|_{(2.44)}\leqslant\frac{dV}{dt}\bigg|_{(2.2)}+2\Delta_2^{(1)}\cdots\Delta_{n_1}^{(1)}\left|\sum_{i=1}^{n_1}x_if_i(x_1,\cdots,x_n,\right.$$

$$\times x_1(t-\tau_{i1}),\cdots,x_n(t-\tau_{in}))\Big|+\cdots+2\Delta_2^{(r)}\cdots\Delta_{n_r}^{(r)}$$

$$\times\left|\sum_{i=n_1+\cdots+n_{r-1}+1}^{n_1+\cdots+n_r}x_if_i(x_1,\cdots,x_n,x_1(t-\tau_{i1}),\cdots,x_n(t-\tau_{in}))\right|$$

$$+\cdots+2\Delta_2^{(l)}\cdots\Delta_{n_l}^{(l)}\left|\sum_{i=n-n_l+1}^{n}x_if_i(x_1,\cdots,x_n,x_1(t-\tau_{i1}),\cdots,x_n(t\right.$$

$$\left.-\tau_{in}))\right|+\eta n_1^2\sum_{\sigma=1}^{n_1-1}\left(\prod_{\substack{s=1\\ s\neq\sigma+1}}^{n_1}\Delta_s^{(1)}\right)[(\sigma-1)!]^2(n_1!)^{2(\sigma-1)}$$

$$\times(2A)^{\sigma(\sigma+1)}(k_\sigma^{(1)})^2\sum_{i=1}^{n_1}|x_i|\left[\sum_{j=1}^{n}|x_j|+\sum_{j=1}^{n}|x_j(t-\tau_{ij})|\right]$$

$$+\cdots+\eta n_r^2\sum_{\sigma=n_1+\cdots+n_{r-1}+1}^{n_1+\cdots+n_r}\left(\prod_{\substack{s=n_1+\cdots+n_{r-1}+1\\ s\neq\sigma+(n_1+\cdots+n_{r-1}+1)}}^{n_1+\cdots+n_r}\Delta_s^{(r)}\right)[(\sigma-1)!]^2$$

$$\times(n_r!)^{2(\sigma-1)}(2A)^{\sigma(\sigma+1)}(K_\sigma^{(r)})^2\sum_{i=n_1+\cdots+n_{r-1}+1}^{n_1+\cdots+n_r}|x_i|$$

$$\times\left[\sum_{j=1}^{n}|x_j|+\sum_{j=1}^{n}|x_j(t-\tau_{ij})|\right]+\cdots+\eta n_l^2$$

$$\times\sum_{\sigma=n-n_l+1}^{n-1}\left(\prod_{\substack{s=n-n_l+1\\ s\neq\sigma+(n-n_l+1)}}^{n}\Delta_s^{(l)}\right)[(\sigma-1)!]^2(n_l!)^{2(\sigma-1)}(2A)^{\sigma(\sigma+1)}$$

$$\times(K_\sigma^l)^2\sum_{i=n-n_l+1}^{n}|x_i|\left[\sum_{j=1}^{n}|x_j|+\sum_{j=1}^{n}|x_j(t-\tau_{ij})|\right].$$

(2.50)

由(2.46)得

$$\frac{h_2}{A^2}\left|\sum_{i=1}^{n_1} x_i f_i(x_1,\cdots,x_n,x_1(t-\tau_{i1}),\cdots,x_n(t-\tau_{in}))\right|$$

$$\leqslant \frac{h_2}{A^2}\eta\sum_{i=1}^{n_1}|x_i|\left[\sum_{j=1}^{n}|x_j|+\sum_{j=1}^{n}|x_j(t-\tau_{ij})|\right]$$

$$\leqslant \frac{h_2}{A^2}\eta\left[2n\sum_{j=1}^{n} x_j^2+n_1\sum_{j=1}^{n} x_j^2+\sum_{i=1}^{n_1}\sum_{j=1}^{n} x_j^2(t-\tau_{ij})\right]. \tag{2.51}$$

同理

$$\frac{h_2}{A^2}\left|\sum_{i=n_1+\cdots+n_{r-1}+1}^{n_1+\cdots+n_r} x_i f_i(x_1,\cdots,x_n,x_1(t-\tau_{i1}),\cdots,x_n(t-\tau_{in}))\right|$$

$$\leqslant \frac{h_2}{A^2}\eta\left[2n\sum_{i=n_1+\cdots+n_{r-1}+1}^{n_1+\cdots+n_r} x_i^2+n_r\sum_{j=1}^{n} x_j^2\right.$$

$$\left.+\sum_{i=n_1+\cdots+n_{r-1}+1}^{n_1+\cdots+n_r}\sum_{j=1}^{n} x_j^2(t-\tau_{ij})\right], \tag{2.52}$$

$$\frac{h_2}{A^2}\left|\sum_{i=n-n_l+1}^{n} x_i f_i(x_1,\cdots,x_n,x_1(t-\tau_{i1}),\cdots,x_n(t-\tau_{in}))\right|$$

$$\leqslant \frac{h_2}{A^2}\eta\left[2n\sum_{j=n-n_l+1}^{n} x_j^2+n_l\sum_{j=1}^{n} x_j^2+\sum_{i=n-n_l+1}^{n}\sum_{j=1}^{n} x_j^2(t\right.$$

$$\left.-\tau_{ij})\right]. \tag{2.53}$$

将(2.51),(2.52),(2.53)相加得

$$\frac{h_2}{A^2}\eta\left[2n\sum_{j=1}^{n_1} x_j^2+n_1\sum_{j=}^{n} x_j^2+\sum_{i=1}^{n_1}\sum_{j=1}^{n} x_j^2(t-\tau_{ij})\right]+\cdots$$

$$+\frac{h_2}{A^2}\eta\left[2n\sum_{i=n_1+\cdots+n_{r-1}+1}^{n_1+\cdots+n_r} x_j^2+n_r\sum_{j=1}^{n} x_j^2\right.$$

$$\left.+\sum_{i=n_1+\cdots+n_{r-1}+1}^{n_1+\cdots+n_r}\sum_{j=1}^{n} x_j^2(t-\tau_{ij})\right]+\cdots+\frac{h_2}{A^2}\eta\left[2n\sum_{j=n-n_l+1}^{n} x_j^2+n_l\sum_{j=1}^{n} x_j^2\right.$$

$$+\sum_{i=n-n_l+1}^{n}\sum_{j=1}^{n}x_j^2(t-\tau_{ij})\Bigg]$$

$$=\frac{h_2}{A^2}\eta\left[3n\sum_{j=1}^{n}x_j^2+\sum_{i=1}^{n}\sum_{j=1}^{n}x_j^2(t-\tau_{ij})\right]. \tag{2.54}$$

将引理 6 用于(2.54)得到

$$\leqslant\frac{h_2}{A^2}\eta\left[3n\sum_{j=1}^{n}x_j^2+\frac{4nL}{h_3}\sum_{j=1}^{n}x_j^2\right]=\frac{h_2n\eta}{A^2}\left[3+\frac{4L}{h_3}\right]\sum_{j=1}^{n}x_j^2. \tag{2.55}$$

同理

$$\frac{\eta H}{A^2}\sum_{j=1}^{n_1}|x_i|\left[\sum_{j=1}^{n}|x_j|+\sum_{j=1}^{n}|x_j(t-\tau_{ij})|\right]+\cdots$$

$$+\frac{\eta H}{A^2}\sum_{i=n_1+\cdots+n_{r-1}+1}^{n_1+\cdots+n_r}|x_i|\left[\sum_{j=1}^{n}|x_j|+\sum_{j=1}^{n}|x_j(t-\tau_{ij})|\right]$$

$$+\cdots+\frac{\eta H}{A^2}\sum_{i=n-n_l+1}^{n}|x_i|\Bigg[\sum_{j=1}^{n}|x_j|+\sum_{j=1}^{n}|x_j(t$$

$$-\tau_{ij})|\Bigg]$$

$$\leqslant\frac{\eta H}{A^2}n\left(3+\frac{4L}{h_3}\right)\sum_{j=1}^{n}x_j^2. \tag{2.56}$$

将(2.55),(2.56)代入(2.50)得到

$$\left.\frac{dV}{dt}\right|_{(2.44)}\leqslant\left.\frac{dV}{dt}\right|_{(2.2)}+\frac{n}{A^2}\eta\left(3+\frac{4L}{h_3}\right)(H+h_2)\sum_{j=1}^{n}x_j^2.$$

由定理 1 中的(2.36)有

$$\leqslant-2h_4\sum_{j=1}^{n}x_j^2+2E\tau n^2(h_2+H)\left(1+\frac{4L}{h_3}\right)\sum_{j=1}^{n}x_j^2$$

$$+\frac{n^2(h_2+H)}{A^2}\sum_{j=1}^{n}x_j^2+\frac{En(h_2+H)}{A^2}\sum_{j=n_1+1}^{n-n_l}x_j^2+\eta\frac{n}{A^2}$$

$$\times\left(3+\frac{4L}{h_3}\right)(H+h_2)\sum_{j=1}^{n}x_j^2. \tag{2.57}$$

当条件(2.47),(2.48),(2.23),成立时,得到

$$\left.\frac{dV}{dt}\right|_{(2.44)}<0,$$

从而得到具有滞后的非线性定常大系统(2.44)的零解是渐近稳定的. 定理证毕.

当滞后 $\tau=0$ 时,系统(2.44)化为无滞后的非线性定常系统

$$\frac{dx_i(t)}{dt}=\sum_{j=1}^{n} a_{ij}x_j(t)+f_i(x_1(t),\cdots,x_n(t),x_1(t),\cdots,x_n(t)),$$

$$i=1,2,\cdots,n, \tag{2.58}$$

因而得到

定理8. 设定常线性子系统(2.4)的零解是渐近稳定的,并且设(2.58)的非线性项满足条件(2.46),存在 $\nabla_1^{(1)}>0$, $\nabla_5>0$ 使得当

$$E<\nabla_1^{(1)},\ \eta<\nabla_5$$

时,无滞后的非线性定常系统(2.58)的零解也是渐近稳定的.

§3. 具有大滞量, 全时滞的线性定常大系统[31]

考虑微分差分方程组

$$\frac{dx_i(t)}{dt}=\sum_{j=1}^{n}\left[a_{ij}x_j(t)+b_{ij}x_j(t-\tau)\right], \tag{3.1}$$

$$i=1,2,\cdots,n.$$

微分方程组

$$\frac{dx_i(t)}{dt}=\sum_{j=1}^{n} a_{ij}x_j(t),\ i=1,2,\cdots,n. \tag{2.3}$$

将(2.3)的系数矩阵: (a_{ij}) 按主对角线分成 l 个相互无关的子系统为:

$$\frac{dX_r}{dt} = J_{n_r} X_r, \quad r = 1,2,\cdots,l, \tag{2.4}$$

其中 X_r 为 n_r 维向量，J_{n_r} 为 $n_r \times n_r$ 维常数矩阵，$\tau \geqslant 0$为常量．它们的特征方程分别为

$$D(\lambda, e^{-\tau\lambda}) = |a_{ij} + b_{ij}e^{-\tau\lambda} - \delta_{ij}\lambda| = 0, \tag{3.2}$$

$$D(\lambda,0) = |a_{ij} - \delta_{ij}\lambda| = \lambda^n + P_1\lambda^{n-1} + \cdots + P_{n-1}\lambda + P_n = 0. \tag{3.3}$$

定理9. 如果满足下面条件：

(i) 子系统(2.4)的零解是渐近稳定的；

(ii) $D(jy, e^{-\tau jy}) \neq 0$，当$|y| \leqslant K$（$K>0$ 的常数）时；

(iii) $D(0,\omega) = 0$ 在单位圆内无根．

且存在 $\nabla_6 > 0$，$\nabla_1^{(1)} > 0$，使得当

$$E < \nabla_1^{(1)}, \quad \tau > \nabla_6$$

时，具有大滞后的微分差分方程组(3.1)的零解是渐近稳定的．

证．由条件(i)假设子系统(2.4)的零解是渐近稳定的．存在二次正定函数

$$V_{n_r} = \Delta_2^{(r)} \cdots \Delta_{n_r}^{(r)} \sum_{i=n_1+\cdots+n_{r-1}+1}^{n_1+\cdots+n_r} x_i^2$$

$$+ \sum_{6=n_1+\cdots+n_{r-1}+1}^{n_1+\cdots+n_r-1} \; \sum_{j=n_1+\cdots+n_{r-1}+1}^{n_1+\cdots+n_r} \; \prod_{\substack{s=n_1+\cdots+n_{r-1}+1 \\ s\neq j\pm(n_1+\cdots+n_{r-1}+1)}}^{n_1+\cdots+n_r} \Delta_s^{(r)}$$

$$\times [\Delta_{6j}^{(r)}(x_{n_1+\cdots+n_{r-1}+1}, \cdots, x_{n_1+\cdots+n_r})]^2, \quad r = 1,2,\cdots,l,$$

由它沿着(2.4)的轨线对 t 求导数是负定的二次函数

$$\frac{dV_{n_r}}{dt} = -2\Delta_1^{(r)} \cdots \Delta_{n_r}^{(r)} \sum_{j=n_1+\cdots+n_{r-1}+1}^{n_1+\cdots+n_r} x_j^2, \quad r = 1,2,\cdots,l.$$

令 $V = V_{n_1} + V_{n_2} + \cdots + V_{n_l}$

也是正定二次型．

由上节定理 2，当 $E < \nabla_1^{(1)}$ 时 $\dot{V}_{(2.3)} < 0$成立．故得 (2.3) 零解是渐近稳定的，即得(3.3)所有根皆具负实部．再由定理 9 的条

件(ii)及(iii)，完全满足[7]中引理1及定理1的条件．从而当$\tau>\nabla_8$时，超越方程(3.2)所有特征根都具有负实部．即(3.1)的零解渐近稳定．

定理10. 若(3.1)满足定理5的条件(i)，(ii)并存在$\nabla_7>0$，使得当$E<\nabla_2$，$\tau>\nabla_7$时，其零解是不稳定的．

证．当定理5中的条件(i)，(ii)成立且$E<\nabla_2$时，(2.3)的特征方程至少存在一个具正实部的根，再由[7]中引理2及定理2知存在$\nabla_7>0$，使得当$\tau>\nabla_7$时，(3.2)至少有一个具正实部的根．故(3.1)的零解是不稳定的．证毕．

考虑全时滞大系统

$$\dot{x}_i(t)=\sum_{j=1}^{n}\left[c_{ij}x_j(t)+b_{ij}x_j(t-\tau)\right],\quad i=1,2,\cdots,n,\qquad(2.1)$$

其中$\tau\in\mathbb{R}_+$，与大时滞不同，现在的相应的方程组(2.3)的系数不是a_{ij}，而是$c_{ij}+b_{ij}$，虽然记号不变，但含义不同．

定理11. 设

(1) 子系统(2.4)的零解渐近稳定．

(2) 对任何y及$\tau\in\mathbb{R}_+$，$D(iy,\lambda)\neq0$．

则存在$\Delta_1^{(1)}>0$使得当$E<\nabla_1^{(1)}$时，(2.1)是全时滞稳定的．

由[6]，可以完全类似于定理9证明本定理．

定理12. 若成立

(1) 子系统(2.4)的零解是不稳定的，

(2) $D(0,0)=|a_{ij}+b_{ij}|\neq0$．$D(0,0)$与$(-1)^n$异号．

则对任何$\tau\in\mathbb{R}_+$，(2.1)的零解是不稳定的．

由条件(1)，(2)及第六章的结论可直接验证这一论断．

§4．二维滞后系统的分解与估计公式

对二维定常系统

$$\begin{aligned}\dot{x}_1(t)&=a_{11}x_1(t)+b_{11}x_1(t-\tau)+a_{12}x_2(t)+b_{12}x_2(t-\tau),\\ \dot{x}_2(t)&=a_{21}x_1(t)+b_{21}x_1(t-\tau)+a_{22}x_2(t)+b_{22}x_2(t-\tau),\end{aligned}\qquad(4.1)$$

其特征方程为

$$D(\lambda;e^{-\tau\lambda})$$

$$=\begin{vmatrix} a_{11}+b_{11}e^{-\lambda\tau}-\lambda & a_{12}+b_{12}e^{-\lambda\tau} \\ a_{21}+b_{21}e^{-\lambda\tau} & a_{22}+b_{22}e^{-\lambda\tau}-\lambda \end{vmatrix}=D(\lambda,0)+H(\lambda,e^{-\lambda\tau})$$

$$=0. \tag{4.2}$$

1. 大时滞问题

子系统为

$$\dot{x}_1(t)=a_{11}x_1(t) \text{ 及 } \dot{x}_2(t)=a_{22}x_2(t), \tag{4.3}$$

$$D(\lambda,0)=\lambda^2+a\lambda+b, \tag{4.4}$$

$$H(\lambda,e^{-\lambda\tau})=ce^{-\lambda\tau}+de^{-2\lambda\tau}+g\lambda e^{-\lambda\tau}, \tag{4.5}$$

其中

$$a=-(a_{11}+a_{22}),\quad b=\begin{vmatrix} a_{11} & a_{12} \\ a_{21} & a_{22} \end{vmatrix},\quad c=\begin{vmatrix} a_{11} & b_{12} \\ a_{21} & b_{22} \end{vmatrix}+\begin{vmatrix} b_{11} & a_{12} \\ b_{21} & a_{22} \end{vmatrix}, \tag{4.6}$$

$$d=\begin{vmatrix} b_{11} & b_{21} \\ b_{12} & b_{22} \end{vmatrix},\ g=-(b_{11}+b_{22}).$$

(1) 对于由子系统(4.3)的渐近稳定性保证(4.1)的渐近稳定性问题；可以沿用上述的相应的定理.

此时，定理9的条件化为

(i) $a_{11}<0$, $a_{22}<0$,

于是有

$$a=-(a_{11}+a_{22})>0,$$

当 $E_1=\max[|a_{12}|,|a_{21}|]<\nabla_2=\sqrt{a_{11}a_{22}}>0$ 时，有 $b>0$，得出(3.3)在 $n=2$ 时两个根皆有负实部.

(ii) 下面三条件之一成立[7]

(甲) $b^2>b_0b_2$ 及下述两式之一成立.

$$L_1=\left[\frac{3b_1^4+6b_0b_1^2b_2-4b_0^2b_1b_3+b_0^3b_4}{(b_0b_2-b_1^2)^2}+3\right]$$

$$-27\left\{\frac{-3b_1^4+6b_0b_1^2b_2-4b_0^2b_1b_3+b_0^3b_4}{(b_0b_2-b_1^2)^2}-1\right.$$

$$-\frac{[2b_1^3-3b_0b_1b_2+b_0^2b_3]^2}{(b_0b_2-b_1^2)^2}\Bigg\}^2>0, \tag{4.7}$$

或者

$$L_2=0,\ 2b_1^3-3b_0b_1b_2+b_0^2b_3=0,$$
$$-3b_1^4+6b_0b_1^2b_2-4b_0^2b_1b_3+b_0^3b_4=9(b_0b_2-b_1^2)^2. \tag{4.8}$$

（乙）$b_1^2=b_0b_2$.

$$L_2=\left[\frac{-3b_1^4+6b_0b_1^2b_2-4b_0^2b_1b_3+b_0^3b_4}{(b_0b_2-b_1^2)^2}\right]^3$$
$$-27\left[\frac{-(2b_1^3-3b_0b_1b_3+b_0b_3)^2}{(b_0b_2-b_1^2)^2}\right]^2>0. \tag{4.9}$$

（丙）$b_1^2<b_0b_2$.

$$L_3=\left[\frac{-b_1^4+6b_0b_1^2b_2-4b_0^2b_1b_3+b_0^3b_4}{(b_1^2-b_0b_2)^2}+3\right]^3$$
$$-27\Bigg\{-\frac{-3b_1^4+6b_0b_1^2b_2-4b_0^2b_1b_3+b_0^3b_4}{(b_1^2-b_0b_2)^2}+1$$
$$-\frac{[2b_1^3-3b_0b_1b_2+b_0^2b_2]^2}{(b_1^2-b_0b_2)^2}\Bigg\}^2>0. \tag{4.10}$$

$$-3b_1^4+6b_0b_1^2b_2-4b_0^2b_1b_3+b_0^3b_4>9(b_1^2-b_0b_2)^2. \tag{4.11}$$

$$\text{(iii)}\quad \left|\frac{-c\pm\sqrt{c^2-4bd}}{2d}\right|>1, \tag{4.12}$$

则(4.1)是全时滞稳定的，其中 b_i 为

$$b_0=B_0,\ b_1=\frac{B_1}{4},\ b_2=\frac{B_2}{6},\ b_3=\frac{B_3}{4}, b_4=B_4;$$

$$B_0=2dg^2+4d^2-2cdg, B_1=4adg+4cd-2adc;$$
$$B_2=2a^2d+2acg+bg^2-dg^2+2cdg-4d^2-acg+c^2;$$
$$B_3=a^2c+2abg-2adg+cg^2+acd-cd;$$
$$B_4=a^2b-a^2d+acd-c^2;$$

其中 a,b,c,d,g 如(4.6)所示.

(2) 由子系统(4.3)的渐近稳定性推出大时滞系统(4.1)的不

稳定性.

由 $a_{11}<0, a_{22}<0, \Rightarrow a>0$. 若 $a_{12}a_{21}>0$，则记 $E_2=\min[|a_{12}|, |a_{21}|]$，当 $E_2>\nabla_2=\sqrt{a_{11}a_{22}}$ 时，$b<0$. 故(3.3)在 $n=2$ 时有一正实根 $\lambda_0=-\frac{a}{2}+\frac{1}{2}\sqrt{a^2-4b}>0$. 由[7]中引理2知

$$\nabla_7=\frac{1}{R(\lambda_0)-r_0}\left|-\ln\frac{m}{K_1}\right|, \tag{4.13}$$

其中

$$r_0=\min\left[\frac{R(\lambda_0)}{2}, \frac{|\mathrm{Im}(\lambda_0)|}{2}\right]=\frac{\lambda_0}{2},$$

$$m=\min_{\lambda\in C\text{之边界}}|D(\lambda,0)|.$$

$$|H(\lambda,e^{-\lambda\tau})|\leqslant K_1e^{-\tau[R(\lambda_0)-r_0]}, \ \lambda\in C\text{之边界}$$

其中 C 是以 λ_0 为中心以 r_0 为半径的圆域.

现在来计算 m 及 K_1，由(4.5)得

$$K_1=|c|+|d|+|g|(\lambda_0+r_0)=|c|+|d|+\frac{3}{2}|g|\lambda_0.$$

又由(4.4)，

$$D(\lambda,0)=\lambda^2+a\lambda+b,$$

$$\begin{aligned}D(x+iy,0)&=(x+iy)^2+a(x+iy)+b\\&=(x^2-y^2+ax+b)+i(2x+a)y,\end{aligned}$$

$$|D(x+iy,0)|^2=(x^2-y^2+ax+b)^2+[(2x+a)y]^2,$$

$$m=\min_{\lambda\in C\text{的边界}}|D(\lambda,0)|=|r_0^2+ar_0+b|=\left|\frac{\lambda_0^2}{4}+\frac{1}{2}a\lambda_0+b\right|>0.$$

将 K_1, m, r_0 代入(4.13)得

$$\nabla_7=\frac{2}{\lambda_0}\left|\ln\frac{\left|\frac{1}{4}\lambda_0^2+\frac{1}{2}a\lambda_0+b\right|}{\left(|c|+|d|+\frac{3}{2}|g|\lambda_0\right)}\right|>0. \tag{4.14}$$

由[7]或[13]中192页—194页引理2及定理2知，当 $\tau>\nabla_7$ 时，(4.2)至少有一具正实部的根，从而得出(4.1)的零解是不稳定

的.

(3) 由子系统(4.3)之不稳定性得出(4.1)的渐近稳定性.

(i) $a_{11}>0, a_{22}<0$(或 $a_{11}<0, a_{22}>0$). 子系统(4.3)是不稳定的.

(ii) 当 $a_{11}+a_{22}<0$, $a_{12}a_{21}<0$, 且 $E_2>\nabla_2=\sqrt{|a_{11}a_{22}|}$ 时, $b>0, a>0$, 此时(3.3)在 $n=2$ 时两个特征根皆具负实部.

(iii) (4.7)～(4.12)皆成立, 则(4.1)是全时滞稳定的.

(4) 由子系统(4.3)之不稳定性得出(4.1)的不稳定性.

(i) $a_{11}<0, a_{22}>0$(或 $a_{11}>0, a_{22}<0$).

(ii) $a_{11}+a_{22}>0$, 即得 $a=-(a_{11}+a_{22})<0$. 不论 a_{12}, a_{21} 取何值. (3.3)在 $n=2$ 时至少有一个具正实部之根, 且当

$$\tau>\nabla_7=\frac{2}{\lambda_0}\left|\ln\frac{\left|\frac{1}{4}\lambda_0^2+\frac{1}{2}a\lambda_0+b\right|}{\left(|c|+|d|+\frac{3}{2}|g|\lambda_0\right)}\right|$$

成立时, 大时滞系统(4.1)的零解不稳定.

2. 全时滞系统的情形.

子系统为

$$\dot{x}_1=(a_{11}+b_{11})x_1,\quad \dot{x}_2=(a_{22}+b_{22})x_2, \tag{4.15}$$

(4.1)在 $\tau=0$ 时的特征方程为

$$D(\lambda,0)=\begin{vmatrix}a_{11}+b_{11}-\lambda & a_{12}+b_{12}\\ a_{21}+b_{21} & a_{22}+b_{22}-\lambda\end{vmatrix}=\lambda^2+\bar{a}\lambda+\bar{b}=0. \tag{4.16}$$

(1) 子系统(4.15)渐近稳定得到(4.1)全时滞稳定:

(i) $(a_{11}+b_{11})<0$ 和 $(a_{22}+b_{22})<0\Rightarrow\bar{a}=-(a_{11}+b_{11}+a_{22}+b_{22})>0$. 记 $E_3=\max[|a_{12}+b_{12}|, |a_{21}+b_{21}|]$, 当 $E_3<\nabla_3=\sqrt{(a_{11}+b_{11})(a_{22}+b_{22})}>0$ 时, $\bar{b}>0$, (4.16)的两个特征根皆具负实部.

(ii) (4.7)—(4.12)皆成立, 则(4.1)全时滞稳定.

(2) 子系统(4.15)不稳定得到(4.1)全时滞稳定;

(i) 当$a_{11}+b_{11}>0$,$a_{22}+b_{22}<0$,

(ii) $a_{11}+b_{11}+a_{22}+b_{22}<0$,$(a_{12}+b_{12})(a_{21}+b_{21})<0$,且

$$E_4=\min[|a_{12}+b_{12}|,|a_{21}+b_{21}|]>\nabla_3$$

$$=\sqrt{|(a_{11}+b_{11})(a_{22}+b_{22})|}$$ 时有

$$\bar{b}=\begin{vmatrix} a_{11}+b_{11} & a_{12}+b_{12} \\ a_{21}+b_{21} & a_{22}+b_{22} \end{vmatrix}>0,\quad \bar{a}=-[a_{11}+b_{11}+a_{22}+b_{22}]>0.$$

于是(4.16)之两根皆具负实部

(iii) (4.7)—(4.12)皆成立，则(4.1)是全时滞稳定的.

第十一章 时滞非定常大系统的稳定性

本章用第六、十两章的综合方法，来研究时变滞后的大系统稳定性．限于篇幅，只叙述基本结果和近期的一些发展．在下文中将随时指出有关文献．

§1．具缓变系数的时滞大系统[38]

具缓变系数的时滞大系统

$$\dot{x}_i(t)=\sum_{j=1}^{n}[c_{ij}(t)x_j(t)+b_{ij}(t)x_j(t-\tau_{ij})],\quad i=1,2,\cdots,n, \tag{1.1}$$

可改写成

$$\dot{x}_i(t)=\sum_{j=1}^{n}[a_{ij}(t)x_j(t)+b_{ij}(t)(x_j(t-\tau_{ij})-x_j(t))].\quad i=1,2,\cdots,n. \tag{1.2}$$

与(1.1)相应的无滞后系统为

$$\dot{x}_i(t)=\sum_{j=1}^{n}a_{ij}(t)x_j(t),i=1,\cdots,n. \tag{1.3}$$

照例把(1.3)的系数阵$(a_{ij}(t))$按主对角线分解成m个孤立子系统为

$$\dot{X}_r=A_{n_r}(t)X_r,r=1,\cdots,m, \tag{1.4}$$

其中$a_{ij}(t)=c_{ij}(t)+b_{ij}(t)$，$X_r(t)=[x_{n_1+\cdots+n_{r-1}+1},\cdots,x_{n_1+\cdots+n_r}]^T$，$A_{n_r}(t)$为$n_r\times n_r$阵．今设$c_{ij}(t)$，$b_{ij}(t)$连续可微．令

$$|c_{ij}(t)|\leqslant\frac{a}{2},\ |b_{ij}(t)|\leqslant\frac{a}{2},|a_{ij}(t)|\leqslant a,ij=1,\cdots,n,\ \forall t\geqslant t_0,$$

(1.5)

其中 a 是与 t 无关的正数.

$$|\dot{a}_{ij}(t)|\leqslant\varepsilon,i,j=n_1+\cdots+n_{r-1}+1,\cdots,n_1+\cdots+n_r,$$

$$r=1,\cdots m,n_1+\cdots+n_m=n,\ \forall t\geqslant t_0, \tag{1.6}$$

$$\tau=\max[\tau_{ij}\geqslant 0,i,j=1,\cdots,n], \tag{1.7}$$

$$E_2=\max_{t\in[t_0,\infty)}\left[\ |a_{ij}(t)|,\ \begin{matrix} i=1,\cdots n_1, & i=n_1+1,\cdots,\\ j=n_1+1,\cdots n, & j=1,\cdots,n_1,\end{matrix}\right.$$

$$\left.\begin{matrix} n_1+n_2, & & i=n-n_m+1,\cdots,n\\ n_1+n_2+1\cdots n, & \cdots & j=1,\cdots n-m_m\end{matrix}\right]. \tag{1.8}$$

记(1.4)的特征方程为 m 个单独的因子的方程:

$$D_r(\lambda(t))=|A_{n_r}(t)-\lambda I|=\lambda_{n_r}(t)+P_1^{(r)}\lambda^{n_r-1}(t)$$
$$+\cdots+P_{n_r-1}^{(r)}(t)\lambda(t)+P_{n_r}^{(r)}(t)=0, \tag{1.9}$$
$$r=1,\cdots,m,n_1+\cdots+n_r=n,\ \forall t\geqslant t_0,$$

并设

$$\Delta_1^{(r)}(t)=P_1^{(r)}(t),\Delta_2^{(r)}(t)=\begin{vmatrix} P_1^{(r)}(t) & P_3^{(r)}(t)\\ P_0^{(r)}(t) & P_2^{(r)}(t)\end{vmatrix},\cdots,\Delta_{n_r}^{(r)}(t)$$

$$=\begin{vmatrix} P_1^{(r)}(t) & P_3^{(r)}(t) & \cdots & P_{2n_r-1}^{(r)}(t)\\ P_0^{(r)}(t) & P_2^{(r)}(t) & \cdots & P_{2n_r-2}^{(r)}(t)\\ & & \cdots & \\ 0 & 0 & & P_{n_r}^{(r)}(t)\end{vmatrix},$$

$$r=1,\cdots,m,n_1+\cdots+n_m=n,P_0^{(r)}(t)\equiv 1,P_k^{(r)}(t)=0,k>n_r. \tag{1.10}$$

设(1.4)的特征方程(1.9)的所有根皆具负实部,

$$\mathrm{Re}\lambda^{(r)}(A_{n_r}(t))\leqslant-\delta<0,\delta>0,r=1,\cdots,m,\ \forall t\geqslant t_0. \tag{1.11}$$

由 Hurwitz 条件对 $\forall t\geqslant t_0$ 有 $\Delta_s^{(r)}(t)>0$ $(s=1,2,\cdots,n_r,r=1,\cdots,m,n_1+\cdots+n_r=n)$.

依[38]中的结果，对给定的负定二次型

$$W_r = -\prod_{i=1}^{n_r} \Delta_i^{(r)}(t) \sum_{j=n_1+\cdots+n_{r-1}+1}^{n_1+\cdots+n_r} x_j^2, \tag{1.12}$$

可由方程

$$\sum_{i=n_1+\cdots+n_{r-1}+1}^{n_1+\cdots+n_r} \frac{\partial V_{n_r}}{\partial x_i} \sum_{j=n_1+\cdots+n_{r-1}+1}^{n_1+\cdots+n_r} a_{ij}(t) x_j$$

$$= -2\prod_{i=1}^{n_r} \Delta_i^{(r)}(t) \sum_{j=n_1+\cdots+n_{r-1}+1}^{n_1+\cdots+n_r} x_j^2 \tag{1.13}$$

定出正定二次型 $V_{n_r}(t, x_{n_1+\cdots+n_{r-1}+1}, \cdots, x_{n_1+\cdots+n_r})$ 为

$$V_{n_r} = \sum_{i,j=n_1+\cdots+n_{r-1}+1}^{n_1+\cdots+n_r} V_{ij}^{(r)}(t) x_i x_j, \tag{1.14}$$

其中

$$V_{ij}^{(r)}(t) = V_{ji}^{(r)}(t) = C^{(r)} v_{ij}(t), C^{(r)}(t) = \frac{\prod_{i=1}^{n_r} \Delta_i^{(r)}(t)}{\Delta^{(r)}(t)}. \tag{1.15}$$

记号 $\Delta^{(r)}(t)$, $v_{ij}(t)$ 可参看第三章 § 4. 此外有

$$\dot{V}_{n_r}|_{(1.4)} \leqslant -2\prod_{i=1}^{n_r} \Delta_i^{(r)}(t) \sum_{j=n_1+\cdots+n_{r-1}+1}^{n_1+\cdots+n_r} x_j^2$$

$$+\varepsilon_r \sum_{j=n_1+\cdots+n_{r-1}+1}^{n_1+\cdots+n_r} [D^{(r)}(t) Q_j^{(r)}(t) + |C^{(r)}(t)| P_j^{(r)}(t)] x_j^2. \tag{1.16}$$

把[38]中的定理 1 记为

引理1. 设(1.4)的系数连续可微，有界且条件(1.5)成立，(1.9)的一切根都满足(1.11)，则存在 $\varepsilon>0$，使得当(1.6)成立及 $\varepsilon<\delta_1$ 时，(1.4)的零解渐近稳定. 其中

$$\delta_1 = \min_{t\in[t_0,\infty)}\left[\frac{\prod_{i=1}^{n_r}\Delta_i^{(r)}(t)}{D^{(r)}(t)Q_j^{(r)}(t)+|C^{(r)}(t)|P_j^{(r)}(t)},\right.$$

$$\left.\begin{array}{l} j = n_1+\cdots+n_{r-1}+1,\cdots \\ \quad n_1+\cdots+n_r \\ r=1,\cdots,m \end{array}\right], \tag{1.17}$$

$$D^{(r)}(t) = \sum_{i,j=n_1+\cdots+n_{r-1}+1}^{n_1+\cdots+n_r}\left|\frac{\partial C^{(r)}}{\partial a_{ij}}\right|, Q_i^{(r)}(t) = \sum_{j=n_1+\cdots+n_{r-1}+1}^{n_1+\cdots+n_r}|V_{ij}^{(r)}(t)|, \tag{1.18}$$

$$r=1,\cdots,m, i=n_1+\cdots+n_{r-1}+1,\cdots,n_1+\cdots+n_r,$$

$$P_i^{(r)}(t) = \sum_{j=n_1+\cdots+n_{r-1}+1}^{n_1+\cdots+n_r} P_{ij}^{(r)}(t), i=n_1+\cdots+n_{r-1}$$

$$+1,\cdots,n_1+\cdots+n_r, r=1,\cdots,m, \tag{1.19}$$

记号 $P_{ij}^{(r)}(t)$ 可参看[38].

由[38]给出的(1.4)的 Ляпунов 函数为

$$V_{nr} = \Delta_2^{(r)}(t)\cdots\Delta_{nr}^{(r)}(t)\sum_{i=n_1+\cdots+n_{r-1}+1}^{n_1+\cdots+n_r} x_i^2$$

$$+\sum_{\sigma=n_1+\cdots+n_{r-1}+1}^{n_1+\cdots+n_r}\ \sum_{j=n_1+\cdots+n_{r-1}+1}^{n_1+\cdots+n_r}\ \prod_{\substack{s=n_1+\cdots+n_{r-1}+1\\ s\neq\sigma\pm(n_1+\cdots+n_{r-1}+1)}}^{n_1+\cdots+n_r}\Delta_s^{(r)}(t)$$

$$\times[\Delta_{\sigma j}^{(r)}(t, x_{n_1+\cdots+n_{r-1}+1},\cdots,x_{n_1+\cdots+n_r})]^2,$$

$$r=1,2,\cdots,m. \tag{1.20}$$

由同一负定二次型(1.12)表示的 W_r 唯一确定一个 V_{nr} 推知(1.20)与(1.14)二者一致. 故有

引理2. 对正定的二次型 V_{nr} 有估式

$$L_r \sum_{i=n_1+\cdots+n_{r-1}+1}^{n_1+\cdots+n_r} x_i^2 \leqslant V_{nr} \leqslant \beta_r \sum_{i=n_1+\cdots+n_{r-1}+1}^{n_1+\cdots+n_r} x_i^2. \tag{1.21}$$

由[38]中(3.10)得

$$L_r = \Delta_2^{(r)}(t) \cdots \Delta_{n_r}^{(r)}(t) > 0, \tag{1.22}$$

$$\beta_r = \Delta_2^{(r)}(t) \cdots \Delta_{n_r}^{(r)}(t) + n_r^2 \sum_{\sigma=n_1+\cdots+n_{r-1}+1}^{n_1+\cdots+n_r-1} \left(\prod_{\substack{s=n_1+\cdots+n_{r-1}+1 \\ s \neq \sigma,\ s \neq (n_1+\cdots+n_{r-1}+1)}}^{n_1+\cdots+n_r} \Delta_s^{(r)}(t) \right)$$

$$\times [(\sigma-1)!]^2 (n_r!)^{2(\sigma-1)} (A)^{\sigma(\sigma+1)} (K_\sigma^{(r)})^2,$$

$$r = 1, \cdots, m, \tag{1.23}$$

其中

$$K_\sigma^{(r)} = \begin{cases} C_1^{n_r-1} + C_3^{n_r-1} 3! + \cdots + C_\sigma^{n_r-1} \sigma!, \sigma \text{ 为奇数}, \\ 1 + C_2^{n_r-1} 2! + \cdots + C_\sigma^{n_r-1} \sigma!, \sigma \text{ 为偶数}, \end{cases} \tag{1.24}$$

$$r = 1, 2, \cdots, m.$$

令

$$\begin{cases} L = \min\limits_{t \in [t_0, \infty)} [L_r(t), r = 1, \cdots, m] > 0, \\ \beta = \max\limits_{t \in [t_0, \infty)} [\beta_r(t), r = 1, \cdots, m] > 0, \end{cases} \tag{1.25}$$

从而有

$$L \sum_{i=n_1+\cdots+n_{r-1}+1}^{n_1+\cdots+n_r} x_i^2(t) \leqslant V_{nr} \leqslant \beta \sum_{i=n_1+\cdots+n_{r-1}+1}^{n_1+\cdots+n_r} x_i^2(t) \quad (1.21)'$$

及

$$\sum_{i=n_1+\cdots+n_{r-1}+1}^{n_1+\cdots+n_r} x_i^2(t_k') \leqslant \frac{4\beta}{L} \sum_{i=n_1+\cdots+n_{r-1}+1}^{n_1+\cdots+n_r} x_i^2(t). \tag{1.26}$$

我们有如下结论：

定理1. 若系统(1.1)的系数连续、有界、可微，条件(1.5)，(1.6)成立，且线性时变子系统(1.4)的特征方程(1.9)的所有特征根具有负实部，条件(1.11)成立，存在 $\varepsilon > 0$，使得

$$|\dot{a}_{ij}(t)| \leqslant \varepsilon < \delta_1,$$

$$i, j = n_1 + \cdots + n_{r-1} + 1, \cdots, n_1 + \cdots + n_r, r = 1, \cdots, m, \forall t \geqslant t_0$$

成立时，即线性时变子系统(1.4)的零解是渐近稳定的，则存在

$\delta_2>0,\delta_3>0$，使得当 $E_2<\delta_2$，$0\leqslant\tau\leqslant\delta_3$ 时具有时滞的时变大系统(1.2)的零解也是渐近稳定的

证. 我们取

$$
\begin{aligned}
V(t,x_1,\cdots,x_n) &= V_{n_1}(t,x_1,\cdots,x_{n_1})+\cdots \\
&\quad + V_{n_q}(t,x_{n-n_q+1},\cdots,x_n). \qquad (1.27)
\end{aligned}
$$

作为一般具有滞后的线性时变系统(1.2)的正定函数，由 V 沿(1.2)对 t 求导数，得到

$$
\begin{aligned}
\left.\frac{dV}{dt}\right|_{(1.2)} &= \frac{\partial V_{n_1}}{\partial t}+\cdots+\frac{\partial V_{n_r}}{\partial t}+\cdots+\frac{\partial V_{nm}}{\partial t}+\sum_{i=1}^{n_1}\frac{\partial V_{n_1}}{\partial x_i}\frac{dx_i}{dt} \\
&\quad +\cdots+\sum_{i=n-n_q+1}^{n}\frac{\partial V_{nm}}{\partial x_i}\frac{dx_i}{dt}=\sum_{i,j=1}^{n_1}\dot V_{ij}^{(1)}(t)x_ix_j+\cdots \\
&\quad +\sum_{i,j=n_1+\cdots+n_{r-1}+1}^{n_1+\cdots+n_r}\dot V_{ij}^{(r)}(t)x_{ij}+\cdots+\sum_{i,j=n-n_q+1}^{n}\dot V_{ij}^{(m)}(t)x_ix_j \\
&\quad +\sum_{i=1}^{n_1}\frac{\partial V_{n_1}}{\partial x_i}\Bigg[\sum_{j=1}^{n_1}a_{ij}(t)x_j(t)+\sum_{j=n_1+1}^{n}a_{ij}(t)x_j(t) \\
&\quad +\sum_{j=1}^{n}b_{ij}(t)\left(x_j(t-\tau_{ij})-x_j(t)\right)\Bigg]+\cdots \\
&\quad +\sum_{i=n_1+\cdots+n_{r-1}+1}^{n_1+\cdots+n_r}\frac{\partial V_{n_r}}{\partial x_i}\Bigg[\sum_{j=n_1+\cdots+n_{r-1}+1}^{n_1+\cdots+n_r}a_{ij}(t)x_j(t) \\
&\quad +\sum_{j=1}^{n_1+\cdots+n_{r-1}}a_{ij}(t)x_j(t)+\sum_{j=n_1+\cdots+n_r+1}^{n}a_{ij}(t)x_j(t)+\sum_{j=1}^{n}b_{ij}(t)\big(x_j(t \\
&\quad -\tau_{ij})-x_j(t)\big)\Bigg]+\cdots+\sum_{i=n-n_q+1}^{n}\frac{\partial V_{nm}}{\partial x_i}\Bigg[\sum_{j=n-n_q+1}^{n}a_{ij}(t) \\
&\quad \times x_j(t)+\sum_{j=1}^{n-n_q}a_{ij}(t)x_j(t)+\sum_{j=1}^{n}b_{ij}(t)\times
\end{aligned}
$$

$$\times\left(x_j(t-\tau_{ij})-x_j(t)\right)\Bigg]. \tag{1.28}$$

应用(1,13)于(1.28)得到

$$\begin{aligned}
\left.\frac{dV}{dt}\right|_{(1.2)} \leqslant & -2\prod_{i=1}^{n_1}\Delta_i^{(1)}(t)\sum_{j=1}^{n_1}x_j^2(t) \\
& +\sum_{i,j=1}^{n_1}\left|\dot{V}_{ij}^{(1)}(t)\right||x_i||x_j| + \sum_{i=1}^{n_1}\left|\frac{\partial V_{n_1}}{\partial x_i}\right|\Bigg[\sum_{j=n_1+1}^{n}|a_{ij}(t)||x_j| \\
& +\sum_{j=1}^{n}|b_{ij}(t)||x_j(t-\tau_{ij})-x_j(t)|\Bigg]+\cdots-2\prod_{i=1}^{n_r}\Delta_i^{(r)}(t) \\
& \times\sum_{j=n_1+\cdots+n_{r-1}+1}^{n_1+\cdots+n_r}x_j^2(t)+\sum_{i,j=n_1+\cdots+n_{r-1}+1}^{n_1+\cdots+n_r}\left|\dot{V}_{ij}^{(r)}(t)\right||x_i||x_j| \\
& +\sum_{i=n_1+\cdots+n_{r-1}+1}^{n_1+\cdots+n_r}\left|\frac{\partial V_{n_r}}{\partial x_i}\right|\Bigg[\sum_{j=1}^{n_1+\cdots+n_{r-1}}|a_{ij}(t)||x_j| \\
& +\sum_{i=n_1+\cdots+n_r+1}^{n}|a_{ij}(t)||x_j|+\sum_{j=1}^{n}|b_{ij}(t)||x_j(t-\tau_{ij})-x_j(t)|\Bigg] \\
& +\cdots-2\prod_{i=1}^{n_m}\Delta_i^{(m)}(t)\sum_{j=n-n_m+1}^{n}x_j^2(t)+\sum_{i,j=n-n_m+1}^{n}\left|\dot{V}_{ij}^{(m)}(t)\right| \\
& \times|x_i||x_j|+\sum_{i=n-n_m+1}^{n}\left|\frac{\partial V_{n_m}}{\partial x_i}\right|\Bigg[\sum_{j=1}^{n-n_m}|a_{ij}(t)| \\
& |x_j|+\sum_{j=1}^{n}|b_{ij}(t)||x_j(t-\tau_{ij})-x_j(t)|\Bigg].
\end{aligned} \tag{1.29}$$

应用第三章中的计算

$$\begin{aligned}
& \left|\sum_{i,j=n_1+\cdots+n_{r-1}+1}^{n_1+\cdots+n_r}\dot{V}_{ij}^{(r)}(t)x_ix_j\right| \leqslant \varepsilon_r\sum_{i=n_1+\cdots+n_{r-1}+1}^{n_1+\cdots+n_r}[D^{(r)}(t) \\
& \times Q_i^{(r)}(t)+|C^{(r)}(t)|P_i^{(r)}(t)]x_i^2, \\
& \qquad r=1,\cdots,m,
\end{aligned} \tag{1.30}$$

而

$$\sum_{i=n_1+\cdots+n_{r-1}+1}^{n_1+\cdots+n_r}\left|\frac{\partial V_{nr}}{\partial x_i}\right|\left[\sum_{j=1}^{n_1+\cdots+n_{r-1}}|a_{ij}(t)||x_j|\right.$$

$$\left.+\sum_{j=n_1+\cdots+n_{r-1}+1}^{n}|a_{ij}(t)||x_j|\right]\leqslant 2E_2$$

$$\times\sum_{i=n_1+\cdots+n_{r-1}+1}^{n_1+\cdots+n_r}\ \sum_{k=n_1+\cdots+n_{r-1}+1}^{n_1+\cdots+n_r}|V_{ik}^{(r)}||x_k|\left[\sum_{j=1}^{n_1+\cdots+n_{r-1}}|x_j|\right.$$

$$\left.+\sum_{j=n_1+\cdots+n_r+1}^{n}|x_j|\right]=2E_2\sum_{k=n_1+\cdots+n_{r-1}+1}^{n_1+\cdots+n_r}\left(\sum_{i=n_1+\cdots+n_{r-1}+1}^{n_1+\cdots+n_r}|V_{ik}^{(r)}(t)|\right)$$

$$\times|x_k|\left[\sum_{j=1}^{n_1+\cdots+n_{r-1}}|x_j|+\sum_{j=n_1+\cdots+n_r+1}^{n}|x_j|\right].$$

由(1.15)，令

$$Q_i^{(r)}(t)=\sum_{j=n_1+\cdots+n_{r-1}+1}^{n_1+\cdots+n_r}V_{ij}(t),\tag{1.31}$$

$$Q^{(r)}(t)=\max[Q_i^{(r)}(t),i=n_1+\cdots+n_{r-1}+1,\cdots,n_1+\cdots+n_r],$$
$$r=1,2,\cdots m.\tag{1.32}$$

将(1.31)，(1.32)代入上式中得到

$$\leqslant 2E_2C^{(r)}(t)Q^{(r)}(t)\sum_{k=n_1+\cdots+n_{r-1}+1}^{n_1+\cdots+n_r}|x_k|\left[\sum_{j=1}^{n_1+\cdots+n_{r-1}}|x_j|\right.$$

$$\left.+\sum_{j=n_1+\cdots+n_r+1}^{n}|x_j|\right]\leqslant E_2C^{(r)}(t)Q^{(r)}(t)\left[(n-n_r)\right.$$

$$\times\sum_{j=n_1+\cdots+n_{r-1}+1}^{n_1+\cdots+n_r}x_j^2+n_r\sum_{j=1}^{n_1+\cdots+n_{r-1}}x_j^2$$

$$\left.+n_r\sum_{j=n_1+\cdots+n_r+1}^{n}x_j^2\right],\tag{1.33}$$

同理得到

$$\sum_{i=1}^{n_1}\left|\frac{\partial V_{n_1}}{\partial x_i}\right|\left[\sum_{j=n_1+1}^{n}|a_{ij}(t)||x_j|\right]\leqslant E_2C^{(1)}(t)Q^{(1)}(t)$$

$$\times\left[(n-n_1)\sum_{j=1}^{n_1}x_j^2+n_1\sum_{j=n_1+1}^{n}x_j^2\right], \qquad (1.34)$$

$$\sum_{i=n-n_m+1}^{n}\left|\frac{\partial V_{nm}}{\partial x_i}\right|\left[\sum_{j=1}^{n-n_m}|a_{ij}(t)||x_j|\right.$$

$$\leqslant E_2C^{(m)}(t)Q^{(m)}(t)\left[(n-n_m)\right.$$

$$\left.\sum_{j=n-n_m+1}^{n}\times x_j^2+n_m\sum_{j=1}^{n-n_m}x_j^2.\right] \qquad (1.35)$$

应用引理2估计下式得到

$$\sum_{i=1}^{n_1}\left|\frac{\partial V_{n1}}{\partial x_i}\right|\left[\sum_{j=1}^{n}|b_{ij}(t)||x_j(t-\tau_{ij})-x_j(t)|\right]$$

$$\leqslant 2\cdot\frac{a}{2}\tau\sum_{i=1}^{n_1}\sum_{k=1}^{n_1}|V_{ik}^{(1)}(t)||x_k|\left[\sum_{j=1}^{n}|\dot{x}_j(t_k')|\right]$$

$$\leqslant\frac{n_1}{2}a^2C^{(1)}(t)Q^{(1)}(t)\tau\sum_{k=1}^{n_1}|x_k|\left\{\sum_{j=1}^{n}\left[\sum_{s=1}^{n}(|x_s(t_j')|\right.\right.$$

$$\left.\left.+|x_s(t_j'-\tau_{js})|)\right]\right\}$$

$$\leqslant\frac{n_1}{4}a^2C^{(1)}(t)Q^{(1)}(t)\tau\left\{2n^2\sum_{k=1}^{n_1}x_k^2+nn_1\sum_{s=1}^{n}[x_s^2(t_j')\right.$$

$$\left.+x_s^2(t_j'-\tau_{js})]\right\}$$

$$\leqslant n_1a^2C^{(1)}(t)Q^{(1)}(t)\tau\left[\frac{n^2}{2}\sum_{k=1}^{n_1}x_k^2+2nn_1\frac{\beta}{L}\sum_{j=1}^{n}x_j^2\right].$$

(1.36)

同理可得

$$\sum_{i=n_1+\cdots+n_{r-1}+1}^{n_1+\cdots+n_r}\left|\frac{\partial V_{n_r}}{\partial x_i}\right|\left[\sum_{j=1}^{n}|b_{ij}(t)||x_j(t-\tau_{ij})-x_j(t)|\right]$$

$$\leqslant n_r a^2 C^{(r)}(t)Q^{(r)}(t)\tau\left[\frac{n^2}{2}\sum_{k=n_1+\cdots+n_{r-1}+1}^{n_1+\cdots+n_r}x_k^2+2nn_r\frac{\beta}{L}\sum_{j=1}^{n}x_j^2\right] \tag{1.37}$$

及

$$\sum_{i=n-n_m+1}^{n}\left|\frac{\partial V_{nm}}{\partial x_i}\right|\left[\sum_{j=1}^{n}|b_{ij}(t)||x_j(t-\tau_{ij})-x_j(t)|\right]$$

$$\leqslant n_m a^2 C^{(m)}(t)Q^{(m)}(t)\tau\left[\frac{n^2}{2}\sum_{k=n-n_m+1}^{n}x_k^2\right.$$

$$\left.+2nn_m\frac{\beta}{L}\sum_{j=1}^{n}x_j^2\right]. \tag{1.38}$$

将(1.30)，(1.33)—(1.38)代入(1.29)中得到

$$\left.\frac{dV}{dt}\right|_{(1.2)}\leqslant -2\prod_{i=1}^{n}\Delta_i^{(1)}(t)\sum_{j=1}^{n_1}x_j^2+\varepsilon_1\sum_{i=1}^{n_1}[D^{(1)}(t)Q^{(1)}(t)$$

$$+|C^{(1)}(t)|P_i^{(1)}(t)]x_i^2+E_2C^{(1)}(t)Q^{(1)}(t)\left[(n-n_1)\right.$$

$$\left.\times\sum_{j=1}^{n_1}x_j^2+n_1\sum_{j=n_1+1}^{n}x_j^2\right]+n_1a^2C^{(1)}(t)Q^{(1)}(t)\tau$$

$$\times\left[\frac{n^2}{2}\sum_{j=1}^{n_1}x_j^2+2nn_1\frac{\beta}{L}\sum_{j=1}^{n}x_j^2\right]+\cdots-2\prod_{i=1}^{n_r}\Delta_i^{(r)}(t)\sum_{j=n_1+\cdots+n_{r-1}+1}^{n_1+\cdots+n_r}x_j^2$$

$$+\varepsilon_r\sum_{j=n_1+\cdots+n_{r-1}+1}^{n_1+\cdots+n_r}[D^{(r)}(t)Q^{(r)}(t)+|C^{(r)}(t)|P_j^{(r)}$$

$$\times(t)]x_j^2+E_2C^{(r)}(t)Q^{(r)}(t)\left[(n-n_r)\sum_{j=n_1+\cdots+n_{r-1}+1}^{n_1+\cdots+n_r}x_j^2\right.$$

$$+n_r \sum_{j=1}^{n_1+\cdots+n_{r-1}} x_j^2 + n_r \sum_{j=n_1+\cdots+n_r+1}^{n} x_j^2 \Bigg] + n_r a^2 C^{(r)}(t)$$

$$\times Q^{(r)}(t)\tau\left[\frac{n^2}{2}\sum_{j=n_1+\cdots+n_{r-1}+1}^{n_1+\cdots+n_r} x_j^2 + 2nn_r\frac{\beta}{L}\sum_{j=1}^{n} x_j^2\right]$$

$$+\cdots - 2\prod_{i=1}^{nm}\Delta_i^{(m)}(t) \cdot \sum_{j=n-n_m+1}^{n} x_j^2$$

$$+\varepsilon_m \sum_{j=n-n_m+1}^{n} [D^{(m)}(t)Q^{(m)}(t) + |C^{(m)}(t)|P_j^{(m)}(t)]x_j^2$$

$$+E_2 C^{(m)}(t)\times Q^{(m)}(t)\left[(n-n_m)\cdot \sum_{j=n-n_m+1}^{n} x_j^2 + n_m \sum_{j=1}^{n-n_m} x_j^2\right]$$

$$+n_m a^2 C^{(m)}(t)Q^{(m)}(t)\tau\left[\frac{n^2}{2}\sum_{j=n-n_m+1}^{n} x_j^2 + 2nn_m\frac{\beta}{L}\sum_{j=1}^{n} x_j^2\right]$$

$$= -2\prod_{i=1}^{n}\Delta_i^{(1)}(t)\sum_{j=1}^{n} x_j^2 + \varepsilon_1\sum_{j=1}^{n} [D^{(1)}(t)Q^{(1)}(t) + |C^{(1)}(t)|$$

$$\times P_j^{(1)}(t)]x_j^2 + E_2\Bigg[(n-n_1)C^{(1)}(t)Q^{(1)}(t) + \sum_{i=2}^{m} n_i C^{(i)}(t)$$

$$\times Q^{(i)}(t)\Bigg]\sum_{j=1}^{n_1} x_j^2 + \tau\Bigg[\frac{1}{2}n_1 n^2 a^2 C^{(1)}(t)Q^{(1)}(t) + 2na^2\frac{\beta}{L}$$

$$\times \sum_{i=1}^{m} n_i C^{(i)}(t)Q^{(i)}(t)\Bigg]\cdot\sum_{j=1}^{n_1} x_j^2 + \cdots - 2\prod_{i=1}^{n_r}\Delta_i^{(r)}(t)$$

$$\times \sum_{j=n_1+\cdots+n_{r-1}+1}^{n_1+\cdots+n_r} x_j^2 + \varepsilon_r \sum_{j=n_1+\cdots+n_{r-1}+1}^{n_1+\cdots+n_r} [D^{(r)}(t)Q^{(r)}(t)$$

$$+|C^{(r)}(t)|P_j^{(r)}(t)]x_j^2 + E_2\Bigg[(n-n_r)C^{(r)}(t)Q^{(r)}(t)$$

$$+\sum_{\substack{i=1\\ i\neq r}}^{m} n_i C^{(i)}(t)Q^{(i)}(t)\Bigg]\sum_{j=n_1+\cdots+n_{r-1}+1}^{n_1+\cdots+n_r} x_j^2 + \tau\Bigg[\frac{1}{2}n_r n^2 a^2$$

$$\times C^{(r)}(t)Q^{(r)}(t)+2a^2n\frac{\beta}{L}\sum_{i\neq 1}^{m}n_i^2C^{(i)}(t)Q^{(i)}(t)\Bigg]$$

$$\times\sum_{j=n_1+\cdots+n_{r-1}+1}^{n_1+\cdots+n_r}x_j^2+\cdots-2\prod_{i=1}^{n_m}\Delta_i^{(m)}(t)\sum_{j=n-n_m+1}^{n}x_j^2+\varepsilon_m$$

$$\times\sum_{j=n-n_{m}+1}^{n}[D^{(m)}(t)Q^{(m)}(t)+|C^{(m)}(t)|P_j^{(m)}(t)]x_j^2$$

$$+E_2\Bigg[(n-n_m)\cdot C^{(m)}(t)Q^{(m)}(t)+\sum_{i=1}^{m-1}n_iC^{(i)}(t)Q^{(i)}(t)\Bigg]$$

$$\times\sum_{j=n-n_m+1}^{n}x_j^2+\tau\Bigg[\frac{1}{2}n_mn^2a^2C^{(m)}(t)Q^{(m)}(t)+2a^2n$$

$$\times\frac{\beta}{L}\sum_{i=1}^{m}n_iC^{(i)}(t)Q^{(i)}(t)\Bigg]\sum_{j=n-n_m+1}^{n}x_j^2. \qquad (1.39)$$

令

$$\delta_1=\min_{t\in[t_0,\infty)}\Bigg[\frac{\prod_{i=1}^{n_r}\Delta_i^{(r)}(t)}{D^{(r)}(t)Q^{(r)}(t)+|C^{(r)}(t)|P_j^{(r)}(t)}$$

$$j=n_1+\cdots+n_{r-1}+1,\cdots,n_1+\cdots+n_r,$$

$$r=1,\cdots,m,\Bigg],$$

$$\delta_2=\min_{t\in[t_0,\infty)}\frac{1}{5}\Bigg[\frac{\prod_{i=1}^{n_r}\Delta_i^{(r)}(t)}{(n-n_r)C^{(r)}(t)Q^{(r)}(t)+\sum_{i=1(\neq r)}^{m}n_iC^{(i)}(t)Q^{(i)}(t)}$$

$$r=1,\cdots,m,\Bigg],$$

$$\delta_3 = \min_{t\in[t_0,\infty)} \frac{1}{5}\left[\frac{\prod_{i=1}^{n_r} \Delta_i^{(r)}(t)}{\frac{1}{2}n_r n^2 a^2 C^{(r)}(t) Q^{(r)}(t) + 2a^2 n \frac{\beta}{L}\sum_{i=1}^{m} n_i^2 C^{(i)}(t) Q^{(i)}(t)}, \quad r = 1,\cdots,m \right].$$

令

$$\varepsilon = \max[\varepsilon_1,\varepsilon_2,\cdots,\varepsilon_m].$$

当 $\varepsilon<\delta_1, E_2<\delta_2, 0\leqslant\tau\leqslant\delta_3$ 时有,

$$\dot{V}\bigg|_{(1.2)} < -\frac{3}{5}\sum_{r=1}^{m} \prod_{i=1}^{nr} \Delta_i^{(r)}(t) \sum_{j=n_1+\cdots+n_{r-1}+1}^{n_1+\cdots+n_r} x_j^2 < 0,$$

从而得到(1.2)的零解也是渐近稳定的. 证毕.

若(1.1) 中的滞量 $\tau = 0$, 则化为无滞量的缓变系数的大系统(1.3). 于是[23]中的结果可作为定理 1 的特殊情形([41]中用向量V 函数与比较原理也研究了 $\tau = 0$ 时的缓变系统稳定性,方向与这里所述的不同).

§2. 非线性时变的时滞大系统的稳定性

考虑如下的系统

$$\dot{x}_i(t) = \sum_{j=1}^{n} [c_{ij}(t)x_j(t) + b_{ij}(t)x_j(t-\tau_{ij})] + f_i(t, x_1(t),\cdots,x_n(t), x_1(t-\tau_{i1}),\cdots, x_n(t-\tau_{in})), i = 1,\cdots,n, \tag{2.1}$$

或改写成

$$\dot{x}_i(t) = \sum_{j=1}^{n} [a_{ij}(t)x_j(t) + b_{ij}(t)(x_j(t-\tau_{ij}) - x_j(t)]$$

$$+f_i(t,x_1(t),\cdots,x_n(t),x_1(t-\tau_{i1}),\cdots,x_n(t-\tau_{in})),\tag{2.2}$$

$$i=1,\cdots,n.$$

设在 G: $|x_i|\leqslant H$, $|y_i|\leqslant H(i=1,\cdots,n,\forall t\geqslant t_0)$ 中满足不等式

$$|f_i(t,x_1,\cdots,x_n,y_1,\cdots,y_n)|\leqslant\eta\left[\sum_{i=1}^{n}|x_i|+\sum_{i=1}^{n}|y_i|\right],\tag{2.3}$$

$$i=1,2,\cdots,n,$$

其中 $\eta=\text{const}>0$，在区域 G 中 f_i 对所有变元连续，使(2.1)的解存在且唯一.

定理2. 设定理1的条件成立，即子系统(1.4)的零解是渐近稳定的，并设(2.1)的非线性项满足条件(2.3)，存在 $\delta_1>0,\delta_2>0,\delta_3>0,\delta_4>0$，使得当

$$|\dot{a}_{ij}(t)|\leqslant\varepsilon<\delta_1, i,j=n_1+\cdots+n_{r-1}+1,\cdots,n_1+\cdots+n_r,$$

$$r=1,\cdots,m,\ \forall t\geqslant t_0,$$

$$E_2<\delta_2,\ 0\leqslant\tau\leqslant\delta_3,\ \eta<\delta_4$$

时，(2.2)的零解也是渐近稳定的.

证. 取(2.2)的子系统为(1.4)，由上节中(1.27)表示的 V 作为(2.2)的正定 Ляпунов 函数. 并沿着(2.2)对 t 求导，注意(1.39)得

$$\dot{V}_{(2.2)}\leqslant\dot{V}_{(1.2)}+\left|\sum_{i=1}^{n_1}\frac{\partial V_{n_1}}{\partial x_j}f_i\right|+\left|\sum_{i=n_1+\cdots+n_{r-1}+1}^{n_1+\cdots+n_r}\frac{\partial V_{nr}}{\partial x_i}f_i\right|$$

$$+\cdots\left|\sum_{i=n-n_m+1}^{n}\frac{\partial V_{nm}}{\partial x_i}f_i\right|.\tag{2.4}$$

分别估计(2.4)右端的三个绝对值

$$J=\left|\sum_{i=1}^{n_1}\frac{\partial V_{n_1}}{\partial x_i}f_i(t,x_1(f)\cdots,x_n(t),x_1(t-\tau_{i1}),\cdots,x_n(t-\tau_{in}))\right|$$

$$\leqslant 2\sum_{i=1}^{n_1}\sum_{j=1}^{n_1} V_{ij}^{(1)}(t)\,|x_j(t)|\left\{\eta\left[\sum_{s=1}^{n}|x_s(t)|\right.\right.$$

$$\left.\left.+\sum_{s=1}^{n}|x_s(t-\tau_{is})|\right]\right\}$$

$$\leqslant 2\eta C^{(1)}(t)Q^{(1)}(t)\sum_{i=1}^{n_1}|x_i(t)|\left[\sum_{s=1}^{n}|x_s|+\sum_{s=1}^{n}|x_s(t-\tau_{is})|\right]$$

$$\leqslant \eta C^{(1)}(t)\,Q^{(1)}(t)\left[2n\sum_{i=1}^{n}x_i^2+n_1\sum_{s=1}^{v}x_s^2\right.$$

$$\left.+n_1\sum_{s=1}^{n}x_s^2(t-\tau_{is})\right]. \tag{2.5}$$

把(1.21)及(1.26)代入(2.5)得

$$J\leqslant \eta C^{(1)}(t)Q^{(1)}(t)\left[2n\sum_{i=1}^{n_1}x_i^2+n_1\sum_{s=1}x_s^2+4n_1\frac{\beta}{L}\sum_{s=1}^{n}x_s^2\right]. \tag{2.6}$$

同理得

$$\left|\sum_{i=n_1+\cdots+n_{r-1}+1}^{n_1+\cdots+n_r}\frac{\partial V_{n_r}}{\partial x_i}f_i\right|$$

$$\leqslant \eta C^{(r)}(t)Q^{(r)}(t)\left[2n\sum_{i=n_1+\cdots+n_{r-1}+1}^{n_1+\cdots+n_r}x_i^2+n_r\sum_{s=1}^{n}x_s^2\right.$$

$$\left.+4n_r\frac{\beta}{L}\sum_{s=1}^{n}x_s^2\right], \tag{2.7}$$

以及

$$\left|\sum_{i=n-n_m+1}^{v}\frac{\partial V_{n_m}}{\partial x_i}f_i\right|$$

$$\leqslant \eta C^{(m)}(t)Q^{(m)}(t)\left[2n\sum_{i=n-n_m+1}^{n}x_i^2+n_m\sum_{s=1}^{n}x_s^2\right.$$

$$+4n_m\frac{\beta}{L}\sum_{s=1}^{n} x_s^2\Bigg] \tag{2.8}$$

把(2.8),(2.6),(2.7)一起代入(2.4)得

$$\begin{aligned}
\dot{V}_{(2.2)} \leqslant \dot{V}_{(1.2)} &+ \eta\sum_{r=1}^{m}\Bigg[2nC^{(r)}(t)Q^{(r)}(t)+\left(1+\frac{4\beta}{L}\right)\\
&\times\sum_{i=1}^{m} n_i C^{(i)}(t)Q^{(i)}(t)\cdot\sum_{j=n_1+\cdots+n_{r-1}+1}^{n_1+\cdots+n_r} x_j^2\Bigg]\\
\leqslant -2&\sum_{r=1}^{m}\prod_{j=1}^{n_r}\Delta_i^{(r)}(t)\sum_{j=n_1+\cdots+n_{r-1}+1}^{n_1+\cdots+n_r} x_j^2+\sum_{r=1}^{m}\varepsilon_r\\
&\times\sum_{j=n_1+\cdots+n_{r-1}+1}^{n_1+\cdots+n_r}\left[D^{(r)}(t)Q_j^{(r)}(t)+|C^{(r)}(t)|P_j^{(r)}(t)\right]x_j^2\\
&+E_2\sum_{r=1}^{m}\Bigg[(n-n_r)C^{(r)}(t)Q^{(r)}(t)+\sum_{i=1(\neq r)}^{m} n_i C^{(i)}(t)\\
&\times Q^{(i)}(t)\Bigg]\sum_{i=n_1+\cdots+n_{r-1}+1}^{n_1+\cdots+n_r} x_j^2+\tau\sum_{r=1}^{m}\Bigg[\frac{1}{2}n_r n^2 a^2 C^{(r)}(t)\\
&\times Q^{(r)}(t)+2a^2 n\frac{\beta}{L}\sum_{i=1}^{m} n_i^2 C^{(i)}(t)Q^{(i)}(t)\Bigg]\\
&\times\sum_{j=n_1+\cdots+n_{r-1}+1}^{n_1+\cdots+n_r} x_j^2+\eta\sum_{r=1}^{m}\Bigg[2nC^{(r)}(t)Q^{(r)}(t)+\left(1+\frac{4\beta}{L}\right)\\
&\times\sum_{i=1}^{m} n_i C^{(i)}(t)Q^{(i)}(t)\Bigg]\times\sum_{j=n_1+\cdots+n_{r-1}+1}^{n_1+\cdots+n_r} x_j^2.
\end{aligned} \tag{2.9}$$

取

$$\delta_4=\min_{t\in[t_0,\infty)}\frac{1}{5}\left[\frac{\prod_{i=1}^{n_r}\Delta_i^{(r)}(t)}{2nC^{(r)}(t)Q^{(r)}(t)+\left(1+\dfrac{4\beta}{L}\right)\sum_{i=1}^{m} n_i C^{(i)}(t)Q^{(i)}(t)}\right].$$

$$r=1,\cdots,m \tag{2.10}$$

当 $|\dot{a}_{ij}(t)|\leqslant\varepsilon<\delta_1, E_2<\delta_2, 0\leqslant\tau<\delta_3, \eta<\delta_4$ 时.

$$\dot{V}_{(2.2)}\leqslant-\frac{2}{5}\sum_{r=1}^{m}\prod_{i=1}^{n_r}\Delta_i^{(r)}(t)\sum_{j=n_1+\cdots+n_{r-1}+1}^{n_1+\cdots+n_r}x_j^2<0. \tag{2.11}$$

故(2.2)的零解也是渐近稳定的，证毕.

由定理 2 立即得到

定理3. 在定理 2 的条件下，若 $\tau=0$，当 $\varepsilon<\delta_1$, $E_2<\delta_2$, $\eta<\delta_4$ 时，则得无时滞的非线性缓变系统的常微分方程大系统(1.3)零解的渐近稳定性.

定理4. 若在定理 2 的条件下，且有 $\varepsilon=0$, $E_2<\delta_2$, $0\leqslant\tau<\delta_3$, $\eta<\delta_4$，则得到具有时滞的非线性定常大系统

$$\dot{x}_i(t)=\sum_{j=1}^{n}[C_{ij}x_j(t)+b_{ij}x_j(t-\tau_{ij})]+f_i(x_1(t),\cdots,x_n(t),$$

$$x_1(t-\tau_{i1}),\cdots,x_n(t-\tau_{in})), i=1,2,\cdots,n$$

的零解是渐近稳定的.

以上结论当 $\tau_{ij}(t)\geqslant0$，且为连续有界时仍成立.

§3. 一类线性时滞时变大系统的稳定性[38]

考虑一般具有时滞的时变系统

$$\dot{x}_i(t)=\sum_{j=1}^{n}[c_{ij}(t)x_j(t)+b_{ij}(t)x_j(t-\tau_{ij})], \tag{3.1}$$

$$i=1,\cdots,n,$$

或者改记为

$$\dot{x}_i(t)=-a_{ii}(t)x_i(t)+\sum_{j=1(\neq i)}^{n}a_{ij}(t)x_j(t)$$

$$+\sum_{j=1}^{n}b_{ij}(t)[x_j(t-\tau_{ij})-x_j(t)], i=1,\cdots,n. \tag{3.2}$$

设(3.2)的线性时变子系统为

$$\dot{X}_r = A_{n_r}(t)X_r, \quad r=1,\cdots,m. \tag{3.4}$$

设$A_{n_r}(t)$为对称阵，每一阵$A_{n_r}(t)$的所有特征根皆取负实值，且有

$$\lambda(A_{n_r}(t)) < -\delta < 0,$$
$$\delta > 0, r=1,\cdots,m, \forall t \geq t_0. \tag{3.5}$$

定理5. 若系统(3.1)的系数连续有界，条件(1.5)成立，且子系统(3.4)的系数阵$A_{n_r}(t)$为时变实对称阵，每一阵$A_{n_r}(t)$的特征根都为负实值(条件(3.5)成立)，即线性时变子系统(3.4)的零解是渐近稳定的，存在$\delta_2>0$. $\delta_3>0$，使得当$E_2<\delta_2$，$0\leq\tau<\Delta_3$时，则具有时滞的线性时变大系统(3.2)的零解也是渐近稳定的.

证. 我们取

$$V_{n_r} = \sum_{i=n_1+\cdots+n_{r-1}+1}^{n_1+\cdots+n_r} x_i^2(t), r=1,2,\cdots,m,$$

为(3.4)的正定 Ляпунов 函数，则有

$$\dot{V}_{n_r(3.4)} = 2X_r^T A_{n_r}(t) X_r. \tag{3.6}$$

由于假定时变对称阵$A_{n_r}(t)$的所有特征根皆为负实数，故

$$X_r^T A_{n_r}(t) X_r, r=1,\cdots,m, n_1+\cdots+n_m=n.$$

皆为负定二次型，Michel 等指出[100]，存在$A_{n_r}(t)$的最大的负值特征根$-M_r<0\ (M_r>0)$使

$$X_r^T A_{n_r}(t) X_r \leq -M_r X_r^T X_r < 0, \quad r=1,\cdots,m, \tag{3.7}$$

从而得到(3.6)的估计

$$\dot{V}_{n_r(3.4)} = 2X_r^T An_r(t) X_r \leq -M_r X_r^T X_r < 0, \tag{3.8}$$

即孤立子系统(3.4)的零解是渐近稳定的.

取

$$V = \sum_{r=1}^{m} V_{n_r} = \sum_{r=1}^{m} \sum_{j=n_1+\cdots+n_{r-1}+1}^{n_1+\cdots+n_r} x_j^2 \tag{3.9}$$

是(3.2)的正定 Ляпунов 函数，由 V 沿(3.2)对 t 求导数得

$$
\begin{aligned}
\dot V_{(3.2)} &= \sum_{r=1}^{m} \dot V_{n_r} \\
&= 2\sum_{r=1}^{m} X_r^T \dot X_r \\
&= 2\sum_{i=1}^{n_1} x_i(t) \left\{ \sum_{j=1}^{n} a_{ij}(t) x_j(t) + \sum_{j=1}^{n} b_{ij}(t) [x_j(t \right. \\
&\quad \left. - \tau_{ij}) - x_j(t)] \right\} + \cdots + 2 \sum_{i=n_1+\cdots+n_{r-1}+1}^{n_1+\cdots+n_r} x_i(t) \\
&\quad \times \left\{ \sum_{j=1}^{n} a_{ij}(t) x_j(t) + \sum_{j=1}^{n} b_{ij}(t) [x_j(t-\tau_{ij}) \right. \\
&\quad \left. - x_j(t)] \right\} + \cdots + 2 \sum_{i=n-n_m+1}^{n} x_i(t) \left\{ \sum_{j=1}^{n} a_{ij}(t) x_j(t) \right. \\
&\quad \left. + \sum_{j=1}^{n} b_{ij}(t) [x_{ij}(t-\tau_{ij}) - x_j(t)] \right\} \\
&= 2\sum_{i=1}^{n_1} x_i(t) \left\{ \sum_{j=1}^{n_1} a_{ij}(t) x_j(t) + \sum_{j=n_1+1}^{n} a_{ij}(t) x_j(t) \right. \\
&\quad \left. + \sum_{j=1}^{n} b_{ij}(t) [x_{ij}(t-\tau_{ij}) - x_j(t)] \right\} + \cdots \\
&\quad + 2 \sum_{i=n_1+\cdots+n_{r-1}+1}^{n_1+\cdots+n_r} x_i(t) \left\{ \sum_{j=1}^{n_1+\cdots+n_{r-1}} a_{ij}(t) x_j(t) \right. \\
&\quad + \sum_{j=n_1+\cdots+n_{r-1}+1}^{n_1+\cdots+n_r} a_{ij}(t) x_j(t) + \sum_{j=n_1+\cdots+n_r+1}^{n} a_{ij}(t) x_j(t) \\
&\quad \left. + \sum_{j=1}^{n} b_{ij}(t) [x_j(t-\tau_{ij}) - x_j(t)] \right\} + \cdots 2 \sum_{i=n-n_m+1}^{n} x_i(t)
\end{aligned}
$$

$$\times\left\{\sum_{j=1}^{n-n_m} a_{ij}(t)x_j(t) + \sum_{j=n-n_m+1}^{n} a_{ij}(t)x_j(t) + \sum_{j=1}^{n} b_{ij}(t)[x_j(t-\tau_{ij}) - x_j(t)]\right\}$$

$$\leqslant -2M_1\sum_{i=1}^{n} x_i^2(t) + 2\sum_{i=1}^{n_1}|x_i(t)|\left[\sum_{j=n_1+1}^{n}|a_{ij}(t)||x_j(t)| + \sum_{j=1}^{n}|b_{ij}(t)||x_j(t-\tau_{ij}) - x_j(t)|\right] + \cdots$$

$$-2M_r\sum_{i=n_1+\cdots+n_{r-1}+1}^{n_1+\cdots+n_r} x_i^2 + 2\sum_{i=n_1+\cdots+n_{r-1}+1}^{n_1+\cdots+n_r}|x_i(t)|$$

$$\times\left[\sum_{j=1}^{n_1+\cdots+n_{r-1}}|a_{ij}(t)||x_j(t)| + \sum_{j=n_1+\cdots+n_r+1}^{n}|a_{ij}(t)|\right.$$

$$\left.\times|x_j(t)| + \sum_{j=1}^{n}|b_{ij}(t)||x_j(t-\tau_{ij}) - x_j(t)|\right]$$

$$+\cdots - 2M_m\sum_{i=n-n_m+1}^{n} x_i^2 + 2\sum_{i=n-n_m+1}^{n}|x_i(t)|$$

$$\times\left[\sum_{j=1}^{n-n_m}|a_{ij}(t)||x_j(t)| + \sum_{j=1}^{n}|b_{ij}(t)||x_j(t-\tau_{ij})\right.$$

$$\left.-x_j(t)|\right]. \tag{3.10}$$

由(3.10)得

$$\dot{V}_{(3.2)} \leqslant -2M_1\sum_{i=1}^{n_1}x_i^2(t) + E_2\left[(n-n_1)\sum_{j=1}^{n_1}x_j^2(t) + n_1\sum_{j=n_1+1}^{n}x_j^2(t)\right]$$

$$+\tau a^2 n\left[2n\sum_{j=1}^{n_1}x_j^2(t) + n_1\sum_{j=1}^{n}x_j^2(t_1^j - \tau_{ij})\right.$$

$$
\begin{aligned}
&+n_1\sum_{j=1}^{n} x_j^2(t'_j)\Bigg] + \cdots - 2M_r \sum_{i=n_1+\cdots+n_{r-1}+1}^{n_1+\cdots+n_r} x_i^2(t) \\
&+E_2\Bigg[(n-n_r)\sum_{j=n_1+\cdots+n_{r-1}+1}^{n_1+\cdots+n_r} x_j^2(t) + n_r \sum_{j=1}^{n_1+\cdots+n_{r-1}} x_j^2(t) \\
&+n_r\sum_{j=n_1+\cdots+n_r+1}^{n} x_j^2(t)\Bigg] + \tau n a^2\Bigg[2n \sum_{j=n_1+\cdots+n_{r-1}+1}^{n_1+\cdots+n_r} x_j^2(t) \\
&+n_r\sum_{j=1}^{n} x_j^2(t'_i-\tau_{ij}) + n_r\sum_{j=1}^{n} x_j^2(t'_i)\Bigg] + \cdots \\
&-2M_m\sum_{i=n-n_m+1}^{n} x_i^2(t) + E_2\Bigg[(n-n_m)\sum_{j=n-n_m+1}^{n} x_j^2(t) \\
&+n_m\sum_{j=1}^{n-n_m} x_j^2(t)\Bigg] + \tau n a^2\Bigg[2n\sum_{j=n-n_m+1}^{n} x_j^2(t) \\
&+n_m\sum_{j=1}^{n} x_j^2(t'_i-\tau_{ij}) + n_m\sum_{j=1}^{n} x_j^2(t'_i)\Bigg]. \qquad (3.11)
\end{aligned}
$$

由第十章引理6得

$$
\begin{aligned}
\dot V_{(3.2)} \leqslant & -2M_1\sum_{i=1}^{n_1} x_i^2(t) + E_2\, 2(n-n_1)\sum_{i=1}^{n_1} x_i^2(t) + \cdots \\
& -2M_r\sum_{i=n_1+\cdots+n_{r-1}+1}^{n_1+\cdots+n_r} x_i^2(t) + E_2 2(n-n_r)\sum_{i=n_1+\cdots+n_{r-1}+1}^{n_1+\cdots+n_r} x_i^2(t) \\
& +\cdots - 2M_m\sum_{i=n-n_m+1}^{n} x_i^2(t) + 2E_2(n-n_m) \\
& \times \sum_{i=n-n_m+1}^{n} x_i^2(t) + 10n^2a^2\tau\sum_{i=1}^{n} x_i^2 \\
= & \left[-2M_1 + 2(n-n_1)E_2 + 10n^2a^2\tau\right]\sum_{i=1}^{n_1} x_i^2(t) + \cdots
\end{aligned}
$$

$$+[-2M_r+2E_2(n-n_r)+10n^2a^2\tau]\sum_{i=n_1+\cdots+n_{r-1}+1}^{n_1+\cdots+n_r}x_i^2(t)$$

$$+[-2M_m+2(n-n_m)E_2+10n^2a^2\tau]\sum_{i=n-n_m+1}^{n}x_i^2(t).$$

(3.12)

令

$$\delta_2=\min\left[\frac{M_r}{8(n-n_r)},r=1,2,\cdots,m\right],$$

$$\delta_3=\min\left[\frac{M_r}{10n^2a^2},r=1,2,\cdots,m\right].\tag{3.13}$$

当 $E_2<\delta_2, 0\leqslant\tau<\delta_3$ 时有

$$\dot{V}_{(3.2)}\leqslant-\frac{3}{4}\sum_{r=1}^{m}M_r\sum_{i=n_1+\cdots+n_{r-1}+1}^{n_1+\cdots+n_r}x_i^2(t)<0$$

成立．从而得有时滞的时变大系统(3.2)的零解是渐近稳定的．证毕．(当滞量 $\tau=0$ 时王慕秋等在[47]中用向量 V 函数法与比较原理研究了(3.2)的稳定性．)

若子系统(3.4)的系数阵 $A_{n_r}(t)$ 为对称实阵且所有特征根皆为正实根：

$$\lambda(A_{n_r}(t))\geqslant\delta>0, r=1,\cdots,m, \forall t\geqslant t_0,\tag{3.14}$$

则 $X_r^TA_{n_r}(t)X_r$ 是正定二次型，在 Michel 等人的工作中指出[100]：存在 $A_{n_r}(t)$ 的最小的正值特征根 $M_r>0$ 使

$$X_r^TA_{n_r}(t)X_r\geqslant M_rX_r^TX_r\tag{3.15}$$

且有

$$\dot{V}_{n_r(3.4)}=2X_r^TA_{n_r}(t)X_r\geqslant2M_rX_r^TX_r>0,$$

得到(3.4)的零解是不稳定的．

类似于定理5的计算，我们有

$$\dot{V}_{(3.2)} \geqslant \sum_{r=1}^{n} [2M_r - 2(n-n_r)E_2 - 10n^2a^2\tau] \times \sum_{i=n_1+\cdots+n_{r-1}+1}^{n_1+\cdots+n_r} x_i^2 > 0. \tag{3.16}$$

当 $E_2 < \delta_2, 0 \leqslant \tau < \delta_3$ 时，有

定理 6. 若系统(3.2)的系数连续有界，条件(1.5)成立，子系统(3.4)的系数阵 $A_{n_r}(t)$ 为实对称的，且每一阵 $A_{n_r}(t)$ 的所有特征根皆为正实值，条件(3.14)，(3.15)成立，即线性时变子系统(3.4)的零解是不稳定的，存在 $\delta_2 > 0$, $\delta_3 > 0$, 使得当 $E_2 < \delta_2$, $0 \leqslant \tau < \delta_3$ 时，(3.2)的零解也是不稳定的.

§4. 一类时滞非线性时变大系统的稳定性[38]

本节考虑系统

$$\dot{x}_i(t) = \sum_{j=1}^{n} [C_{ij}(t)x_j(t) + b_{ij}(t)x_j(t-\tau_{ij})] + f_i(t, x_1(t), \cdots, x_n(t), x_1(t-\tau_{i1}), \cdots, x_n(t-\tau_{in})), \quad i = 1, 2, \cdots, n, \tag{4.1}$$

或记为

$$\dot{x}_i(t) = \sum_{j=1}^{n} [a_{ij}(t)x_j(t) + b_{ij}(t)(x_j(t-\tau_{ij}) - x_j(t))] + f_i(t, x_1(t), \cdots, x_n(t), x_1(t-\tau_{i1}), \cdots, x_n(t-\tau_{in})), \tag{4.2}$$

$$i = 1, 2, \cdots, n.$$

定理7. 若定理 5 的条件满足，又子系统(3.4) 的零解是渐近稳定的，并设(4.2)的非线性项满足条件(2.3)，存在 $\delta_2 > 0$, $\delta_3 > 0$, $\delta_5 > 0$，使得当 $E_2 < \delta_2$, $0 \leqslant \tau < \delta_3$, $\eta < \delta_5$ 时，(4.2)的零解也是渐近

稳定的．

证．今取（4.2）的子系统为(3.4)，由（3.9）表示的V作为(4.2)的正定Ляпунов函数．由(3.12)得到

$$\dot{V}_{(4.2)} \leqslant \dot{V}_{(3.2)} + 2\left|\sum_{i=1}^{n_1} x_i f_i(t, x_1, \cdots, x_n, x_1(t - \tau_{i1}), \cdots, x_n(t - \tau_{in}))\right| + \cdots$$

$$+ 2\left|\sum_{i=n_1+\cdots+n_{r-1}+1}^{n_1+\cdots+n_r} \times x_i f_i(t, x_1, \cdots, x_n, x_1(t - \tau_{i1}), \cdots, x_n(t - \tau_{in}))\right| + \cdots + 2\left|\sum_{i=n-n_m+1}^{n} x_i f_i(t, x_1, \cdots, x_n, x_1(t - \tau_{i1}), \cdots, x_n(t - \tau_{in}))\right|. \quad (4.3)$$

估计(4.3)右边之各个绝对值；

$$2\left|\sum_{i=1}^{n_1} x_i f_i(t, x_1, \cdots, x_n, x_1(t - \tau_{i1}), \cdots, x_n(t - \tau_{in}))\right|$$

$$\leqslant 2\eta \sum_{i=1}^{n_1} |x_i| \left[\sum_{j=1}^{n} |x_j| + \sum_{j=1}^{n} |x_j(t - \tau_{ij})|\right]$$

$$\leqslant \eta \left[2n \sum_{j=1}^{n_1} x_j^2 + n_1 \sum_{j=1}^{n} x_j^2 + n_1 \sum_{j=1}^{n} x_j^2(t - \tau_{ij})\right]$$

$$\leqslant \eta \left[2n \sum_{j=1}^{n_1} x_j^2 + n_1 \sum_{j=1}^{n} x_j^2 + 4n_1 \sum_{j=1}^{n} x_j^2\right]$$

$$= \eta \left[2n \sum_{j=1}^{n_1} x_j^2 + 5n_1 \sum_{j=1}^{n} x_j^2\right], \quad (4.4)$$

同理得到

$$2\left|\sum_{i=n_1+\cdots+n_{r-1}+1}^{n_1+\cdots+n_r} x_i f_i(t, x_1, \cdots, x_n, x_1(t-\tau_{i1}), \cdots, x_n(t-\tau_{in}))\right|$$

$$\leqslant \eta\left[2n \sum_{j=n_1+\cdots+n_{r-1}+1}^{n_1+\cdots+n_r} x_j^2 + 5n_r \sum_{j=1}^{n} x_j^2\right], \tag{4.5}$$

以及

$$2\left|\sum_{i=n-n_m+1}^{n} x_i f_i(t, x_1, \cdots, x_n, x_1(t-\tau_{i1}), \cdots, x_n(t-\tau_{in}))\right|$$

$$\leqslant \eta\left[2n \sum_{j=n-n_m+1}^{n} x_j^2 + 5n_m \sum_{j=1}^{n} x_j^2\right]. \tag{4.6}$$

将(4.4),(4.5),(4.6)代入(4.3)得

$$\dot{V}_{(4.2)} \leqslant \sum_{r=1}^{m}\left[-M_r + 2E_2(n-n_r) + 10n^2a^2\tau + 7n\eta\right] \sum_{i=n_1+\cdots+n_{r-1}+1}^{n_1+\cdots+n_r} x_i^2. \tag{4.7}$$

令

$$\delta_5 = \min\left[\frac{M_i}{28n}, i=1, \cdots, m\right]. \tag{4.8}$$

当 $E_2 < \delta_2$, $0 \leqslant \tau < \delta_3$, $\eta < \delta_5$ 时,有

$$\dot{V}_{(4.2)} \leqslant \frac{-1}{2} \sum_{r=1}^{m} M_r \sum_{i=n_1+\cdots+n_{r-1}+1}^{n_1+\cdots+n_r} x_i^2 < 0,$$

从而得到大系统(4.2)的零解是渐近稳定的,故定理 7 证毕.

若子系统(3.4)的系数阵 $A_{n_r}(t)$的所有特征根皆为正值,条件(3.14),(3.15)成立,则子系统(3.4)的零解是不稳定的.

类似定理 6 及定理 7 的计算得到

$$\dot{V}_{(4.2)} \geqslant \dot{V}_{(3.2)} - 7n\eta \sum_{j=1}^{n} x_j^2$$

$$\geqslant \sum_{r=1}^{m}\left[2M_r-2E_2(n-n_r)-10n^2a^2\tau-7n\eta\right]$$

$$\times \sum_{i=n_1+\cdots+n_{r-1}+1}^{n_1+\cdots+n_r} x_i^2$$

$$\geqslant \frac{1}{2}\sum_{r=1}^{m} M_r \sum_{i=n_1+\cdots+n_{r-1}+1}^{n_1+\cdots+n_r} x_i^2>0.$$

由此立即推得

定理8. 设定理6的条件成立，即子系统(3.4)的零解是不稳定的，再设(2.2)的非线性项满足条件(2.3)，存在 $\delta_2>0$，$\delta_3>0$，$\delta_5>0$，使得当 $E_2<\delta_2$，$0\leqslant\tau<\delta_3$，$\eta<\delta_5$ 时，(4.2)的零解也是不稳定的.

以上诸结果当 $\tau=0$ 时得出常微分方程的已知结论.

第十二章　RFDE稳定性的一般理论

§1. 概　　述

在第一章§4中我们已指出了滞后型泛函微分方程的定义，并用例3—例7详尽地说明了它的广泛性. 事实上，方程

$$\dot{x}=f(t,x_t) \tag{1.1}$$

包括前几章的所有类型的方程. (1.1)中记号的含义如下：

$$r\geqslant 0,C=C([-r,0],\mathbb{R}^n),$$

$$x_t=x(t+\theta),\theta\in[-r,0],$$

并定义C中范数为$|\phi|=\sup_{\theta\in[-r,0]}|\phi(\theta)|$，故$C$为具一致收敛拓朴的Banach空间. (1.1)过(σ,ϕ)的解在R^n空间中记为$x(t,\sigma,\phi)$在C空间中记为$x_t(\sigma,\phi)$，σ为初始时刻，$\dot{x}$表示右导数.

本章常设$f:\mathbb{R}\times C\to\mathbb{R}^n$.连续且满足Lipschitz条件，设$K$为Lipschitz常数，即

$$|f(t,x_t)-f(t,y_t)|<K|x_t-y_t|. \tag{1.2}$$

上式左边$|\cdot|$为$\mathbb{R}^n$中的模，右边$|\cdot|$为C中范数. 下文中对这些不同意义下的范数在记号上将不加区分，读者只稍注意一下，便不难区别之.

在讨论稳定性之前，我们列出几个典型的基本理论的结果而不加以证明，有兴趣的读者可参看[79]或[73].

引理1. 若给定$\sigma\in\mathbb{R}$，$\phi\in C$及$f(t,\phi)$是连续的，则求方程(1.1)通过(σ,ϕ)的解等价于求解积分方程

$$x(t)=\phi(0)+\int_\sigma^t f(s,x_s)ds,t\geqslant\sigma,$$

$$x_\sigma=\phi. \tag{1.3}$$

引理2. 若$x\in C([\sigma-r,\sigma+\alpha],\mathbb{R}^n)$，则$x_t$当$t\in[\sigma,\sigma+\alpha]$

时关于 t 连续.

证. x 在$[\sigma-r,\sigma+\alpha]$上连续⇒它是一致连续的. 故对任何$\varepsilon>0$,存在$\delta>0$,使得$|t-\tau|<\delta$时有

$$|x(t)-x(\tau)|<\varepsilon.$$

故当$t\in[\sigma,\sigma+\alpha]$,$|t-\tau|<\delta$时我们有

$$|x(t+\theta)-x(\tau+\theta)|<\varepsilon,$$

对$\forall\theta\in[-r,0]$成立,引理证毕.

应用 Schauder 不动点定理,可以证明

定理1. 设Ω为$\mathbb{R}\times C$的开子集,$f\in C(\Omega,\mathbb{R}^n)$,若$(\sigma,\phi)\in\Omega$,则(1.1)过$(\sigma,\phi)$至少存在一个解.

定理2. 设Ω为$\mathbb{R}\times C$的开子集,$f\in(\Omega,\mathbb{R}^n)$,$f(t,\phi)$在$\Omega$中的每一个紧集里关于$\phi$(1.2)成立. 若$(\sigma,\phi)\in\Omega$,则(1.1)过$(\sigma,\phi)$存在唯一的解$x(t,\sigma,\phi)$.

在一定的条件下,可以证明一系列与常微分方程平行的连续依赖性定理,解的可微性定理以及解的延拓与不可延拓解的相应定理[79].

本章致力于阐述稳定性的普遍定理,而且主要是V泛函法与Разумихин 型定理. 最后介绍一下近期的最新发展——无穷滞后问题. 记

$$\mathscr{B}(0,\alpha)=\{\phi:|\phi|<\alpha\},\overline{\mathscr{B}}(0,\alpha)=\{\phi:|\phi|\leqslant\alpha\}.$$

$$\alpha=\text{const}. \tag{1.4}$$

定义1. 设$f(t,0)=0$对一切$t\in\mathbb{R}$成立,则

"方程(1.1)的零解$x\equiv0$称之为稳定的,如果对任何$\sigma\in\mathbb{R}$,$\varepsilon>0$,存在$\delta(\varepsilon,\sigma)>0$,使得对一切$t\geqslant\sigma$,当$\phi\in\mathscr{B}(0,\delta)$时$\Rightarrow x_t(\sigma,\phi)\in\mathscr{B}(0,\varepsilon)$".

"方程(1.1)的零解$x\equiv0$称之为渐近稳定的,如果它是稳定的,并且存在$b_0=b_0(\sigma)>0$,使得对一切$\phi\in\overline{\mathscr{B}}(0,b_0)$当$t\to\infty$时,有$x(\sigma,\phi)(t)\to0$".

"方程(1.1)的零解$x\equiv0$称之为一致稳定的,如果它是稳定的,而且数δ与σ无关",

“(1.1)的零解称之为一致渐近稳定的，如果它是一致稳定的，而且存在$b_0>0$，使得对每一个$\eta>0$存在$t_0(\eta)$，对一切$\sigma\in\mathbb{R}$，只要$\phi\in\mathscr{B}(0,b_0)$，当$t\geqslant\sigma+t_0(\eta)$时，就有$x_t(\sigma,\phi)\in\mathscr{B}(0,\eta)$.”

“在渐近稳定性与一致渐近稳定性的定义中，若$\mathscr{B}(0,b_0)$为全空间，则(1.1)的零解称之为全局稳定与全局一致稳定的.”

与常微分方程一样，任一解$y(t)$的稳定性问题，可以化为零解的稳定性问题：设$y(t)$为(1.1)之任一解，令$x=z+y$，则(1.1)化为

$$
\begin{aligned}
\dot{z}&=f(t,z_t+y_t)-f(t,y_t)\\
&\overset{\text{def}}{=\!=}\tilde{f}(t,z_t).
\end{aligned}
\tag{1.5}
$$

于是(1.5)的解$z\equiv0$对应于(1.1)的解$y(t)$，$y(t)$的稳定性化为$z\equiv0$的稳定性.

定义2. 对方程(1.1)的解$x(\sigma,\phi)(t)$：

“$x(\sigma,\phi)(t)$称之为有界的，若$\exists\,\beta(\sigma,\phi)>0$，使得对$\forall t\geqslant\sigma$，$r\,|x(\sigma,\phi)(t)|<\beta(\sigma,\phi)$成立”.

“$x(\sigma,\phi)(t)$称之为一致有界的，若对$\forall\,\alpha>0$，$\exists\,\beta(\alpha)>0$，使得对$\forall\,\phi\in\mathscr{B}(0,\alpha)$，$\sigma\in\mathbb{R}$，当$t\geqslant\sigma$时，$|x(\sigma,\phi)(t)|\leqslant\beta(\alpha)$”.

“$x(\sigma,\phi)(t)$称之为最终有界的，若$\exists\,\beta>0$，使得对$\forall\,(\sigma,\phi)\in\mathbb{R}\times C$，$\exists$常数$t_0(\sigma,\phi)$，当$t\geqslant\sigma+t_0(\sigma,\phi)$时有$|x(\sigma,\phi)(t)|<\beta$”

“$x(\sigma,\phi)(t)$称之为一致最终有界的，若$\exists\,\beta>0$，使得对$\forall\,\alpha>0$，$\exists$常数$t_0(\alpha)>0$，对$\forall\,\sigma\in\mathbb{R}$，$\phi\in\mathscr{B}(0,\alpha)$，当$t\geqslant\sigma+t_0(\alpha)$时成立$|x(\sigma,\phi)(t)|\leqslant\beta$”

关于一致有界与最终有界的两个结果，已在第九章§4中指出了.

§2. Ляпунов泛函方法

设$V(t,\phi):\mathbb{R}\times C\to\mathbb{R}$为连续泛函,$x_t(\sigma,\phi)$是(1.1)过$(\sigma,\phi)$的解,$V(t,\phi)$沿(1.1)的上右导数定义为

$$\dot{V}(t,\phi)=\overline{\lim_{h\to 0+}}\frac{1}{h}[V(t+h,x_{t+h}(t,\phi))-V(t,\phi)], \tag{2.1}$$

通常写成$\dot{V}_{(1.1)}(t,\phi)$,如果强调方程(1.1)的话.

定理3. 设$f:\mathbb{R}\times C\to\mathbb{R}^n$,为$\mathbb{R}\times$($C$的有界子集)到$\mathbb{R}^n$之有界集的映射,$u,v,w:\mathbb{R}_+\to\mathbb{R}_+$是连续的非减函数,$u(s)$,$v(s)$当$s>0$时是正的,且$u(0)=v(0)=0$,若$\exists\,\mathbb{R}\times C\to\mathbb{R}$上的连续泛函$V(t,\phi)$,使得

$$u(|\phi(0)|)\leqslant V(t,\phi)\leqslant v(|\phi|), \tag{2.2}$$

$$\dot{V}(t,\phi)\leqslant -w(|\phi(0)|), \tag{2.3}$$

则(1.1)的零解是一致稳定的. 若当$s\to\infty$时有$u(s)\to\infty$, 则(1.1)的解一致有界,若当$s>0$时$w(s)>0$,则(1.1)的零解一致渐近稳定.

证. 不失一般性,设$r>0$.

对任何$\varepsilon>0$,$\exists\,\delta(\varepsilon)>0\,(0<\delta<\varepsilon)$,使得

$$v(\delta)<u(\varepsilon).$$

设$\phi\in\mathscr{B}(0,\delta)$,$\sigma\in\mathbb{R}$,则对$\forall t\geqslant\sigma$有

$$\dot{V}_{(1.1)}(t,x_t(\sigma,\phi))\leqslant 0. \tag{2.4}$$

再由(2.2)得到

$$\begin{aligned}u(|x(\sigma,\phi)(t)|)&\leqslant V(t,x_t(\sigma,\phi))\leqslant V(\sigma,\phi)\\&\leqslant v(\delta)\leqslant u(\varepsilon),\quad t\geqslant\sigma.\end{aligned}$$

故当$t\geqslant\sigma$时由u非减知$|x(\sigma,\phi)(t)|<\varepsilon$, 即

$$\forall\phi\in\mathscr{B}(0,\delta)\Rightarrow x_t(\sigma,\phi)\in\mathscr{B}(0,\varepsilon),\ t\geqslant\sigma,$$

一致稳定性得证.

若$s\to\infty$时,$u(s)\to\infty$,对$\forall\alpha>0$,取$\beta>0$使得$u(\beta)=v(\alpha)$,相应地,若$\phi\in\mathscr{B}(0,\alpha)$则$|x(\sigma,\phi)(t)|<\beta$,这就是解的一致有界性.

为了证明一致渐近稳定性．对 $\varepsilon=1$ 取 $\delta_0=\delta_{(1)}$ 为上面证得的一致稳定性的常数．对任意的 $\varepsilon>0$，若能证明存在 $t_0(\delta_0,\varepsilon)>0$，当 $t\geqslant\sigma+t_0(\delta_0,\varepsilon)$ 时 $|x_t(\sigma,\phi)|<\varepsilon$ 成立，便得一致渐近稳定性．

令 $\delta=\delta(\varepsilon)>0$ 为一致稳定性中的常数，用反证法，若有一解 $x(\sigma,\phi)(t)$ $(\phi\in\mathscr{B}(0,\delta_0))$，但 $|x_t|\geqslant\delta$ $(t\geqslant\sigma)$，那末每一个长度为 r 的区间上必有一个 s，使 $|x(s)|\geqslant\delta$，即存在序列 $\{t_k\}$，使得

$$\sigma+(2k-1)r\leqslant t_k\leqslant\sigma+2kr,k=1,2,\cdots$$

$$|x(t_k)|\geqslant\delta.$$

由对 $f(t,\phi)$ 的假设知存在一常数 L，使 $|\dot{x}(t)|<L$ 对一切 $t\geqslant\sigma$ 成立，故由不等式 $-L<\dot{x}(t)<L$ 自 t 到 t_k 积分，就得到在 $t_k-\delta/2L\leqslant t\leqslant t_k+\delta/2L$ 上有 $|x(t)|>\delta/2$．从而有

$$\dot{V}(t,x_t)\leqslant-w\left(\frac{\delta}{2}\right),\ t_k-\frac{\delta}{2L}\leqslant t\leqslant t_k+\frac{\delta}{2L}.$$

不失一般性，可设 L 适当大，使得这些区间不相交，或者取 $\{t_k\}$ 之子序列也可达到同一目的．因此，由 $t_k-\sigma>\dfrac{\delta}{L}(k-1)$ 有

$$V(t_k,x_{t_k})-V(\sigma,\phi)\leqslant-w\left(\frac{\delta}{2}\right)\frac{\delta}{L}(k-1).$$

记 $K(\delta_0,L)$ 为 $\geqslant v(\delta_0)/\dfrac{\delta}{L}w\left(\dfrac{\delta}{2}\right)$ 的最小整数，如果 $k>1+K(\delta_0,L)$，则

$$V(t_k,x_{t_k})<v(\delta_0)-w\left(\frac{\delta}{2}\right)\frac{\delta}{L}\frac{v(\delta_0)}{\dfrac{\delta}{L}w\left(\dfrac{\delta}{2}\right)}\leqslant0,$$

得出矛盾．因此必有

$$\tau=\tau(\sigma,\phi),\sigma<\tau\leqslant\sigma+2rK(\delta_0,L),$$

使得 $|x_\tau|<\delta$，从而当 $t\geqslant\sigma+2rK(\delta_0,L)$ 时 $|x_t|<\varepsilon$，定理证毕．

这类稳定性定理有大量的推广，大体上与常微分方程的种种推广是平行的[45,78,67,13,19,131,118]．

下面给出若干例子，以说明泛函 $V(t,\phi)$ 的种种构造方式．

例1. 考虑定常线性DDE，

$$\dot{x}(t)=Ax(t)+Bx(t-r),r>0. \tag{2.5}$$

事实上(2.5)写成(1.1)的形式应为

$$\dot{x}=A\phi(0)+B\phi(-r),$$

其中 A,B 为 $n\times n$ 阵，C 为对称阵，$C>0$（表示 C 为正定阵）. 设 A 之特征根皆具负实部且有关系

$$A'C+CA=-D<0.$$

设 E 为一正定阵，作

$$V(\phi)=\phi'(0)C\phi(0)+\int_{-r}^{0}\phi'(\theta)E\phi(\theta)d\theta. \tag{2.6}$$

显然∃正数 v,k 使

$$v|\phi(0)|^2\leqslant V(\phi)\leqslant k|\phi|^2.$$

又 V 关于(2.5)求导

$$\dot{V}(\phi)=-\phi'(0)D\phi(0)+2\phi'(0)CB\phi(-r)$$
$$+\phi'(0)E\phi(0)-\phi'(-r)E\phi(-r).$$

若我们把上式右端看成是关于 $\phi(0),\phi(-r)$ 的二次型，且对阵 A,B 附加条件以保证阵 C,E 存在且使得关于 $\phi(0),\phi(-r)$ 的二次型是负定的，则由定理3推知 $x\equiv 0$ 是渐近稳定的. 即要确定 A,B,C,E，使对称阵

$$\begin{bmatrix} D-E & -CB \\ -B'C & E \end{bmatrix} \tag{2.7}$$

是正定的. 已知 $D>0,E>0$，若 $D-E>0$，则当 $B=0$ 时阵(2.7)为正定的，于是 $\|B\|$ 充分小时(2.7)保持正定性，故此时(2.5)之零解渐近稳定.

应用上述方法，可以对 B 给出一种具体的估计，以保证(2.7)是正定的. 设 $D-E>0$，

$$x'(D-E)x\geqslant\lambda|x|^2,x'Ex\geqslant\mu|x|^2,$$

则 $\dot{V}_{(2.5)}$ 有估式

$$\dot{V}(\phi)\leqslant-\lambda|\phi(0)|^2+2\|CB\||\phi(0)||\phi(-r)|-\mu|\phi(-r)|^2.$$

若 $\lambda\mu-\|CB\|^2>0$,则

$$\dot{V}(\phi)\leqslant -k(|\phi(0)|^2+|\phi(-r)|^2),r>0,$$

其中 k 是适当选取之正常数，由定理 3 推知其零解一致渐近稳定.

显然，这种估计并非最理想的. 有一个待研究的问题：设(2.5)为全时滞稳定的，它存在满足条件(2.7)的，形如(2.6)的泛函 $V(\phi)$ 的充要条件是什么？$n=2$ 的情形已解决.

例2. 对纯量方程

$$\dot{x}(t)=-ax(t)-bx(t-r),r>0, \tag{2.8}$$

可取 V 泛函为

$$V(\phi)=\frac{1}{2}\phi^2(0)+\mu\int_{-r}^{0}\phi^2(\theta)d\theta,\mu>0, \tag{2.9}$$

则有

$$\dot{V}(\phi)=-(a-\mu)\phi^2(0)-b\phi(0)\phi(-r)-\mu\phi^2(-r). \tag{2.10}$$

由例 1，相应的(2.7)为正定的充要条件是

$$a>\mu>0,\ 4(a-\mu)\mu>b^2, \tag{2.11}$$

当 $\mu=a/2$ 时，由(2.11)所确定的 $|b|$ 的允许取值范围为最大. 此时我们看出，若 $|b|<a$，则(2.8)的零解对一切 r 为渐近稳定的. 我们再一次得到第八章的全时滞稳定的结果.

例3. 考虑非定常纯量方程

$$\dot{x}(t)=-a(t)x(t)-b(t)x(t-r), \tag{2.12}$$

其中 $a(t),b(t)$ 当 $t\in\mathbb{R}$ 时有界、连续，且对 $\forall t\in$ ， $a(t)\geqslant\delta>0$ 成立.

同样地，用(2.9)作为(2.12)的 Ляпунов 泛函，但取 $\mu=\delta/2$，此时 $\dot{V}(\phi)$ 的形式与(2.9)一样. 若不等式(2.11)成立，即关于 t 一致地有

$$(2a(t)-\delta)\delta>b^2(t),$$

则方程(2.12)的零解是一致渐近稳定的.

特别地，若 $\exists$ 常数 $\theta\in[0,1)$，使得对 $\forall t\in\mathbb{R}\ |b(t)|\leqslant\theta\delta$ 成立，则不等式(2.11)成立.

若 $r=r(t)$，$r(t)$ 连续可微且有界，并且对 $t\in\mathbb{R}$ 一致地有 $a(t)\geqslant\delta>\mu>0$，$(2a(t)-\mu)(1-\dot{r}(t))\mu>b^2(t)$，则仍用(2.9)的泛函 $V(\phi)$。可以由定理 3 推知其零解是一致渐近稳定的.

现在给出 RFDE 零解为不稳定的充分条件：

定理4. RFDE(f) 过 (σ,ϕ) 的解记为 $x(\sigma,\phi)(t)$. 设 $V(\phi)$ 是 C 中连续有界泛函，若 ∃ 一个 $r>0$ 及开集 U，使得

（1）$V(\phi)>0$，$\phi\in U$，在 U 的边界 Γ_v 上 $V(\phi)=0$；

（2）$\{0\}\in\bar{U}\cap\mathscr{B}(0,\gamma)$；

（3）在 $U\cap\mathscr{B}(0,\gamma)$ 上，$V(\phi)\leqslant u(|\phi(0)|)$；

（4）在 $\mathbb{R}_+\times U\cap\mathscr{B}(0,\gamma)$ 上，$\dot{V}^*(\phi)\geqslant w(|\phi(0)|)$，

其中

$$\dot{V}^*(\phi)=\lim_{h\to0^+}\frac{1}{h}[V(x_{t+h}(t,\phi))-V(\phi)],$$

$u(s)$，$w(s)$ 为连续、非减的，$s>0$ 时为正，则此 RFDE(f) 的零解不稳定.

特别地，对 $\forall\phi\in U\cap\mathscr{B}(0,\gamma)$，过 (σ,ϕ) 的解 $x_t(\sigma,\phi)$ 必在有限的时间内达到 $\mathscr{B}(0,r)$ 的边界.

证. 设 $\sigma\in\mathbb{R}$，$\phi\in U\cap\mathscr{B}(0,\gamma)$，故 $V(\phi)>0$. 由条件（3）有

$$|\phi(0)|\geqslant u^{-1}(V(\phi)),$$

再由（3）及（4）知，只要 $x_t\in U\cap\mathscr{B}(0,\gamma)$，就有

$$|x(t)|\geqslant u^{-1}(V(x_t))\geqslant u^{-1}(V(\phi)),$$

所以有

$$\dot{V}^*(x_t)\geqslant w(|x(t)|)\geqslant w(u^{-1}(V(\phi)))>0,$$

$$\text{当 } x_t\in U\cap\mathscr{B}(0,\gamma)\text{ 时}.$$

记

$$\eta=w(u^{-1}(V(\phi))),$$

则当 $x_t\in U\cap\mathscr{B}(0,\gamma)$ 时就有

$$V(x_t)\geqslant V(\phi)+\eta(t-\sigma).$$

由条件（1），（4）推知 x_t 不可能越过 U 的边界 Γ_U 而跑出 $U\cap\mathscr{B}(0,\gamma)$. 因 $V(\phi)$ 在 $U\cap\mathscr{B}(0,\gamma)$ 上是有界的，故必有 t_1 使 x_{t_1} 属于

$\mathscr{B}(0,\gamma)$的边界．定理的后一结论得证．

另一方面，由(2)，C的原点的任一邻域存在$\phi\in U\cap\mathscr{B}(0,\gamma)$，所以零解是不稳定的．证毕．

作为例子，仍考虑方程(2.8)，不过现在设$a+b<0$．这在第五章中已详尽讨论过．现在要用 Ляпунов 泛函证明，对某一$r_0(a,b)$，当$r<r_0(a,b)$时，(2.6)的零解是不稳定的(如果为了与第五章的记号一致，可记$r_0(a,b)$为$\Delta_0(a,b)$)．

设F是一给定的连续可微函数，我们取V泛函形如

$$V(\phi)=\frac{1}{2}\phi^2(0)-\frac{1}{2}\int_{-r}^{0}F(-\tau)[x(t+\tau)-x(t)]^2d\tau, \tag{2.13}$$

于是有

$$V(x_t)=\frac{x^2(t)}{2}-\frac{1}{2}\int_{t-r}^{t}F(t-u)[x(u)-x(t)]^2du. \tag{2.14}$$

不难得到

$$\begin{aligned}\dot V^*(x_t)=\dot V(x_t)=&-(a+b)x^2(t)-b(x(t-r)-x(t))x(t)\\&+\frac{1}{2}F(r)[x(t-r)-x(t)]^2\\&-\frac{1}{2}\int_{t-r}^{t}\dot F(t-u)[x(u)-x(t)]^2du\\&+\int_{t-r}^{t}F(t-u)[x(u)-x(t)]\\&\times[-(a+b)x(t)-b\{x(t-r)-x(t)\}]du.\end{aligned}$$

若$\dot V$完全写成$t-r$到t的积分，则当不等式

$$\Delta_1\overset{\text{def}}{=\!=}a+b<0,$$

$$\Delta_2\overset{\text{def}}{=\!=}-\frac{a+b}{2}F(r)-\frac{b^2}{4}>0,$$

$$\Delta_3\overset{\text{def}}{=\!=}\frac{\Delta_2}{r^2}\left(-\frac{1}{2}\dot F(\theta)\right)-\frac{(a+b)^2}{8r}F^2(\theta)F(r)>0,$$

$$0\leqslant\theta\leqslant r,$$

都成立时，积分将是 $x(t)$，$[x(t-r)-x(t)]$，$[x(u)-x(t)]$ 的正定二次型. 故若 $a+b<0$，则我们可以确定一个 $r_0(a,b)$ 及连续可微的正函数 $F(\theta)$ $(0\leqslant\theta\leqslant r_0(a,b))$，使得这些不等式都成立. 所以存在一个正的常数 q，使得

$$\dot{V}^*(\phi)\geqslant qr\phi^2(0),V(\phi)\leqslant\frac{\phi^2(0)}{2},$$

对一切 $\phi\in C$ 成立. 若记

$$U=\left\{\phi\in C:\phi^2(0)>\int_{-r}^{0}F(-\theta)[\phi(\theta)-\phi(0)]^2d\theta\right\},$$

则 U 满足定理 4 的假设(1)，(2). 因之，若 $\Delta_1<0$，$r<r_0(a,b)$；则方程(2.8)的零解是不稳定的.

注 1. 若 a，b 为 t 的函数，连续且有界，当 $t\in\mathbb{R}$ 时恒 $a(t)+b(t)<\delta<0$ 成立，则相应的结论仍成立.

例4. 考虑方程

$$\dot{x}(t)=a(t)x^3(t)+b(t)x^3(t-r),\tag{2.15}$$

其中 $a(t)$，$b(t)$ 是任意给定的连续有界函数，并且 $a(t)\geqslant\delta>0$，$|b(t)|<q\delta$，$0<q<1$，我们取泛函

$$V(\phi)=\frac{\phi^4(0)}{4}-\frac{\delta}{2}\int_{-r}^{0}\phi^6(\theta)d\theta.\tag{2.16}$$

显然，由 $V(\phi)$ 的取法有

$$V(\phi)\leqslant\phi^4(0)/4.$$

V 关于(2.15)的导数

$$\begin{aligned}\dot{V}^*(\phi)&=\dot{V}(\phi)\\&=\left[a(t)-\frac{\delta}{2}\right]\phi^6(0)+b(t)\phi^3(0)\phi^3(-r)\\&\quad+\frac{\delta}{2}\phi^6(-r).\end{aligned}\tag{2.17}$$

注意到(2.17)是 $\phi^3(0)$，$\phi^3(-r)$ 的正定的二次型，若令

$$U \doteq \left\{ \phi \in C: \frac{\phi^4(0)}{4} > \frac{\delta}{2}\int_{-r} \phi^6(\theta)\,d\theta \right\},$$

则与前述例子类似，可知(2.15)的零解是不稳定的.

若 $a(t) \leqslant -\delta < 0$, $|b(t)| < q\delta$，取

$$V(\phi) = \frac{\phi^4(0)}{4} + \frac{\delta}{2}\int_{-r}^{0} \phi^6(\theta)\,d\theta,$$

则由定理 3 推出(2.15)的零解是一致渐近稳定的.

注2. 对方程

$$\dot{x}(t) = ax^3(t) + b(t)x^4(t-r) \tag{2.18}$$

也可以用泛函(2.16). 可以证明，当$|b(t)|$在$\mathbb{R}$中是有界的时候，(2.18)的零解是稳定的或不稳定的，仅由 $a<0$ 或 >0 确定.

§3. Разумихин 型定理

在第二章与第六章中，我们已不止一次提到 Разумихин 条件. 事实上，所谓 Разумихин 型定理，是指用通常的 Ляпунов 函数 $V(t, x): \mathbb{R}\times\mathbb{R}^n \to \mathbb{R}$，加上 Разумихин 条件，以得到与常微分方程平行的种种稳定性与不稳定性准则.

设 $V: \mathbb{R}\times\mathbb{R}^n \to \mathbb{R}$ 是一个连续函数，则V 沿 RFDE(f) 的解的导数定义为

$$\dot{V}(t,\phi(0)) = \overline{\lim_{h\to 0^+}} \frac{1}{h}[V(t+h, x(t,\phi)(t+h)) - V(t,\phi(0))], \tag{3.1}$$

其中 $x(t,\phi)(t)$ 为 RFDE(f) 过(t,ϕ)之解.

定理5. 设 (1.1) 中 $f: \mathbb{R}\times C \to \mathbb{R}^n$ 把 $\mathbb{R}\times$(C 中有界集) 映入$\mathbb{R}^n$ 中的有界集，$u, v, w: \mathbb{R}_+ \to \mathbb{R}_+$ 是连续的，非减的函数，$u(s)$, $v(s)$ 对 $s>0$ 为正，$u(0) = v(0) = 0$. 若存在一个连续的函数 V，使得

$$u(|x|) \leqslant V(t,x) \leqslant v(|x|), \tag{3.2}$$

$$t\in\mathbb{R}, x\in\mathbb{R}^n;$$

$$\dot{V}(t,\phi(0)) \leqslant -w(|\phi(0)|), \tag{3.3}$$

当 $V(t+\theta,\phi(\theta))\leqslant V(t,\phi(0)),\theta\in[-r,0]$时，
则(1.1)的零解一致稳定.

证. 这个定理可以直接用类似于常微分方程的方法证明之. 这里我们是通过建立一个 Ляпунов 泛函 $\bar{V}(t,\phi)$，然后应用定理3的已知结论来导出本定理的结论.

对 $t\in\mathbb{R},\phi\in C$，定义泛函

$$\bar{V}(t,\phi)=\sup_{\theta\in[-r,0]}V(t+\theta,\phi(\theta)). \tag{3.4}$$

则存在 $\theta_0\in[-r,0]$，使得

$$\bar{V}(t,\phi)=V(t+\theta_0,\phi(\theta_0)),$$

其中或者 $\theta_0=0$，或者 $\theta_0<0$.

当 $\theta_0<0$ 时，有 $V(t+\theta,\phi(\theta))<V(t+\theta_0,\phi(\theta_0))\ (\theta_0\leqslant\theta\leqslant0)$. 因此，对充分小的 $h>0$，

$$\bar{V}(t+h,x_{t+h}(t,\phi))=\bar{V}(t,\phi),$$

从而 $\dot{\bar{V}}=0$.

当 $\theta_0=0$ 时，由条件(3.3)有 $\dot{\bar{V}}\leqslant0$，
此外，对 $t\in\mathbb{R},\phi\in C$，(3.2)成立，即

$$u(|\phi(0)|)\leqslant\bar{V}(t,\phi)\leqslant v(|\phi|).$$

于是由定理3推知(1.1)的零解是一致稳定的.

定理6. 设定理5的全部条件满足，且设当 $s>0$ 时，$w(s)>0$. 若∃一个连续、非减的函数 $p(s)>s\ (s>0)$，使(3.3)加强为

$$\begin{aligned}&\dot{V}(t,\phi(0))\leqslant-w(|\phi(0)|),\\&\text{当 } V(t+\theta,\phi(\theta))<p(V(t,\phi(0))),\theta\in[-r,0]\text{时}，\end{aligned} \tag{3.5}$$

则(1.1)的零解是一致渐近稳定的.

若 $s\to\infty$ 时 $u(s)\to\infty$，则 $x\equiv0$ 是(1.1)的一个全局吸引子.

证. 由定理5即得零解的一致稳定性.

为了证明定理的其余部分，设 $\delta>0$，$H>0$ 满足关系 $v(\delta)=u(H)$. 事实上，由 $v(0)=0$，有

$$0<u(s)\leqslant v(s),s>0,$$

取定 H，再确定 δ，使 $v(\delta)=u(H)$ 是可行的．若当 $s\to\infty$ 时 $u(s)\to\infty$，则对任意的 δ，可确定 H 使 $v(\delta)=u(H)$．由此及以下的论证可说明零解的一致渐近稳定性以及它是全局吸引子．

设 $v(\delta)=u(H)$．由定理5的论证可知，若 $|\phi|\leqslant\delta$，则 $|x_t(t_0,\phi)|\leqslant H$，$V(t,x(t_0\phi)(t))<v(\delta)$ 对一切 $t\geqslant t_0-r$ 成立．设 $0<\eta\leqslant H$ 为任一给定的数，我们需要证明存在 $\bar{t}=\bar{t}(\eta,\delta)$，使得对任何 $t_0\geqslant 0$ 和 $|\phi|\leqslant\delta$，(1.1) 的解 $x(t_0,\phi)(t)$ 当 $t\geqslant t_0+\bar{t}+r$ 时有

$$|x_t(t_0,\phi)|\leqslant\eta.$$

若我们能证明当 $t\geqslant t_0+\bar{t}$ 时 $V(t,x(t_0\phi)(t))\leqslant u(\eta)$，则上述结论得证．为方便起见，下面记 $x(t)=x(t_0,\phi)(t)$．

由 $p(s)$ 的性质，$\exists\, a>0$，使得对 $u(\eta)\leqslant s\leqslant v(\delta)$ $p(s)-s>a$ 成立．记 N 为满足 $u(\eta)+Na\geqslant v(\delta)$ 的最小正整数．并记

$$\gamma=\inf_{V^{-1}(u(\eta))\leqslant s\leqslant H} w(s),\quad T=Nv(\delta)/\gamma.$$

我们指出，对一切 $t\geqslant t_0+T$，$V(t,x(t))\leqslant u(\eta)$．首先指出对 $t\geqslant t_0+(v(\delta)/\gamma)$ 有

$$V(t,x(t))\leqslant u(\eta)+(N-1)a.$$

若 $t_0\leqslant t\leqslant t_0+(v(\delta)/\gamma)$，则 $u(\eta)+(N-1)a<V(t,x(t))$．因为对一切 $t\geqslant t_0-r$ 有 $V(t,x(t))\leqslant v(\delta)$，从而

$$\begin{aligned}&p(V(t,(x)))>V(t,x(t))+a\geqslant u(\eta)+Na\\&\quad\geqslant v(\delta)\geqslant V(t+\theta,x(t+\theta)),\\&t_0\leqslant t\leqslant t_0+v(\delta)/r,\theta\in[-r,0].\end{aligned}$$

由条件(3.5)得到

$$\begin{aligned}&\dot{V}(t,x(t))\leqslant -w(|x(t)|)\leqslant -\gamma,\\&t_0\leqslant t\leqslant t_0+(v(\delta)/\gamma).\end{aligned}$$

因此有

$$\begin{aligned}&V(t,x(t))\leqslant V(t_0,x(t_0))-\gamma(t-t_0)\\&\quad\leqslant v(\delta)-r(t-t_0),\\&t_0\leqslant t\leqslant t_0+v(\delta)/\gamma.\end{aligned}$$

由 V 的正定性，(3.2) 意味着 $t=t_1=t_0+v(\delta)/r$ 时，$V(t,x(t))\leqslant u$

$u(\eta)+(N-1)a$，但由条件(3.5)知，当 $V(t,x(t))=u(\eta)+(N-1)a$ 时 $\dot{V}(t,x(t))$ 为负，从而对一切 $t\geqslant t_0+(v(\delta)/\gamma)$，

$$V(t,x(t))\leqslant u(\eta)+(N-1)a.$$

今设 $\bar{t}_j=jv(\delta)/\gamma$，$j=1,2,\cdots,N$，$\bar{t}_0=0$ 并设对某一整数 $k\geqslant 1$，在区间 $\bar{t}_{k-1}\leqslant t-t_0\leqslant\bar{t}_k$ 上有

$$u(\eta)+(N-k)a\leqslant V(t,x(t))\leqslant u(\eta)+(N-k+1)a.$$

同理我们有

$$\dot{V}(t,(x(t))\leqslant -r,\bar{t}_{k-1}\leqslant t-t_0\leqslant\bar{t}_k,$$

以及当 $t-t_0-\bar{t}_{k-1}\geqslant v(\delta)/\gamma$ 时有

$$\begin{aligned}V(t,x(t))&\leqslant V(t_0+\bar{t}_{k-1},x(t_0+\bar{t}_{k-1}))-\gamma(t-t_0-\bar{t}_{k-1})\\&\leqslant v(\delta)-\gamma(t-t_0-\bar{t}_{k-1})\leqslant 0,\end{aligned}$$

因此有

$$V(t_0+\bar{t}_k,x(t_0+\bar{t}_k))\leqslant u(\eta)+(N-k)a.$$

最后得到当 $t\geqslant t_0+\bar{t}_k$ 时

$$V(t,x(t))\leqslant u(\eta)+(N-1)a.$$

用归纳法，我们有 $V(t,x(t))\leqslant u(\eta)$，对一切 $t\geqslant t_0+Nv(\delta)/\gamma$.
定理证毕.

例1. 考虑方程

$$\dot{x}(t)=-a(t)x(t)-b(t)x(t-r_0(t)),\qquad(3.6)$$

其中 a,b,r 都是 $\mathbb{R}$ 中有界连续函数，且

$$|b(t)|\leqslant a(t),0\leqslant r_0(t)\leqslant r,t\in\mathbb{R}.$$

设 $V(x)=x^2/2$，则当 $|x(t)|\geqslant|x(t-r_0(t))|$ 时有

$$\begin{aligned}\dot{V}(x(t))&=-a(t)x^2(t)-b(t)x(t)x(t-r_0(t))\\&\leqslant -a(t)x^2(t)+|b(t)||x(t)||x(t-r_0(t))|\\&\leqslant -[a(t)-|b(t)|]x^2(t)\leqslant 0.\end{aligned}$$

而 $V(x)=x^2/2$，故 $V(x(t))\geqslant V(x(t-r_0(t))$ 时

$$\dot{V}(x(t))\leqslant 0.$$

由定理5推知(3.6)的解 $x\equiv 0$ 是一致渐近稳定的.

此外，若 $a(t)\geqslant\delta>0$，且存在 $k(k\in[0,1))$，使得 $|b(t)|\leqslant k\delta$，则(3.6)的零解是一致渐近稳定的. 事实上，对某常数 $q>1$，设 V

$(x)=x^2/2$，则当 $p(V(x(t)))>V(x(t-r_0(t)))$ 时有

$$\dot{V}(x(t))\leqslant-(1-qk)\delta x^2(t).$$

因为 $k<1$，故存在 $q>1$，使得 $1-qk>0$，由定理6即得(3.6)零解的一致渐近稳定性.

这个结果是利用 V 泛函对方程(2.12)所得结果的改进，因为这里滞量可以是一个任意的有界连续函数.

若 $V(x)$ 如上取法，则由类似于上面的证明可推知方程

$$\dot{x}(t)=-a(t)x(t)-\sum_{j=1}^{n}b_j(t)x(t-r_j(t))$$

的零解是一致渐近稳定的. 这里 a,b_j,r_j 是有界连续函数，且要求

$$a(t)\geqslant\delta>0,\sum_{j=1}^{n}|b_j(t)|<k\delta,0<k<1,0\leqslant r_j(t)\leqslant r,$$

对 $\forall t\in\mathbb{R}$ 成立.

例2. 考虑一阶非线性方程

$$\dot{x}(t)=f(x(t-r(t)),t),0\leqslant r(t)\leqslant r. \tag{3.7}$$

$$f(0,t)=0,$$

其中 $r(t)$ 是 t 的连续函数，$f(x,t)$ 是 $t\in\mathbb{R}_+,x\in\mathbb{R}$ 的连续函数，并且关于 x 有连续的偏导数

$$|\partial f(x,t)/\partial x|<L,t\in\mathbb{R}_+,x\in\mathbb{R}.$$

对 $t\geqslant 2r$，我们可以把方程(3.7)写成

$$\dot{x}(t)=f(x(t),t)-[f(x(t),t)-f(x(t-r(t)),t)]$$

$$=f(x(t),t)-\int_{t-r(t)}^{t}\frac{\partial f}{\partial x}(x(\theta),t)f(x(\theta-r(\theta)),\theta)d\theta,$$

对 $V(\phi)=\phi^2(0)$，我们有

$$\dot{V}(x_t)=2x(t)fx(t),t)$$

$$-2\int_{t-r(t)}^{t}x(t)\frac{\partial f}{\partial x}(x(\theta),t)f(x(\theta-r(\theta)),\theta)d\theta$$

$$\leqslant 2x(t)f(x(t),t)+2L^2\int_{t-r(t)}^{t}|x(t)x(\theta-r(\theta))|d\theta$$

$$\leqslant 2x(t)f(x(t),t)+2L^2r(t)|x(t)|\,|x_{t-r(t)}|,\ t\geqslant 2r,$$

若 $q>1$ 为固定的数，考虑所有满足

$$x^2(t-\xi)\leqslant q^2x^2(t),\ 0\leqslant\xi\leqslant 2r,$$

的 $x(t)$ 的集合，若

$$(f(x_1t)/x)+L^2r(t)q<-\mu<0,$$

则有

$$\dot V(x_t)\leqslant 2\left[\frac{f(x(t),t)}{x(t)}+L^2r(t)q\right]x^2(t)<-2\mu x^2(t).$$

对 $\mu>0$，$t\in\mathbb{R}_+$，$x\in\mathbb{R}$ 及 $p(s)=q^2s$，由定理 6 知(3.7)之零解是一致渐近稳定的，并且是全局吸引子。

§4. 无穷滞后系统的基本概念

带有时滞的 Volttera 型积分微分方程，提供了一个新的课题的信息——具有无穷滞后系统的研究. 但是，严格地说，这一方向是 1978 年才开始系统研究的. 事实上，即使是有限滞后系统，用现代分析的观点进行大规模研究工作，也只是六十年代才开始的. 而无穷滞后系统在理论上的困难则远远超过有限滞后系统. 它涉及了几乎所有的泛函微分方程的概念，方法和结果，应用了更为广泛的现代分析的概念与结果. 这对初次涉足泛函微分方程的读者，无疑是一种严重的挑战. 虽然如此，对这一五年来迅速发展的最新方向，我们还是尽可能通俗地予以介绍. 有兴趣的读者可以系统地阅读[80, 81, 91, 93, 97]。

1. 问题的提出

考虑形式上与(1.1)完全一样的方程

$$\dot x=f(t,x_t), \tag{4.1}$$

$x_t=x(t+\theta)$，不过这时 $\theta\in\mathbb{R}_-=(-\infty,0]$，而不是 $\theta\in[-r,0]$. 很自然地设想初值问题的提法为

$$\begin{cases} \dot{x} = f(t, x_t), \\ x(t) = \phi(t), t \in \mathbb{R}_- = (-\infty, 0]. \end{cases} \tag{4.2}$$

此时，状态 x_t 总是含有初始函数 ϕ，即对一切 $t \geqslant \sigma$，x_t 在 $\mathbb{R}_-$ 上的限制等于 ϕ. 这一点，给我们的问题带来了麻烦. 例如，我们若仍记 $C_0 = C_0(\mathbb{R}_-, \mathbb{R}^n)$，$C_0$ 表示 $\mathbb{R}_-$ 上有界连续函数全体构成的实线性向量空间，还定义一致范数为

$$\phi \in C, |\phi| = \sup_{\in \mathbb{R}_-} |\phi(t+s)|,$$

则根本无法讨论解的渐近稳定性. 因为(4.1)的任何非零解关于这个范数决不会趋于 0，即

$$|x_t| = \sup_{\in \mathbb{R}_-} |x(t+s)| > 0, \text{当 } t \to \infty \text{ 时}.$$

因之，作为初始数据空间的 Banach 空间 B，需要满足一些假定，使得有限时滞系统的基本理论，稳定性理论等一系列结果可以平行地予以推广. 这些假定要求保证：B 中的渐近稳定性与 $\mathbb{R}^n$ 中的渐近稳定性是等价的. 准紧轨道的 ω 极限集对一个自治系统来说是紧的，连通的，不变的. 对线性自治系统，解算子的本性谱当 $t>0$ 时落在单位圆内，有界轨道是准紧的等等[81, 91].

2. 定义与基本定理

设 $\hat{B}$ 是 $\mathbb{R}_- \to \mathbb{R}^n$ 的连续函数全体，$\hat{B}$ 为一线性向量空间，其元记为 $\hat{\phi}, \hat{\psi}, \cdots$

$$\hat{\phi} = \hat{\psi} \Longleftrightarrow \hat{\phi}(t) = \hat{\psi}(t), t \in \mathbb{R}_-.$$

上一段提到的所谓假定，我们以公理的形式表述出来.

设 $\hat{B}$ 中给定拟范数 $|\cdot|_B$（有时称之为半模），并且设

$$B = \hat{B}/|\cdot|_{\hat{B}} \tag{4.3}$$

是一个具有范数 $|\cdot|_B$ 的 Banach 空间. (4.3)表示 B 是 $\hat{B}$ 由拟范数 $|\cdot|_{\hat{B}}$ 诱导出来的等价类全体. 对任一 $\phi \in B$，与之对应的等价类中的元记为 $\hat{\phi}$，并且在 B 中 $\phi = \psi \Longleftrightarrow |\hat{\phi} - \hat{\psi}|_{\hat{B}} = 0$.

对 $\beta \geqslant 0$，$\hat{\phi} \in \hat{B}$，记 $\hat{\phi}^\beta$ 为 $\hat{\phi}$ 在 $(-\infty, \beta]$ 上的限制. 在 B 中定义一个拟范数 $|\cdot|_\beta$：

$$|\phi|_{\beta}=\inf_{\hat{\eta}\in\hat{B}}\left\{\inf_{\psi\in B}[|\hat{\psi}|_{\hat{B}}:\hat{\psi}^{\beta}=\hat{\eta}^{\beta}]:\eta=\phi\right\}. \tag{4.4}$$

因此$|\phi|_{\beta}\leqslant|\phi|_{B}$，且$\{\phi\in B:|\phi|_{\beta}=0\}$为$B$的一个闭子空间．而且

$$B^{\beta}=B/_{|.|_{\beta}}$$

是一个 Banach 空间，范数仍用记号$|\cdot|_{\beta}$（它是由拟范数$|\cdot|_{\beta}$诱导出的等价类全体）．若

$$\{\phi\}=\{\psi\in B:|\phi-\psi|_{\beta}=0\}. \tag{4.5}$$

是B^{β}的代表元，则$\hat{\psi}^{\beta}=\hat{\phi}^{\beta}\Rightarrow\psi\in\{\phi\}_{\beta}$.

注意，(4.5)只是B^{β}代表元的一种表示．这种B^{β}的元是拟范数$|\cdot|_{\beta}$之下的B的元的等价类.

对一个定义在$(-\infty,\sigma)$上的$\mathbb{R}^{n}\phi$的向量函数$\hat{x}$以及$t\in(-\infty,\sigma)$．记$\hat{x}_{t}$为定义在$(-\infty,0]=\mathbb{R}_{-}$上的函数，使得

$$\hat{x}_{t}(\theta)=\hat{x}(t+\theta),\theta\in\mathbb{R}_{-}.$$

给定一个$A>0$与一个$\hat{\phi}\in\hat{B}$，记$F_{A}(\hat{\phi})$是所有定义在$(-\infty,A]$上的函数$\hat{x}$全体构成的集合，其中$\hat{x}_{0}=\hat{\phi}$，$\hat{x}(t)$在$[0,A]$上是连续的，并记

$$F_{A}=\bigcup\{F_{A}(\hat{\phi}):\hat{\phi}\in\hat{B}\}. \tag{4.6}$$

我们给出公理

$$\begin{cases}(\alpha_{1})\text{对 }\forall\hat{x}\in F_{A},t\in[0,A]\Rightarrow\hat{x}_{t}\in\hat{B}.\\(\alpha_{2})\text{若在}B\text{中 }\phi=\psi,\text{则对任何 }\beta>0\text{ 有 }|\eta-\xi|_{\beta}=0,\\\quad\text{其中 }\eta\in\tau^{\beta}\hat{\phi},\xi\in\tau^{\beta}\hat{\psi}.\\(\alpha_{3})|\phi|_{B}\leqslant|\phi|_{(\beta)}+|\phi|_{\beta},\text{对 }\forall\beta\geqslant0.\\(\alpha_{4}')|\hat{\phi}(0)|\leqslant K|\hat{\phi}|_{\hat{B}},\text{对 }\forall\hat{\phi}\in\hat{B}\text{ 及某个常数 }K.\\(\alpha_{4})|\phi(0)|\leqslant K|\phi|_{B}\text{ 对 }\forall\phi\in B,\text{及某个常数 }K.\end{cases}$$

现在对上述公理的记号与含义作出解释：

对(α_{1})；记x_{t}为B的相应于$\hat{x}_{t}$的元，在(α_{1})之下，对$\forall\beta\geqslant0$和$\hat{\phi}\in\hat{B}$，可以找到$\hat{\psi}\in\hat{B}$，使得

$$\hat{\psi}(\theta)=\hat{\phi}(\theta+\beta),\theta\in(-\infty,-\beta].$$

$\beta\geqslant0$，我们用τ^{β}表示$\hat{B}$到

$$\hat{B}^{\beta}=\{[\hat{\psi}\in\hat{B}:\hat{\psi}^{\beta}=\hat{\phi}^{\beta}]:\hat{\phi}\in\hat{B}\} \tag{4.7}$$

的线性算子当且仅当

$$\hat{\psi}(\theta)=\hat{\phi}(\theta+\beta),\theta\in(-\infty,-\beta],$$

时有 $\hat{\psi}\in\tau^{\beta}\hat{\phi}$.

对(α_2),可以定义一个线性算子 τ^{β}: $B\to B^{\beta}$ 如下:

$$\tau^{\beta}\phi=\{\hat{\psi}\}_{\beta}, \tag{4.8}$$

对一个 $\psi\in B$ 使 $\hat{\psi}\in\tau^{\beta}\hat{\phi}$ 时(4.8)成立.

与 $|\cdot|_{\beta}$ 类似,我们引入拟范数 $|\cdot|_{(\beta)}$,$\beta\geqslant 0$ 为

$$|\phi|_{(\beta)}=\inf_{\hat{\eta}\in\hat{B}}\left\{\inf_{\hat{\psi}\in\hat{B}}\{|\hat{\psi}|_{\hat{B}}:=\hat{\psi}(\theta)\hat{\eta}(\theta)\text{ 在 }[-\beta,0]\text{上}\}:\eta=\phi\right\}, \tag{4.9}$$

这是(α_3)中记号的含义.

由(α_3)可推得: $x_0=y_0$,$\hat{x}(t)=\hat{y}(t)$,$t\in[0,A]\Rightarrow x_t=y_t$,于是可以考虑 $x\in F_A(\phi)$,而不再考虑 $\hat{x}\in F_A(\hat{\phi})$. 为此,需 $\phi=\psi$ 时,$\hat{\phi}(0)=\hat{\psi}(0)$,于是引入($\alpha_4'$),而($\alpha_4$)是与($\alpha_4'$)等价的合理形式.

今后,对空间 B 总假定(α_1—α_4)成立. 有了这四条公理,B 中元与 $\hat{B}$ 中元同用 ϕ 来表示而不致混淆. 故 $\hat{B}$ 之"^"将略去.

现在正式引入具无穷时滞的泛函微分方程的定义. 与有限时滞的记号一样,只是 C 换为 B,即

$$\dot{x}(t)=f(t,x_t) \tag{4.1}$$

表示为 RFDE(f),或 RFDE(f, Ω),其中 Ω 为 $\mathbb{R}\times B$ 中的开集,f: $\Omega\to\mathbb{R}^n$ 是给定的连续函数.

定义3. 所谓 RFDE(f) (4.1) 在区间 $I\subset\mathbb{R}$ 上的解,是指函数 x: $\cup\{(-\infty,t]:t\in I\}\to\mathbb{R}^n$,使得对于 $t\in I$,$(t,x_t)\in\Omega$,$x(t)$ 是连续可微的,且在 I 上满足(4.1).

定义4. 对给定的 $(\sigma,\phi)\in\Omega$,若存在一个 $A>0$,使 $x(\sigma,\phi)(t)$ 在 $[\sigma,A]$ 上为(4.1)之一解,且

$$x_{\sigma}(\sigma,\phi)=\phi,$$

则说 $x(\sigma,\phi)(t)$ 为 RFDE(f) (4.1) 通过 (σ,ϕ) 的一个解.

用到解的记号 $x(\sigma,\phi)(t)$ 常常也记为 $x(t,\sigma,\phi)$，相应地 $x(\sigma,\sigma,\phi)=\phi(0)$.

例1. 可积函数空间

要验证它满足(α_1—α_4).

设 $g:\mathbb{R}_-\to\mathbb{R}^n$ 是局部可积的非负函数，对 $\forall t<0$，满足

$$\text{ess}\ \sup\{g(s):t\leqslant s\leqslant 0\}<\infty$$

且

$$g(t+s)\leqslant G(t)g(s)\text{，对}\ \forall t\in\mathbb{R}_-\text{及}s\in\mathbb{R}_- - N_t, \tag{4.10}$$

其中 $N_t\subset\mathbb{R}_-$ 为具有零测度的集合，$G:\mathbb{R}_-\to\mathbb{R}$ 是非负函数.

在上述假定下，对 $\forall\gamma<\sup\left\{\frac{1}{s}\log G(s):s<0\right\}$ 存在常数 $C(\gamma)$ 使

$$g(t)\leqslant C(\gamma)e^{\gamma t},t\in\mathbb{R}_-. \tag{4.11}$$

事实上，因 $\gamma<\sup\left\{\frac{1}{s}\log G(s):s<0\right\}$，故可选择 $s=s\gamma<0$ 使得

$$(1/s_\gamma)\log G(s_\gamma)\geqslant\gamma,$$

即

$$G(s_\gamma)\leqslant e^{s_\gamma\gamma}.$$

设 N^γ 是 $t\in\mathbb{R}_-$ 时使 $t-ks_\gamma\in N_{s_\gamma}$ 的某些整 k 的集合. 显然 N^γ 的测度为 0，$N^\gamma=\bigcup\limits_{k=0}^{\infty}\{t:t-ks_\gamma\in N_{s_\gamma}\}$ 且

$$\forall t\in\mathbb{R}_-,\exists m\geqslant 0,\text{使}\ s_\gamma\leqslant t-ms_\gamma\leqslant 0.$$

故有

$$\begin{aligned}g(t)&=g(t+s_\gamma-s_\gamma)\leqslant G(s_\gamma)g(t-s_\gamma)\leqslant\cdots\\&\leqslant G(s_\gamma)^m g(t-ms_\gamma),\\&\leqslant e^{ms_\gamma\gamma}g(t-ms_\gamma)=g(t\\&\quad-ms_\gamma)e^{ms_\gamma\gamma-\gamma t}e^{\gamma t}\\&=g(t-ms_\gamma)e^{\gamma(ms_\gamma-t)}e^{\gamma t},t\in\mathbb{R}_- - N^\gamma.\end{aligned}$$

取

$$C(\gamma)=\operatorname*{ess\,sup}_{s_\gamma\leqslant t-ms_\gamma\leqslant 0} g(t-ms_\gamma)e^{-\gamma(t-ms_\gamma)}$$

$$=\operatorname*{ess\,sup}_{s_\gamma\leqslant s\leqslant 0} g(s)e^{-\gamma s}$$

$$=\begin{cases}\operatorname*{ess\,sup}\limits_{s_\gamma\leqslant s\leqslant 0} g(s)e^{-\gamma s_\gamma} \\ \operatorname*{ess\,sup}\limits_{s_\gamma\leqslant s\leqslant 0} g(s)\end{cases}, \quad r>0.$$

于是(4.11)得证.

我们注意到，若取

$$G(s)=\operatorname*{ess\,sup}_{t\leqslant 0} g(s+t)/g(t),$$

则G自身适合(4.10).

$$G(t+s)=\operatorname*{ess\,sup}_{\tau\leqslant 0} g(t+s-\tau)/g(\tau)$$

$$\leqslant\operatorname*{ess\,sup}_{\tau\leqslant 0}\frac{G(t)\,g(s+\tau)}{g(\tau)}$$

$$=G(t)\,G(s).$$

若 $\operatorname{ess\,sup}\{G(s):0\geqslant s\geqslant s_\gamma\}$有界，则(4.11)也成立．即

$$\operatorname*{ess\,sup}_{t\leqslant 0}\frac{g(t+s)}{g(t)}\leqslant C(\gamma)e^{\gamma s},$$

若 $\gamma<\sup\limits_{s\in\mathbb{R}_-}\frac{1}{s}\log[\operatorname{ess\,sup} g(t+s)/g(s)]$的话．

现在定义

$$\hat{B}=\{\phi:\mathbb{R}_-\to\mathbb{R}^n,\text{可测且}\ |\phi|_{\hat{B}}<\infty\}.$$

其中

$$|\phi|_{\hat{B}}=|\phi(0)|+\int_{-\infty}^{0} g(\theta)|\phi(\theta)|d\theta.$$

我们说B是一个 Banach 空间且适合公理(α_1—α_4)．因为

(i) $x\in F_A$，x_t可测，故

$$|x_t|_{\hat{B}}=|x_t(0)|+\int_{-\infty}^{0} g(\theta)|x_t(\theta)|d\theta$$

$$= |\hat{x}(t)| + \int_{-\infty}^{-t} g(\theta)|\hat{x}(t+\theta)|d\theta + \int_{-t}^{0} g(\theta)|\hat{x}(t+\theta)|d\theta$$

$$= |\hat{x}(t)| + \int_{-\infty}^{0} g(\theta-t)|\hat{x}_0(\theta)|d\theta + \int_{-t}^{0} g(\theta)|\hat{x}(t+\theta)|d\theta$$

$$\leqslant |\hat{x}(t)| G(-t)\int_{-\infty}^{0} g(\theta)|\hat{x}_0(\theta)|d\theta$$

$$+ \sup_{0\leqslant s\leqslant t}|x(s)|\int_{-t}^{0} g(\theta)d\theta$$

$$\leqslant |\hat{x}(t)| + G(-t)|\hat{x}_0|_B + \sup\int_{-t}^{0} g|\theta|d\theta < +\infty.$$

故 $\hat{x}_t \in \hat{B}$，(α_1) 满足.

(ii) $|\hat{\phi}(0)| = |\hat{\phi}|_B - \int_{-\infty}^{0} g(\theta)|\hat{\phi}(\theta)|d\theta \leqslant |\hat{\phi}|_B (K=1)$，于是 (α_4) 成立.

(iii) $\phi = \psi \Longleftrightarrow \hat{\phi}(\theta) = \hat{\psi}(\theta)$，当且仅当 $\theta \in \{\theta; g(\theta) > 0\}$. 若 $\eta \in \tau^\beta\hat{\phi}$，$\xi \in \tau^\beta\hat{\psi}$，有 $\xi(\theta) = \eta(\theta)$，$a, e, \theta \in (-\infty, -\beta] \cap \{\theta: g(\theta) > 0\}$. 由于一个函数在 $(-\infty, -\beta]$ 上等于 $\eta - \xi$，在 $(-\beta, 0]$ 上等于 0 时仍是可积的，故 $|\eta - \xi|_\beta = 0$，即 (α_2) 满足.

(iv) 令

$$\hat{\psi}(\theta) = \begin{cases} \hat{\phi}(\theta), & \theta \leqslant -\beta, \\ 0, & -\beta \leqslant \theta \leqslant 0, \end{cases}$$

$$\eta(\theta) = \begin{cases} 0, & \theta \leqslant -\beta, \\ \hat{\phi}(\theta), & -\beta \leqslant \theta \leqslant 0. \end{cases}$$

$\hat{\phi} \in \hat{B} \Rightarrow \hat{\psi} \in \hat{B}$，$\eta \in \hat{B}$.

$$|\phi|_\beta = |\hat{\psi}|_B, |\phi|_\beta = |\eta|_{\hat{B}},$$

$$|\phi|_{\hat{B}} = |\hat{\psi}|_{\hat{B}} + |\eta|_{\hat{B}} \leqslant |\phi|_\beta + |\phi|_{(\beta)},$$

(α_3) 成立，不难验证 $\hat{B}$ 为一 Banach 空间，

公理 $(\alpha_1—\alpha_4)$ 对建立基本理论只是一种前提，不管是局部理论还是整体理论，都要添加公理，鉴于我们的有限目的，只列出局部理论的三条公理如下：

(β_1)对 $\beta\geqslant 0$，存在一个连续函数 $K_1(\beta)$ 使得

$$|\phi|_{(\beta)}\leqslant K_1(\beta)|\phi|_{[-\beta,0]},\beta\geqslant 0,$$

其中

$$|\phi|_{[-\beta,0]}=\inf_{\psi\in\hat{B}}\left\{\sup_{-\beta\leqslant\theta\leqslant 0}|\hat{\psi}(\theta)|:\psi=\phi\right\}.$$

(β_2)对 $\forall\beta\geqslant 0,\tau^\beta$ 是有界线性算子．定义 τ^β 的范数

$$M_1(\beta)=\sup_{|\phi|_\beta=1}|\tau^\beta\phi|_\beta,$$

是局部有界的，即对任何 $\beta\in\mathbb{R}_+$ 存在一个 β 的邻域 U 使：

$$\sup_{t\in U\cap\mathbb{R}_+}M_1(t)<\infty.$$

(β_3) $A>0$，若 $x\in F_A$，则 x_t 在 $[0,A]$ 上关于 t 连续.

对(4.1)的右端 $f(t,\cdot)$，它在 Ω 上满足 Lipschitz 条件是指：存在常数 L，使得

$$|f(t,\phi)-f(t,\psi)|\leqslant L|\phi-\psi|_B,\phi,\psi\in\Omega. \tag{4.12}$$

在(α_1—α_4)，(β_1—β_3)之下可以证明[81].

定理7．对任何 $(\sigma,\phi)\in\Omega$，则(4.1)过 (σ,ϕ) 的解是存在的．当然，f 是连续的.

若再加上(4.12)，则有

定理8．设 f 是连续的，且满足 Lipschitz 条件(4.12)．则(4.1)过 $(\sigma,\phi)\in\Omega$ 的解存在且唯一.

此外，还可证明解的延拓，连续依赖性的相应定理．全局理论的公理(γ_1—γ_3)从略[89].

§5．无穷滞后系统的稳定性

按上节选定的空间 B，赋 B 以拟范数 $|\cdot|_B$，我要对 B 作出一些假定，这些假定即上节中对 B 所作的假定—公理(α_1—α_4).

若 $x(t)$ 定义在 $(-\infty,A]$ 上，且在 $[\sigma,A]$ 上连续，$\sigma<A,x_\sigma\in B$，那末对 $t\in[\sigma,A]$ 有

(i) $x_t\in B$,

(ii) x_t 关于 $|\cdot|_B$ 对 t 连续，

(iii) 存在一个常数 $M_0>0$ 以及连续函数 $K(s)$ 与 $M(s)$，使得

(1) $M_0|x(t)|\leqslant|x_t|_B$， (5.1)

(2) $|x_t|_B\leqslant K(t-\sigma)\sup\limits_{\sigma\leqslant s\leqslant t}|x(s)|+M(t-\sigma)|x_\sigma|_B$， (5.2)

其中 x_t 表示由 $x_t(s)=x(t+s)$，$s\in\mathbb{R}_-$ 的曲线段，且 $|\cdot|$ 为 $\mathbb{R}^n$ 的范数.

这些假定比上一节简化了一些，事实上(2)是经过推导后一个不等式，其他假定只不过是上节诸公理用直接表达的方式写出而已.

今后总假定(4.1)是我们的对象，$f(t,\phi)$ 在 $\mathbb{R}_+\times B_H$ 上关于 $|\cdot|_B$ 是连续的，这里的 $\mathbb{R}_+\times B_H$ 即上节的 Ω，其中

$$B_H=\{\phi:\phi\in B,|\phi|_B<H\}.$$

此时解的存在性得到保证.

引理3. 若(4.1)的解是唯一的，则存在一个连续非负函数 $L(t,\sigma,\gamma)$，使得 $L(t,\sigma,0)=0$ 且当 $x_t(\sigma,\phi)\in B_H$ 时有

$$|x_t(\sigma,\phi)|_B\leqslant L(t,\sigma,|\phi|_B),t\geqslant\sigma, \tag{5.3}$$

其中 $x_t(\sigma,\phi)$ 表示(4.1)过 (σ,ϕ) 的解 $x(t,\sigma,\phi)$ 的一段. 此外，若 $f(t,\phi)$ 关于常数 L_1 满足

$$|f(t,\phi)|\leqslant L_1|\phi|_B,$$

则在(5.3)中 $L(t,\sigma,\gamma)$ 可取形式为 $L(t,\sigma,\gamma)=L(t-\sigma)\gamma$. 即

$$|x_t(\sigma,\phi)|_B\leqslant L(t-\sigma)|\phi|_B. \tag{5.4}$$

引理4. 若(4.1)中 $f(t,\phi)$ 在 $\mathbb{R}_+\times B_H$ 中全连续，则对任何 $\varepsilon\in(0,H)$ 以及(4.1)的任何解 $x(t)$ 满足 $(\sigma,x_\sigma)\in\mathbb{R}_+\times B$，或者 $x(t)$ 对一切 $t\geqslant\sigma$ 存在，或者 $\exists t_1>\sigma$，使 $x(t)$ 在 $[\sigma,t_1]$ 上存在，且 $|x_{t_1}|_B=\varepsilon$.

在确定相空间之后，对 B 在 $|\cdot|_B$ 之下作了上述的一系列假定，这便可以免去上一节开头所指出的困难.

也就是说，虽然

$$\sup_{s\leqslant 0}|x(t+s)|\nrightarrow 0,\text{ 当 } t\to\infty \text{ 时},$$

但如果对某一个$\gamma>0$，当$t\to\infty$时有$x(t)\to 0$，则显然有

$$\sup_{s\leq 0}|x(t+s)|e^{\gamma s}\to 0,\text{当 } t\to\infty \text{ 时},$$

现在，对一个实数γ，连续函数ϕ的空间C_γ中极限

$$\lim_{s\to-\infty} e^{\gamma s}\phi(s)$$

存在，则空间B具有范数

$$|\phi|_{C_\gamma}=\sup_{s\in\mathbb{R}_-} e^{\gamma s}|\phi(s)|.$$

时满足所有假设的条件.

另一个例子是$[-r,0]$上连续函数ϕ所构成的空间$C([-r,0]\mathbb{R}^n)$ $(r\geq 0)$，它具有拟范数

$$|\phi|_{C([-r,0])}=\sup_{s\in[-r,0]}|\phi(s)|.$$

定义4. 我们说(4.1)的零解在$\mathbb{R}^n$中是稳定的，倘若对任何$\varepsilon>0$以及任何$\sigma\in\mathbb{R}_+$，存在$\delta(\varepsilon,\sigma)>0$，使得

$$|x_\sigma|_B<\delta\Rightarrow|x(t)|<\delta,\text{对 } t\geq\sigma, \tag{5.5}$$

若零解是稳定的，且对任何$\sigma\in\mathbb{R}_+$，存在一个$\delta_0(\sigma)>0$以及一个函数$T(\sigma,\varepsilon)$，$\varepsilon>0$，使得

$$|x_t|_B<\delta_0 \text{ 且} t\geq\sigma+T\Rightarrow|x(t)|<\varepsilon, \tag{5.6}$$

则称(4.1)的零解在$\mathbb{R}^n$中是渐近稳定的，其中$x(t)$表示(4.1)的任何解.

若δ,δ_σ以及T均不依赖于σ，则诸稳定性皆称之为一致的.

所谓在$\mathbb{R}^n$中指数稳定，是指存在正常数a,δ_0和η使

$$|x(t)|\leq\eta e^{-a(t-\sigma)}|x_t|_B,\ |x_\sigma|_B<\delta \text{且} t\geq\sigma. \tag{5.7}$$

注3. 若(5.5)，(5.6)，(5.7)中$\mathbb{R}^n$中的范数$|\cdot|$代之以B中的拟范数$|\cdot|_B$. 则可以推得B中的相应的种种稳定性.

注4. 如上所述，我们看出(5.5)，(5.6)，(5.7)中的每一个，只要$x(t)$存在，就可以被判断. 不论如何，在$f(t,\phi)$全连续之下，引理4保证(5.5)成立. 例如若$|x_\sigma|_B<\delta$，则$x(t)$对一切$t\geq\sigma$存在，且$|x(t)|<\varepsilon$成立.

现在，我们可以平行地推广 Ляпунов 基本定理如下.

定理9. 设存在一个定义在 $\mathbb{R}_+ \times B_H$, $H \geqslant H_0 > 0$ 上的实值连续函数 $V(t,\phi)$,它满足条件

(1) $a(|\phi(0)|) \leqslant V(t,\phi)$,

(2) $V(t,\phi) \leqslant b(t,|\phi|_B)$,

(3) $\dot{V}_{(4.1)}(t,\phi) \leqslant -c(t,V(t,\phi))$,

其中 $a(r)$, $b(t,r)$, $c(t,r)$ 当 $r \in \mathbb{R}_+$ 时皆非负连续、非减, $r>0$ 时 $a(r)>0$ 且 $b(t,0)=0$. 那末(4.1)的零解在 $\mathbb{R}^n$ 中是稳定的,而且若对任何 $r>0$ 与 $t \in \mathbb{R}_+$

$$\int_t^{t+T} c(s,r)\,ds \to \infty, \text{ 当 } \tau \to \infty \text{ 时}, \tag{5.8}$$

则(4.1)的零解在 $\mathbb{R}^n$ 中渐近稳定. 若(5.8)中关于 t 一致收敛,并且条件(2)中 $b(t,r)$ 可取得不依赖于 t,即

$$V(t,\phi) \leqslant b(|\phi|_B), \tag{5.9}$$

则它在 $\mathbb{R}^n$ 中是一致渐近稳定的,其中

$$\dot{V}_{(4.1)}(t,\phi) = \sup \overline{\lim_{h\to 0^+}} \frac{1}{h}\left\{V(t+h,x_{t+h}) - V(t,\phi)\right\}.$$

上式右端 sup 是遍取(4.1)过 (t,ϕ) 的解 $x(u)$.

例1. 方程

$$\dot{x}(t) = -x(t)$$

视为空间 $C([-r,0],\mathbb{R})$ 上的 FDE, 其零解在 C 上当然是指数稳定的.

$$|x_t(\sigma,\phi)|_{C([-1,0])} \leqslant e^{-(t-\sigma)}|\phi|_{C([-1,0])}.$$

可以看到,相应的 Liapunov 函数 $V(t,\phi)$ 可以定义为

$$V(t,\phi) = \sup_{u\geqslant 0} |x_{t+u}(t,\phi)|_{C([-1,0])}e^{cu},$$

它对每一个 $c \in (0,1)$ 成立(参看[106]).

因之,我们有

$$V(t,\phi) = \max\left\{\sup_{u\geqslant 1} e|\phi(0)|e^{(c-1)u},\right.$$

$$\left.\sup_{\substack{0\leqslant u\leqslant 1\\ u-1\leqslant s\leqslant 0}} |\phi(s)|e^{cu}\right\}.$$

这并不是人们所期望的那样简单，不论如何，若 $x(u)$ 至少是区间 $[t-1,t]$ 上的一个解，则

$$V(t,x_t)=|x_t|_{C([-1,0])}=e|x(t)|.$$

于是下述定理是更为有效的[63,92].

定理10. 设对(4.1)的解条件(5.3)成立，则在定理9中 $V(t,\phi)$ 只要在下述情形下满足条件(3)就够了，我们给出条件(p)为：

(p) 函数 $x(u)$ $(x(t)\neq 0,\ \phi=x_t)$ 是(4.1)的至少在区间 $[p(t,V(t,x_t)),t]$ 上存在的解，其中 $p(t,r)$ 是 $t\geqslant 0,r>0$ 的连续函数，且关于 t 增加，关于 r 非减及 $p(t,r)\leqslant t$. 这里为了一致稳定性，我们假定(5.8)关于 t 一致收敛.

条件(p)中的 $p(t,r)$ 取形式

(up) $$p(t,r)=t-q(r). \tag{5.10}$$

(5.10)称之为条件(up).

这个定理是下述定理的特殊情形，其中

$$X(\sigma)=\{(t,\phi):\phi\in B(t-\sigma),t\geqslant\sigma\},$$

且记 B 的一个子空间为 $B(\sigma)$ $(\sigma\geqslant 0)$. $\phi\in B(\sigma)$ 当且仅当 $\phi_{-\sigma}\in B$ 和 $\phi(s)$ 在 $[-\sigma,0]$ 上连续，以及在 $B(\sigma)$ 中导出一个新的拟范数

$$|\phi|_{B(\sigma)}=\max_{-\sigma\leqslant s\leqslant 0}|\phi_s|_B.$$

定理11. 设对(4.1)的解条件(5.3)成立. 且对任何 $\sigma\geqslant 0$，存在一个定义在

$$X_{H_0}(\sigma)=\{(t,\phi)\in X(\sigma):|\phi|_{B(t-\sigma)}<H_0\}$$

之上的连续函数 $V(t,\phi,\sigma)$. 在条件(p)之下，它满足条件(1)，(2)，(3). 即

$$p(t,V(t,\phi,\sigma))\geqslant\sigma,$$

其中(1)中的 $a(r)$，(3)中的 $c(t,r)$，(p)中的 $p(t,r)$ 皆不依赖于 σ，但(2)中之 b 可以依赖于 σ，即

$$V(t,\phi,\sigma)\leqslant b(t,\sigma,|\phi|_{B(t-\sigma)}). \tag{5.11}$$

则在条件(5.8)之下，(4.1)的零解在 $\mathbb{R}^n$ 中是渐近稳定的.

进一步，如果(5.4)，(5.9)及(5.11)中的 b 不依赖于 t,σ，且假定(5.8)中关于 t 一致收敛和(5.10)成立，则(4.1)的零解在 $\mathbb{R}^n$ 中是一致渐近稳定的.

证. 设 $x(t)$ 为(4.1)的从 $t=\sigma$ 出发的一个解，且令 $\varepsilon>0$($\varepsilon<H_0$)是给定的.

若 $V(t,x_\sigma,\sigma)\leqslant\frac{1}{2}a(\varepsilon)$，且对某个 $t>\varepsilon$，有

$$V(t,x_t,\sigma)\geqslant a(\varepsilon),$$

其中可设对 $s\in[\sigma,t]$，$|x_s|_B<H_0$，即

$$|x_t|_{B(t-\sigma)}<H_0.$$

则存在 t_1 及 t_2($\sigma\leqslant t_2<t_1$)，使得

$$t_1=\inf\{t>\sigma: V(t,x_t,\tau)\geqslant a(\varepsilon)\},$$

$$t_2=\sup\left\{t<t_1: V(t,x_t,\sigma)\leqslant\frac{a(\varepsilon)}{2}\right\}.$$

条件(5.3)可改为

$$|x_t|_{B(t-\sigma)}\leqslant L(t,\sigma,|x_\sigma|_B),\ t\geqslant\sigma.$$

另一方面，条件(5.11)保证存在一个连续函数 $\eta(\varepsilon,t,\sigma)>0$，使得

$$|\phi|_{B(t-\sigma)}<\eta(\varepsilon,t,\sigma)\Rightarrow V(t,\phi,\varepsilon)<\varepsilon.$$

因为 $b(t,\sigma,0)=0$，所以当 $r\to0$ 时，$L(t,\sigma,r)\to0$，故可选取 $\delta=\delta(\varepsilon\sigma)>0$，使得

$$L(t,\sigma,\delta)<\eta\left(\frac{a(\varepsilon)}{2},t,\sigma\right),\ 对\ \forall t\in\left[\sigma,\ P_\sigma^{-1}\left(\sigma,\frac{a(\varepsilon)}{2}\right)\right],$$

其中 $P_t^{-1}(\sigma,r)$ 表示 $P(t,r)$ 关于 t 的反函数，对固定的 $r>0$，它显然关于 σ 是增加的，关于 r 是非增的，且满足

$$P_t^{-1}(\sigma,r)\geqslant\sigma.$$

所以，若 $|x_\sigma|_B<\delta$，则仅当

$$t>P_t^{-1}\left(\sigma,\frac{a(\varepsilon)}{2}\right)\geqslant P_t^{-1}(\sigma,V(t,x_t,\sigma))$$

时 $V(t,x_t,\sigma)\geqslant a(\varepsilon)/2$ 成立，因此，若 $|x_\sigma|_B<\delta$，则

$$p(t,V(t,x_t,\sigma))>\sigma,\ t\in[t_2,t_1].$$

特别地，$t_2>\sigma$，由所设 $V(t,x_t,\sigma)$ 在 $[t_2,t_1]$ 上非增，导出矛盾。这就证明了(4.1)的零解在 $\mathbb{R}^n$ 中是稳定的。

若(5.4)，(5.9)，(5.10)皆满足，因为 $P_i^{-1}(\sigma,r)=\sigma+q(r)$，则显然 δ 可选得不依赖于 σ。

其次，我们来证明渐近稳定性。

对稳定性中的 δ，令 $\delta_0(\sigma)=\delta(H_0/2,\sigma)$，并令 $T_1=T_1(\varepsilon,\sigma)\geqslant 0$，使得

$$\int_\tau^{\tau+T_1} c(s,\varepsilon)ds>c(\tau,\varepsilon)-\varepsilon,$$

其中 $\tau=P_i^{-1}(\sigma,\varepsilon)$ 且

$$c(\tau,\sigma)=\max\left\{b(\tau,\sigma,r):r\leqslant\sup_{0\leqslant s\leqslant\tau-\sigma}\left[k(s)\frac{H_0}{2}+M(s)\delta_0(\sigma)\right]\right\}.$$

设 $T(\varepsilon,\sigma)=T_1(\varepsilon,\sigma)+\tau(\varepsilon,\sigma)-\sigma$，且设对 $t_1>T(\varepsilon,\sigma)+\sigma$，我们有 $V(t_1,x_{t_1},\sigma)\geqslant\varepsilon$. 显然

$$p(t_1,V(t_1,x_{t_1},\sigma))\geqslant p(t_1,\varepsilon)>p(\tau,\varepsilon)=\sigma.$$

设

$$t_2=\sup\{t\in[\sigma,t_1):p(t,V(t,x_t,\sigma))\leqslant\sigma\}.$$

因为 $p(\sigma,r)\leqslant\sigma$，对任何 $r>0$，这样的 t_2 是存在的，那么在条件(p)之下由条件(3)知，在 $[t_2,t_1]$ 上 $V(t,x_t,\sigma)$ 是非增的. 故

$$p(t_2,V(t_2,x_{t_2},\sigma))\geqslant p(t_2,V(t_1,x_{t_1},\sigma))\geqslant p(t_2,\varepsilon),$$

这意味着 $\sigma\geqslant P(t_2,\varepsilon)$，即 $\tau=P_i^{-1}(\sigma,\varepsilon)\geqslant t_2$，所以对 $t\in[\tau,t_1]$ 有

$$\dot V_{(4.1)}(t,x_t,\sigma)\leqslant -c(t,V(t,x_t,\sigma)),\text{且 }V(t,x_t,\sigma)\geqslant\varepsilon.$$

故

$$\varepsilon\leqslant V(t_1,x_{t_1},\sigma)\leqslant V(\tau,x_\tau,\sigma)-\int_\tau^{t_1} c(s,V(s,x_s)\sigma))ds$$

$$\leqslant V(\tau,x_\tau,\sigma)-\int_\tau^{t_1} c(s,\varepsilon)ds,$$

因此我们有

$$\int_{\tau}^{t_1} c(s,\varepsilon)\,ds \leqslant b(\tau,\sigma,|x_\tau|_{B(\tau-\sigma)}) - \varepsilon \leqslant c(\tau,\sigma) - \varepsilon,$$

若 $|x_\sigma|_B < \delta_0(\sigma)$ 对任何 $s \in [\sigma,\tau]$ 成立. 因为

$$|x_s|_B \leqslant K(s-\sigma) \sup_{\sigma\leqslant t\leqslant s} |x(t)| + M(s-\sigma)|x_\sigma|_B$$

$$\leqslant K(s-\sigma)\frac{H_0}{2} + M(s-\sigma)\delta_0(\sigma),$$

也就是

$$|x_\tau|_{B(\tau-\sigma)} \leqslant \sup_{0\leqslant s\leqslant \tau-\sigma} \left\{K(s)\frac{H_0}{2} + M(s)\delta_0(\sigma)\right\},$$

所以这与 $t_1 \geqslant \sigma + T_1(\varepsilon,\sigma)$ 矛盾.

在假定条件(5.4),(5.9),(5.10)及(5.8)关于 t 一致收敛之下,我们可以选择 T 和 δ_0,,使之都不依赖于 σ,定理证毕.

鉴于这里只是介绍性质,对无穷滞后系统的一系列稳定性定理都略去,仅仅集中证明一个,以揭示它的方法和结论,有兴趣的读者可以参考[115,101,93].

最后指出,J.Kato 等对 Разумихин 型定理也作出推广. 但是对无穷滞后系统的稳定性理论,有效地推广常微分方程与有限滞后系统的相应定理,刚刚进行五年,有大量的工作可以进一步研究.

对无穷滞后的中立型系统,还在探索之中,有点实质性进展的工作是 83 年开始的,希望通过这一介绍,多少能引起同行的兴趣.

参 考 文 献

[1] 秦元勋，运动稳定性的一般问题讲义，科学出版社，1958.

[2] 秦元勋，稳定性理论中微分方程与微分差分方程的等价性问题，数学学报，8(1958)，4，457—472.

[3] 刘永清，微分差分方程解的稳定性，数学进展，4(1958)，2，297—303.

[4] 蔡燧林，常系数线性微分方程组的李雅普诺夫函数的公式，数学学报，9(1959)，4.

[5] 秦元勋、刘永清、王联，稳定性理论中的微分方程与微分差分方程的等价性问题，数学学报，9(1959)，3，333—359.

[6] 秦元勋，有时滞的系统的无条件稳定性，数学学报，10(1960)，1，125—141.

[7] 刘永清，时滞对动力系统稳定性的影响，科学记录，4(1960)，2，83—87.

[8] 秦元勋、刘永清，有时滞系统的无条件稳定性，科学记录，4(1960)，2.

[9] 王慕秋，稳定性理论中方程组的分解问题，科学记录，4(1960)，1.

[10] 王联，稳定性理论中第一临界情形的微分方程与微分差分方程的等价性问题，数学学报，10(1960)，1，104—124。

[11] 疏松桂、范鸣世，直流同步随动系统的理论分析，数学学报，11(1961)，1.

[12] 疏松桂，多台电轴系统的稳定性及非线性振动问题，数学学报，11(1961)，2.

[13] 秦元勋、刘永清、王联，带有时滞的动力系统的运动稳定性，科学出版社，1963.

[14] 刘永清，大系统在稳定性理论中的分解问题，自动化学报，3(1965)，3.

[15] 王慕秋，稳定性参数区域之扩大，数学学报，18(1975)，2.

[16] 秦元勋、王联、王慕秋，变系数动力系统的运动稳定性，数学学报，21(1978)，2.

[17] 李森林，微分差分方程(包括中立型)稳定的基本理论，湖南大学学报，(1979)，1.

[18] 李森林，泛函微分方程稳定性的基本理论，湖南大学学报，(1979)，3.

[19] 王志成，泛函微分方程的李雅普诺夫泛函方法，湖南大学学报(1979)，3.

[20] 温立志，中立型微分差分方程稳定性的充分条件，湖南大学学报，(1979)，2.

[21] 张康培，一类中立型非线性微分差分方程的稳定性，安徽大学学报，自然科学版，(1980)，2，15—22。

[22] 刘永清，大系统在稳定性理论中的分解问题(1)，华南工学院学报，8(1980)，1，13—25.

[23] 秦元勋、王慕秋、王联，运动稳定性理论与应用，科学出版社，1981.

[24] 郑祖庥，稳定性依赖于初始时刻的泛函微分方程，安徽大学学报，自然科学版，(1981)，1，10—18.

[25] 丁同仁，某些时滞微分方程解的渐近性，中国科学，(1981)，8，931—945.

[26] 郑祖庥，滞量与周期解的存在性，安徽大学学报，自然科学版，(1981)，2，22—29.

[27] 张书年，关于方程$(xt)=P(t)(x(t)-x(t-1))$解的渐近性态及其构造，安徽大学学报，自然科学版，(1981)，2，11—20.

[28] 钱学森、宋健，工程控制论，科学出版社，1981。
[29] 伍炯宇，不动点定理在稳定性理论中的应用，四川大学学报，自然科学版，(1981)，3，23—30。
[30] 刘永清、宋中崑，大系统在稳定性理论中的分解（2），华南工学院学报，9(1981)，2。
[31] 刘永清、宋中崑，大系统在稳定性理论中的分解问题（3）（4），华南工学院学报，9(1981)，4。
[32] 芮嘉浩，一类具有无穷个时滞的积分微分方程的不稳定性，中南矿冶学院学报，(1981)，4。
[33] 王志成、钱祥征，泛函微分方程的李雅普诺夫泛函方法，湖南大学学报，(1979)，3。
[34] 廖晓昕，超越函数 $f_n(\lambda, e^{-\lambda\tau}) \overset{def}{=} Det(a_{ij}+b_{ij}e^{-\lambda\tau}-\delta_{ij}\lambda)_{n\times n}$ 零点分布在复平面左半部的代数充分准则，华中师范学报，2(1982)。
[35] 林振声，非线性差分微分方程系的周期解和积分流形，安徽大学学报，自然科学版(1982)，1—2，9—17。
[36] 黄振勋、林晓标，关于时滞系统稳定性的一个问题，数学年刊，3(1982)，1，115—120。
[37] 陈强，泛函微分方程解的有界性与全局稳定的充分条件，湖南大学学报，9(1982)，2，68—74。
[38] 刘永清、宋中崑，具有滞后的缓变系数的大系统的稳定性，华南工学院学报，10(1982)，2。
[39] 刘永清、宋中崑，具有滞后的变系数大系统的稳定性，华南工学院学报，10(1982)，2。
[40] 张泽绵、张鸿亮，一类时变大系统的稳定性，华南工学院学报，10(1982)，2。
[41] 田秀恭，用分解法研究两类缓变系统的稳定性，南开大学学报，(1982)，1，33—47。
[42] 黄文璋，一类RFDE解的渐近性态及其稳定性，安徽大学学报，自然科学版，(1982)，1—2，57—64。
[43] 李森林，超中立型泛函微分方程的稳定性，中国科学，*A* 辑，(1982)，8，693—702。
[44] 郑祖庥，滞量对解的存在唯一性的影响，安徽大学学报，自然科学版，(1983)，1，1—5。
[45] 郑祖庥，泛函微分方程的发展和应用，数学进展，12(1983)，2，94—112。
[46] 郑祖庥、林宜中，具超前变元微分方程解的基本存在定理，福建师范大学学报，自然科学版，(1983)，2，17—24。
[47] 王慕秋、田秀恭，一类变系数系统的稳定性，应用数学学报，6(1983)，4，494—504。
[48] 张鸿亮、张泽绵，具有滞后的非线性定常大系统的稳定性，华南工学院学报，10(1983)，3。
[49] 黄文璋，n阶常系数线性时滞微分方程条件稳定的代数判定，安徽大学学报，自然科学版，(1983)，1，25—32。
[50] 阮炯，二阶非线性泛函微分方程的渐近性，复旦大学学报，自然科学版，22(1983)，3。
[51] 李文清，时滞系统特征方程的临界零点，厦门大学学报，自然科学版，

22(1983), 4, 442—446.

[52] 罗来汉,一阶时滞动力系统的稳定性,数学研究与评论,3(1983), 1, 123—124.

[53] 吴建宏,延滞微分方程解的近似方法,湖南大学学报,10(1983), 4, 75—82.

[54] 陈强,中立型微分差分方程组解的稳定性,湖南大学学报,10(1983),1,96—105.

[55] 秦元勋、俞元洪,一类时滞微分系统无条件稳定的条件.控制理论与应用,1(1984),1.

[56] 黄启昌,具有无限时滞的泛函微分方程的解的一致性态,东北师大学报,自然科学版,(1984),1,13—26.

[57] 魏俊杰,泛函微分方程变异性的一些注记,东北师大学报,自然科学版,(1984),1,33—39.

[58] 张书年,关于NFDE的拉朱米兴型稳定性定理,安徽大学学报,自然科学版,(1984),1.

[59] Araki M., Stability of Large-Scale Nonlinear Systems-Quadratic-Order Theory of Composite-System Method Using M-Matrices, *IEEE Trans. Automatic Control*, *AC*-23(1978), 129—142.

[60] Burton T.A., Some Lia punov Theorems, *J. SIAM, Control, Sec. A*, 3(1966), 460—465.

[61] Bailey F.N. & Reeve E.B., Mathematical Models Describing the Distribution of I -Albumin in Man, *J. Lab. Clin. Med.*, 60(1962), 923—943.

[62] Bailey F.N. & Williams M.Z., Some Results on the Difference Equation $\dot{X}(t)=\sum_{i=0}^{N} A_iX(t-T_i)$, *J. Math. Ana. Appl.*, 15(1966), 569—587.

[63] Barnea B.I., A Method and New Results for Stability and Instability of Autonomous Functional Differential Equations., *SIAM J. Appl. Math.* 17(1969), 681—697.

[64] Bellman R. & Cooke K., Differential-Di ference Equations, Acad. press, 1963.

[65] Boffi V. & Scozzafava R., Sull'equazione Funzionale Lineare $f'(x)=-A(x)f(x-1)$, *Rend. Math. e Appl.* 25(1966), 5, 402—410.

[66] Brayton R. & Willoughby R.A., On the Numerical Integration of a Symmetric System of Differential Difference Equations of Neutral Type, *J. Math. Ana. Appl.*, 18(1967), 182—189.

[67] Burton T.A. Uniform Asymptotic Stability for Functional Differential Equations, *Proc. Amer. Math. Soc.*, 68(1978), 2.

[68] Burton T.A., Boundedness in Functional differential equations, *Funkcial. Ekvac.*, 25(1982), 51—77.

[69] Cruz M.A. & Hale J., Stability of Functional Differential Equations of Neutral type, *J. Differential Eqns.*, 7(1970), 334—355.

[70] Chow S.N., Remarks on One-dimensional Delay Differential Equations, *J. Math. Ana. Appl.* 41(1973), 426—429.

[71] Cooke K.L. & Yorke J.A., Ordinary Differential Equations, L. Weiss, Ed. Acad. Press, 1972.
[72] Cruz M.A. & Hale J., Existence, Uniqyeness and Continuous Dependence for Hereditary Systems, *Anndi Mat. Pura Appl.* 85(1970), 4.
[73] Driver R.D., Ordinary and Delay Differential Equations, Springer-Verlag, 1977.
[74] Dyson J. & Bressan R. V., Functional Differential Equations and Nonlinear Evolution Operators, *Proc. Royal Soc. Edinburgh. Ser. A.*, 75(1976), 223—234.
[75] Grossman S.F., Stability in n-dimensional Differential Delay Equations, *J. Math. Ana. Appl.*, 40(1972), 541—546.
[76] Hadeler K.P., Functional Differential Equations and Approximation of Fixed Points, Springer-Verlag, "Lecture Notes in Math.", 730 (1979), 136—156.
[77] Hahn W., On Difference Differential Equations with Periodic Coefficients, *J. Math. Ana. Appl.*, 3(1961), 70—101.
[78] Halanay A., Differential Equations, Stability, Oscillations, Time Lags, Academic Press, 1966.
[79] Hale J.K., Theory of Functional Differential Equations, Springer-Verlag, 1977.
[80] Hale J.K., Functional Differential Equations and Approximation of Fixed Points, Springer-Verlag, Lecture Notes in Math., Vol. 730(1979), 157—193.
[81] Hale J.K. & Kato J., Phase space for Retarded Equations with Infinite Delay, *Funkcialaj Ekvacioj*, 21(1978), 1, 11—41.
[82] Hastings S.P., Backward Existence and Uniqueness for Retarded Functional Differential Equations, *J. Differential Eqns.*, 5(1969), 441—451.
[83] Hausrath A., Stability in the Critical Case of Purely Imaginary Roots for Neutral Functional Differential Equations, *J. Differential Eqns.*, 13(1973), 329—357.
[84] Hayes N.D., Roots of the Transcendental Equation Associated with a Certain Differential Difference Equations, *J. London Math., Soc.* 25 (1950), 226—232.
[85] Ikeda M. & Siljak D.D., Decentralized Stabilization of Linear Time-Varying Systems. *IEEE Trans. Automatic Control*, AC-25 (1980), 1.
[86] Israelson D. & Johnson A., Application of a Theory for Cir-Cummutations to Geotropic Movements, *Physiologia Plantorium*, 21(1968), 282—291.
[87] Israelson D. & Johnson A., Phase-shift in Geotropical Oscillations-a Theoretical and Experimental Study, *Physiologia Plantorium*, 22(1969), 1226—1237.
[88] Kappel F., Degeneracy of Functional Differential Equations, in "Pr-

oc.Int.Conf.Diff.Eqs.Los Angeles,Sept. 3—7, 1974", Academic Press,New York,1975.

[89] Kappel F.& Schappacher W.,Some Considerations to the Fundamental Theory of Infinite Delay Equations,*J.Differential Equations*, 37(1930), 2, 141—183.

[90] Kalecki M.,A Maciodynamic Theory of Business Cycles,*Econometrica*,3(1935),327—344.

[91] Kato J., Stability Problem in Functional Differential Equations with Infinite Delay,*Funkcjal Ekvac.*,21(1978),63—80.

[92] Kato J.Liapunov's Second Method in Functional Differential Equations,*Tohoku Math.J.*,32(1980),487—497.

[93] Kato J.,Functional Differential Equations and Bifurcation, Springer-Verlag,"Lecture Notes in Math.",Vol.799(1980),252—262.

[94] Kurzweil J.,On a system of operator epuations,*J.Differential* Eqns. 11(1972),364—375.

[95] Liu Y.Q.& Song Z.K.,Recent Developments in Control Theory and its Applications, Proc.of the Bilateral Meeting on Control System, Science Press,Beijing,China,1982.

[96] Lotka A.J.,A Contribution to the Theory of Self-renewing Aggregates with Special Reference to Industrial Repacement,*Ann.Math.Stat.*, x(1939), 1—25.

[97] Laksmikantham V.& Leela S.,Differential and Integral Inequalities, I,Acad.Press,1969.

[98] London W.P. & Yorke J.A., Recurrent Epidemics of Measles,Chickenpox,and mumps I;Seasonal Variation in Contact Rates,*Amer.J. Epid.*98(1973),469—482.

[99] Melvin W.R., Stability Properties of Functional Differential Equations,*J.Math.Ana.Appl.*,48(1974),749—763.

[100] Michel A.N.& Miller R.k., Qualitative Analysis of Largescale Dynamical Systems, North-Holland, Inc.New York,1978,27—28.

[101] Naito T.,On Autonomous Linear Functional Differential Equations with Infinite Retardations,*J.Differential Eqns.*,21(1976), 297—315.

[102] Nussbaum R.,A Global Bifurcation Theorem with Applications to Functional Differential Equations.,*J.Functional Ana.*,19(1975),319—339.

[103] Pinney E.,Ordinary Differential-Difference,Eqns.Univ.of California Press,1958.

[104] Popov V.M.,Pointwise Degeneracy of Linear,Time Invariant Delay Differential Equations.*J.Differential Eqns.*,11(1972),541—561.

[105] Redden G.W.& Travis C.C., Approximation Methods for Boundary-value Problems of Differential Equations with Functional Argument,*J.Math.Ana.Appl.*,46(1974),62—74.

[106] Sawano K., Exponentially Asymptotic Stability for Functional Differential Equations with infinite retardations, *Tohoku Math. J.* 31

(1979),363—382.
[107] Stech,H.Contribution to the theory of functional differential equations with infinite delay,*J.Differential Eqns.*,27(1978),421—443.
[108] Seifert G.,Almost periodic Solutions for Delay-Differential Equations with Infinite Delays,*J.Differential Eqns.*41(1981) 3 ,416—425.
[109] Sabbagh L.D.,Variational problems with lags, *J.Optimization Theory Appl.*3(1969),34—51.
[110] Schaffer J.J.,Linear differential equations with delay: Admissibility and conditional exponential stability, II, *L. Differential Eqns.* 10 (1971),471—484.
[111] Thompson R.J. Functional-Differential Equations with Unbounded Delay in a Bavach Space. Nonlincar Anal., 5(1981), 5 ,469—473.
[112] Turdy M.,Linear boundary value type problems for functional differential equations and their adjoints, *Czechoslovak Math. J.*, 100 (1975),25,37—66.
[113] Verblunsky S.,On a class of Differential-Difference Equations,*Proc. London Math.Soc.*,23,(1956), 6 .
[114] Volterra E., On Elastc Continua with Hereditary Characteristics,*J. Appl.Mach.*,18(1951),273—279.
[115] Walther H.Existence of a Nonconstant Periodic Solution of a Nonlinear Nonautonomous Functional Differential Equation Representing the Growth of a Single Species Population, *J.Math.Bio.*, 1 (1975), 227—240.
[116] Wen L.Z.,On the Uniform Asymptotic Stability in FDE,*Proc.Amer.Math.Soc.*,85(1984), 4 ,533—538.
[117] Webb G.F.,Functional Differential Equations and Nonlinear Semigroups in L-spaces,*J.Differential Eqns.*,20(1976),71—89.
[118] Yoshizawa T.,Stability Theory by Liapunov's Second Method,*Math.Soc.Japan*,(1966).
[119] Zhang K.P.On a Neutral Equation with Nonatomic D-operator,*Univ.Graz*,(1983).
[120] Алексеевская Н.Л.и Громова П.С.,Второй Метод Ляпунова для дифференциальных уравнений с отклоняющимся аргументом, *"ДУОА"*,«Науков Думка»,Киев,1977,221—246.
[121] Андронов А.А.и Майер А.Г.,Простейшие линейные системы с запаздыванием,*Автоматика и Телемеханика*,(1946), 7 , 2 — 3 .
[122] Гнеденко Б.В.,Крус Теории Вероятностей,ГИТТЛ,Москва,1954.
[123] Колмановский В.Б.и Майзеберт Т.Л., Оптимальное управление стохастическими системами с последействием , ГИТТЛ Москва , 1973.47—61.
[124] Константинов М.М.и Байнов Д.Д.,Теоремы существования и единственности решения некоторых дифференциальных уравнении сверхнейтрального типа,*Publ.Inst.Math.*,(1972),14,75—82.
[125] Мартынюк Д.И.,Лекции по теории устойчивости решений сис-

тем с последействием, Киев, 1971.

[126] Матросов В.И., Метод векторных функций Ляпунова в анализе сложных систем с распределенными параметрами, *Автоматика и Телемеханика*.(1973), 1, 5—22.

[127] Митропольский Ю.А. и В.Г.Коломиец, Усреднение В стохастических системах, *УМЖ*.23(1971), 3.

[128] Митропольский Ю.А. и Мартыновский А.Н., Развитие теории дифференциальных уравнений с отклоняющимся аргументом в Институте математики АН УССР, "ДУОА", «Наукова Думка», Киев, (1977), 215—220.

[129] Мышкис А.Д., О некоторых проблемах теории дифференциальных уравнений с отклоняющимся аргументом, "ДУОА", Киев, «Наукова Думка». 1977, 221—246.

[130] Мышкис А.Д., Линейные Дифференциальные уравнения с запаздывающим аргументом, *«Наука»*, ГИТТЛ, Москва, 1972.

[131] Красовский Н.Н., Некоторые задачи теории устойчивости движения, Физматгиз. 1959.

[132] Красовский Н.Н., К теории оптимального регулирования, *ПММ*, 23(1959), 4.

[133] Понтрягин Л.С., О нулях некоторых Элементарных трасцендентных функций, *Изв АН* СССР, Серия матем, 6(1942), 115—134.

[134] Скрипник В.П., Об устойчивости систем с преобразованым аргументом в случае, когда отклонения аргумента меняют знак. *УМЖ*, 28(1976), 1, 97—102.

[135] Разумихин Б.С., Об устойчивости система с одном Запаздыванием, *ПММ*, 20(1956), 4, 500—512.

[136] Разумихин Б.С., Применение метода Ляпунова к задачам устойчивости систем с запаздыванием, *Автоматика* и *Телемеханика*, 21(1960), 6, 740—748.

[137] Фрид И.А., Об устойчивости решений линейного Дифференниального уравнения с запазыванием в критицеском случае, учелые записки, *Матем*, Ⅷ, мгу, (1956), 181, 73—82.

[138] Чеботарев Н.Г. и Мейман Н. Н., Проблема Гауса-Гурвица для полиномов и целых функции, *Труды Матем. ин-та им*, Стеклова, (1949). 26.

[139] Эльсгольц Л.Э. и Норкин С.Б., Введение В теорию Дифференциальных уравнение с отклоняюшимся аргументом, «наука», ГИТТЛ, Москва, 1971.

[140] Шиманов С.Н., К. теории колебаний квазилинейных систем с запаздыванием, *ПММ* 23(1959), 5, 836—844.

《现代数学基础丛书》已出版书目

1 数理逻辑基础(上册) 1981.1 胡世华 陆钟万 著
2 数理逻辑基础(下册) 1982.8 胡世华 陆钟万 著
3 紧黎曼曲面引论 1981.3 伍鸿熙 吕以辇 陈志华 著
4 组合论(上册) 1981.10 柯 召 魏万迪 著
5 组合论(下册) 1987.12 魏万迪 著
6 数理统计引论 1981.11 陈希孺 著
7 多元统计分析引论 1982.6 张尧庭 方开泰 著
8 有限群构造(上册) 1982.11 张远达 著
9 有限群构造(下册) 1982.12 张远达 著
10 测度论基础 1983.9 朱成熹 著
11 分析概率论 1984.4 胡迪鹤 著
12 微分方程定性理论 1985.5 张芷芬 丁同仁 黄文灶 董镇喜 著
13 傅里叶积分算子理论及其应用 1985.9 仇庆久 陈恕行 是嘉鸿 刘景麟 蒋鲁敏 编
14 辛几何引论 1986.3 J.柯歇尔 邹异明 著
15 概率论基础和随机过程 1986.6 王寿仁 编著
16 算子代数 1986.6 李炳仁 著
17 线性偏微分算子引论(上册) 1986.8 齐民友 编著
18 线性偏微分算子引论(下册) 1992.1 齐民友 徐超江 编著
19 实用微分几何引论 1986.11 苏步青 华宣积 忻元龙 著
20 微分动力系统原理 1987.2 张筑生 著
21 线性代数群表示导论(上册) 1987.2 曹锡华 王建磐 著
22 模型论基础 1987.8 王世强 著
23 递归论 1987.11 莫绍揆 著
24 拟共形映射及其在黎曼曲面论中的应用 1988.1 李 忠 著
25 代数体函数与常微分方程 1988.2 何育赞 萧修治 著
26 同调代数 1988.2 周伯壎 著
27 近代调和分析方法及其应用 1988.6 韩永生 著
28 带有时滞的动力系统的稳定性 1989.10 秦元勋 刘永清 王 联 郑祖庥 著
29 代数拓扑与示性类 1989.11 [丹麦] I. 马德森 著
30 非线性发展方程 1989.12 李大潜 陈韵梅 著

31　仿微分算子引论　1990.2　陈恕行　仇庆久　李成章　编
32　公理集合论导引　1991.1　张锦文　著
33　解析数论基础　1991.2　潘承洞　潘承彪　著
34　二阶椭圆型方程与椭圆型方程组　1991.4　陈亚浙　吴兰成　著
35　黎曼曲面　1991.4　吕以辇　张学莲　著
36　复变函数逼近论　1992.3　沈燮昌　著
37　Banach 代数　1992.11　李炳仁　著
38　随机点过程及其应用　1992.12　邓永录　梁之舜　著
39　丢番图逼近引论　1993.4　朱尧辰　王连祥　著
40　线性整数规划的数学基础　1995.2　马仲蕃　著
41　单复变函数论中的几个论题　1995.8　庄圻泰　杨重骏　何育赞　闻国椿　著
42　复解析动力系统　1995.10　吕以辇　著
43　组合矩阵论(第二版)　2005.1　柳柏濂　著
44　Banach 空间中的非线性逼近理论　1997.5　徐士英　李　冲　杨文善　著
45　实分析导论　1998.2　丁传松　李秉彝　布　伦　著
46　对称性分岔理论基础　1998.3　唐　云　著
47　Gel'fond-Baker 方法在丢番图方程中的应用　1998.10　乐茂华　著
48　随机模型的密度演化方法　1999.6　史定华　著
49　非线性偏微分复方程　1999.6　闻国椿　著
50　复合算子理论　1999.8　徐宪民　著
51　离散鞅及其应用　1999.9　史及民　编著
52　惯性流形与近似惯性流形　2000.1　戴正德　郭柏灵　著
53　数学规划导论　2000.6　徐增堃　著
54　拓扑空间中的反例　2000.6　汪　林　杨富春　编著
55　序半群引论　2001.1　谢祥云　著
56　动力系统的定性与分支理论　2001.2　罗定军　张　祥　董梅芳　著
57　随机分析学基础(第二版)　2001.3　黄志远　著
58　非线性动力系统分析引论　2001.9　盛昭瀚　马军海　著
59　高斯过程的样本轨道性质　2001.11　林正炎　陆传荣　张立新　著
60　光滑映射的奇点理论　2002.1　李养成　著
61　动力系统的周期解与分支理论　2002.4　韩茂安　著
62　神经动力学模型方法和应用　2002.4　阮　炯　顾凡及　蔡志杰　编著
63　同调论——代数拓扑之一　2002.7　沈信耀　著
64　金兹堡-朗道方程　2002.8　郭柏灵　黄海洋　蒋慕容　著

65　排队论基础　2002.10　孙荣恒　李建平　著
66　算子代数上线性映射引论　2002.12　侯晋川　崔建莲　著
67　微分方法中的变分方法　2003.2　陆文端　著
68　周期小波及其应用　2003.3　彭思龙　李登峰　谌秋辉　著
69　集值分析　2003.8　李　雷　吴从炘　著
70　强偏差定理与分析方法　2003.8　刘　文　著
71　椭圆与抛物型方程引论　2003.9　伍卓群　尹景学　王春朋　著
72　有限典型群子空间轨道生成的格(第二版)　2003.10　万哲先　霍元极　著
73　调和分析及其在偏微分方程中的应用(第二版)　2004.3　苗长兴　著
74　稳定性和单纯性理论　2004.6　史念东　著
75　发展方程数值计算方法　2004.6　黄明游　编著
76　传染病动力学的数学建模与研究　2004.8　马知恩　周义仓　王稳地　靳　祯　著
77　模李超代数　2004.9　张永正　刘文德　著
78　巴拿赫空间中算子广义逆理论及其应用　2005.1　王玉文　著
79　巴拿赫空间结构和算子理想　2005.3　钟怀杰　著
80　脉冲微分系统引论　2005.3　傅希林　闫宝强　刘衍胜　著
81　代数学中的 Frobenius 结构　2005.7　汪明义　著
82　生存数据统计分析　2005.12　王启华　著
83　数理逻辑引论与归结原理(第二版)　2006.3　王国俊　著
84　数据包络分析　2006.3　魏权龄　著
85　代数群引论　2006.9　黎景辉　陈志杰　赵春来　著
86　矩阵结合方案　2006.9　王仰贤　霍元极　麻常利　著
87　椭圆曲线公钥密码导引　2006.10　祝跃飞　张亚娟　著
88　椭圆与超椭圆曲线公钥密码的理论与实现　2006.12　王学理　裴定一　著
89　散乱数据拟合的模型、方法和理论　2007.1　吴宗敏　著
90　非线性演化方程的稳定性与分歧　2007.4　马　天　汪宁宏　著
91　正规族理论及其应用　2007.4　顾永兴　庞学诚　方明亮　著
92　组合网络理论　2007.5　徐俊明　著
93　矩阵的半张量积:理论与应用　2007.5　程代展　齐洪胜　著
94　鞅与 Banach 空间几何学　2007.5　刘培德　著
95　非线性常微分方程边值问题　2007.6　葛渭高　著
96　戴维-斯特瓦尔松方程　2007.5　戴正德　蒋慕蓉　李栋龙　著
97　广义哈密顿系统理论及其应用　2007.7　李继彬　赵晓华　刘正荣　著
98　Adams 谱序列和球面稳定同伦群　2007.7　林金坤　著

99 矩阵理论及其应用 2007.8 陈公宁 编著
100 集值随机过程引论 2007.8 张文修 李寿梅 汪振鹏 高 勇 著
101 偏微分方程的调和分析方法 2008.1 苗长兴 张 波 著
102 拓扑动力系统概论 2008.1 叶向东 黄 文 邵 松 著
103 线性微分方程的非线性扰动(第二版) 2008.3 徐登洲 马如云 著
104 数组合地图论(第二版) 2008.3 刘彦佩 著
105 半群的 S-系理论(第二版) 2008.3 刘仲奎 乔虎生 著
106 巴拿赫空间引论(第二版) 2008.4 定光桂 著
107 拓扑空间论(第二版) 2008.4 高国士 著
108 非经典数理逻辑与近似推理(第二版) 2008.5 王国俊 著
109 非参数蒙特卡罗检验及其应用 2008.8 朱力行 许王莉 著
110 Camassa-Holm 方程 2008.8 郭柏灵 田立新 杨灵娥 殷朝阳 著
111 环与代数(第二版) 2009.1 刘绍学 郭晋云 朱 彬 韩 阳 著
112 泛函微分方程的相空间理论及应用 2009.4 王 克 范 猛 著
113 概率论基础(第二版) 2009.8 严士健 王隽骧 刘秀芳 著
114 自相似集的结构 2010.1 周作领 瞿成勤 朱智伟 著
115 现代统计研究基础 2010.3 王启华 史宁中 耿 直 主编
116 图的可嵌入性理论(第二版) 2010.3 刘彦佩 著
117 非线性波动方程的现代方法(第二版) 2010.4 苗长兴 著
118 算子代数与非交换 L_p 空间引论 2010.5 许全华 吐尔德别克 陈泽乾 著
119 非线性椭圆型方程 2010.7 王明新 著
120 流形拓扑学 2010.8 马 天 著
121 局部域上的调和分析与分形分析及其应用 2011.4 苏维宜 著
122 Zakharov 方程及其孤立波解 2011.6 郭柏灵 甘在会 张景军 著
123 反应扩散方程引论(第二版) 2011.9 叶其孝 李正元 王明新 吴雅萍 著
124 代数模型论引论 2011.10 史念东 著
125 拓扑动力系统——从拓扑方法到遍历理论方法 2011.12 周作领 尹建东 许绍元 著
126 Littlewood-Paley 理论及其在流体动力学方程中的应用 2012.3 苗长兴 吴家宏 章志飞 著
127 有约束条件的统计推断及其应用 2012.3 王金德 著
128 混沌、Mel'nikov 方法及新发展 2012.6 李继彬 陈凤娟 著
129 现代统计模型 2012.6 薛留根 著
130 金融数学引论 2012.7 严加安 著
131 零过多数据的统计分析及其应用 2013.1 解锋昌 韦博成 林金官 著

132　分形分析引论　2013.6　胡家信　著
133　索伯列夫空间导论　2013.8　陈国旺　编著
134　广义估计方程估计方程　2013.8　周　勇　著
135　统计质量控制图理论与方法　2013.8　王兆军　邹长亮　李忠华　著
136　有限群初步　2014.1　徐明曜　著
137　拓扑群引论(第二版)　2014.3　黎景辉　冯绪宁　著
138　现代非参数统计　2015.1　薛留根　著